Mirjam Schambeck/Winfried Verburg (Hg.)
14. Arbeitsforum für Religionspädagogik

Roadtrips zur Gottesfrage
Wenn es im Religionsunterricht um Gott geht

3. bis 5. April 2019

DOKUMENTATION

Pädagogische Stiftung Cassianeum in Donauwörth
in Zusammenarbeit mit der Konferenz der Leiter
der Schulabteilungen der deutschen Diözesen (KOLEISCHA),
der Arbeitsgemeinschaft Katholische Religionspädagogik
und Katechetik (AKRK) und dem Deutschen Katecheten-Verein (dkv)

HERAUSGEGEBEN VON DER
PÄDAGOGISCHEN STIFTUNG CASSIANEUM IN DONAUWÖRTH

Bestellnummer: 74772
ISBN: 978-3-88207-477-2
Besteltadresse: dkv Buchservice
Preysingstraße 97
81667 München
Tel.: 089/48092-1245
Fax: 089/48092-1237
E-Mail: buchservice@katecheten-verein.de

dkv – Fachverband für religiöse Bildung und Erziehung
Preysingstraße 97
81667 München

Gedruckt auf umweltbewusst gefertigtem, chlorfrei gebleichtem
und alterungsbeständigem Papier.

INHALTSVERZEICHNIS

3. Kapitel: Roadtrips zur Gottesfrage: Unterrichtspraktische Konkretionen

4. Kapitel: Roadtrips zur Gottesfrage: Erweiterte Horizonte

EINLEITUNG

Die Gottesfrage beunruhigt – nach wie vor. Sie provoziert nicht nur, an den letzten und eigentlichen Fragen nicht vorbei zu leben, die da z. B. sind: Woher komme ich und wohin gehe ich? Wo finde ich Sinn? Was bedeutet Glück und wo ist es zu finden? Die Gottesfrage ist auch selbst prekär geworden. Bisherige theologische Interpretationen werfen mehr Probleme auf als sie wirkliche Zugänge zum Geheimnis sind, das wir Gott nennen: Wie steht es um die Freiheit des Menschen, wenn Freiheit bedeutet, aus sich selbst heraus einen Anfang setzen zu können und der Mensch zugleich als Geschöpf – und damit in „Abhängigkeit" – von einem Schöpfer zu denken ist? Wie kann man Gottes Allmacht denken angesichts des vielen Leids von Menschen, in der Schöpfung, und vor allem des Leids der Schoah? Kann ein allmächtiger Gott, der dieses Leid nicht verhindert, noch ein gütiger Gott sein, ein Gott, der sich wie eine Mutter um uns kümmert und wie ein Vater um uns sorgt? Ist die Rede vom allmächtigen Gott noch mit einem naturwissenschaftlichen Weltbild vereinbar? Steht der Schöpfer des Himmels und der Erde über den Naturgesetzen? Kann er das naturgesetzlich Unmögliche schaffen? Wie sind die Unendlichkeit des Universums und die Möglichkeit, dass es auch andernorts bewusstes Leben gibt, zu vereinbaren mit der Rede vom Schöpfer des Himmels und der Erde?

Diese Fragen zuzulassen, zu wecken, intellektuell redlich zu bearbeiten, das gehört zum Kerngeschäft von Theologie und auch des Religionsunterrichts. Und das ist seit mindestens einem knappen halben Jahrhundert auch so formuliert worden: „Der Religionsunterricht weckt und reflektiert die Frage nach Gott, nach der Deutung der Welt, nach dem Sinn und Wert des Lebens und nach den Normen für das Handeln des Menschen und ermöglicht eine Antwort aus der Offenbarung und aus dem Glauben der Kirche", so die erste Zielbestimmung des Beschlusses zum Religionsunterricht in der Schule der Gemeinsamen Synode der Bistümer in der Bundesrepublik Deutschland von 1974 (Nr. 2.5.1.). Die Gottesfrage kann im Religionsunterricht nicht losgelöst von der Erfahrungs- und Reflexionsdimension der Schüler*innen gestellt werden; denn kognitive Konstruktionen können personale Beziehungen nicht ersetzen (Johannes Heger). Damit wird theologisches Fachwissen keineswegs obsolet, sondern ist eine wichtige Voraussetzung für die Begegnung der Schüler*innen mit von religiösen Fragen bewegten Menschen und für den notwendigen „Echtheitserweis des gelebten Lebens" (Mirjam Schambeck). Wer die Gottesfrage im Religionsunterricht wecken will, kann die eigene innere Reise zu Gott, dem großen Geheimnis, nicht auslassen (Ahmad Milad Karimi). Dieses Buch will in verschiedenen Etappen zu dieser Reise Lust machen, eben zu Roadtrips einladen.

Die herausfordernde Frage nach Gott schüler*innenorientiert im Religionsunterricht wecken und reflektieren – geht das? Ja, so ein Fazit von *Matthias Gronover* aus der empirischen Studie „Jugend – Glaube – Religion" des Teams um Friedrich Schweitzer und Reinhold Boschki von 2018: „Der Religionsunterricht vermag die Frage nach Gott – die zentrale Frage für den Religionsunterricht – attraktiv zu machen". Wie geht das mit Schüler*innen im Religionsunterricht, deren religiöse Bindung und Positionierung sehr variiert, egal ob sie einer Konfession angehören oder nicht, denen die Gottrede zunehmend fremd ist? Philosophische Kompetenz muss Teil religiöser Kompetenz sein, so die Konsequenz von *Ulrich Kropač* auf diese Herausforderung. Diese Kompetenz ist auch bei Leser*innen gefragt: Philosophisch und theologisch begründete Zugänge von unterschiedlichen Fragen als Startpunkt eröffnen die spannenden Roadtrips von *Thomas Schärtl, Knut Wenzel, Paul Platzbecker, Margit Wasmaier-Sailer* und *Mirjam Schambeck* zu aktuellen intellektuellen Herausforderungen im Kontext der Gottesrede. Vielleicht für Religionslehrer*innen überraschend: Das deutliche Plädoyer für die Erfahrung im Religionsunterricht aus systematischer Sicht. *Margit Wasmaier-Sailer* formuliert pointiert: „Es darf nie aus dem Blick geraten, dass theologische Gehalte immer eine Erfahrungsgrundlage im Leben haben." Das klingt für korrelationsdidaktisch geschulte Religionslehrer*innen vertraut, aber die kritische Inbeziehungsetzung der theologischen Gottes- und Schöpfungskonzepte des christlichen Glaubens mit dem Erfahrungshorizont der Schüler*innen unterbleibt oft. Damit werden theologische Interpretamente nicht selten wie religionskundliches Zusatzwissen neben die Deutungen der Schüler*innen gestellt, ohne die daraus folgenden Konsequenzen für eine veränderte Gottesrede zu ziehen, so *Mirjam Schambeck*. Dabei bieten, wie Schambeck zeigt, die zuvor entfalteten systematischen prozesstheologischen Zugänge wie auch der auf der Tagung präsentierte Ansatz von Saskia Wendel korrelationsdidaktische Anknüpfungspunkte, weil sie die Beziehung von Gott, Mensch und Welt als wechselseitig und damit jeden Beziehungsträger betreffend verstehen. Schwierigkeiten aus der praktischen Arbeit im Religionsunterricht, wie die von Schüler*innen favorisierten Erkenntnisse der Physik und Evolutionsbiologie gegenüber theologischen Schöpfungsaussagen oder die mit steigendem Alter der Schüler*innen abnehmende Attraktivität einer personalen Gottesrede, kann durch Rezeption aktueller theologisch-systematischer Denkmodelle religionspädagogisch verantwortet begegnet werden.

„Erfundene Geschichten können mehr Wahrheit offenbaren als die scheinbare Wirklichkeit." Diese Einsicht gilt nicht nur für die biblische Tradition und Literatur, sondern auch für in Filmen und TV-Serien erzählte Geschichten. Die Stimmigkeit seiner These weist *Karlheinz Ruhstorfer* am Beispiel der Serie Westworld nach und *Matthias Werner* an der Serie Games of Thrones– in der Sprache der Kerncurricula und Bildungspläne handelt es sich um religiös bedeutsame Phänomene und Zeugnisse. *Viera Pirker* geht Spuren religiöser Praxis in der Social-Media-Plattform Instagram nach. Welche Welt die unbekanntere für Leser*innen sein mag, die erzählten Welten neuer Medien oder die erzählte christliche Tradition – der Perspektivwechsel lohnt immer und weckt die Gottesfrage.

Die große Frage nach Gott ist nicht nur eine Frage der Großen: Verschiedene unterrichtspraktische Zugänge finden sich im Beitrag von *Jutta Nowak*. *Johannes Heger* plädiert für das subjektorientierte Theologisieren und zeigt didaktische Wegmarken des Roadtrips zur Gottesfrage in Mittelschulen auf: Subjektorientierung durch Wahr- und Ernstnehmen von Schüler*innenaussagen als theologieproduktive Orte, verbunden mit Phasen eigener Positionierung. Wie ist es möglich, die Gottesfrage im Unterricht bei sehr unterschiedlicher Lernausgangslage so zu wecken und zu reflektieren und dabei individuelle Lernmöglichkeiten zu eröffnen, ohne einen Klassenlernprozess aufzugeben? Für diese didaktisch wie methodisch anspruchsvolle Fragestellung stellen *Oliver Reis* und *Alicia-Marie Speuser* ein Praxismodell vor.

Die Gottesfrage ist keine exklusiv christliche Frage, auch im Religionsunterricht nicht; denn es nehmen nicht selten Schüler*innen, die anderen Religionen oder keiner Religionsgemeinschaft angehören, daran teil. Weil im Judentum Gottes Wesen nur in der Begegnung mit Menschen erfasst werden kann, lädt *Annette Boeckler* dazu ein, dem Wesen Gottes in religionspädagogischen Lernsettings nachzuspüren, und bietet dafür höchst interessante und zum großen Teil auch unbekannte Texte. *Ahmad Milad Karimi* konstatiert, dass auch für Muslime Gott eine Frage bleibt, „aber nicht irgendeine Frage, sondern die Frage des Menschen" und lässt den Koran als Quelle sprudeln, die die Frage nach Gott wachhalten will.

Wer die Gottesfrage im schulischen Religionsunterricht weckt und reflektiert, bekommt es mit religiösen Fundamentalismen in den Klassenzimmern zu tun. Zur Kritik von Fundamentalismen zu befähigen, gehört wie die Gottesfrage zum Kerngeschäft religiöser Bildungsprozesse. Den bekenntnisorientierten Religionsunterricht sieht *Wolfgang Weirer* hier klar in der Verpflichtung und zugleich konzeptionell überlegen gegenüber Konzepten „neutraler" religiöser Bildung. Er zeigt auf, wie die Unterschiedlichkeit der abrahamischen Religionen, sich der Gottesfrage zu nähern, im Sinne der Fundamentalismusprophylaxe hilfreich werden kann. Dass dies alles gerade nicht dazu beiträgt, die Gottesfrage ruhig zu stellen, sondern im Gegenteil als Frage wach zu halten, wird je länger umso deutlicher. Mit der Gottesfrage religionspädagogisch verantwortet umzugehen, heißt insofern, im Religionsunterricht wie in der Theologie insgesamt den Menschen zu helfen, die tiefsten Lebensfragen anzugehen und die Gottesfrage als Möglichkeit ins Spiel zu bringen, hier weiterzukommen. Wie diese beunruhigte Gottrede, der man das Fragen anmerkt, vorstellbar ist, entfaltet *Mirjam Schambeck* in ihrem Schlussbeitrag.

Die Suchbewegungen dieser Roadtrips zur Gottesfrage garantieren nicht, ans Ziel zu kommen. Sie wollen aber anregen, die Reise fortzusetzen und Mut machen, sich im Religionsunterricht mit den Schüler*innen weiter sowohl intellektuell als auch existentiell dieser Frage auszusetzen, um dem großen Geheimnis Gott nachzuspüren, sei es als Reisende*r oder als Reisebegleiter*in für Schüler*innen.

Die Roadtrips hatten ihren Anfang beim 14. Arbeitsforum für Religionspädagogik der Pädagogischen Stiftung Cassianeum im Frühjahr 2019. Das vorliegende Buch dokumentiert die Suchbewegungen dieser Tagung, erweitert den Diskurs aber um Aspekte, die auf der Tagung noch nicht bearbeitet und diskutiert wurden.

Dass dieser Band entstehen und erscheinen konnte, haben wir vielen zu verdanken: Zuerst der Pädagogischen Stiftung Cassianeum in Donauwörth, die die jährlichen Fachtagungen des Arbeitsforums Religionspädagogik durch ihre finanzielle und logistische Unterstützung ermöglicht. Namentlich danken wir dem Vorsitzenden des Stiftungsrates, Herrn OStD a. D. Hubert Lepperdinger und dem Vorsitzenden des Stiftungsvorstandes, Herrn Peter Kosak, sowie für vielfältige Unterstützung Frau Brigitte Berger aus der Stiftungsverwaltung. Wir danken auch für die konstruktive Zusammenarbeit der Kolleg*innen, die mit uns im Planungsteam zusammenarbeiten: Prof. Dr. Markus Tomberg als einer der beiden Vertreter*innen der Arbeitsgemeinschaft Katholische Religionspädagogik/Katechetik (AKRK), Maria Holzapfel-Knoll als Vertreterin des Deutschen Katecheten-Vereins (dkv) und Dr. Martin Fahnroth, Susanne Orth, Bernhard Rößner, Dr. Bernadette Schwarz-Boenneke für die Konferenz der Leiterinnen und Leiter der diözesanen Schulabteilungen. Ohne diese Unterstützung wäre dieser Band nicht auf den Weg gekommen.

Dass dieser Band so schnell nach der Tagung publiziert werden konnte, dafür gebührt den Autor*innen und besonders den Mitarbeiter*innen am Lehrstuhl Religionspädagogik an der Universität Freiburg höchster Dank. An erster Stelle sei hier Frau Angelika Meichelbeck, Sekretärin am Lehrstuhl Religionspädagogik an der Universität Freiburg, genannt, der es selbst unter großem zeitlichen Druck gelang, die Texte präzise zu bearbeiten und professionell für das Layout zusammenzuführen. Für die umsichtigen und sorgfältigen Korrekturen danken wir ebenso Frau Anne Hilpert, geb. Frenk, Wissenschaftliche Mitarbeiterin am Lehrstuhl Religionspädagogik, sowie den studentischen Hilfskräften Clemens H. Wagner und Eva Laux. Unser Dank gilt auch Deutschen Katecheten-Verein für die verlegerische Betreuung.

Nun hoffen wir und geben es diesem Band als Wunsch mit, dass die Roadtrips zur Gottesfrage viele Leserinnen und Leser ermutigen mögen, ihre Weisen zu finden, die Gottesfrage wachzuhalten und sie im Religionsunterricht zu wecken und zu reflektieren.

Freiburg i. Br./Osnabrück, am 15. August 2019
Mirjam Schambeck sf und Winfried Verburg

Kapitel 1

Roadtrips zur Gottesfrage: Religionspädagogische
Verortungen und systematisch-theologische Zugänge

JUGENDLICHE FRAGEN NACH GOTT – BEFUNDE AUS RELIGIONS- UND ETHIKUNTERRICHT IN BADEN-WÜRTTEMBERG

Matthias Gronover

1. Einleitung

Die Darstellung des Jüngsten Gerichts in der sixtinischen Kapelle wurde von Michelangelo in der Zeit von 1536 bis 1541 gemalt. Um den Weltenrichter Christus herum sind in konzentrischen Kreisen verschiedene Stadien der Auferstehung und Verdammung gezeigt. Aus der Blickrichtung des Betrachters links wird die Auferstehung des Fleisches der Gerechten dargestellt, rechts davon die ewige Verdammnis, der Fährmann, der die Verdammten aus seinem Boot stößt. Weiter oberhalb davon sieht man Engel mit Dämonen kämpfen. Im Unterricht ging es mir um die Frage, wer die Schlüsselgewalt zum Himmel hat. Ich habe dieses Bild im Gymnasium sehr oft eingesetzt. Die Schüler*innen sollten es als eine Art Wimmelbild betrachten und sich eine Figur heraussuchen und zu dieser Figur notieren, welche Erfahrungen sie wohl im Leben gemacht hat und welche Hoffnung sie hatte. Diese an der Tradition anknüpfende didaktische Praxis funktionierte im Gymnasium gut.

In der Berufsschule versuchte ich bei angehenden Zahnarzthelferinnen dieses Bild ebenfalls einzusetzen. Weil das Bild komplex und unübersichtlich ist, habe ich ein Bildelement herausgegriffen. Die Gruppe der Engel, die mit Dämonen kämpfen, schien mir hinreichend ausdrucksstarke Charaktere zu zeigen, damit die Schülerinnen sich mit einer der dargestellten Personen auseinandersetzen konnten. Leider scheiterte ich fulminant mit diesem Ansatz. Weder das Gesamtbild noch der Ausschnitt boten den zahntechnischen Assistentinnen irgendeinen Identifikationspunkt. Ich brauchte dann noch ca. ein halbes Jahr, um die Lebenswelt der Schülerinnen ansatzweise zu verstehen. Für mich war das ein gewissermaßen brutaler Lernweg. Ich meine das nicht pejorativ im Gestus eines Bildungsbürgers, der zu sagen hat, wie es im Religionsunterricht geht. Eher im Sinne einer Verneigung vor der Lebenswelt dieser Schülerinnen, die durchprägt ist von Hoffnung, versinnbildlicht ganz offensichtlich bei Instagram-Stars wie z. B. Bibi („BibisBeautyPalace"). Dort zeigt sich die Sehnsucht nach Vollendung im Aussehen, die Sehnsucht nach Geborgenheit im Infinity Pool, dessen Türkis ähnlich wie das Azurblau Michelangelos Offenheit und Weite verspricht. Die Hoffnung der Schülerinnen ist geprägt von Liebe, wie sie die Herzchen in den Bildern der Instagram-Posts zeigen; und von Reinheit, wie es die gängigen Badebilder zeigen.

Es geht im Folgenden nicht um die Hermeneutik dieser jugendlichen Vorstellungen, sondern darum, dass die theologische Aufladung dieser Vorstellungen von Gott, Religion und Glaube im Unterricht vor allem dadurch zustande kommt, dass danach gefragt wird. Das mag banal klingen, ist aber religionsdidaktisch ziemlich komplex. Jede und jeder, der selbst unterrichtet, weiß das. Denn im Unterricht religiöse Fragen zu stellen, ist das eine. Etwas anderes ist es, die für Jugendlichen bedeutsamen religiösen Fragen zu stellen. Die Sprache der Instagram-Bilder, die eine Sprache der oft auch verlorenen Hoffnungen ist, erlernt man von den Jugendlichen. Die Aufgaben des Religionsunterrichts ist es, diese Bildwelten vor dem Hintergrund der Deutungsangebote der christlichen Tradition (Michelangelo) fruchtbar für die Selbstdeutungen der Schülerinnen zu machen (Bibi). Ihre Sehnsüchte und ihre Hoffnungen, und eben auch die Lebensbrüche drücken sich in den Likes unter den Instagram Bildern aus. So besehen ist die Frage nach Gott hellwach. Sie wird allerdings von den Jugendlichen nicht im Idiom der Tradition gestellt. Der Religionsunterricht ist deswegen der entscheidende Ort, diese Frage zu bearbeiten.

2. Anlass der Studie "Jugend – Glaube – Religion"

Anlass der Studie „Jugend – Glaube – Religion"[1] war eine Defizitanzeige: Sowohl die gängigen Shell-Studien als auch die bekannten Sinus-Milieustudien lösen die Frage nach der Religiosität, dem Glauben und dem Verhältnis von Jugendlichen zum Religions- bzw. Ethikunterricht nicht hoch genug auf. Die Shell-Studien arbeiten mit Items, die wenig Aufschluss über religionspädagogisch relevante Probleme bieten. „Inzwischen ist 76 % der nicht evangelischen und nicht katholischen Jugendlichen der Gottesglaube eine wichtige Lebensorientierung und sogar zwei Drittel von ihnen eine besonders wichtige. Am niedrigsten war und ist die Bedeutung der traditionellen Religiosität bei evangelischen Jugendlichen. Die katholischen Jugendlichen haben sich in den letzten acht Jahren Schritt für Schritt an diese angenähert. Vor allem die Frage, ob Gott im Leben von Jugendlichen eine besonders wichtige Rolle spielt, zeigt, dass Jugendliche in den beiden großen christlichen Kirchen in einer ganz anderen religiösen Welt leben als Jugendliche anderer Konfessionen. Ganzen 27 % katholischen und 23 % evangelischen Jugendlichen stehen heute 67 % Jugendliche anderer Konfessionen gegenüber, für die der Gottesglaube eine besonders wichtige Rolle im Leben spielt".[2]

Diese „Wichtigkeit des Glaubens" mag für gesellschaftliche Tendenzen und Trends aufschlussreich sein, für religiöse Bildungsprozesse in Gemeinde oder Schule allerdings geben sie allein den Hinweis, dass nicht christliche, religiöse Menschen ihrem Glauben eine hohe Wichtigkeit beimessen.

Bei den Sinus-Milieustudien gibt es eine andere Schwierigkeit. Wir waren mit dem

....

1   Vgl. Schweitzer, Friedrich/Wissner, Golde/Bohner, Annette u. a., Jugend – Glaube – Religion.
2   Shell Deutschland Holding (Hg.), Jugend, 204f.

Problem konfrontiert, dass die Methodologie der Studie *im Blick auf die Abgrenzung der Milieus zueinander* nicht offengelegt wird und auch auf Nachfrage die eingesetzten Fragebögen nicht publiziert wurden. Dadurch kann ein wichtiges Kriterium wissenschaftlicher Arbeit nicht eingehalten werden, das Zustandekommen der Ergebnisse – so anschaulich und einleuchtend sie sind – ist nicht nachzuvollziehen. Gleichzeitig ist festzuhalten, dass sowohl Shell-Studien als auch Sinus-Milieustudien erhellende Hinweise für das Verständnis von Jugendreligiosität in unserer Gesellschaft bieten. Zahlreiche religionspädagogische Studien geben darüber hinaus Einsichten, auf denen wir auch unsere Arbeit aufbauen konnten.[3]

Insgesamt ist es von Bedeutung, empirische Studien zu verfeinern. Das gilt insbesondere dann, wenn in die zukünftigen religiösen Transformationsprozesse genauso gesellschaftliche Transformationen mitbedacht werden. Dabei lassen sich viele der religiösen Einstellungen, die uns begegnen, durch empirische Studien so kontextuieren, dass sie nicht mehr als vereinzelte Stimmen erscheinen, sondern als Symptom religiöser Transformationsprozesse. Bernd Schröder hat diese religiösen Transformationsprozesse, die unsere Gesellschaft ergriffen haben, im Blick auf die Kirchen zusammengefasst und schreibt, dass es eine „Vielfalt an Partizipationsmustern und Glaubensverständnissen mit Tendenz zur distanzierten Kirchlichkeit"[4] gebe. Außerdem macht Schröder eine erhebliche Differenz zwischen den Denkmustern der Kirchen und der Gesellschaft aus. Während erstere traditionsgeleitet seien, sei die heutige Gesellschaft eher traditionsdistanziert eingestellt. Schließlich gehe es um die „Einebnung christlicher Kirchen in die religionsplurale Gesellschaft" sowie um die zunehmende innerkirchliche Transformation verschiedener „Praxen in Richtung Teilnehmer- und Subjektorientierung".[5] In religiösen Bildungsprozessen sind theologische und pädagogische Kriterien entscheidend und auch diese unterliegen den oben genannten, transformierenden Dynamiken. Das ist zum Beispiel an den Konzepten der Katechese der letzten 30 Jahre und anhand der einschlägigen Begleitbücher für beispielsweise die Erstkommunionskatechese zu beobachten. Es ist festzustellen, dass die Orientierung am Subjekt stetig zugenommen hat und die Orientierung an im engeren Sinne dogmatischen Glaubenssätzen demgegenüber zurückgetreten ist. Man bemüht sich um eine subjektorientierte religiöse Bildung, die die Äußerungen der Katechumenen mit der Tradition der Kirche ins Gespräch bringt. Subjektorientierung heißt aber nicht nur, Einzelne aufs Podest zu heben, sondern sie in den religiösen Trends und Strömungen der Gegenwart verorten zu können. Diese Kontextuierung in der Gesellschaft macht den religionspädagogischen Blick aus. Gleichzeitig kann das nur erreicht werden, wenn der Blick über den Religionsunterricht hinaus auf den Ethikunterricht geweitet wird.

....

3   Vgl. Ritzer, Interesse; Ziebertz, Hans-Georg/Kalbheim, Boris/Riegel, Ulrich Signaturen; Ziebertz, Hans-Georg/Riegel, Ulrich, Sicherheiten; Calmbach, Marc/Borgstedt, Silke/Borchard, Inga u. a. (Hg.), Jugendliche.
4   Schröder, Bernd, Aufgaben, 110.
5   Ebd.

3. Profilierende Vorbemerkungen – der religionspädagogische Blick

Einige Vorbemerkungen sind wichtig, um den Charakter der Studie und damit ihren Anspruch einordnen zu können. Der religionspädagogische Blick auf die schulische Wirklichkeit und die wissenschaftliche Literatur ist geprägt von zwei Dynamiken. Zum einen geht es mir um die Plausibilität von Aussagen, sowohl von Schüler*innen als auch der Forschung. Plausibilität entsteht, wenn etwas vernünftig zugänglich und einsehbar ist. Dabei spielt auch der Glaube eine Rolle, weil der Glaube dem Gespür für die Transzendenz der Schüler*innen Ausdruck verleiht. Der religionspädagogische Blick ist ein Blick auf mögliche Entwicklungen. Religiöse Bildung ist Bildung im Hier und Jetzt, die aber einen Index auf Transzendenz trägt. Jede Äußerung im Religionsunterricht trägt diese Verheißungsstruktur in sich, die sich nicht vollständig rational einholen lässt und oftmals „das Beste" am Religionsunterricht ist. Der religionspädagogische Blick ist geprägt von der Idee, religiöse Entwicklungsmöglichkeiten sichtbar zu machen.

Zweitens, das ist im Titel genannt, geht es in der Studie grundsätzlich nicht darum, allen Menschen Religion und Religiosität zuzuschreiben, um dann feststellen zu können, dass diese jeweilige, individuelle Religiosität sich in je unterschiedlichen Ausdrucksformen zeigt. Ich gehe nicht von einem *homo religiosus* aus und damit von einem wie auch immer gearteten „Zwang" des Menschen, sich zu Fragen der Religion zu verhalten. Der Ansatzpunkt der Studie ist es, die Antworten und Antwortversuche der Jugendlichen zu erheben, unabhängig davon, welchen Motiven diese zu verdanken sind. Dabei spielt gleichwohl eine entscheidende Rolle, dass Religion eine eminent soziale Größe ist, die gleichwohl auf den einzelnen Menschen wirkt und diesen dann unbedingt angeht.

Zum dritten ist unsere Gesellschaft nicht nur von Transformationsprozessen betroffen, sondern von hoher religiöser Heterogenität geprägt. Die Volkskirchen machen jeweils ca. 30 % der Bevölkerung aus, und der Anteil der Konfessionslosen wächst stetig. Außerdem beträgt mit Blick auf die Gesamtbevölkerung der Anteil von Muslim*innen ca. 5 %, was sich aber in den Schulen je nach Schulart steigert, weil die Zugangsvoraussetzungen zu Schularten Menschen mit Migrationshintergrund in die Gesamt-, Haupt- und Realschulen kanalisiert, während Bildungsbürger*innen mehrheitlich die Gymnasien besuchen. Religiöse Heterogenität in der Gesellschaft ist nicht gleichzusetzen mit religiöser Heterogenität in der Schule. In der Schule erscheint religiöse Heterogenität je nach Standort und Schulart potenziert. Dabei kann mit Bernhard Grümme nicht einfach davon ausgegangen werden, dass sich zu den verschiedenen religiösen Einstellungen, Meinungen und Überzeugungen bzw. Bekenntnissen und den dahinterstehenden Glaubenssystemen ein gemeinsamer, vereinheitlichter Bezugspunkt finden ließe. Das Wort Religion kann in seiner Abstraktheit diesen einheitlichen Bezugspunkt nicht bieten. Deswegen vertritt Grümme den Shift vom Pluralitäts- zum Heterogenitätsgedanken.[6] Religiöse Heterogenität rechnet also nicht mit einem oder mehreren Lagerfeuern, an denen sich die Menschen der Gesellschaft versammeln und ihre Sinnhorizonte abgleichen. Es gleicht eher Mosaiksteinchen religiöser Bekenntnisse und Einstellungen, die nicht miteinander verfugt sind und ein uneinheitliches Bild ergeben.

4. Die Studie "Jugend – Glaube – Religion"

Die Studie erhob vor dem Hintergrund der bereits geschilderten Forschungslage erstmals Glaubensvorstellungen von Jugendlichen. Es ging dabei um den individuellen Glauben und dessen Ausprägungen in institutionalisierten Formen in den Kirchen, aber auch um das Urteil über die Kirchen. Ein zentrales Interesse für religiöse Bildungsprozesse ist dabei, das Verhältnis zwischen Glauben und Leben zu erhellen. Sind Glaubensthemen auch lebensrelevante Themen oder gibt es vielleicht eine Selbstreferenzialität jugendlicher Vorstellungen vom Glauben und von Glaubenssätzen, die den Anschluss an ihre Lebenswelt nicht sucht? Erstmals in Deutschland und für Baden-Württemberg repräsentativ wurde gefragt, wie Religions- und Ethikunterricht wahrgenommen und Themen dieser Unterrichtsfächer durch die Schüler*innen bewertet werden. Weil sich das Sample auf den Ethikunterricht ausweitete, konnten auch Muslim*innen, Atheist*innen und konfessionslose Jugendliche zum Thema Religion und Glaube befragt werden. Die Studie bietet für die Fragestellungen aktuelle Befunde und versucht, die Religiosität junger Menschen ernst zu nehmen und differenziert zu betrachten.

4.1. Charakterisierung der Studie

Methodisch ist die Studie in zwei Teilstudien unterteilt. Eine qualitative Studie wurde mit teiloffenen, leitfadengestützten Interviews mit einer Vorstudie von Mai bis Dezember 2014 durchgeführt. Es wurden 151 Jugendliche befragt, gefolgt von einer Hauptuntersuchung im Frühjahr und Sommer 2016, in der 143 Jugendliche befragt wurden. Die quantitative Teilstudie, die durch Fragebögen erhoben wurde, fand im Herbst 2015 statt. Dabei wurden 7246 jugendliche Stimmen ausgewertet. In einer zweiten Teilerhebung im Frühjahr 2017 wurden 3001 Fragebögen ausgewertet. Die Fragebogenstudie fand im Rahmen des Ethik- und Religionsunterrichts statt und dauerte ca. 30 Minuten. Im Moment (Mitte 2019) wird eine dritte Teilerhebung ausgewertet (mit denselben Studienteilnehmer*innen), um longitudinal abzubilden, wie und ob sich die erhobenen Fragen über den Zeitraum von 3,5 Jahren entwickelten. Ziele der Fragestellung waren auf methodologischer Ebene eine quantitative, longitudinale Erhebung mit drei Messzeitpunkten: t1, t2 und t3. Inhaltlich ging es um

6   Vgl. Grümme, Bernhard, Heterogenität.

die individuelle Entwicklung von Glaubensvorstellungen innerhalb von zwei Jahren sowie die individuelle Entwicklung in unterrichtsbezogenen Wahrnehmungen, beispielsweise wie sich die Wahrnehmung der Lebensrelevanz des Ethik- und Religionsunterrichts verschiebt. Die schulartenspezifischen Befragungen in Berufsschulen, beruflichen und allgemeinbildenden Gymnasien sollen Aufschlüsse darüber geben, ob sich die beispielsweise von Dörthe Vieregge konstatierte Typisierung von Jugendlichen in einer repräsentativen Studie erhärten lässt.[7] Es geht also um die Frage, ob beispielsweise die Auszubildenden in der Berufsschule eine signifikant andere Religiosität aufweisen als diejenigen Schüler*innen an beruflichen oder allgemeinbildenden Gymnasien.

Der Fragebogen ist in verschiedene Abschnitte unterteilt. Religionsbezogene Fragen sind mit dem Fokus auf Veränderungen und Konstanten bei Einstellung und Interessen von Jugendlichen zu Religion, Kirche, Glaube und dem Ethik- und Religionsunterricht gestellt worden. Es wurde nach der Relevanz von Religion, der beruflichen Relevanz von Religions- und Ethikunterricht, dem Verhalten zu religiöser Pluralität und den Unterschieden im Zusammenhang mit soziodemographischen Angaben wie Alter, Geschlecht, Schulzugehörigkeit, Unterrichtsart, Migrationshintergrund und Religionszugehörigkeit gefragt. Die Fragebogenentwicklung speiste sich aus zwei Quellen: Zum einen entwickelten wir anhand der qualitativen Interviews mit den Jugendlichen neue Items. Zum anderen haben wir vorangegangene Studien ausgewertet, die Items bereits vorentwickelt hatten.[8]

Der *Aufbau des Fragebogens* folgt dem klassischen Aufbau, wie die Testtheorie ihn vorsieht: Zunächst soll ein persönlicher Code die spätere Zuordnung einzelner Fragebögen zulassen. Bei der Anonymisierung soll gewährleistet werden, dass ein/e Schüler*in, der/die einen Fragebogen in t1 ausgefüllt hat, in t2 und t3 wieder auffindbar und zuordenbar ist. Dem Code folgt eine Seite mit Angaben zur Person, wie Geschlecht, Alter, Schulart, Religionszugehörigkeit usw. Es folgen inhaltliche Items zu den Abschnitten: Vertrauen in Institutionen, Lebensbestimmung, religiöse Aussagen, Gottesvorstellungen, Einschätzung des persönlichen Glaubens, seine etwaigen Änderungen, Religion und Glaube im näheren Umfeld.[9]

Das *Sample* wurde auf der Basis der Statistik des statistischen Landesamtes zu Schulen Baden-Württembergs erstellt und von GESIS nach Kriterien der Repräsentativität für Baden-Württemberg ausgewählt. 750 Schulen mit über 10.000 Schüler*innen wurden selektiert, wobei im allgemeinbildenden Gymnasium die elften und zwölften Klassen befragt wurden, im beruflichen Gymnasium die elfte Klasse und in der Berufsschule das erste Lehrjahr. Die Stichprobe bei t1 umfasste 7246 Schüler*innen, wovon 55 % weiblich und 45 % männlich waren; das Durchschnittsalter lag bei 17

....

7   Vgl. Vieregge, Dörthe, Religiosität.
8   Vgl. z. B. Ritzer, Georg, Interesse.
9   Der Fragebogen ist abgedruckt in: Schweitzer, Friedrich/Wissner, Golde/Bohner, Annette u. a., Jugend – Glaube – Religion.

Jahren, der Unterricht wurde zu 85 % als Religionsunterricht und zu 15 % als Ethikunterricht durchgeführt. Im Sample wiesen 30 % der Schüler*innen Migrationshintergrund auf. Die Verteilung der Schularten sah folgendermaßen aus: 42 % wurden an allgemeinbildenden Klassen befragt, 25 % an der Berufsschule und 33 % am beruflichen Gymnasium. Die Religionszugehörigkeit in der Stichprobe verteilte sich wie folgt: Den größten Anteil mit 41 % machten römisch-katholische Schüler*innen aus, gefolgt von 38 % evangelischen Schüler*innen und 9 % konfessionslosen Schüler*innen. Muslime waren mit 5 % vertreten, freikirchliche Schüler*innen mit 3 % und orthodoxe Schüler*innen mit 2 %.

4.2. Sind Jugendliche noch an Religion interessiert?

Ein zentrales Anliegen der Studie ist es, die Frage nach Religion und Glaube differenziert zu stellen. Interessant ist, dass 22 % der Befragten sich als religiös bezeichnen, 41 % als gläubig. Wir sehen darin die starke Unterscheidung zwischen Religion und Glaube durch die Jugendlichen, die vielleicht auf die jugendliche Differenzierung zwischen institutioneller Verbundenheit (Kirche) und persönlichem Glauben (Transzendenzbezug) schließen lässt. Folgendes Zitat aus der qualitativen Befragung illustriert diese These: *„Ich denke schon, dass [es] irgendwie eine höhere Macht gibt. Also auch jetzt nicht unbedingt einen Gott oder der Gott, der jetzt in der Religion vorgeschrieben ist. Aber ich denke, dass da irgendwas ist, was auch alles so bisschen leitet, sag ich mal"* (m, 21 Jahre, atheistisch, Religionsunterricht, berufliche Schule).

Im Folgenden werden Prozentangaben teilweise nach Tendenzen kompiliert. Die genauen Angaben finden sich in der Publikation.[10] Das Item „Ich glaube an Gott" haben 52 % mit Ja beantwortet. 11 % sind dieser Frage gegenüber unentschieden und 37 % antworten klar mit Nein. Gott ist in den Augen der Jugendlichen etwas, das Sicherheit gibt, jedenfalls für 49 % der Jugendlichen, die mit Ja geantwortet haben. 47 % sehen in Gott jemanden, mit dem man sprechen kann, 34 % eine höhere Macht, rund 29 % eine Energie. Im Religionsunterricht ist immer die Frage, welche Themen ausschlaggebend sein sollten, welche Themen also spannend für Jugendliche sind. Unsere Ergebnisse zeigen, dass Jugendliche sich stark für religiöse Themen an sich interessieren, eine gewissermaßen zwanghafte Anknüpfung an scheinbar genuine Jugendthemen nicht notwendig ist. 54 % der Befragten interessieren sich für die Frage des Weiterlebens nach dem Tod, nur 8 % ist diese Frage egal. Die Frage nach der Entstehung der Welt ist eine hoch spannende und virulente Frage für Jugendliche. Schüler*innen sehen tendenziell zwischen dem Schöpfungslied bzw. der -erzählung und dem naturwissenschaftlichen Bild der Entstehung der Welt einen Widerspruch, der nicht vereinbar ist. 31 % der Befragten halten die Welt für Gottes Schöpfung, 70 % sagen, die Welt sei auf den Urknall zurückzuführen, und 24 % halten beides für

....

10   Ebd., 257-274.

wahr. Für die Theodizee-Frage interessieren sich 36 %.

Auch andere Religionen oder Glaubenssysteme sind für die Schüler*innen interessant. 74 % kennen Leute in ihrem Freundeskreis mit einer anderen Religion, 61 % haben Interesse an Mitschülern*innen aus anderen Religionen; 25 % finden aber gleichzeitig, dass es zu viele Muslime in Deutschland gebe. So sagt Sonja, w, 18 Jahre, orth., befragt im Rahmen des Religionsunterrichts im beruflichen Gymnasium: *„Ich mag's im Religionsunterricht, wenn wir auch noch über andere Religionen reden, ... weil wir kennen das halt gar nicht und tun das auch nicht so wertschätzen, dass andere Leute auch daran glauben."*

In vielen kirchensoziologischen Untersuchungen ist der Gottesdienstbesuch immer noch ein Maßstab für die Religiosität der Gläubigen. 22 % der Jugendlichen gaben an, es sei für sie wichtig, in den Gottesdienst zu gehen. Gleichzeitig geben 22 % an, nie dorthin zu gehen. 30 % der Befragten gehen einmal im Jahr, 33 % mehrmals im Jahr, 15 % einmal im Monat und öfter. 23 % üben ein Ehrenamt in der Kirche aus. Sehr überrascht waren wir von der Gebetshäufigkeit der Jugendlichen: Zwar beten 25 % nie, gleichzeitig aber Dreiviertel gelegentlich bis häufig. Aus den qualitativen Interviews wissen wir, dass nicht nur in schwierigen Situationen gebetet wird.

4.3. Bedeutung der Schulart

Aus der eigenen Praxis im Religionsunterricht an berufsbildenden Schulen ist der Autor gewohnt, Schüler*innen zu begegnen, die aus dem ländlichen Raum kommen und in den kirchlichen Traditionen beheimatet sind. Gleichzeitig gibt es eine große Zahl von jungen Menschen, die ganz ohne religiöse Sozialisation groß geworden sind. Darüber hinaus hat ein großer Teil der Schüler*innen, beispielsweise in Sanitärklassen, Migrationshintergrund und/oder gehört dem Islam an. Es war von hohem Interesse herauszufinden, ob sich in der Berufsschule signifikante Unterschiede im Vergleich zum Gymnasium auftun. Im Blick auf den Glauben, die kirchliche Verbundenheit, die religiöse Praxis und religiöse Sozialisation konnten keine signifikanten Unterschiede zwischen den Schularten festgestellt werden. Die Schüler*innen am allgemeinbildenden Gymnasium oder am beruflichen Gymnasium unterscheiden sich in diesen Merkmalen nicht deutlich von denen der Berufsschule.

Gleichzeitig gibt es signifikante Unterschiede im Blick auf Xenophobie, die an der Berufsschule deutlicher ausgeprägt ist als an den Gymnasien aller Schularten. Das ist insofern bemerkenswert, weil Auszubildende gerade in Handwerksberufen oft mit Schüler*innen mit Migrationshintergrund zu tun haben. Es scheint also erneut in Frage zu stehen, ob die Kontakthypothese stimmt, wonach der Umgang mit den sogenannten „Fremden" auch die Toleranz und Integration der Fremden fördere. Hier besteht auch in der Religionspädagogik Forschungsbedarf und die Notwendigkeit an der Entwicklung guter Konzepte zum Xenophobieabbau. Ein weiterer Unterschied besteht im Aspekt der Glaubenssuche. Jugendliche zweifeln Gott entgegen und die

Glaubenssuche kann als lebensgeschichtlich geprägter Glaubensausdruck gesehen werden, der in der Entwicklung des religiösen Urteils gewissermaßen natürlich angelegt ist. Die Glaubenssuchenden finden sich weniger in der Berufsschule als in den gymnasialen Schularten.

In der Berufsschule wird die Relevanz des Unterrichts für den Beruf etwas höher eingeschätzt als in allgemeinbildenden Schulen, was nicht überraschend ist. Religion im Sinne ihrer Institutionen wird *noch* weniger als soziales Kapital wahrgenommen als am Gymnasium.

4.4. Entwicklungen von t1 zu t2

Innovativ und neu an der Studie ist die Erhebung zu mehreren Messzeitpunkten. Es ist im Blick auf Glauben, Kirche und Gottesbild interessant zu sehen, ob es Entwicklungstendenzen gibt, die innerhalb des einen untersuchten Jahres einen Unterschied sichtbar machen. Die Intensität des Glaubens an Gott bleibt im gemessenen Zeitraum konstant. Gleichzeitig steigt die Zustimmung zu einem unpersönlichen Gottesbild etwas an, bei gleichzeitigem Konstantbleiben eines persönlichen Gottesbildes. Die Distanzierung zur Kirche wächst, gleichzeitig steigt das Nachdenken und der Austausch über religiöse Fragen. Jugendliche denken offensichtlich unabhängig von unserer Untersuchung viel über den Sinn des Lebens nach. Während zum Zeitpunkt t1 nie häufig über Gott nachgedacht wurde, gaben zum Zeitpunkt t2 36 % an, das häufig zu tun. Die Entwicklung der Distanzierung zur Kirche zeigt, dass die Kirche auch über den Messzeitraum von einem Jahr in der Wahrnehmung der Jugendlichen keine passenden Antworten auf ihre Fragen findet und ihr zunehmend (+ 10 %) unterstellt wird, dass sie sich ändern müsse, um eine Zukunft zu haben. „Mein Glaube hat nichts mit der Kirche zu tun" unterstreichen in t1 52 %, in t2 sogar 60 %. Dabei wird konstant positiv wahrgenommen (ca. 60 %), dass die Kirche Gutes für die Menschen tut.

Im Blick auf die Religionszugehörigkeit hat die Shell-Studie gezeigt, dass Muslim*innen die Wichtigkeit ihres Gottesglaubens sehr hoch einschätzen. Das konnte die Erhebung bestätigen. Bei den römisch-katholischen bzw. evangelischen Befragten können um die 25 % nichts mit Gott anfangen, während ca. 38 % die Beziehung zu Gott wichtig ist. Bei den evangelisch-freikirchlichen Befragten sind es sogar 80 %. Hier treten auch die orthodoxen Jugendlichen hervor, bei denen 54 % gesagt haben, die Beziehung zu Gott sei ihnen wichtig. Die Konfessionslosen können mit der Frage zu 58 % nichts anfangen. Immerhin können aber 10 % der Frage etwas abgewinnen bzw. sagen, dass die Gottesbeziehung ihnen wichtig ist. Die Gründe für die Veränderung der Selbsteinschätzung der Jugendlichen lassen sich erahnen. Bei 30 % liegt nach Selbstauskunft eine Intensivierung des eigenen Glaubens vor, während bei 49 % dieser Glaube abgeschwächt wird. Knapp die Hälfte der Befragten bejahen eine Glaubensveränderung. 38 % von den 50 % der Befragten, die angegeben haben, dass es eine Glaubensveränderung gab, sehen diese als Intensivierung des Glaubens. 49 % von den 50 %, die angegeben haben, dass es eine Glaubensveränderung gab, sehen eine Abschwächung des Glaubens. Eine Bewertung kann hier nicht erfolgen. Allerdings kann man aus den freien Antworten schließen, dass im Kern vier Kategorien von Gründen wichtig sind. Demnach habe sich der Glaube verändert, weil kein Kontakt zur Kirche oder Moscheegemeinde vorlag (1); weil die Entscheidung für oder gegen den Glauben autonom erfolge (2); weil etwas Schlimmes erfahren wurde (3); oder aus einem nicht näher spezifizierten Grund (4).

Die jugendliche Wahrnehmung von Religion ist eng an die Selbstsozialisation durch die Jugendlichen gebunden, wie dies Matthias Sellmann betont hat.[11] Das Item „Weil ich jetzt meine eigene Entscheidung über meinen Glauben treffe" erfährt zu 77 % Zustimmung. 29 % sagen: „Weil ich etwas Schlimmes erfahren" habe. Die freien Antwortmöglichkeiten zur Beschreibung und Begründung einer Glaubensveränderung haben folgende Hauptthemen: schlimme Erfahrungen, eigene Entscheidungskompetenz und Familie & Freunde. Nebenthemen sind der Religionsunterricht und die Beschäftigung mit Naturwissenschaften (insbesondere zu Fragen der Weltentstehung) sowie das Erwachsenwerden.

4.5. Unterschiede in Religion und Ethikunterricht

Worin unterscheiden sich Ethik- und Religionsschüler*innen? Im Ethikunterricht finden wir Schüler*innen, die sich durch einen weniger intensiven Glauben an Gott und durch weniger kirchliche Verbundenheit auszeichnen; sie üben sich weniger in religiöser Praxis, sind weniger religiös sozialisiert und haben weniger ein persönliches Gottesbild. Gleichzeitig bewerten Ethikschüler*innen ihren Unterricht positiver als es die Schüler*innen gegenüber dem Religionsunterricht tun. So sagen die Jugendlichen über ihren Ethikunterricht, dass dieser spannende Themen beinhalte, mehr Denkanstöße gebe und außerdem in schwierigen Lebensfragen helfe. Quantitativ betrachtet tun Ethikschüler*innen dies mit ca. 12 % mehr, als dies für den Religionsunterricht gilt. Einzig das negative Item „bringt persönlich wenig" wird von den Schüler*innen im Religionsunterricht mehrheitlich positiv beantwortet. Der Ethikunterricht wird deutlich besser bewertet als der Religionsunterricht. *„Ich finde im Ethikunterricht lernt man zu denken und man muss wirklich denken ... grad durch unsere Lehrerin, die regt uns dazu an nachzudenken, eine eigene Meinung zu bilden, die dann auch wirklich mit anderen zu diskutieren."* (Agnes, w, 18 Jahre, rk, Ethikunterricht, berufliches Gymnasium).

Mit Blick auf die individuelle Entwicklung ist eine entscheidende Frage, wie oft über Gott nachgedacht wird. Hier zeigt sich, dass Religionsschüler*innen, induziert durch den Religionsunterricht, signifikant häufiger von einer ablehnenden zu einer zustimmenden Haltung im Blick auf die Frage nach Gott kommen. 18 % von den im Religi-

....

11 Vgl. Sellmann, Matthias, Religiosität.

onsunterricht gebildeten Schüler*innen bewegen sich von einer ablehnenden Haltung gegenüber der Frage nach Gott hin zu einer unentschiedenen Haltung. 45 % verharren in der ablehnenden Haltung gegenüber der Frage. Dem stehen 61 % der Schüler*innen im Ethikunterricht gegenüber, die in t1 und t2 der Frage ablehnend gegenüberstehen. Der Religionsunterricht vermag die Frage nach Gott – die zentrale Frage für den Religionsunterricht – attraktiv für die Schüler*innen zu machen. Manche Schüler*innen identifizieren ihre Religiosität hochgradig mit dem Religionsunterricht: *„Aber für mich persönlich war es jetzt so, dass ich gedacht habe, wenn ich Ethik nehme, auch wenn da vielleicht der ein oder andere Kumpel hin wechselt oder so, dann wäre es irgendwie so, wie wenn ich mich gegen Gott wenden würde ...“* (Manuel, m, 17 Jahre, ev, Religionsunterricht, allgemeinbildendes Gymnasium).

Dieser Vergleich von Ethik- und Religionsunterricht muss vor dem Ergebnis gesehen werden, dass Schüler*innen sich mehrheitlich als gläubig bezeichnen. Es ist von einer quantitativen Studie nicht leistbar, die Gottesbilder en detail zu charakterisieren, mit denen Jugendliche operieren. Es lässt sich nur konstatieren, dass diese stark variieren.

5. Schluss

Weiter vorne wurden die Ergebnisse der Studie dargestellt, die mit Blick auf das Gottesbild zeigen, dass dieses von Aspekten einer freien Energie, über ein weitgehend unpersönliches, aber ansprechbares Phänomen bis zum persönlichen Gott reicht. Insofern kann zusammenfassend gesagt werden, dass die Frage nach Gott durchaus wach ist. Es kommt aber gleichzeitig entscheidend darauf an, religiöse Fragen so zu stellen, dass sie ganz zu Fragen der Schüler*innen bzw. Auszubildenden werden. Darin scheint mir eine Entwicklungsaufgabe für die Zukunft des Religionsunterrichts zu liegen. Es ist weniger eine Frage der Anknüpfung an die vorhandenen Interessen von Jugendlichen als eine Frage der religionsdidaktischen Inszenierung der Frage nach Gott.

Literatur

- Calmbach, Marc/Borgstedt, Silke/Borchard, Inga u. a. (Hg.), Wie ticken Jugendliche 2016? Lebenswelten von Jugendlichen im Alter von 14 bis 17 Jahren in Deutschland, Wiesbaden 2016.
- Grümme, Bernhard, Heterogenität in der Religionspädagogik. Grundlagen und konkrete Bausteine, Freiburg i. Br./Basel/Wien 2017.
- Ritzer, Georg, Interesse – Wissen – Toleranz – Sinn. Ausgewählte Kompetenzbereiche und deren Vermittlung im Religionsunterricht, Wien/Berlin 2010.
- Schröder, Bernd, Religionspädagogische Aufgaben angesichts des Wandels institutionellen Christentums, in: Englert, Rudolf/Kohler-Spiegel, Helga/Neurath, Elisabeth u. a. (Hg.), Religionspädagogik in der Transformationskrise. Ausblicke auf die Zukunft religiöser Bildung (= JRP 30), Neukirchen-Vluyn 2014, 110-121.
- Schweitzer, Friedrich/Wissner, Golde/Bohner, Annette u. a., Jugend – Glaube – Religion. Eine Repräsentativstudie zu Jugendlichen im Religions- und Ethikunterricht, Münster/New York 2018.
- Sellmann, Matthias, Jugendliche Religiosität als Sicherungs- und Distinktionsstrategie im sozialen Raum, in: Kropač, Ulrich/Meier, Uto/König, Klaus (Hg.), Jugend, Religion, Religiosität. Resultate, Probleme und Perspektiven der aktuellen Religiositätsforschung, Regensburg 2012, 25-55.
- Shell Deutschland Holding (Hg.), Jugend 2010. Eine pragmatische Generation behauptet sich (= 16. Shell-Jugendstudie), Frankfurt a. M. 2010.
- Vieregge, Dörthe, Religiosität in der Lebenswelt sozial benachteiligter Jugendlicher. Eine empirische Studie, New York/Münster 2013.
- Ziebertz, Hans-Georg/Riegel, Ulrich, Letzte Sicherheiten. Eine empirische Untersuchung zu Weltbildern Jugendlicher, Freiburg i. Br./Gütersloh 2008.
- -/Kalbheim, Boris, Religiöse Signaturen heute. Ein religionspädagogischer Beitrag zur empirischen Jugendforschung, Freiburg i. Br./Gütersloh 2003.

DIE GOTTESFRAGE IM RELIGIONSUNTERRICHT ANGESICHTS WACHSENDER KONFESSIONSLOSIGKEIT

Ulrich Kropač

„Wir sollen Gott nicht nur den ‚im Religiösen Sicheren' überlassen! Gott ist stets ein größerer Gott, semper maior, wie uns die ignatianische Mystik lehrt. Niemand hat das alleinige Anrecht auf ihn. Unser Gott ist zugleich der Gott der Anderen – sowohl der Suchenden wie auch jener, die ihn nicht kennen."[1]

Das Zitat aus der Feder des Religionsphilosophen Tomáš Halík stimmt auf den Grundton dieses Beitrags ein, der zwei Größen in Beziehung setzt, die nicht zusammenzupassen scheinen: die Gottesfrage und das Phänomen der Konfessionslosigkeit. Wenn Halík recht hat, ist das – streng theologisch gedacht – nicht eine Aufgabe, der man sich auch widmen kann, sondern eine, die getan werden *muss*, denn Gott ist immer auch der *„Gott der Anderen"*.

Die nachfolgenden Reflexionen über die spannungsvolle Beziehung zwischen Gottesfrage und Konfessionslosigkeit beziehen sich auf das Feld der religiösen Bildung, näherhin auf den Religionsunterricht. Sie werden in vier Abschnitten entfaltet, die mit einem kurzen Schlussgedanken ausklingen.

1. Konfessionslosigkeit in Deutschland: von der Ausnahme zur anerkannten Option

Die von den Kirchen praktizierte Kindertaufe führte über Jahrhunderte zu einer hohen konfessionellen Abdeckung der Bevölkerung in Deutschland. Konfessionslosigkeit war die Ausnahme. Dass sie zugenommen hat und weiter zunimmt, ist ein verhältnismäßig neues Phänomen. Im Osten Deutschlands wurde Konfessionslosigkeit nach dem Ende des Zweiten Weltkriegs durch die religionsfeindliche Politik des SED-Regimes forciert, im Westen trat sie deutlicher seit den Traditionsabbrüchen in den 1970er Jahren hervor. Heute ist Konfessionslosigkeit keine Ausnahme mehr, sie erscheint im Kontext der Säkularität als gleichberechtigte Option neben der Kirchenmitgliedschaft.[2] Wie sehr Konfessions- und Religionslosigkeit zum Normalzustand geworden sind, lässt sich exemplarisch an den beiden folgenden Befunden ablesen.

---

1   Halík, Tomáš, Geduld, 79.
2   Vgl. Kalbheim, Boris/Ziebertz, Hans-Georg, Säkular, 62.

1.1. Konfessionelle Zugehörigkeit

Zum Stichtag 31.12.2017 gehörten 28,2 % der bundesdeutschen Bevölkerung der römisch-katholischen und 26,0 % der evangelischen Kirche an, 5,0 % waren Muslime, 3,9 % rechneten zu sonstigen Religionen.[3] Der Anteil der Konfessions- bzw. Religionszugehörigkeit betrug 37,02 %. Das ist, gemessen an dieser Einteilung, mittlerweile die größte Gruppe!

Was die religiöse Pluralität in Deutschland angeht, ist eine zunehmende Diversifizierung festzustellen. Doch spielt sich diese auf einem stetig kleiner werdenden Terrain ab. Die Schrumpfung resultiert unmittelbar aus einem signifikanten Rückgang der Christen*innen: So fiel die Zahl der Katholik*innen im Zeitraum von 2006 – 2016 um 8,2 %, die der Protestant*innen um 12,7 %.[4] Diese Abnahme korrespondiert direkt mit einem Anstieg der Zahl konfessionsloser Menschen.

1.2. Religiöse Selbsteinschätzung junger Menschen

2018 veröffentlichte das Sozialwissenschaftliche Institut der Evangelischen Kirche in Deutschland – kurz SI – eine Studie mit dem Titel „'Was mein Leben bestimmt? Ich!' Lebens- und Glaubenswelten junger Menschen heute". Sie fußt auf einer im gleichen Jahr durchgeführten repräsentativen Befragung von 1000 Frauen und Männern im Alter von 19 – 27 Jahren. Danach bezeichneten sich 61 % der Befragten als nicht religiös, 19 % als religiös; 20 % schätzten sich als „teils, teils" ein.[5] Nur 24 % der Befragten hielten am Gottesglauben fest, 33 % dagegen lehnten ihn ab.[6] Der Anteil der Probandinnen und Probanden, für die der Glaube im Alltag eine große Rolle spielt, ist klein: Er beträgt nur 7 %. Für viele Menschen hingegen steht das eigene Ich im Mittelpunkt des Lebens. Dies zeigt die hohe Zustimmung (52 %!) zur Aussage „über das, was ich glaube, entscheide ich selbst".

2. Vermeintliche Klarheit: zum Begriff Konfessionslosigkeit

2.1. Konfessionslosigkeit als formale Kategorie

Um näher aufzuhellen, was mit „Konfessionslosigkeit" gemeint ist, liegt es nahe, sich auf den Gegenbegriff „Konfession" zu beziehen. Der Terminus umschließt verschiedene Bedeutungsfacetten: eine *materiale* (Glaubensbekenntnis als gemeinschaftliches „Credo"), eine *personale* (Glaubensbekenntnis als individuelles „Credo"), eine *institutionelle* (Religionsgemeinschaften bzw. Kirchen als Organisationen) und eine *staatskirchenrechtliche* (staatlich identifizierte Zugehörigkeit zu einer

---

3   Zu den Zahlen vgl. https://fowid.de/meldung/religionszugehoerigkeiten-deutschland-2017.
4   Zu den (z. T. errechneten) Zahlen: Sekretariat der Deutschen Bischofskonferenz, Zahlen und Fakten, 6; Sekretariat der Deutschen Bischofskonferenz, Bevölkerung und Katholiken; EKD, Statistik, 6.
5   Vgl. Sozialwissenschaftliches Institut, Leben, 11.
6   Vgl. ebd., 16.

Religionsgemeinschaft bzw. Kirche). Im Laufe der Zeit verschoben sich die Gewichte zugunsten der juristischen Komponenten. Seit der zweiten Hälfte des 19. Jahrhunderts meint „Konfession" primär „die individuelle Zugehörigkeit zu einer Religionsgemeinschaft als Institution bzw. als Organisation"[7]. Entsprechend ist dann auch „Konfessionslosigkeit" eine organisatorische und staatskirchenrechtliche Kategorie, die die Nicht-Mitgliedschaft in einer Kirche bzw. Religionsgemeinschaft zum Ausdruck bringt.[8]

Rein formal betrachtet sagen weder Konfessionszugehörigkeit noch Konfessionslosigkeit viel aus. Oft genug geht die Mitgliedschaft in einer Kirche mit einem Desinteresse an ihr einher. Umgekehrt gibt es Menschen, die trotz der fehlenden Zugehörigkeit zu einer Kirche sich für diese engagieren. Es ist daher nötig, den Terminus „Konfessionslosigkeit" inhaltlich anzureichern.

2.2. Konfessionslosigkeit als materiale Kategorie

Empirische Untersuchungen von Gert Pickel erlauben es, vier Typen von Konfessionslosen zu unterscheiden:[9]

1. *Gläubige Konfessionslose:* Ihr persönliches Credo lautet, dass man auch ohne Kirche religiös sein kann. Spirituellen Erfahrungen sind sie nicht abgeneigt, gegenüber anderen Religionen zeigen sie Offenheit. Bei ihnen handelt es sich summa summarum um eine kleine, vor allem in Westdeutschland beheimatete Gruppe.

2. *Tolerante Konfessionslose:* Religion spielt für das Alltagsleben dieser Menschen kaum eine oder gar keine Rolle. Sinnfragen beantworten sie zumeist innerweltlich. Diese Gruppe rekrutiert sich im Wesentlichen aus einem intergenerationell weitervererbten Abbruch christlicher Traditionen. Mitgliedern anderer Religionen stehen tolerante Konfessionslose offen gegenüber, auch wenn sie für sich selbst die religiöse Option ausschließen.

3. *Normale Konfessionslose:* Sie teilen fast alle Eigenschaften mit den toleranten Konfessionslosen, allerdings ist ihnen jede Form von Religion und Spiritualität fremd. Die gesamte Sphäre des Religiösen erachten sie als überflüssig.

4. *Volldistanzierte Atheisten:* Bei ihnen ist der Abstand zu Kirche und Religion maximal. Religion und Religionen werden abgelehnt. Ihre areligiöse Grundhaltung verbindet sich bisweilen mit Antireligiosität. Diese Gruppe ist unter den Konfessionslosen zahlenmäßig am stärksten vertreten. Sie ist überwiegend im Osten beheimatet.

....

7 Meyer-Blanck, Michael, Konfessionslosigkeit, 216.
8 Konfessionslosigkeit korrespondiert ausschließlich mit der christlichen Religion. Im juristischen Sinn sind Hindus, Muslime und Buddhisten etc. konfessionslos (aber mitnichten religionslos!). Vgl. Domsgen, Michael, Konfessionslose Schülerinnen und Schüler, 214.
9 Vgl. Pickel, Gert, Konfessionslose, 22-24.

Fazit: Dass Mitglieder ein und derselben Kirche ihren Glauben unterschiedlich praktizieren, ist eine hinlänglich bekannte Tatsache. Analoges gilt für Konfessions- bzw. Religionslose: Auch hier gibt es große Unterschiede. Die zunehmende Kultur der Konfessionslosigkeit stellt also kein geschlossenes System dar, sondern vielmehr „eine Melange an religiösen, religionskritischen und nichtreligiösen Einstellungen, die sehr unterschiedlich miteinander kombiniert und aktualisiert werden können"[10].

3. Vermeintliche Gewissheit: zum Stichwort „Gottesfrage"

3.1. Krise der Frage

Fragen bedürfen Hörender, sollen sie nicht ohne Resonanz verklingen. Was die Gottesfrage anbelangt, nehmen Hörbereitschaft und Hörfähigkeit in einem säkularen Umfeld ab, zum Teil dramatisch, wenn man den Blick auf den Osten Deutschlands richtet. Hier trifft die „Musik" der Religion in der Regel auf „religiös Unmusikalische" (Max Weber). Eberhard Tiefensee spricht in diesem Zusammenhang von „Menschen, die vergessen haben, dass sie Gott vergessen haben"[11].

Dass religiöse Sprache im Verdacht steht, Unwahres oder Irrationales zu verkünden, ist ein bekanntes Phänomen. Es setzt eine wie auch immer geartete Beschäftigung mit Religion voraus, und sei es im Modus der Skepsis oder Ablehnung. Wenn aber religiöse Sprache als irrelevant gilt, wenn sie nicht einmal verstanden wird, ist das ein ganz anderer Befund! Die Gottesfrage ist dann keine denkerische und erst recht keine existenzielle Herausforderung mehr. Sie scheint gar nicht mehr als Frage auf, sondern degeneriert zu einem Phänomen, das nicht eingeordnet werden kann und auch gar nicht eingeordnet werden muss.

3.2. Krise der Antwort

Dass die Gottesfrage keine Selbstverständlichkeit (mehr) ist, nahm schon der Synodenbeschluss zum Religionsunterricht aus dem Jahr 1974 aufmerksam wahr. Deshalb schreibt er dem Religionsunterricht u. a. die Aufgabe zu, die Frage nach Gott zu wecken und zu reflektieren.[12] Doch soll der Religionsunterricht dabei nicht stehenbleiben: Dem Beschlusstext zufolge ermöglicht er „eine Antwort aus der Offenbarung und aus dem Glauben der Kirche"[13].

Doch wie steht es heute um die Antwort, die der Glaube geben soll? Seitens der Wissenschaften wird die Theologie mit der heiklen Frage nach der Wahrheitsfähigkeit ihrer Aussagen konfrontiert. Aber auch innerhalb der Theologie selbst tun sich zahlreiche Probleme in Bezug auf tradierte Glaubensvorstellungen auf.[14] Um Rudolf

<hr>

10   Käbisch, David, Religionsunterricht, 23.
11   Tiefensee, Eberhard, Gottesfrage, 39.
12   Vgl. Synodenbeschluss, 2.5.1.
13   Ebd.
14   Vgl. hierzu auch Knop, Julia, Gottesfrage.

Englert zu zitieren:

„Es ist unübersehbar, dass wir uns in einer Situation erodierender religiöser und theologischer Gewissheiten befinden. Vieles, was theologisch gewiss schien, ist mittlerweile zweifelhaft geworden. Es gibt kaum ein großes theologisches Thema mehr, bei dem sich nicht die Frage stellen lässt: Kann man das noch so sagen? Lässt sich das einem säkularen Zeitgenossen gegenüber noch halbwegs vernünftig erklären?"[15]

Dieser sehr allgemein gehaltene Befund soll exemplarisch durch vier Aspekte näher aufgeschlüsselt werden.

1. Um eine Reihe von theologischen Themen und dogmatischen Traktaten ist es sehr still geworden. Zu denken ist beispielsweise an die Eschatologie. Mit welcher Beredtheit konnten die Autoren neuscholastischer Lehrbücher noch Auskunft über „letzte Dinge" geben? Die theologische Durchschlagskraft der Eschatologie würdigte Hans Urs von Balthasar 1957 in dem bekannt gewordenen Diktum, sie sei der „'Wetterwinkel' in der Theologie unserer Zeit. Von ihr her steigen jene Gewitter auf, die das ganze Land der Theologie fruchtbar bedrohen: verhageln oder erfrischen."[16] Heute zeichnet sich die Eschatologie „eher durch eine gewisse Verlegenheit oder gar Sprachlosigkeit aus"[17]. Die Sicherheit, über postmortale Zustände und die Zukunft der Menschheit und des Kosmos Aussagen machen zu können, ist ihr abhandengekommen. Ihre Rede trifft auf ein gesellschaftliches Umfeld, das den Tod weitgehend tabuisiert und sein Augenmerk auf das Leben im Hier und Jetzt legt.

2. Dem französischen Philosophen Michel de Certeau (1925 – 1986) zufolge erschüttert seit dem Beginn der Moderne eine „Krise der Repräsentation" die Theologie in ihren Grundfesten.[18] Stellten im Mittelalter das Christentum und seine religiöse Sprache einen umfassenden erkenntnistheoretischen und moralischen Referenzrahmen für die Ordnung der Gesellschaft bereit, bewirkte die konfessionelle Spaltung einen fundamentalen Plausibilitäts- und Legitimationsverlust christlichen Denkens und Sprechens. Die Glaubwürdigkeit von Religion als Quelle und Garanten verbindlicher Sinnvorgaben ist seither in Frage gestellt, ebenso die Repräsentationskraft religiöser Sprache: Ihr wird es nicht mehr zugetraut, den göttlichen Logos in der Welt gegenwärtig zu setzen. Auf die Wortverkündigung und auf sakramentale Handlungen fällt damit unmittelbar der Schatten des Zweifels an ihrer Wirksamkeit. Wegen der „Krise der Repräsentation" steht de Certeau zufolge die Gottesrede der Gegenwart „im

....

15 Englert, Rudolf, Gott, 96f.
16 Balthasar, Hans Urs von, Eschatologie, 403.
17 Rahner, Johanna, Einführung, 13.
18 Vgl. Gruber, Judith, Theologie, 174-185.

Zeichen der Gebrochenheit; ihr Ort und ihre Sprache sind zerbrochen"[19].

3. Heutige Theologie hat große Schwierigkeiten, einen plausiblen Begriff von Gottes Handeln in der Welt angesichts eines weithin akzeptierten naturwissenschaftlichen Weltbildes zu entwickeln. Dies hat Auswirkungen auf verschiedene theologische Themen, insbesondere die Frage nach der Möglichkeit von Wundern oder die Problematik des Bittgebets. Wenn göttliches Handeln in der Welt nicht mehr ausgemacht bzw. erfahren werden kann, ist dann das Bittgebet am Ende „womöglich nichts anderes als ein Gespräch des Menschen mit sich selbst?"[20] Es handelt sich hier nicht um theologische Quisquilien, im Gegenteil: „Wenn sich das Gebet als Rede zu Gott und die Theologie als Rede von Gott gegenseitig durchdringen, ist im Gebet die Gottesfrage als Mitte aller Theologie stets präsent."[21] Die Frage nach dem Handeln Gottes in der Welt schlägt also unmittelbar auf die Frage nach dem Sinn des Bittgebets durch und erfasst von dort aus die gesamte Gotteslehre.

4. An dieser Stelle weitet sich der Problemhorizont noch einmal, nämlich zu der fundamentalen Anfrage, ob nicht der Theismus an ein Ende gekommen ist.[22] Die klassische Vorstellung von einem personalen Gott, der sich von der von ihm geschaffenen Welt ontologisch unterscheidet, in diese, seine Schöpfung aber kraft seines Willensentscheids eingreifen kann, führt zu massiven theologischen Inkonsistenzen. Besitzen nicht andere theologische Modelle mehr Überzeugungskraft, wie z. B. der Panentheismus, wonach Gott keine unwandelbare Größe ist, sondern sich von seiner Schöpfung und insbesondere von dem in ihr präsenten Schmerz und Leid berühren lässt?[23]

Fazit: In einem säkularen Umfeld befindet sich bereits die Gottesfrage in einem prekären Zustand, insofern sie nicht einmal mehr als ein Problem wahrgenommen wird, das eine ernsthafte Auseinandersetzung lohnt. In religiös imprägnierten Kontexten mag zwar die Gottesfrage noch als Thema firmieren, über das sich streiten lässt, doch vermögen die Antworten aus der christlichen Tradition vor dem Hintergrund eines naturwissenschaftlichen Weltbildes, zweckrationaler Vernunft und postmodernen Pluralitätsdenkens immer weniger zu überzeugen.

....

19 Ebd., 184. – Ähnlich auch Charles Taylor, Säkulares Zeitalter, 598f.: „Die einstigen Sprachen der objektiven Bezugnahme, die in Verbindung mit der Geschichte der heiligen Dinge, den Korrespondenzen und der großen Kette funktionierten, stehen immer weniger zur Verfügung. Das ist die unvermeidliche Konsequenz der Entzauberung, des Zurücktretens des Kosmos vor einem rein mechanisch zu verstehenden Universum."
20 Böttigheimer, Christoph, Sinn, 11.
21 Ebd., 31.
22 Vgl. ebd., 31-36.
23 Vgl. Müller, Klaus, Glauben 3, 756-771.

4. Religionsunterricht mit faktisch oder nominell konfessionslosen Schülerinnen und Schülern

Auf den Rückgang der kulturellen Prägekraft des Christentums und die Zunahme von Konfessions- und Religionslosigkeit können Konzepte für den Religionsunterricht in verschiedener Weise reagieren. Eine Variante besteht darin, ihn stärker glaubensförmig und kirchenorientiert auszurichten. Dann würde der Fokus vor allem auf jene Schüler*innen gelegt, die noch eine gewisse Affinität zu Christentum, Konfession und Kirche erkennen lassen. Inhaltlich würde sich der Religionsunterricht auf Glaubenswissen und Formen gelebten Glaubens konzentrieren. Diese Variante hat einen hohen Preis: Sie leistet einer Degenerierung und Marginalisierung des Religionsunterrichts im Fächerkanon und im Schulleben Vorschub. Daher empfiehlt es sich, einer anderen Lösung den Vorzug zu geben. Sie besteht darin, den Religionsunterricht konsequent für konfessionslose Schüler*innen zu öffnen. Dies kann jedoch nicht geschehen, ohne dass sich der herkömmliche Religionsunterricht in Gehalt und Gestalt verändert. Man mag in den notwendigen Veränderungen einen Profilverlust erkennen, verkennt aber dabei die Chancen. Es drängt sich nämlich die Frage auf, ob entsprechende Reformen nicht ohnehin früher oder später auf der Tagesordnung stehen müssen, weil die meisten Schüler*innen, die den Religionsunterricht besuchen, faktisch kaum mehr den christlichen Glauben praktizieren, geschweige denn eine Beziehung zur Kirche pflegen, auch wenn sie nominell einer Konfession zugehören. Dass der Besuch des Religionsunterrichts für Konfessionslose durchaus eine Option ist, bestätigen Erfahrungen in Ostdeutschland. Hier hat sich der evangelische Religionsunterricht schon seit geraumer Zeit für Schüler*innen außerhalb des eigenen Bekenntnisses geöffnet. Dass die Quote konfessionsloser Schüler*innen, die am evangelischen Religionsunterricht teilnehmen, in Thüringen 28 %, in Sachsen 38 % und in Sachsen-Anhalt 50 % beträgt, ist ein Faktum, das aufhorchen lässt.[24]

Die bislang in Ostdeutschland gemachten Erfahrungen im Umgang mit Konfessionslosen im Religionsunterricht haben zu der Erkenntnis geführt, dass dafür kein religionsdidaktischer Paradigmenwechsel erforderlich ist. Auf der Agenda stehen vielmehr spezifische Akzentsetzungen in dem in der Religionsdidaktik über Jahrzehnte gewachsenen Ensemble von Ansätzen, Lernwegen, Inhalten und Methoden. Drei solcher Akzentuierungen werden im Folgenden knapp skizziert.

4.1 Einen denkerischen Horizont für die Gottesfrage aufspannen

„Religionsunterricht, der den christlichen Gottesglauben zum Thema macht, ist gerade dann oder deshalb interessant und wichtig, wenn oder weil dieser Glaube bei den Kindern und Jugendlichen nicht vorausgesetzt werden kann."[25] Dieser These Fried-

---

24 Domsgen, Michael, Konfessionslose Schülerinnen und Schüler, 213f.
25 Schweitzer, Friedrich, Gott, 257; hier kursiviert.

rich Schweitzers folgend sind Sorgen unangebracht, dass der Religionsunterricht in dem Maße an Profil verliere, in dem konfessions- und religionslose Schüler*innen an ihm teilnähmen. Das Fehlen von Gotteserfahrungen bedeutet mitnichten, dass junge Menschen keine „großen Fragen" hätten. Anna-Katharina Szagun hat in einer 2018 veröffentlichten Studie zur frühkindlichen Entwicklung von Gotteskonzepten in zunehmend säkularen Kontexten gezeigt, dass auch Kinder, für die Gott ein Fremdwort ist, wenigstens Fragen nach dem Woher, Wohin und Warum von Leben und Welt mitbringen und darauf Antworten wünschen.[26]

Die Arbeit an „großen Fragen" ist eine Kernaufgabe religiöser Bildung. Man mag darüber streiten, ob der Mensch ein „homo religiosus" ist – in jedem Fall ist er ein „animal quaerens cur". Kritisches Fragen wiederum ist Grundvollzug von Philosophie. Martin Heidegger kennzeichnet das Philosophieren als etwas, das untrennbar mit dem Menschsein verbunden ist: „Es gehört zum Wesen des menschlichen Daseins, daß es, sofern es existiert, philosophiert. Menschsein heißt schon philosophieren ..."[27] Mit anderen Worten: „Fragen können bzw. müssen" und „Philosophieren": das sind offenkundig Existenziale!

Mustert man die herkömmlichen religionsdidaktischen Kompetenzkataloge, ist darin eine philosophische Kompetenz meist nicht enthalten.[28] Darauf aber kommt es zukünftig mehr denn je an! Religionsunterricht sollte sich der Aufgabe annehmen, jungen Menschen beim Aufbau eines philosophischen Denkhorizonts zu unterstützen. Philosophische Kompetenz muss Teil religiöser Kompetenz sein! Es ist möglich, dass dieser philosophische Denkrahmen religiös ausgestaltet wird, vielleicht erst in der Zukunft aufgrund bestimmter Lebenserfahrungen. Ob dies im Religionsunterricht geschieht, muss jedenfalls offenbleiben.

Bezogen auf die Gottesfrage heißt dies: Zugänge zu ihr sind erstens so zu wählen, dass sie nicht auf Gotteserfahrungen von Schüler*innen abheben bzw. diese voraussetzen. Der Gottesgedanke ist zweitens im Modus einer „denkbaren" Position ins Spiel zu bringen. Die Gottesfrage ist drittens als echte Frage zu behandeln und nicht als Scheinfrage, deren Antwort im Grunde schon feststeht. Anders gesagt: Es geht um einen Religionsunterricht, „für den nicht alles schon ausgemacht ist"[29].

Bisweilen mag der Eindruck entstehen, „es gebe einen festen Kanon der ‚großen Fragen', die durch die Geschichte in konstanter Dringlichkeit die menschliche Wissbegierde beschäftigen und den Anspruch auf Welt- und Selbstdeutung motivieren"[30]. Tatsächlich aber sind „große Fragen" an kulturelle Kontexte gebunden. Diese bestimmen, was als „große Frage" firmiert und was nicht. „Große Fragen" befinden

....

26 Vgl. Szagun, Anna-Katharina, Gott, 397.
27 So Martin Heidegger in einem Brief vom 08. August 1928 an Elisabeth Blochmann (Heidegger; Martin/Blochmann, Elisabeth, Briefwechsel, 25).
28 Vgl. Kropač, Ulrich, Religion, 302f.
29 Schweitzer, Friedrich, Gott, 262.
30 Blumenberg, Hans, Legitimität, 75.

sich also gewissermaßen in einem flüssigen, nicht in einem festen Aggregatszustand. So hat, um ein Beispiel zu geben, die im Christentum zentrale Frage nach Heil und Erlösung für viele Zeitgenossen stark an Bedeutung verloren.

Aber nicht nur die „großen Fragen", auch die Antworten darauf sind im Fluss. Dies erfährt das Christentum bereits seit geraumer Zeit schmerzlich: Seine Antworten stoßen in einer säkularen Gesellschaft, aber auch unter Christ*innen, auf immer geringere Resonanz.

Religiöse Bildung kann sich folglich weder auf einen fixierten Kanon „großer Fragen", wie er ihr von der christlichen Tradition überkommen ist, zurückziehen noch auf deren Antworten. Sie muss darüber hinaus ein Gespür dafür entwickeln, welche „großen Fragen" in der Gegenwartskultur, insbesondere in den Lebenswelten Heranwachsender, aufgeworfen werden. Selbstverständlich wird sie versuchen, in Diskussionen darüber die Antworten des Glaubens hörbar zu machen. Ob ihr das gelingt und ob die Auskünfte der Tradition überzeugen, steht freilich auf einem anderen Blatt.

Ein Beispiel

Was macht den Grund menschlichen Seins aus? In der Geistesgeschichte wurden hierauf unterschiedliche Antworten entwickelt: René Descartes (1596 – 1650) sah das menschliche Sein durch das *Denken* konstituiert, Francis Bacon (1561 – 1626) durch das *Wahrnehmen*, Johann Gottlieb Fichte (1762 – 1814) durch das Handeln. Die Antwort des irischen Bischofs und Aufklärungsphilosophen George Berkeley (1685 – 1753) lautet: durch *Wahrgenommen-werden*. Erst indem der Mensch wahrgenommen wird, wird er zum Menschen: „esse est percipi".[31]

Unschwer lässt sich eine Brücke von Berkeleys Axiom zu den Lebenswelten heutiger Heranwachsender schlagen. Welch gewaltige Anstrengungen unternehmen sie, um von anderen wahrgenommen zu werden, sei es durch ihre äußere Erscheinung (Make-up, Frisur, Kleidung), sei es durch ausgedehnte Präsenz in medialen Netzwerken in Form von Einträgen in Blogs, Statusmitteilungen in WhatsApp, Kurznachrichten auf Twitter, bildgestützter Kommunikation bei Instagram oder Stories auf Snapchat? Fernsehshows, die nach neuen Talenten, Topmodels und Superstars suchen, haben seit Jahren Hochkonjunktur. Sie leben von der Illusion junger Leute, *im Prinzip* selbst zu einer celebrity aufsteigen zu können, die auf den Beifall eines Millionenpublikums hoffen darf. In all diesen Bemühungen spiegelt sich der Wunsch, im Wahrgenommen-werden, besser noch: in der Anerkennung durch andere, die eigene Identität zu konstituieren. Der Song „Wie schön du bist" von Sarah Connor und das entsprechende Musikvideo geben dieser Sehnsucht in einem ästhetisch ansprechenden Arrangement einen treffsicheren Ausdruck.

Was kann der Religionsunterricht an dieser Stelle leisten? Ihm ist es aufgegeben,

....

31   Vgl. hierzu Langenhorst, Georg, Sprachkrise, 69-71; Pirner, Manfred, Anerkennung, 71f.

die Frage nach dem, was das Sein des Menschen wesentlich ausmacht, zu stellen. Er wird verschiedene Antworten darauf ins Spiel bringen, darunter den Grundgedanken der Rechtfertigungslehre, dass Gott jedem Menschen einzigartig und unverbrüchlich Beachtung und, mehr noch, Achtung, schenkt. Die verschiedenen Ansätze gilt es, kritisch zu diskutieren. So kann ein denkerischer Horizont für die „große Frage" nach dem Wesen des Menschen geschaffen werden. Ob für Schüler*innen die christliche Überzeugung, dass sich Gott bedingungslos allen Menschen zuwendet, eine plausible Antwort ist, muss offenbleiben, umso mehr, wenn Schüler*innen nicht über entsprechende Erfahrungen verfügen bzw. Erfahrungen von Zuwendung nicht in einem religiösen Horizont deuten (können oder wollen).

4.2. Religiöse Sprache als Medium für die Entwicklung einer reflektierten religiösen Alltagssprache erschließen

Beschreibungen der Situation religiöser Sprache in der Gegenwart bedienen sich regelmäßig eines defätistischen Vokabulars. Der christlichen Gottesrede wird Sklerose attestiert. Sie sei verkapselt in ekklesialen Sprachspielen, daher für „nicht eingeweihte" Zeitgenossen kaum zu entziffern.[32] Allgemeiner ist von Sprachkrise, Sprachlosigkeit und Sprachverlust die Rede oder davon, dass religiöse Sprache zur Fremdsprache geworden sei.[33] Unter diesen Voraussetzungen erscheint die Gottesrede sogar als ein primäres Rezeptionshindernis für den Gottesgedanken.[34] Dass der anhaltende Säkularisierungsschub die Lage noch prekärer machen wird, steht zu vermuten. Angesichts der düsteren Aussichten wundert es nicht, dass Ulrich Löffler „die gemeinsame Arbeit am Verständnis der religiösen Sprache und ihrer ‚Relevanz für mein Leben'" zum „gegenwärtige[n] Zentralproblem des Religionsunterrichts"[35] erklärt hat.

Dabei scheint ein Ausweg aus der Krise der religiösen Sprache auf der Hand zu liegen: Es braucht eine Übersetzung theologischer Begriffe ins Heute. Diese Forderung wird seit Jahrzehnten erhoben. Sie besteht zu Recht, denn christliches Sprechen hat sich häufig so sehr zu einem geradezu petrifizierten Begriffssystem verfestigt, dass es kaum mehr Überschneidungen mit den Sprachspielen heutiger Menschen gibt. Übersetzungen tun daher not – aber sie lösen das Problem nur begrenzt. Aufgrund des engen Zusammenhangs von Sprache und Denken greift die Vorstellung zu kurz, ein und derselbe Sachverhalt könne äquivalent durch andere Worte dargestellt werden. Dies ist nur begrenzt möglich. Im Vorgang der Übersetzung kommt es nicht nur zu einer Veränderung der Worte, sondern auch der damit angezielten Sache. So sehr es Aufgabe der Theologie ist, neue Sprachbilder für grundlegende Glaubensaussa-

....

32   Vgl. Mette, Norbert, Gottesverdunstung, 21.
33   Vgl. dazu Altmeyer, Stefan, Fremdsprache, 15-24.
34   Vgl. ebd., 16.
35   Löffler, Ulrich, Religionsunterricht, 166.

gen zu finden, so wenig kann dies gelingen, indem das traditionelle Begriffsrepertoire einfach abgestoßen wird.[36] Übersetzungen müssen also einen Kurs zwischen überkommener theologischer Sprache und neuen religiösen Sprachspielen steuern, ohne dass von Anfang an feststünde, ob dieses Experiment gelingt.

Die Diskussion über eine Verflüssigung verkrusteter religiöser Sprachmuster neigt dazu, den Blick auf eine wesentliche Erkenntnis zu verstellen, dass nämlich analoge Sprache „als einzig angemessener Modus der Rede von Gott"[37] zu gelten hat. Damit ist eine Grundschwierigkeit junger Menschen berührt: Ihnen fällt es schwer, in Metaphern zu denken und zu sprechen. Deshalb finden sie oft genug keinen Zugang zum Kosmos religiöser Sprache. Von großer Bedeutung sind daher unterrichtliche Bemühungen, Schüler*innen zu der Einsicht zu führen, dass der *Gegenstand* des Religionsunterrichts spezifische Sprachformen erfordert: Metaphern, symbolische Sprache, Gleichnisse, Erzählungen usw. Eigentlich sollten Schüler*innen vom Deutschunterricht her mit literarischen Gattungen vertraut sein. Doch scheint sich dieses Wissen nur schwer auf den Religionsunterricht übertragen zu lassen, so dass hier auf eigene Anstrengungen nicht verzichtet werden kann. Der Umgang mit dichterischer Sprache „kann dabei helfen, Grundprinzipien und Verfahren analogen Redens wahrzunehmen und selbst zu praktizieren"[38].

Insgesamt verleiht der Rückgang konfessioneller und religiöser Bindungen bei Schüler*innen der Frage nach dem „Wozu" einer religiösen Sprachlehre eine neue Dynamik. Hier ist eine differenzierte Zielbestimmung vorzunehmen. Sicherlich wird eine religiöse Sprachlehre Schüler*innen mit theologischem Vokabular und literarischen Gattungen bekannt machen, damit sie religiöses Denken und Sprechen verstehen können. Doch das kann nicht ihr vornehmlicher Zweck sein, denn ohne einen persönlichen Bezug zur Sache produziert solches Lernen vor allem träges Wissen. Man könnte die Notwendigkeit einer religiösen Sprachlehre damit begründen, dass die religiöse Sprachfähigkeit heutiger Schüler*innen nur rudimentär ausgeprägt sei oder völlig fehle, so dass der Religionsunterricht diesen Mangel zu beheben habe. Untersuchungen zeigen aber, dass junge Menschen sehr wohl die Fähigkeit besitzen, religiös zu sprechen. Sie tun dies aber in stark individualisierter Weise und oft in großer Distanz zu geprägten religiösen Formeln.[39] Hauptzweck einer religiösen Sprachlehre muss es deshalb sein, jungen Menschen Instrumente an die Hand zu geben, ihre religiöse Gebrauchssprache in eine *reflektierte Gebrauchssprache* zu überführen.[40] Eine Sprachlehre, die diese Leistung erbringt, wäre auch jenen Heranwachsenden von Nutzen, die sich mit „großen Fragen" auseinandersetzen, ohne dabei auf religiöse Traditionen zurückzugreifen. Denn der Umgang mit „großen Fragen" wie z. B.

....

36 Vgl. Langenhorst, Georg, Sprachkrise, 75.
37 Langenhorst, Georg, Spiegelungen, 131.
38 Ebd., 132. – Zum Ganzen vgl. Langenhorst, Georg, Ich gönne mir.
39 Vgl. Altmeyer, Stefan, Fremdsprache, hier besonders die Ergebnisthesen, ebd. 313-319.
40 Vgl. Schärtl, Thomas, Gott, 33f.

32

nach Glück, Scheitern, Trauer, Liebe verlangt immer auch nach Sprachformen, die poetischer und religiöser Sprache nahestehen.

4.3. Religionskultur als produktiven Ort für die Gottesfrage konturieren

Religion und Kultur sind unauflösbar miteinander verwoben. Eine kulturlose Religion wäre ein Phantom – es gibt sie nicht. Es hat daher Sinn, von Religionskultur als einem zentralen Aspekt von Kultur überhaupt zu sprechen. Näherhin versteht man unter diesem Begriff „alle Formen des Umgangs mit Religion, die sich in einer regional oder national begrenzten Kultur finden lassen"[41].

Die Religionskultur in Deutschland war über Jahrhunderte geprägt von einer engen Verbindung von Christentum und Kultur. Diese Synthese ist seit geraumer Zeit brüchig geworden, insbesondere in den letzten Jahrzehnten haben sich die Entflechtungsprozesse verstärkt. An die Stelle einer durchgehend christlich imprägnierten Kultur ist eine solche getreten, in der Religiöses diffus verbreitet ist. In den Worten Michel de Certeaus:

> „Heutzutage ist das Christentum – ähnlich jenen majestätischen Ruinen, aus denen man Steine bricht, um damit andere Bauten zu errichten – für unsere Gesellschaften zum Lieferanten eines Vokabulars, eines Schatzes an Symbolen, Zeichen und Praktiken geworden, die anderswo neue Verwendung finden. Jedermann macht auf seine Weise Gebrauch von ihnen, ohne dass die kirchliche Autorität ihre Verteilung steuern oder ihrerseits ihren Sinngehalt definieren könnte."[42]

(Junge) Menschen begegnen (christlicher) Religion immer weniger an deren angestammten Orten: verkündet in Gottesdiensten, gefeiert in religiösen Festen, praktiziert in Gemeinden. Sie stoßen vielmehr auf Religiöses, Religionsanaloges und Quasireligiöses auf profanen Feldern. Religionsunterricht hat sich, mit anderen Worten, darauf einzustellen, dass Schüler*innen Religiöses immer häufiger als „Treibgut" an „säkularen Ufern" antreffen.[43] Der Umgang der Religionskultur mit Religiösem kennt mannigfache Spielarten: Religion und Religiosität werden „ernst genommen und ggf. dramatisiert, für unterhaltsame Zwecke romantisiert und bagatellisiert, politisch und ökonomisch instrumentalisiert, weltanschaulich kritisiert oder radikalisiert, für die Propagierung ethischer Haltungen und moralischer Handlungen funktionalisiert u. v. m."[44]

Aus dem Befund, dass die Religionskultur in steigendem Maß Ort religiöser Sozialisation für Heranwachsende ist, müssen Konsequenzen für religiöse Bildung gezogen werden. Ihr Gegenstandsbereich kann sich nicht auf *Religion* bzw. *Religionen*

....

41   König, Klaus, Mehr Religion, 99.
42   Certeau, Michel de, GlaubensSchwachheit, 245.
43   Höhn, Hans-Joachim, Zeit, 20.
44   König, Klaus, Religionskultur, 176.

beschränken, zu ihm gehört nicht weniger *Religiosität* als individuelles Vermögen – und eben auch *Religionskultur*. Diese Dreiteilung sollte in Zukunft systematische Qualität bei der Konzeption von Religionsunterricht erlangen.[45]

Wo sich der Religionsunterricht mit Religionskultur befasst, ist er auf spezifische Methoden verwiesen, die der Doppelstruktur von Religionskultur gerecht werden, nämlich eine kulturbezogene Sicht auf Religion mit einer religionsbezogenen Sicht auf Kultur zu verbinden.[46] Es wird also danach gefragt, wie das Verstehen kultureller Bestände bereichert wird, wenn sie aus religiöser Perspektive wahrgenommen werden, und umgekehrt, wie auf Religion ein neues Licht fällt, indem ihre Wechselwirkungen mit Kultur freigelegt werden. *Wahrnehmen* und *Verstehen* sind daher die wichtigsten Kompetenzen innerhalb religionskultureller Arbeitsformen.

Ein Beispiel

Der Song „Ist da jemand" von Adel Tawil samt Musikvideo eignet sich in besonderer Weise dafür, einer möglichen Präsenz der Gottesfrage in der Popkultur nachzuspüren. Der Song wirft eine „große Frage" auf: Ist da jemand? Der Songtext erlaubt zwei Lesarten: eine profane und eine religiöse. Welche „die richtige" ist, bleibt in der Schwebe. Das Video wiederum arbeitet mit verschiedenen Symbolen, die gleichfalls profan und religiös gedeutet werden können. Auch hier wird den Betrachter*innen eine Entscheidung nicht abgenommen. Es ist diese in Text und Bildern enthaltene Ambivalenz, die Tawils Song dazu prädestiniert, die Gottesfrage im Religionsunterricht zu thematisieren. Weil sie im Kontext populärer Kultur auftaucht, dürfte sie junge Menschen ganz anders berühren, als wenn sie in einem genuin religiösen bzw. ekklesialen Rahmen gestellt würde, womit Schüler*innen gerechnet hätten.

5. Konfessionslosigkeit: eine Zukunftsfrage für den Religionsunterricht

Der zu Beginn des Beitrags zitierte Religionsphilosoph Tomáš Halík soll am Ende noch einmal zu Wort kommen:
> „Auch außerhalb kirchlicher Räume muss Gott ... seine Leute haben, er hat sie auch in den verschlungenen Labyrinthen des Suchens, in die sich die ‚Frommen' nie verirren oder gar nicht einzutreten wagen ..."[47]

Seit der Würzburger Synode steht der Religionsunterricht unter dem Vorzeichen der Bildungsdiakonie. Das Potenzial dieser wegweisenden Entscheidung ist nach meiner Überzeugung noch nicht ausgeschöpft. Es kann gerade dann neue Fruchtbarkeit entfalten, wenn es auf das Phänomen der Konfessionslosigkeit bezogen wird. Al-

---

45 Das Buch „Religion – Religiosität – Religionskultur. Ein Grundriss religiöser Bildung in der Schule" von Ulrich Kropač verfolgt genau dieses Ziel.
46 Vgl. hierzu detaillierter König, Klaus, Religionskultur, 177-183.
47 Halík, Tomáš, Geduld, 229.

lerdings: Verfolgt man einen solchen Weg konsequent, wird dies erhebliche Auswirkungen auf religionsunterrichtliche Konzepte haben. Einige davon wurden skizziert. Es ist nicht weniger als eine Zukunftsfrage für den Religionsunterricht, ob die Verantwortungsträger – Bischöfe, Mitarbeiter*innen in den Ordinariaten, Theolog*innen an den Universitäten, Religionslehrer*innen – sich den Herausforderungen wachsender Konfessions- und Religionslosigkeit öffnen oder ihre Energie darauf verwenden, die christliche Tradition gegenüber einem steigenden säkularen Grundwasserspiegel abzuschotten. Folgt man Tomáš Halík, dann ist gerade die Begegnung mit „den Anderen", „den Fernstehenden" vielversprechend.

Literatur

Quellen

- EKD, Statistik. Kirchenmitgliederzahlen am 31.12.2006, 2007, in: https://archiv.ekd.de/down-load/krchenmitglieder_2006.pdf.
- Sekretariat der Deutschen Bischofskonferenz (Hg.), Katholische Kirche in Deutschland. Zahlen und Fakten. 2016/17, Bonn 2017.
- Sekretariat der Deutschen Bischofskonferenz, Katholische Kirche in Deutschland. Bevölkerung und Katholiken. 1950-2017, in: https://www.dbk.de/fileadmin/redaktion/Zahlen%20und%20Fakten/ Kirchliche%20Statistik/ Bevoelkerung%20und%20Katholiken%20BRD/2017-Tabelle-Katholiken-Bevoelkerung_1950--2017.pdf.
- Sozialwissenschaftliches Institut der Evangelischen Kirche in Deutschland, „Was mein Leben bestimmt? Ich!". Lebens- und Glaubenswelten junger Menschen heute, Hannover 2018.
- Synodenbeschluss „Der Religionsunterricht in der Schule", in: Gemeinsame Synode der Bistümer in der Bundesrepublik Deutschland. Beschlüsse der Vollversammlung. Offizielle Gesamtausgabe I. Freiburg i. Br./Basel/Wien 19897, 123-152.

Weitere Literatur

- Altmeyer, Stefan, Fremdsprache Religion? Sprachempirische Studien im Kontext religiöser Bildung, Stuttgart 2011.
- Balthasar, Hans Urs von, Eschatologie, in: Feiner, Johannes/Trütsch, Josef/Böckle, Franz (Hg.), Fragen der Theologie heute, Einsiedeln 1957, 403-422.
- Blumenberg, Hans, Die Legitimität der Neuzeit. Erneuerte Ausgabe, Frankfurt a. M. 20178.
- Böttigheimer, Christoph, Sinn(losigkeit) des Bittgebets. Auf der Suche nach einer rationalen Verantwortung, Freiburg i. Br./Basel/Wien 2018.

- Certeau, Michel de, GlaubensSchwachheit. Hg. von Luce Giard, Stuttgart 2009.
- Domsgen, Michael, Konfessionslose Schülerinnen und Schüler. Eine lohnende Herausforderung für den Religionsunterricht, in: EvTh 76 (2016) 213-225.
- Englert, Rudolf, Gott denken? Im Religionsunterricht?, in: Pemsel-Maier, Sabine/Schambeck, Mirjam (Hg.), Keine Angst vor Inhalten! Systematisch-theologische Themen religionsdidaktisch erschließen, Freiburg i. Br./Basel/Wien 2015, 93-110.
- Gruber, Judith, Theologie nach dem Cultural Turn. Interkulturalität als theologische Ressource, Stuttgart 2013.
- Halík, Tomáš, Geduld mit Gott. Die Geschichte von Zachäus heute, 3. durchges. und verb. Aufl., Freiburg i. Br./Basel/Wien 2011.
- Heidegger, Martin/Blochmann, Elisabeth, Briefwechsel. 1918-1969, hg. von Joachim W. Storck, Marbach 19902.
- Höhn, Hans-Joachim, Zeit und Sinn. Religionsphilosophie postsäkular, Paderborn/München/Wien u. a. 2010.
- Käbisch, David, Religionsunterricht und Konfessionslosigkeit. Eine fachdidaktische Grundlegung, Tübingen 2014.
- Kalbheim, Boris/Ziebertz, Hans-Georg, Säkular – mehr als „nichtreligiös"?, in: IJPT 21 (2017) 58-88.
- Knop, Julia (Hg.), Die Gottesfrage zwischen Umbruch und Abbruch. Theologie und Pastoral unter säkularen Bedingungen, Freiburg i. Br./Basel/Wien 2019.
- König, Klaus, Mehr Religion. Die Bedeutung der Religionskultur für den Religionsunterricht, in: Kropač, Ulrich/Langenhorst, Georg (Hg.), Religionsunterricht und der Bildungsauftrag der öffentlichen Schulen. Begründungen und Perspektiven des Schulfaches Religionslehre, Babenhausen 2012, 98-112.
- -, Religionskultur, in: Kropač, Ulrich, Religion – Religiosität – Religionskultur. Ein Grundriss religiöser Bildung in der Schule, Stuttgart 2019, 145-200.
- Kropač, Ulrich, Religion – Religiosität – Religionskultur. Ein Grundriss religiöser Bildung in der Schule, Stuttgart 2019.
- Langenhorst, Georg, „Ich gönne mir das Wort Gott". Annäherungen an Gott in der Gegenwartsliteratur, 2. völlig überarb. Aufl., Freiburg i. Br./Basel/Wien 2014.
- -, Spiegelungen – Die Gottesfrage in der Literatur buchstabiert: Religionsdidaktische Reflexionen, in: Pemsel-Maier, Sabine/Schambeck, Mirjam (Hg.), Keine Angst vor Inhalten! Systematisch-theologische Themen religionsdidaktisch erschließen, Freiburg i. Br/Basel/Wien 2015, 130-147.
- -, Sprachkrise im ‚Theotop'? Zur Notwendigkeit radikaler Neubesinnung religiöser Sprache, in: RpB 69/2013, 65-76.

- Löffler, Ulrich, Religionsunterricht an der säkularen Schule – Szenen, Einsichten, Fragen, in: Meier, Gernot (Hg.), Reflexive Religionspädagogik. Impulse für die kirchliche Bildungsarbeit in Schule und Gemeinde, Stuttgart 2012, 161-170.
- Mette, Norbert, „Gottesverdunstung" – eine religionspädagogische Zeitdiagnose, in: JRP 25 (2009) 9-23.
- Meyer-Blanck, Michael, Konfessionslosigkeit und die konfessorische Dimension des Religionsunterrichts. Systematische Perspektiven, in: ZPT 66 (2014) 215-223.
- Müller, Klaus, Glauben – Fragen – Denken. Bd. 3: Selbstbeziehung und Gottesfrage, Münster 2010.
- Pickel, Gert, Konfessionslose – das ‚Residual' des Christentums oder Stütze des neuen Atheismus?, in: Theo-Web. Zeitschrift für Religionspädagogik 12 (2013) H. 1, 12-31.
- Pirner, Manfred, Anerkennung aus Gnade. Luthers Rechtfertigungstheologie im Kontext einer Theologie und Pädagogik der Anerkennung, in: Theo-Web. Zeitschrift für Religionspädagogik 16 (2017) H. 1, 64-76.
- Rahner, Johanna, Einführung in die christliche Eschatologie, Freiburg i. Br./ Basel/Wien 20162.
- Schärtl, Thomas, „Gott und das Kaninchen". Über Religion als Fremd- und Muttersprache, in: RpB 69/2013, 33-42.
- Schweitzer, Friedrich, Gott im Religionsunterricht. Bestandsaufnahme – neue Herausforderungen – weiterführende Perspektiven zu einer Didaktik der Gottesfrage, in: JRP 25 (2009) 241-263.
- Szagun, Anna-Katharina, „Nur Gott selbst kann wissen, ob es ihn gibt!". Langzeitstudie zur frühkindlichen Entwicklung von Gotteskonzepten in zunehmend säkularen Kontexten, Gera 2018.
- Taylor, Charles, Ein säkulares Zeitalter, Frankfurt a. M. 2009.
- Tiefensee, Eberhard, Die Gottesfrage in einem religiös indifferenten Umfeld, in: JRP 25 (2009) 38-46.

Alle Internetadressen wurden zuletzt im August 2019 überprüft.

GOTT – EINE „NATÜRLICHE" GRÖSSE? EINE NEUE SUCHE NACH EINEM ADÄQUATEN GOTTESBEGRIFF

Thomas Schärtl

1. Eine Taxonomie

In der Taxonomie theistischer Ansätze wird gegenwärtig der Versuch gemacht, zwischen dem klassischen Theismus, dem personalen Theismus und dem Non-Standard-Theismus zu unterscheiden. Unter klassischem Theismus versteht man – grob gesprochen – den Gottesbegriff Anselms von Canterbury und des Thomas von Aquin. Gottes Einfachheit und Einzigkeit, seine Aseität und Ewigkeit stehen dabei im Zentrum. Der personale Theismus betont demgegenüber die Personalität und Beziehungsfähigkeit Gottes, sein Interesse für die Menschen und sein Engagement in der Geschichte. Droht der klassische Theismus Gott im Extremfall zu einem Prinzip zu degradieren, so ist der personale Theismus in Gefahr, die Personalität Gottes allzu univok zu denken und dabei einem religionskritisch leicht angreifbaren Anthropomorphismus Vorschub zu leisten.

1.1. Ein Differenzierungsvorschlag

Gegenüber den beiden kurz skizzierten Spielarten ist die Kategorie des „Non-Standard-Theismus" vielleicht das schwächste und unklarste Etikett. De facto handelt es sich um eine Art Wäschekorb für ein ganzes Spektrum an Ansätzen, die von Phillip Claytons Panentheismus bis hin zu zu John Leslies *panpolykosmopsychistischem Theismus* reichen – und irgendwo auf diesen Frequenzen findet sich dann natürlich auch der so genannte Prozesstheismus, der seinerseits eine Mehrzahl von Unterarten kennt. Gleichzeitig wirft dieses etwas unklare Etikett die Frage auf, was denn hier eigentlich „der" Standard ist, demgegenüber theistische Alternativen voneinander abgegrenzt werden sollen. In der Literatur wird de facto die Abgrenzung hin zum so genannten personalen Theismus einerseits und zum klassischen Theismus andererseits vorgenommen bzw. vorgeschlagen.[1] Das heißt:

1. Gegenüber dem *personalen Theismus*, der Gott als handlungsfähiges, mit Wollen und Selbstbewusstsein ausgestattetes Individuum besonderer Art qualifiziert, hebt der Non-Standard-Theismus die Über-Personalität, ja bisweilen auch eine radikale Apersonalität Gottes hervor. Wird in bestimmten Spielarten eines personalen Theismus die Transzendenz Gottes betont, so würde ein non-standard-theistischer Entwurf hier die Immanenz Gottes in die begriffliche Waagschale werfen.

---

1   Vgl. Schärtl, Thomas, Introduction, bes. 24-28.

2. Gegenüber dem *klassischen Theismus* wären Non-Standard-Theismen dadurch gekennzeichnet, dass sie nicht grundsätzlich an der Aseität Gottes, aber auch nicht an der Einfachheit oder Ewigkeit Gottes festhalten. Dabei spielt natürlich eine Rolle, ob die einzelnen Attribute voneinander isoliert werden können und ob eine Modifikation an einer Stelle nicht auch Revisionen an anderer Stelle nach sich ziehen muss.

Rein formal kann diese taxonomische Skizze schon dadurch angegriffen werden, dass man – wie etwa mediaevistische Expertinnen und Experten immer wieder unterstreichen – die Sinnhaftigkeit der Unterscheidung zwischen personalem Theismus und klassischem Theismus anzweifelt. Diese Differenzierung wurde erstmals von Brian Davies bekannt gemacht und argumentativ mit dem Hinweis auf die prominente Stellung göttlicher Aseität und Einfachheit im klassischen Theismus unterlegt, aus der sich – so Davies – eine gewisse Unbrauchbarkeit von Handlungskonzeptionen in ihrer Anwendbarkeit auf Gott ableiten ließe.[2] Andererseits lässt sich nicht leugnen, dass der reelle klassische Theismus (eines Anselm von Canterbury oder eines Thomas von Aquin) durchaus auch Elemente von Personalität in Gott einträgt, insofern Gott sowohl Erkennen als auch Wollen zugesprochen werden.[3] Die Trennlinien zwischen den genannten Spielarten des Theismus sind also nicht so scharf, wie die taxonomischen Vorschläge zunächst nahelegten. Das betrifft auch die interreligiöse und historische Grenzmarkierung:

1.2. Erste Konkretisierungen

Die Neuseeländer Philosophen John Bishop und Ken Perszyk haben die These vertreten, dass der personale Theismus im christlichen Kontext ein Produkt der Neuzeit sei, weil mit dem Zusammensinken eines natur-teleologischen Konzeptes ein eigenes, neues Augenmerk auf den die Welt erschaffenden und die moralischen Gebote dekretierenden Designer- und Herrscher-Gott gerichtet worden sei; hinzu komme der Umstand, dass dieser Wurzelgrund des personalen Theismus zunächst einmal anti-trinitarisch strukturiert gewesen sei.[4] Dieser in Teilen zutreffenden Bemerkung steht freilich die Beobachtung gegenüber, dass etwa schon Augustinus in einer anscheinend für ihn vollkommen unproblematischen Art und Weise zwischen einem personalen göttlichen Gegenüber und dem Gotteskonzept des klassischen Theismus hin- und herwechseln konnte.

Noch interessanter ist in dieser Hinsicht die islamische Tradition; ein erster, wenn auch oberflächlicher Blick scheint den Eindruck zu vermitteln, dass sich hier das Konzept eines mit Willen, Freiheit und Erkenntnis ausgestatteten Gottes durchgesetzt habe[5] – gewissermaßen in entgegengesetzter Richtung zu weiten Teilen der christ-

....

2   Vgl. Davies, Brian, Philosophy of Religion, 9-11.
3   Vgl. Marschler, Thomas, Substantiality and Personality, bes. 101-106.
4   Vgl. Bishop, John/Perszyk, Ken, God as a Person, 229f.
5   Vgl. Karimi, Milad, Hingabe, 87-169.

lichen Tradition. Wo Anselm von Canterbury oder Thomas von Aquin die göttliche Aseität an die simplicitas dei knüpfen, scheinen vergleichbare islamische Vorstöße wie bei al-Farabi (gest. 950) oder Avicenna[6] (gest. 1037) rezeptionsgeschichtlich eher unter die Räder zu kommen. Aber dieser Eindruck ist teilweise verzerrt; denn auch jene, die Personalität Gottes betonenden theologischen Traditionen wenden unter der Maßgabe des Qur'an alle Mühe auf, um eine Anthropomorphisierung Gottes zu vermeiden[7] und nehmen dann doch (gerade was die Fragen der Aseität und des göttlichen Wissens und Wollens betrifft) Anleihen beim so genannten klassischen Theismus. Und selbst ein Oszillieren in den Bereich eines Non-Standard-Theismus lässt sich entdecken. Ein besonders bemerkenswertes Beispiel dafür ist Al-Ghazali (gest. 1111): In seinem berühmten Werk *Tahafut al-falasifa* setzt er sich, wie der Titel schon verrät, kritisch mit bestimmten Tendenzen einer philosophischen Theologie, insbesondere aber mit bestimmten Aspekten des klassischen Theismus auseinander: Kritisiert wird insbesondere ein Verständnis der Einfachheit Gottes, das die inhaltliche Bestimmung des Gottseins als etwas Sekundäres und Uneigentliches erscheinen lässt.[8] Damit wird auch eine Grundposition muʿtazilitischer negativer Theologie angegriffen, der eine ashʿaritische Überzeugung – wonach eine quiddiative Bestimmung Gott nicht von diesen Sachhaltigkeiten abhängig mache und wonach sich das Wesen Gottes gewissermaßen in dieser quidditativen Bestimmung ausdrücke und ausforme[9] – gegenübergestellt wird.[10] Aber es ist eben derselbe al-Ghazali, der nach einer spirituellen und skeptischen Krise einen (wie manche mit Vorsicht betonen würden: vom Sufismus inspirierten) mystischen Denkweg zu Gott und damit ein in anderen Farben schillerndes Gotteskonzept vorstellt. Dieses enthält Elemente eines Non-Standard-Theismus, weil es mit einer strikten Transzendenzkonzeption bricht und eine radikale Omnipräsenz Gottes in der Welt anzudeuten versucht, über die sich dann auch eine andere, höhere Gewissheit erschließt, die die Verfahrenswege einer nur rationalen Theologie übertrifft. In seinem Spätwerk *Mishkat al-anwar* (geschrieben als literarisches Exzerpt seines späten *Hauptwerks Ihja' ,ulum al-din*) verwandelt Al-Ghazali die für die Beschreibung des Göttlichen in platonistischer Tradition durchaus übliche Lichtmetaphorik in einen bewusstseinstheoretisch durchgeklärten Gottesbegriff: Gott ist das oberste und höchste Licht, in dem die Konturen alles anderen überhaupt erst begreifbar und sichtbar werden.[11] Argumentativ angereichert ist dieses Konzept von einer Phänomenologie des Gesichtssinns, deren Kraft und Unmittelbarkeit quoad nos die höchste Stufe von epistemischer Gewissheit eigen ist, auch wenn wir *sub specie hominis* einräumen müssen, dass unser Sehen immer noch vergleichsweise

....

6   Vgl. Avicenna, Metaphysics, I, 6-7 und III, 2.
7   Vgl. weiterführend Shah, Anthropomorphic Depictions, 451-615.
8   Vgl. Al-Ghazali, Incoherence, VIII, (3)-(6), (11).
9   Vgl. ebd., VI, (3), (9)-(12), (21)-(25).
10 Vgl. weiterführend auch Elkaisy-Friemuth, God, Kap. 4.
11 Vgl. Al-Ghazali, Niche of Lights, I, (1)-(2), (49)-(50).

unvollkommen ist.[12] Im Kontrast dazu steht eine Konzeption des vollkommenen, ja unendlichen Sehens[13], das in einer bewusstseinstheoretischen Analyse des Sehens als umfassendes Gewärtigsein, als sich in jeder Erkennbarkeit manifestierendes Licht zu rekonstruieren ist. Al-Ghazali deutet nun die religiöse Anstrengung als Aufstieg in diesen Bereich des Lichts, der zwar in gewisser Weise über dem Bereich des Sichtbaren ist, aber der doch als der alles bestimmende Bereich zu gelten hat.[14] Dieser Aufstieg hat eine radikale Identifikation mit dem Ersehnten zur Folge, die Al-Ghazali nicht ohne alle Ironie mit jener Form der Grenzenlosigkeitserfahrung und „Intoxikation" vergleicht, die Verliebte erfahren, die sich in radikalster Empathie den Geliebten/die Geliebte ver-inwendigt haben.[15] Ein gewisser Bruch mit dem personalen Theismus (aber auch mit dem klassischen Theismus), wird deutlich, wo Al-Ghazali die Nicht-Existenz als absolute Dunkelheit, also als das Gegenteil von Licht bezeichnet[16] und damit in die Nähe eines so genannten *axiarchischen* Seins- und Gotteskonzeptes rückt. Die transzendentale Rolle des Lichts für jegliche Erkennbarkeit hat zur Folge, dass für Al-Ghazali eine alte Einsicht durchaus korrekt ist, die da sagt, dass der wahre Weise in jedem Ding Gott zu gewärtigen vermag (und dass er nicht mehr darauf angewiesen ist, Gott aus der Verfassung der Dinge nur zu erschließen).[17] Im Vollsinne existierend ist nur *Gottes Gesicht* – in der Doppelbedeutung des Wortes: als vollkommener Gesichtssinn (und damit als vollkommenes Bewusstsein) und als vollkommenes Antlitz, das unser Sehen in seinen Bann schlägt.[18]

Dieses markante Beispiel mag als Beleg für den Umstand dienen, dass die drei, taxonomisch voneinander unterschiedenen, Spielarten des Theismus historisch niemals in Reinform existierten und deswegen auch nicht zu scharf voneinander getrennt werden sollten. Weder der personale noch der Non-Standard-Theismus sind eine Erfindung der Neuzeit und Gegenwart. Mit Johannes Scottus Eriugena und Nikolaus von Kues sehen wir uns auch christlicherseits non-standard-theistischen Motiven gegenüber, die als Erweiterung, nicht als Revision des klassischen Theismus verstanden wurden. Bei Augustinus und Johannes Duns Scotus wiederum begegnen uns Motive, die Gottes Personsein ganz gewiss unterstreichen, diese Markierung aber gerade im Rahmen des klassischen Theismus vorzunehmen gedenken. Es sind erst jüngere Entwicklungen – insbesondere in den Gotteslehren des 20. Jhdts. –, die für ein gewisses Auseinanderdriften der genannten Spielarten zu sorgen scheinen. Im Diskurskontext der analytischen Religionsphilosophie wird in den Entwürfen von Richard Swinburne oder Paul Moser Gottes Personalität so betont, dass sich damit bestimmte Attribute der klassischen Gotteslehre (wie etwa Gottes Einfachheit)

....

12 Vgl. ebd., I, (11)-(13).
13 Vgl. ebd., I, (18).
14 Vgl. ebd., I, (27)-(28).
15 Vgl. ebd., I, (46).
16 Vgl. ebd., (40)-(41).
17 Vgl. ebd., (62).
18 Vgl. ebd., (42).

nicht mehr organisch zusammendenken lassen. Andererseits gibt es neue panentheistische und auch pantheistische Vorstöße, die – gelegentlich auch idealistisch oder panpsychistisch unterlegt – das Panoptikum non-standard-theistischer Ansätze zu bereichern beginnen.

2. Motive für die Revision traditioneller Gotteskonzepte

En passant wurden schon erste Motive für einen so genannten Non-Standard-Theismus erwähnt: Es handelt sich um ein Laborieren an den für den klassischen und personalen Theismus zwar unterschiedlich akzentuierten, aber doch vergleichbaren Transzendenzkonzeptionen. Es geht dabei insbesondere um ein Gefüge von Vorstellungen, die in der christlichen Theologiegeschichte des 19. Jhdts. als problematischer Gott-Welt-Dualismus attackiert wurden – problematisch deshalb, weil jede Selbstmanifestation Gottes in der Welt in einem solchen Schema immer nur eine akzidentelle Rolle spielen darf, namentlich dann wenn Gottes Aseität substanzmetaphysisch ausgemalt wird.

Im gegenwärtigen Debattenkontext sind es vor allem zwei konkrete Motive, die ein Votum für eine non-standard-theistische Konzeption formulieren und die sich durchaus in einen Zusammenhang mit dem eingangs Erwähnten stellen lassen:

a) Im Horizont eines allgemein akzeptierten, als nicht begründungsbedürftig empfundenen, weil theoretisch sich bewährt habenden *Naturalismus* wird nach den denkerischen Möglichkeiten einer gewissen Wiederverzauberung der Natur diesseits des Supranaturalismus gefragt, um gerade die spirituellen (und religiösen) Aspekte des In-der-Natur- und Teil-der-Natur-Seins erfassen zu können.

b) In Abgrenzung von den denkerischen Problemen, die die Attribute des personalen Gottes aufgeben – ethisch greifbar am Theodizeeproblem, ontologisch greifbar am Schöpfungsproblem – wird nach einem *überpersonalen* Gotteskonzept Ausschau gehalten, in dem die angedeuteten begrifflichen Probleme, die nachgerade in Antinomien münden, keine Bedeutung mehr haben.

Hinter dem ersten Anliegen verbirgt sich der Versuch, eine nicht-mechanistische Auffassung des Natürlichen mit Gott in einen Zusammenhang zu bringen, Gott gleichzeitig aber nicht mehr außerhalb der Natur zu denken, weil eine ganze Reihe von göttlichen Attributen (das Umfassendsein, das Kreativ-Hervorbringende u. ä.) verbatim schon von der Natur ausgesagt werden können, wie es scheint. Das zweite Anliegen nimmt die Irritationen, die ein personales Gotteskonzept mit sich bringt, als Abstoßpunkt: Wie können wir den Lauf der Naturgeschichte und den Gang unserer eigenen Geschichte mitsamt ihren Abgründen wirklich adäquat religiös deuten, wenn wir unterstellen, dass ein personaler (also mitfühlender und liebender) Gott hinter allem steht und die Fäden der Geschichte in der Hand hält?

Um den hinter diesen Anfragen steckenden Bemühungen gerecht zu werden, bieten sich grundsätzlich zwei Möglichkeiten an:

(Ad a) Die erste Option entwickelt eine quasi-religiöse Sicht auf die überwältigenden Seiten der Natur unter *Streichung* des Gottesbegriffes. Jerome Stone verweist hier auf eine Welle von Publikationen, die in dem berühmten Journal *Zygon* (einer Zeitschrift, die sich dem Dialog zwischen Naturwissenschaft und Religion widmet) für diese Perspektive votierten. Andererseits lassen sich auch berühmte, aber teilweise vergessene philosophische Klassiker des frühen 20. Jhdts. wie Samuel Alexander (gest. 1938) und John Dewey (gest. 1952) dieser Option zuordnen.[19] Auch Gegenwartsgelehrte wie den Prozessmetaphysiker Robert Mesle, den theologiefreundlichen Humanisten William Murry oder den sich selbst als säkular-humanistisch verstehenden Rabbi David Oler dürfte man hier nennen.[20] Stone bringt die Quintessenz dieses religiösen Naturalismus treffend auf den Punkt – es handelt sich um eine Einstellung zu einer als großartig, schön und überwältigend beschriebenen Natur, in der die für das religiöse Verhältnis typischen *Gefühle* durchaus ihren Platz finden können:

> „Clearly a naturalistic religion does not require a belief in God, although it may include belief in God naturalistically conceived. For many religious naturalists the intellectual component of our religious life takes the form of insight rather than specific beliefs. For many religious naturalists the epic of evolution is a main part of the ideational content of their religion.
>
> Religions can involve many possible affects and no one feeling or mood should be taken to be defining. Celebration, courage, guilt, repentance, a sense of alienation or being at home, a feeling of dependence or of independence are among many affects that have been involved in religion and which naturalists may also share."[21]

(Ad b) Die zweite Option wurde von keinem Geringeren als Derek Parfit gestreift und im Ansatz diskutiert. Sie votiert für die Beibehaltung eines Gotteskonzepts unter *Überwindung* der Gott-Welt- bzw. Gott-Natur-Dichotomie. Parfit geht in seinem philosophischen Vermächtnis *On What Matters* u. a. der uralten Frage nach, *warum überhaupt etwas existiert*. Und er fragt uns, ob die theistische Antwort auf diese Frage (nämlich der Bezug auf einen Schöpfergott, dem sich alles verdankt) wirklich besser ist als jene Antworten, die die Existenz unseres Universums einfach oder im Rahmen einer nichttheistischen Theorie (wie der Multi-Universen-Theorie) hinnehmen:

> „Compared with belief in God, the Many Worlds Hypothesis is more cautious, since its claim is merely that there is more of the kind of reality that we

....

19   Vgl. Stone, Jerome A., Religious Naturalism, 1-6, 37-52.
20   Vgl. ebd., 221.
21   Ebd., 227.

can observe around us. But God's existence has been claimed to be intrinsically more probable. According to most theists, God is a being who is omniscient, omnipotent, and wholly good. The uncaused existence of such a being has been claimed to be simpler, and less arbitrary, than the uncaused existence of many highly complicated worlds. And simpler hypotheses, many scientists assume, are more likely to be true.

If such a God exists, however, other features of our world become hard to explain. It may not be surprising that God chose to make life possible. But the laws of nature could have been different, so there are many possible worlds that would have contained life. It is hard to understand why, out of all these possibilities, God chose to create our world. What is most baffling is the problem of evil. There appears to be much suffering which any good person, knowing the truth, would have prevented if he could. If there is such suffering, there cannot be a God who is omnipotent, omniscient, and wholly good."[22]

Der herkömmliche Gottesglaube steht für Parfit vor gewaltigen Schwierigkeiten. Einem personal gedachten Schöpfergott fällt, so deutet das Zitat an, das Theodizeeproblem buchstäblich auf die Füße. Kritisiert wird damit ein spezifisches Gotteskonzept, das Gott als eine mit Bewusstsein, Intentionen, Willen und spezifischen Wünschen ausgestattete Person denkt, die die Existenz dieses, unseres Universums mit seiner ihm eigenen Gestalt und seinen Gesetzmäßigkeiten zu verantworten hat. Parfit konfrontiert die herkömmliche schöpfungstheologische Vorstellung mit zwei intrikaten Anfragen:

1. Die schöpfungstheologische Pointe besteht darin, dass die Welt aus einem bewussten Willensakt Gottes heraus „erklärt" werden soll. Aber wenn es für diesen Willensakt (aufgrund der – dank der Aseität – Indeterminierbarkeit des göttlichen Willens) keinen weiteren Grund gibt, ist diese Antwort, so Parfit, kaum besser als der atheistische Hinweis auf den Zufall. Denn der Rekurs auf einen willkürlichen Beginn sagt wenig mehr als der Rekurs auf einen zufälligen Beginn.

2. Wenn Schöpfung auf der Folie von kausalen Verhältnissen gedacht werden soll (und wie soll dafür ein anderes Verhältnis herangezogen werden, sofern Schöpfung nach wie vor als eine Art Handlung zu verstehen ist), dann stößt die damit verbundene Vorstellung sich an einem durchaus plausiblen Dogma, demgemäß Kausalbeziehungen nur *innerhalb* des Universums etabliert sein könnten (nicht aber zwischen dem Universum als Ganzem und einer wie auch immer zu fassenden Entität außerhalb des Universums).[23]

....

22   Parfit, Derek, On What Matters 2, 628f. Zum weiteren Hintergrund der Fragestellung vgl. die Anthologie von Leslie, John/Kuhn, Robert L. (Eds.), Mystery of Existence.

23   Vgl. Parfit, Derek, What Matters 2, 624.

Indem Parfit eine Alternative zum schöpfungstheologisch motivierten personalen Theismus sucht, nähert er sich dem Anliegen des Non-Standard-Theismus:

„It is sometimes claimed that God, or the Universe, make themselves exist. But this cannot be true, since these entities cannot do anything unless they exist.

On a more intelligible view, it is logically necessary that God, or the Universe, exist, since the claim that they might not have existed leads to a contradiction. On such a view, though it may seem conceivable that there might never have been anything, that is not really logically possible […].

Consider next a quite different view. According to Plato, Plotinus and others, the Universe exists because its existence is good. Even if we are confident that we should reject this view, it is worth asking whether it makes sense. If it does, this may suggest other possibilities.

This Axiarchic View can take a theistic form. We might claim that God exists because his existence is good, and that the rest of the Universe exists because God caused it to exist. But in that explanation God, qua Creator, is redundant. If God can exist because his existence is good, so can the whole Universe.“[24]

Parfit umspielt hier eine axiarchische und archigenetische These, die für explizit theistisch argumentierende Ansätze prägend ist. Für diese Ansätze sind zwei Gesichtspunkte leitend:

1. Die Erklärung der Existenz der Welt, ja der Existenz von allem, kann nicht bei einem „Deus potuit, Deus fecit" stehen bleiben, weil solch eine Erklärung in Wirklichkeit nichts erklärt. Der wahre Erklärungsgrund muss einen sozusagen selbstevidenten Grund besitzen, der in der Überzeugung, dass es gut ist, dass (überhaupt) etwas ist, seinen Ausdruck findet.

2. Die Existenz Gottes ist in erkenntnistheoretischer Hinsicht zu begründen; in ontologischer Hinsicht kann und darf sich Gottes Existenz aber keinem anderen verdanken. Er muss daher in seiner Existenz gewissermaßen selbst den schon genannten Grundsatz verkörpern – nur mit einem superlativischen Zusatz: Gottes Existenz ist Ausdruck der Güte des Existierens, weil Gott die Güte des Seins selbst ist und darstellt.

Nimmt man diese beiden Einsichten ernst, so bleibt aber (wie Parfit andeutet und wie andere, die ihm folgen, weiter erläutern) für die Konzeption eines göttlichen Schöpfungshandelns kein Platz mehr; für Parfit ist die Rede von göttlicher Schöpfung entweder eine nichtssagende Erklärungsverschiebung oder aber (im Horizont einer *axiarchischen* Sichtweise) eine redundante Behauptung. Das wird deutlich,

....

24 Ebd., 632f. Die axiarchische bzw. archigenetische Sichtweise wurde von Parfit nicht erfunden; auf der Basis einer ethischen Werttheorie wurde sie von John Leslie schon vor Jahrzehnten andiskutiert. Vgl. Leslie, John, Value, bes. chap. 1-3.

wenn wir uns die axiarchische „Dogmatik", die bei Parfit am Werk ist, noch einmal vor Augen führen:

a) Die Existenz Gottes ist ein Resultat der Güte des Seins. [erste *axiarchische* These]

b) Die Existenz unseres Universums ist ein Resultat der Güte des Seins [zweite *axiarchische* These]

c) Zwischen der Existenz Gottes und der Existenz des Universums besteht kein Kausalverhältnis, ansonsten müsste die erste oder zweite axiarchische These aus Redundanzgründen gestrichen werden. [Parfits Redundanzverdikt]

Wieso könnte die hier angedeutete axiarchische Perspektive auch einem naturalistischen und monistischen Weltbild entgegenkommen? Die Antwort klingt bereits im Punkt c) an: Wenn zwischen Gott und dem Universum kein Kausalverhältnis mehr etabliert werden kann, müssen sich Gott und das Universum als ontologische Größen sozusagen wechselseitig enthalten. Sie verdanken ihre Existenz einem ontologischen Grundsatz (der sich durchaus im traditionellen Anliegen des ontologischen Gottesbeweises spiegeln lässt), der als fundamental und unhintergehbar eingestuft werden muss. Mit diesen beiden Einsichten ist es aber durchaus verträglich, wenn die zeitgenössische Kosmologie behauptet, dass der Ursprung unseres Universums rein kontingent und bar jeder Intentionalität gewesen ist und sich einer unvorhersehbaren und auch unbeeinflussbaren Art der Quantenfluktuation verdankt. Nennen wird diese Auffassung die These von der puren Kontingenz des Ursprungs unseres Universums. Ohne die Vorstellung, dass solch ein Ursprung auf eine schöpferische Intention zurückgeführt werden muss – diese Vorstellung wird durch die Redundanzthese c) ja geradezu ausgeschlossen – ist diese kosmologische These durchaus im Einklang mit der axiarchisch-ontologischen Grundüberzeugung zu sehen: die Form- und Zielursache für die Existenz von etwas überhaupt ist die Güte des Seins selbst.

3. Ein anderes Absolutes

Zu den bekanntesten und immer wieder intensiv bearbeiteten Versionen eines Non-Standard-Theismus gehört die von A. N. Whitehead inspirierte Prozesstheologie. Whitehead rückt teilweise ab von allzu personalen Konnotationen des Gottesbegriffes und versucht, ein Verhältnis von Gott und Natur zu denken, in dem sich Gott in die Natur sozusagen einschreibt und diese damit selbst einem Entwicklungsprozess unterliegt. Die beschriebene axiarchische Perspektive ist in diesem Denken immerhin latent vorhanden: Gott ist nicht mehr der Schöpfer aus dem Nichts, sondern jene ontologische Fundierung, die den endlichen Kosmos zu einer Entwicklung inspiriert, die auf immer größere Komplexität und die Ausprägung einer immer intensiveren Innenseite hinzielt.

Andere, stärker monistische Ansätze der Gegenwart sind der Prozessmetaphysik in Hinsicht auf den Entwicklungsgedanken gefolgt, haben teilweise die idealistische Neigung verstärkt, sind aber noch einmal deutlicher von einem personalen Theismus abgerückt, um mit platonistischen Elementen das axiarchische Motiv zu unterstreichen. Im Folgenden sollen zwei zeitgenössische, teilweise noch in der Entwicklung befindliche *alternative* Gotteskonzepte vorgestellt werden.

3.1. Gott: ein emergierendes Ziel des Universums

Für John Bishop – und Ken Perszyk, der mit Bishop die gemeinsame Arbeit aufnahm – geriet die Plausibilität insbesondere des personalen Theismus im Angesicht des Theodizeeproblems ins Schwanken. Dabei offenbaren jene Argumente, die sich faktisch auf das Theodizeeproblem stützen, ein tiefer liegendes Dilemma: Gott spiele im traditionellen Theismus eine ausgesprochen prekäre Doppelrolle, die gerade bei der Theodizeethematik in seinen ganzen Ausmaßen zu Gesicht komme. Denn Gott ist einerseits der souveräne Schöpfer und Erhalter der Welt und steht damit in ontologischer Letztverantwortung für die Ereignisse ein, die in der Welt auftreten.[25] Und er ist andererseits der ultimative Erlöser, der alles zu einem guten Ende bringen soll oder will. Auch eschatologisch ansetzende Lösungen der Theodizeefrage müssen diese Doppelgesichtigkeit Gottes zugestehen: „So if God does finally bring participants in those evils into the joy of eternal relationship with him, he will be copiong with the effects of evils *that he himself ultimately produced.*"[26] Beide Rollen passen nicht gut zueinander und sie werden vor dem Hintergrund göttlicher Vollkommenheit zum Problem, wenn gesagt werden muss, dass Gott (im Sinne eines traditionell ansetzenden Theismus) sowohl ein den Ursprung verbürgender Souverän, als auch ein ethisch über jeden Zweifel erhabener Akteur sein soll:

> „When we reflect on what seems morally problematic [...] I think we find a basic assumption coming under severe pressure – namely, that God is both the supreme individual personal agent on whose creative activity all else depends and also the One who actively brings good from evil, redeems, restores, forgives, reconciles."[27]

Das Dilemma, in dem sich der traditionelle (personale und teilweise auch der klassische) Theismus befindet, lässt sich aussagenlogisch als sogenanntes *destruktives Dilemma* niederschreiben; von besonderer Bedeutung ist dabei die zweite Zeile, weil in ihr ein Grundbegriff Gottes, der dem Verständnis des klassischen Theismus entspricht, zum Tragen kommt, während in der ersten Zeile ein Resümee festgehalten ist, das John Bishops bisherige Diagnostik festhält:

....

25   Vgl. Bishop. John/Perszyk, Ken, Concepts of God, 109.
26   Ebd.
27   Bishop, John, Modest Fideism, 397. Vgl. ferner Bishop, John/Perszyk, Ken, Concepts of God, 110f.

1. Wenn Gott der allmächtige Souverän ist, dann kann er nicht über jeden ethischen Zweifel erhaben sein. Und wenn Gott der über *jeden ethischen Zweifel* erhabene Erlöser ist, dann kann er nicht in einem vollumfänglichen Sinne die *allmächtige Ursache* von allem sein. *(John Bishops These).*
2. Gott ist über jeden ethischen Zweifel erhaben. Und er ist die allmächtige Ursache von allem. *(Grundbegriff des klassischen Theismus).*
3. Dann gilt: Gott ist nicht der allmächtige Souverän. Und er ist nicht der über jeden ethischen Zweifel erhabene Erlöser. (aus 1. und 2., DD)

Mit derartigen Hinweisen werden von Bishop und Perszyk schlussendlich alle Theodizeelösungsstrategien angegriffen, die die Existenz von Übel in der Welt mit dem Verweis auf den Wert sogenannter echter (libertarischer) Freiheit und mit dem Verweis auf ein angeblich größeres Gut, das durch die Zulassung des Übels realisiert werden könne, zu rechtfertigen suchen.[28] Im Hintergrund steht jedoch ein schon bekanntes Dilemma, das mit der Konzeption Gottes als eines „Omni-Gottes" verbunden ist, und das wir schon kennen:

> „But, now, consider the kinds of relationships God has with his free creatures if he first sustains and then defeats their participation in horrendous evils. Could those personal relationships be of a morally perfect kind? We think it may be reasonable to answer that they could not. And if it is indeed reasonable to judge that, on these most sophisticated theodicies, God's relationship with his free creatures would be flawed, there will be a (putative) fact about evil which, relative to the salient values commitments, is inconsistent with God's perfect goodness – namely, *the fact that horrors have the status of being first sustained in existence and then ultimately redeemed by God.*"[29]

Ist es somit nicht geradezu irrational anzunehmen, dass Gott seine Geschöpfe in die schlimmsten Übel und Schrecken schickt – Übel, die er in seiner Aseität und Allmacht in erster ontologischer Instanz im Sein erhält –, um sie dann in letzter Instanz aus eben diesen Übeln zu befreien? Wird diese Vorstellung nicht geradezu irrwitzig, wenn wir annehmen müssen (wie dies Verteidiger einer libertarischen Willensfreiheit und einer Möglichkeit der direkten Intervention Gottes tun), dass Gott jederzeit die Möglichkeit hätte, eben diese Übel abzuwenden (etwa vor allem solche, die nichts oder nur wenig mit der Exekution menschlicher Freiheit zu tun haben wie physische Übel oder klassische Unglücks-situationen, bei denen es, wie der Volksmund sagt, mit dem „Teufel" zugehen muss, damit sie, weil sie unwahrscheinlich sind, auch eintreten).

Der Ausweg aus der oben skizzierten Dilemmasituation kann für John Bishop (Gleiches gilt für Ken Perszyk, der ihm hier folgt) nur in einer *Revision* des traditionellen Gottesbe-

....

28 Vgl. Bishop, John/Perszy, Ken, Concepts of God, 111f.
29 Bishop, John/Perszyk, Ken, Argument from Evil, 122.

griffes bestehen. Die im oben skizzierten Dilemma aufscheinende zweite Zeile müsse im Grunde deutlich modifiziert werden – allerdings so, dass dabei weder die moralische Erhabenheit Gottes noch die Verehrungswürdigkeit Gottes zur Disposition gestellt würden:

„How is God to be identified under the euteleological conception? Under this conception, God's causing the Universe is understood as a matter of its realizing the divine purpose, namely the supreme good, rather than as a matter of super- natural productive agency. That may seem to make the ultimate explainer the supreme good itself. But euteleology does not make that direct Platonist identification of God with the supreme good. A closer candidate is identification as the Universe's *being such that it realizes* the supreme good, since this is what ultimately explains the Universe's existence.“[30]

Dass Gott nun nicht mehr als erste Ursache im strengen Sinne, sondern als ultimatives Ziel des Universums zu denken ist, stellt das grundlegende Ergebnis dieser Revision dar. Die Bestimmung des Gottesbegriffs als ein ultimatives Ziel des Universums schwankt aber noch zwischen einer als Idee bestimmten primordialen Natur Gottes und einer als Realisierung des Zielzustandes des Universums sich ausdrückenden Folgenatur Gottes, wobei – und diesem Umstand verdankt das *euteleologische* Konzept seinen Namen – der Folgenatur, als dem im Universum zu realisierenden Zielzustand, das entscheidende ontologische Gewicht zukommt. Gleichwohl teilen Bishop und Perszyk mit anderen, natürlich-theistischen Ansätzen die Überzeugung, dass der Gottesbegriff non-personal weiterbuchstabiert werden muss.[31] Sie beziehen sich dabei produktiv zurück auf die apophatischen Signaturen in der Tradition des klassischen Theismus:

1. Gott ist nicht wie eine Entität unter anderen Entitäten zu behandeln; dies wird in der Regel mit apophatischen Elementen und Attributionsregeln im klassischen Theismus zum Ausdruck gebracht.[32]
2. Die klassische Rede von der Einfachheit Gottes kann daher als Grenzmarkierung verstanden werden, die bestimmte Formen der Prädikation und bestimmte Attribuierungen (die für das Endliche gelten mögen) unterbinden soll.[33]
3. Wenn Personen unserem normalen Verständnis nach Entitäten unter anderen Entitäten sind, können die Eigenschaften Gottes nicht die einer Person im strikten Sinne sein; denn diese Konturierung Gottes würde der Einzigartigkeit Gottes nicht gerecht.
4. Die klassische Analogielehre lässt es durchaus zu, den Gedanken, dass wir gewissermaßen Bild und Gleichnis Gottes sind, mit der Tatsache, dass Gott keine Person im eigentlichen Sinne ist, zugleich auszusagen.[34]

....

30 Bishop, John/Perszyk, Ken, Euteleological Conception, 221.
31 Vgl. Bishop, John/Perszyk, Ken, Divine Attributes, 610.
32 Vgl. ebd., 612.
33 Vgl. ebd.
34 Vgl. ebd., 611.

Die mit dem euteleologischen Konzept angezeigte Revision des Theismus hat natürlich eine Reihe von Konsequenzen für die traditionelle Attributenlehre: Es gilt dabei, zwischen jenen Attributen, die nur noch als Vokabeln aufgenommen und als Grenzmarkierungen eingesetzt werden, und solchen zu unterscheiden, die modifiziert und transformiert wurden, deren klassischer Gehalt aber noch erkennbar bleibt. In die erste Kategorie gehören die Attribute der Einfachheit, der Notwendigkeit und der Unveränderlichkeit Gottes. Im euteleologischen Rahmen sollen sie im Wesentlichen „nur" besagen, dass Gott sich (in Hinsicht auf die ontologische Kategorienzugehörigkeit und auf die mit dieser Kategorienzugehörigkeit verbundenen Attribuierungsmöglichkeiten) radikal von allem anderen (Endlichen) unterscheidet.[35] In die zweite Kategorie gehören die Attribute der Allmacht, Allwissenheit und Allgüte Gottes: Gottes Allmacht wird als eine vom ultimativen Guten als dem ultimativen Ziel her bestimmte, alle natürlichen Kräfte auf dieses Ziel hin orientierende und zur Erreichung dieses Zieles einspannende Macht begriffen.[36] Die konkreten Realisierungsformen des Guten in der Geschichte des Universums sind dann – konsequent weiterbuchstabiert – die Weisen, wie Gott in der Welt „handelt". Das Ansichtigwerden des ultimativ Guten etwa in der Gestalt selbstverschwenderischer Liebe ist der Modus der Präsenz des Absoluten (dem gegenüber man nicht sinnvoll einen weiteren fordern kann, wenn Gott eben nicht mehr als personaler Akteur gedacht werden darf).[37] Diese Einschränkung von Allmacht wird in der Abgrenzung zum personalen Theismus verdeutlicht: Da Gott kein personaler Akteur ist, hat er auch keinen freien Willen, der über Optionen nachzudenken hätte, die in seiner Allmacht realisiert oder unrealisiert liegen gelassen werden.[38] Von einer Freiheit Gottes kann allenfalls nur mittelbar gesprochen werden – über die Kontingenz jener Realisierungsweisen des ultimativen Guten, die aus dem Panoptikum der Möglichkeiten ja nur immer eine bestimmte Version offerieren und darstellen.[39]

Das Geschaffensein des Universums ist somit nichts Anderes als die bleibende onto-ethische Abhängigkeit der Welt von Gott: „God's creative action *just* is creation's dependence on God for its existence. In that sense [...] Creation may be a product of production, a being-made; but its status as such need not amount to dependence *on a separate entity.*"[40]

Natürlich werden im Zuge dieser Überlegungen auch die anderen klassischen göttlichen Attribute einer gehörigen Modifikation unterzogen: Eine sich als Ziel des Universums innerweltlich konkretisierende Idee des Guten wird schwerlich über interne,

....

35 Vgl. ebd., 615.
36 Vgl. ebd., 616f.
37 Vgl. Bishop, John/Perszyk, Ken, Divine Action, 13.15.17. Bishop und Perszyk verteidigen a.a.O. auch eine analoge Rede vom „Handeln Gottes". Wenn man auch Gruppen oder Institutionen in einem erweiterten Sinn des Wortes „Aktivität" und „Handeln" zuschreiben könne, dann gelte das auch für einen apersonal gedachten Gott.
38 Vgl. Bishop, John/Perszyk, Ken, Divine Attributes, 616.
39 Vgl. ebd.
40 Ebd., 614.

erstpersönlich indizierte Wissenszustände verfügen. Aus Gottes Allwissenheit wird eine Art von Wissen um jene Wahrheiten, die zu wissen notwendig sind, um eben das *Telos* des Universums realisieren zu können (ein *Telos*, an dessen Umsetzung nicht nur innerweltliche Kräfte, sondern eben auch wir als innerweltliche Akteure mitzuwirken haben).[41] Selbst ein gewisser Bewusstseinsaspekt ließe sich in dieses Bild integrieren (freilich *nicht* im Sinne eines göttlichen Selbstbewusstseins) – etwa als *Transparenz* der Realisierungsformen des Guten füreinander.[42] Auch Gottes Ubiquität wird auf einer analogen Linie transformiert: als „Präsenz" des alles im Universum zusammenhaltenden überragenden Zieles, als die umgreifende Durchformung aller Ereignisse auf die Erreichung dieses Zieles hin.[43] Gott ist – diesem Konzept gemäß – in der Welt so präsent wie es eine Gesetzmäßigkeit, ein philosophisches Prinzip oder ein Ideal ist.

3.2. Panpolykosmopsychistischer Theismus

John Leslies Non-Standard-Theismus kann als kongeniale Konkretisierung der mit Parfit identifizierten *axiarchischen* Perspektive gelten: Dass es überhaupt etwas gibt, ist ein Resultat der axiologischen Güte des Existierens. Dass es Gott gibt, folgt ebenfalls diesem Prinzip.[44] Weil Leslie einen pantheistischen, also non-standard-theistischen Ansatz verfolgt, fallen beide archigenetischen Sachverhalte gewissermaßen zusammen. Die Existenz der Welt(en) und die Existenz Gottes wären, wie Leslie unter Anspielung auf platonische Gedanken darlegt, sozusagen *moralisch* ernötigt:[45]

> „What would give such requiredness its creative power? The Platonic theory is that nothing would give it power in the sense of standing outside it and making it creatively effective. It would be the ethical requiredness itself that was creatively effective [...]. The fact that the creative power *wasn't logically demonstrable* would not prove that it couldn't be necessary in an absolute manner."[46]

Leslie beginnt seine Gotteslehre, die auch eine philosophische Kosmologie sein soll, mit einem idealistischen Grundbekenntnis: Sein ist Gedacht- und Erfahrensein in Gottes Geist:

> „[N]othing exists apart from the thoughts of God: infinitely many thoughts about everything worth knowing. Limited and inadequate though our lives are, they are still worth living, worth knowing about. An infinite divine mind includes full knowledge of how it feels to be living such lives, and this knowledge is the lives themselves. Their only reality lies in the fact that God is thinking them."[47]

....

41 Vgl. ebd., 617.
42 Vgl. ebd.
43 Vgl. ebd.
44 Vgl. Leslie, John, Picturing God, 50f. und 56; Ders., Infinite Minds, 155-188.
45 Zum Status dieser „Notwendigkeit": Vgl. Leslie, John, Infinite Minds, 172-175.
46 Ebd., 162f.
47 Ebd., 1.

Dieser durchaus kühne Auftakt deutet bereits eine Wertigkeit an: ein *bewusstes* Leben – welches ein Leben ist, das im Geist Gottes gewissermaßen gegründet ist – ist es immer wert, gelebt zu werden.[48] Leslie reiht sich ein in die Tradition des Spinozismus und des britischen Idealismus und adaptiert eine vorsichtige Lesart des Panpsychismus, die nicht alles mit kryptomentalen Eigenschaften ausgestattet sieht, sondern alles, was ist, als geist- und erfahrungsbezogen interpretiert.[49] Gott und Gottes Geist stellen vor diesem Hintergrund einen wichtigen Grenzfall dar, der bewusstseinsphilosophisch expliziert wird:

> „The case of divine thinking is supposedly very different. Here, though and consciousness and knowledge and mind are rolled into one. Instead of struggling to generate its immensely many thoughts, the divine mind is in eternal possession of every one of them. They are all items of knowledge, and the knowledge is all of it fully conscious [...]. Also, the mind that has the divine thoughts can be merely the thoughts themselves, forming a unified whole: a whole in which they are united in their very existence [...]. This could be strongly linked to the fact that all of them are elements in the divine consciousness [...].“[50]

Der spinozistisch-pantheistische Aspekt kommt für Leslie dadurch zustande, dass alles, was es gibt, in Gott existieren muss. Ansonsten wäre Gottes unmittelbares und maximales Wissen gefährdet. Sein Argument für diese kühne Behauptung hat in etwa die folgenden Grundlagen:[51]

a) Für jedes x gilt: x hat nur dann maximales Wissen, wenn es ein unmittelbares Wissen von allem hat.

b) Ein unmittelbares Wissen ist ein Wissen, das in die vollkommene Selbsttransparenz von Bewusstsein eingetaucht ist.

c) Externe Dinge sind solche, die nicht in die vollkommene Selbsttransparenz von Bewusstsein eingetaucht sind.

d) Externe Dinge sind in der vollkommenen Selbsttransparenz von Bewusstsein nur als Modelle präsent.

Für Leslie ergibt sich aus alledem, dass auch die vermeintlich externen Dinge *für Gott intern* sein müssen, da er sonst nur eine modellhafte Repräsentation ihrer selbst haben könnte und sein Wissen um sie nicht unmittelbar und somit auch nicht maximal wäre:

> „How, after all, do physicists describe material objects? Not with such useless phrases as ‚good, solid stuff‘, but by trying to specify their intricate structures. In the divine mind those structures, including the structures which are the physicists and their laboratory equipment, are present in their entirety.“[52]

....

48 Vgl. ebd., 3 und 45f.
49 Vgl. ebd., 5f. und 18f.
50 Vgl. ebd., 7.
51 Vgl. ebd., 8f.
52 Ebd., 9.

Zu den eigentümlichen Anliegen in Leslies Ansatz gehört auch, dass er seinen Gottesbegriff mit einer *axiologischen Perspektive* auf das Anliegen des modalen Realismus verbindet.[53] Gott betrachtet nicht nur alles in seiner unendlichen Vielzahl; es gibt auch noch unendlich viele unendliche Gottesgeister:

„It is hard to avoid the following conclusion. If a Platonic creation story is right, or even if there instead just happened to be an infinitely good, infinitely powerful Creator, then there must exist an infinite number of infinite minds, and nothing else. Each of the minds eternally contemplates everything (or if Identity of Indiscernibles is correct, then at least almost everything) that is worth contemplating – this including, presumably, not only such things as infinitely many beautiful mathematical facts but also the structures of infinitely many universes, perhaps obeying infinitely many slightly different physical laws.

[...] The universe in which we find ourselves is nothing but a structure contemplated by one such mind; its contemplation of this structure is what this universe is; hence the universe is entirely contained in it, as a pattern carried by its thought. Probably the mind in question contains infinitely many other universes as well. It would in that case be wholly unlikely that ours was the very best universe. Yet it would at any rate be good enough to deserve its place inside that mind [...]."[54]

Dieses Spezifikum des Gottesbegriffes bei Leslie kann als Anlass genommen werden, seinen Ansatz als *panpolykosmopsychistischen* Theismus zu verstehen: Unendlich viele unendliche Gottesgeister ersinnen unendlich viele Universen, in denen unendlich viele Möglichkeiten betrachtet und bedacht sind.[55] Dass es diese unendlich vielen göttlichen Geister mit unendlich vielen Universen geben muss, ist für Leslie ebenfalls ein Resultat der axiarchischen Perspektive und des archigenetischen Prinzips: Es gibt für das Gute keine oberste, mithin keine oberste quantitative Grenze. Daher wäre eine *n+1*-Gottesgeister-Realität immer besser als eine *n*-Gottesgeister-Realität.[56] Ob diese vielen Gottesgeister noch einmal auf eine letzte Einheit zurückgeführt werden können, ob ihre seins-bedenkend gründende Rolle diese Einheit sogar erzwingt, muss von einer Weiterentwicklung des Ansatzes erwartet werden; Leslie selbst bliebe diesem monotheistischen Anliegen gegenüber verhalten skeptisch, weil die verschiedenen Welten den jeweils sie denkenden Gottesgeistern eine je unterschiedliche Struktur geben, so dass zwischen ihnen eine strikte, dem Leibniz-Prinzip folgende Identität nicht obwalten kann.[57]

....

53   John Leslie hält sein Konzept der unendlich vielen Gottesgeister dem modalen Realismus von David Lewis sogar für überlegen, weil (in gewisser Weise) ontologisch sparsamer. Vgl. Ders., Picturing God, 60f.
54   Leslie, John, Picturing God, 58f.; vgl. Ders., Infinite Minds, 148f.
55   Vgl. Leslie, John, Picturing God, 60.
56   Vgl. Leslie, John, Infinite Minds, 149.
57   Vgl. Leslie, John, Infinite Minds, 150-154.

Ist die Vorstellung, dass alle Wirklichkeit letztlich von Gott ersonnen und erträumt ist und sich immer schon in seinem direkten Bewusstsein findet, so radikal abwegig und so eindeutig spinozisitsch, wie Leslie gelegentlich selbst meint? Der jüdische Metaphysiker und Religionsphilosoph Samuel Lebens[58] verweist (in einer gewissen Verteidigung eines theistischen Idealismus) auf Gershom Scholem und dessen tiefe Kenntnisse der jüdisch-mystischen Traditionen: Der so genannte Chabad-Chassidismus (berühmter Exponent ist der im 18. Jhdt. in Ladi wirkende Rabbi Schneur Salman) verbindet eine theosophische Mystik mit idealistischen Elementen (die Gershom Scholem als eine Psychologisierung verschiedener kabbalistischer Elemente versteht);[59] die kabbalistische Auffassung von der Selbstmanifestation Gottes in den *Sefirot*[60] – wird gewissermaßen selbstbewusstseinstheoretisch – erweitert:

> „Die ganzen Geheimnisse der Gottheit und ihrer unendlichen Einhüllungen und Verkleidungen und Welten, all das bekommt hier ganz neue Färbung, indem es als mystische Psychologie vorgetragen wird. In sich selbst durchmisst der Mensch, wenn er in die Tiefen seines eigenen Selbst hinabsteigt, alle Dimensionen der Welt. In sich selbst vernichtet er alle Scheidewände, die Welt von Welt und Stufe von Stufe trennen. In sich selbst hebt er das kreatürliche Sein auf, annihiliert es, um schließlich, ohne gleichsam auch nur einen Schritt über sich hinaus, in sogenannte höhere Welten, getan zu haben, zu entdecken, dass Gott ‚alles in allem‘ ist und ‚nichts außer ihm‘."[61]

Pantheisierende und idealistische Elemente, wie wir sie bei Leslie antreffen, gehören also durchaus zu religiösen Traditionen, auch wenn man geneigt ist, sie als Seitenlinien zu bezeichnen. Was Gershom Scholem in seiner Würdigung dieses chassidischen Idealismus noch stutzig machte – nämlich dass der Weg in die Seele auch ein Weg über die Welten zu Gott sein kann – macht innerhalb eines idealistischen Rahmens durchaus Sinn: Geist und Bewusstsein sind der Stoff, der uns mit Gott immer schon vereint hat. Und wenn unsere Existenz nichts anderes ist als das Vorkommen im Bewusstsein Gottes, dann kann es auch nicht verwundern, dass der nur im Selbstbewusstsein zu erfahrende Durchbruch und Überstieg zum Grund des Bewusstseins uns mit diesem Urgrund unseres Existierens verbinden kann.

Ein anderes religionsgeschichtliches Beispiel, das zeigen kann, dass John Leslies platonistisch eingefärbter, idealistischer Non-Standard-Theismus nicht vollkommen aus der Art geschlagen ist, findet sich im islamischen Bereich – und zwar in der so genannten Illuminationsmetaphysik von al-Suhrawardi (gest. 1191). In seinem Werk *hikmat al-ishraq* entwirft der aus dem heutigen Iran stammende, aber im syri-

---

58 Vgl. Lebens, Samuel, Hassidic Idealism 162-164; vgl. weiterführend auch Ders., God and His Imaginary Friends.
59 Vgl. Scholem, Gershom, Jüdische Mystik, 373f.
60 Vgl. Scholem, Gershom, Gottheit, bes. 30-45.
61 Scholem, Gershom, Jüdische Mystik, 373f.

schen Aleppo wirkende Gelehrte und Mystiker Shihab al-Suhrawardi ein philosophisches System, in welchem Gott in überpersönlichen Begriffen als Licht aller Lichter, höchstes Licht und vollkommenste Schönheit beschrieben wird.[62] Dieses höchste Licht steht mit anderen, kosmologisch[63] und ontologisch untergeordneten Lichtern in einer Verbindung: Die endlichen Lichter verdanken ihr Leuchten diesem höchsten Licht.[64] Al-Suhrawardi gibt selbst Hinweise auf eine selbstbewusstseinstheoretische, geistphilosophische Dechiffrierung der Lichtmetaphorik: Erkenntniskraft und Bewusstsein sind hier gemeint. Das höchste Licht hat seinen Rang weil es radikalste Selbsttransparenz ist, die in den endlichen Formen von Selbstbewusstsein gespiegelt wird.[65] In dieser vollkommenen Selbsttransparenz des höchsten Lichts lässt sich alles, was es gibt, sozusagen vereinigen und verbinden. Vielfalt gibt es (nur), weil es unterschiedliche Möglichkeiten und damit unterschiedliche Potenzialitäten gibt, den Strahl des höchsten Lichtes (also die Gegenwart umfassenden Geistes) aufzunehmen.[66] Das von Leslie angedeutete Problem göttlichen Erkennens, das der klassische Theismus nicht richtig lösen kann und das dazu führt, dass Gottes Erkennen von Anderem ein Derivat seiner Selbsterkenntnis sein müsste, wird von al-Suhrawardi ironisiert: Eine in der Selbsterkenntnis auftretende Negation sei noch keine Erkenntnis von Anderem.[67] In der Illuminationsmetaphysik ist göttliches Erkennen das unmittelbare Gewahrsein der Dinge, deren innere Bestimmung es ist, von höchstem Licht angestrahlt zu werden – also Gegenstand des höchsten Bewusstseins zu sein.[68] In diesem „Angestrahlt-werden-können" erfüllt sich die innere Bestimmung der Dinge, deren Gegenständlichkeit sozusagen darin besteht, Bewusstseinsgegenstand des *höchsten* Bewusstseins zu sein. In kleinformatigerer Weise werde dies auch in Bezug auf die untergeordneten Lichter jedoch (die endlichen Bewusstseinsinstanzen) erfahrbar. Das höchste Licht ist das alles vereinigende, umfassende Prinzip – der Inbegriff einer allumfassenden Wirklichkeit.[69]

4. Metatheologie

Die oben erwähnte Liste von Beispielen von zum Non-Standard-Theismus neigenden religiösen Traditionen, die zeigen können, dass das eingangs beschriebene Oszillieren theistischer Denkformen keine neue Erkenntnis und schon gar keine bloße Erfindung ist, die von der zeitgenössischen philosophischen Abstraktions-Werkbank fällt, aber keine religiöse Relevanz besitzt, sondern einen Widerhall in der reichhal-

62 Vgl. Suhrawardi, Illumination, II, 6, (147).
63 Vgl. ebd., II, 9; (150)-(152).
64 Vgl. ebd., II, 4, (142).
65 Vgl. ebd., II, 6, (147).
66 Vgl. ebd., II, 4, (143).
67 Vgl. ebd., II, 11, (161).
68 Vgl. ebd., 11, (162).
69 Vgl. ebd., II, 13, (174)-(175).

tigen und vielfach überkreuzten Geschichte der Abrahamitischen Religionen besitzt, sagt uns natürlich nicht, unter welcher Maßgabe eine Revision des Gottesbegriffes angeraten oder zumindest gestattet ist.

An dieser Stelle ist eine sehr spezifische meta-theologische Reflexion auf die Adäquatheitsbedingungen verschiedener theistischer Ansätze notwendig. Der Religionsphilosoph Jonathan Kvanvig hat in einem jüngst verfassten Artikel, der sich ebenfalls um eine Typisierung von Gottesbegriffen bemüht und Kriterien für die Adäquatheit eines Gotteskonzepts zu bestimmen versucht, drei Typen von Theismus voneinander unterschieden:[70]

1. Die *Perfect-Being-Theologie* hebt hervor, dass Gott das maximal-vollkommene bzw. das maximal-konsistent[71] vollkommene Wesen ist.
2. Die so genannte *Worship-Theologie* hebt hervor, dass nur dasjenige Gott sein kann, was auch verehrungswürdig ist.
3. Der *Creation-Theologie* legt Gottes radikale Initialität, seine Rolle als *causa prima*, als Maßstab an jeden Gottesbegriff an.

Hinter diesen Ausprägungen stehen – wie man schablonenhaft explizieren kann – vier Kriterien, die für die Frage nach der Adäquatheit eines Gottesbegriffes relevant sind: Den Ausgangspunkt bildet zunächst ein *axiologisches* Kriterium, das eine Werthierarchie unterstellt, auf deren Skala Gott ein Maximum repräsentieren muss, und welches man daher mit einer anselmianischen Intuition identifizieren kann; dieses Kriterium reflektiert Kvanvigs *Perfect-Being-Variante*. Der Ansatz von Bishop und Perszyk wiederum reflektierte ein *ethisches* Kriterium, das Gott als Maßstab von Moralität und als Inbegriff des Sittengesetzes versteht und das man als kantische Intuition titulieren kann. Es scheint in Kvanvigs Taxonomie explizit eigentlich nicht auf, markiert aber unter den Bedingungen der Moderne die Wasserscheide für einen zumindest glaubwürdigen Gottesbegriff. Für den klassischen Theismus, der Gott Aseität, Einfachheit und Ewigkeit zuspricht, bildet die Radnabe zweifellos ein im engeren Sinne *metaphysisches* Kriterium, das Gott als Höchstfall von Existenz (nämlich als notwendige bzw. radikal unverursachte Existenz) versteht und hinter dem sich (in Anlehnung an Thomas von Aquin) eine sozusagen thomasische Intuition verbirgt. In Kvanvigs *Creator-Theologie* könnte dieser Aspekt verpackt sein. Sachlich kann dieses Kriterium auch weiter ausgelegt werden: Gott repräsentiert unter der Maßgabe dieses Kriteriums den Inbegriff und die Aufgipfelung metaphysischer Prinzipien; welche das sind – d. h. ob man Gott als oberste Ursache oder als Inbegriff aller Komplexität oder allumfassendes Bewusstsein denkt – hängt vom jeweiligen metaphysischen Rahmen ab. Die Reflexion auf die Maßstäblichkeit der Verehrungswürdigkeit Gottes, Kvanvigs Worship-Theologie, schließlich – eine Re-

....

70 Vgl. Kvanvig, Jonathan, Metatheology.
71 Vgl. hierzu bes. Nagasaw, Yujin, Maximal God, bes. Kap. 2.8 und 2.9.

flexion, die wir auch bei Bishop und Perszyk antrafen – kann man verstehen als die Meditation eines das *religiöse Verhältnis* betreffenden Kriteriums, das sich u. a. im Gefühl und der Verehrung Bahn bricht und welches man etwas hölzern als Schleiermacher'sche Intuition etikettieren darf.

Diese Kriterien können – wie die Revisionsbemühungen der oben skizzierten Ansätze gezeigt haben – miteinander in Konflikt geraten; und in den gegenwärtigen Debatten stehen sie teilweise sehr scharf gegeneinander. John Bishop und Ken Perszyk beispielsweise versuchen zu zeigen, dass ein personaler Theismus, der sowohl das axiologische als auch das metaphysische Kriterium zu erfüllen meint, gerade in Hinsicht auf die ethischen Standards und die Bedingungen, die das religiöse Verhältnis diktiert, nicht angemessen sei: Ein Gott, der das Böse um eines angeblichen (uns aber mehr oder weniger verschlossenen Zieles) zulasse, sei weder ein Inbegriff von Moralität noch überhaupt verehrungswürdig. Beide votieren – wie wir gesehen haben – dafür, die Kriterien a) und c) in eingeschränkter, gewissermaßen regionalisierter Rücksicht zu verwenden: Gott ist unter der Geltung der angegebenen Kriterien das axiologisch kontextualisiert Beste und das metaphysisch kontextualisiert Erste. John Leslie wiederum würde diese Richtung seinerseits verstärken und betonen, dass seine Version des Non-Standard-Theismus nicht nur das ethische Kriterium (auf das seine platonisch-archigenetische Konzeption anspielt) auf seiner Seite habe, sondern auch das metaphysische Kriterium, wenn man einen Gott-Welt-Dualismus im Sinne einer letzten metaphysischen Suche nach einem Einheitsgrund für ungangbar und einen kalten Naturalismus ebenso für falsch hält wie einen Supranaturalismus. Auch das axiologische Kriterium könne in diesem Konzept dann erfüllt werden, wenn man Bewusstsein und die Kraft von Bewusstsein für die höchste denkbare Realisierung des Guten hält. Allein das religiöse Verhältnis scheint von seinem Ansatz nicht deutlich genug berücksichtigt zu werden; aber der Blick in idealistisch-mystische Traditionen im Judentum (und im Islam) kann uns auch hier eines Besseren belehren: Dort beanspruchen non-standard-theistische Revisionen des klassischen Gottesbegriffes nichts Weniger, als die Verehrungswürdigkeit Gottes auf ein neues Fundament zu stellen, dank dessen Gott innerlicher, der Welt näher gedacht werden kann.

Könnten wir es uns nicht einfach machen und diesen Gordischen Knoten unter Berufung auf Offenbarung durchhauen? Das würde voraussetzen, dass die Offenbarung ein fünftes, schlagendes Kriterium ins Spiel bringt oder aber uns Erkenntnisse beschert, die eine bestimmte Hierarchisierung oder Auslegung der gerade eben diskutierten Kriterien erlauben würden. Ist das der Fall? Ebenfalls schablonenhaft sollen hier drei derzeit miteinander rivalisierende, aber auch einander berührende und theologisch immerhin respektable Offenbarungsbegriffe voneinander abgegrenzt werden:

1. Ein sprechakttheoretischer Offenbarungsbegriff versteht Offenbarung als einen von Gott initiierten kommunikativen Akt, der im Material menschlicher Textwelten, in einem menschlichen Adressaten eine gnadenhafte Wirkung erzeugt.[72]
2. Ein erfahrungsbezogener Offenbarungsbegriff deutet Offenbarung als eine sich verdichtende und in Narrationen weitertragende religiöse Erfahrung, die zum Maßstab anderer religiöser Erfahrungen wird.[73]
3. Ein diskurstheoretischer Offenbarungsbegriff versteht Offenbarung als Marker für einen Normativitätsdiskurs, der bestimmte religiöse Textwelten und Klassiker anderen als vorgeordnet und maßgeblich auszeichnet.[74]

Keiner der genannten Offenbarungsbegriffe sagt uns von sich aus, welcher Gottesbegriff nun eindeutig adäquat ist. Wahrscheinlich würde lediglich ein Gottesbegriff ausgeschlossen, der *jedes* Konzept von Offenbarung überhaupt unmöglich machen würde. Aber auch ein monistisch-idealistischer oder emergentistischer Entwurf, wie er von John Leslie oder Bishop und Perszyk vorgelegt wurde, ließe für ein Verständnis von Offenbarung im Sinne von 2) und 3) Raum – und mit etwas Fantasie und entsprechenden metaphysischen Zusatzapparaten ließe sich sogar ein Offenbarungsverständnis wie in 1) mit derartig revisionären Theismen in Einklang bringen. Denn nur auf den ersten Blick scheint ein sprechakttheoretisches Verständnis relativ klar einen personalen Theismus vorauszusetzen. Legt man dagegen ein analoges Verständnis von Sprechakt zu Grunde – und alles andere wäre Mythologie –, dann bleiben weiterhin viele Türen zu anderen theistischen Optionen offen.

Wenn uns nun die Berufung auf Offenbarung kein neues Kriterium an die Hand gibt, wozu dient eine Berufung auf Offenbarung dann? Mir scheint, dass uns jene als Offenbarung zu kennzeichnenden Textwelten ins Stammbuch schreiben, dass wir die genannten Kriterien in einer Balance halten müssen, dass Gottesbegriffe vor allen Dingen dann problematisch werden, wenn sie das metaphysische und axiologische Kriterium zu Ungunsten des ethischen und religiösen Kriteriums überbewerten. Sie ersparen uns aber nicht den theologischen Disput für den Fall, dass sich innerhalb dieses Geflechts Gewichtsverschiebungen ergeben.

....

72 Vgl. Vanhoozer, Kevin, Drama of Doctrine.
73 Vgl. exemplarisch Tracy, David, Analogical Imagination.
74 Vgl. exemplarisch Hoff, Gregor-Maria, Offenbarungen Gottes.

Literatur

- Al-Ghazali, The Incoherence of the Philosophers. Engl.-Arab. Edit. by. M. E. Marmura, Provo/Utah 1997 [RP 2000].
- -, The Niche of Lights. Engl.-Arab. Edit. by D. Buchman, Provo/Utah 1998.
- Avicenna, The Metaphysics of The Healing. Engl.-Arab. Edit. by M. E. Marmura, Provo/Utah 2005.
- Bishop, John, How a Modest Fideism may Constrain Theistic Commitments. Exploring an Alternative to Classical Theism, in: Philosophia 35 (2007) 387-402.
- -/Perszyk, Ken, A Euteleological Conception of Divinity and Divine Agency, in: Schärtl, Thomas/Tapp, Christian/Wegener, Veronika (Eds.), Rethinking the Concept of a Personal God. Classical Theism, Personal Theism, and Alternative Concepts of God, Münster 2016, 211-225.
- -, Concepts of God and Problems of Evil, in: Buckareff, Andrej/Nagasawa, Yujin (Eds.), Alternative Concepts of God. Essays on the Metaphysics of the Divine, Oxford 2016, 106-127.
- -, Divine Action Beyond the Personal OmniGod, in: Oxford Studies in Philosophy of Religion, Vol. 5. Ed. J. Kvanvig, Oxford 2014, 1-21.
- -, God as a Person – Religious Psychology and Metaphysical Understanding, in: Schärtl, Thomas/Tapp, Christian/Wegener, Veronika (Eds.), Rethinking the Concept of a Personal God. Classical Theism, Personal Theism, and Alternative Concepts of God, Münster 2016, 227-241.
- -, The Divine Attributes and Non-personal Conceptions of God, in: Topoi 36 (2017) 609-621.
- -, The Normatively Relativised Logical Argument from Evil, in: International Journal for Philosophy of Religion 70 (2011) 10-126.
- Davies, Brian, An Introduction to the Philosophy of Religion, Oxford 20043.
- Elkaisy-Friemuth, Maha, God and Humans in Islamic Thought. Abd al-Jabbar, Ibn Sina and al-Ghazali, New York/Oxford 2006.
- Hoff, Gregor-Maria, Offenbarungen Gottes? Eine theologische Problemgeschichte, Regensburg 2007.
- Karimi, Ahmad Milad, Hingabe. Grundfragen der systematisch-islamischen Theologie, Freiburg i. Br. 2015.
- Kvanvig, Jonathan, Metatheology and the Ontology of the Divine, in: Kittle, Simon et alii (Eds.), Personal and A-Personal Conceptions of God, Cambridge 2019 (i. E.).
- Lebens, Samuel, God and His Imaginary Friends. A Hassidic Metaphysics, in: Religious Studies 51 (2015) 183-204.

- -, Hassidic Idealism. Kurt Vonnegut and the Creator of the Universe, in: Goldschmidt, Tyron/Pearce, Kenneth L. (Eds.), Idealism. New Essays in Metaphysics, Oxford 2017, 158-177.
- Leslie, John, A Way of Picturing God, in: Buckareff, Andrej/Nagasawa, Yujin (Eds.), Alternative Concepts of God. Essays on the Metaphysics of the Divine, Oxford 2016, 50-63.
- -, Infinite Minds. A Philosophical Cosmology. Oxford/New York 2001.
- -, Value and Existence, Oxford 1979.
- -/Kuhn, Robert L. (Eds.), The Mystery of Existence. Why is There Anything at All? Malden/Oxford 2013.
- Marschler, Thomas, Substantiality and Personality in the Scholastic Theology of God, in: Schärtl, Thomas/Tapp, Christian/Wegener, Veronika (Eds.), Rethinking the Concept of a Personal God. Classical Theism, Personal Theism, and Alternative Concepts of God, Münster 2016, 79-107.
- Nagasawa, Yujin, Maximal God. A New Defence of Perfect Being Theism, Oxford 2017.
- Parfit, Derek, On What Matters, Vol. 2, Oxford 2011.
- Schärtl, Thomas, Introduction: Rethinking the Concept of a Personal God, in: Ders./Tapp, Christian/Wegener, Veronika (Eds.), Rethinking the Concept of a Personal God. Classical Theism, Personal Theism, and Alternative Concepts of God, Münster 2016, 3-31.
- Scholem, Gershom, Die jüdische Mystik in ihren Hauptströmungen, Berlin 201812.
- -, Von der mystischen Gestalt der Gottheit. Studien zu Grundbegriffen der Kabbala, Berlin 20156.
- Shah, Zufiqar Al, Anthropomorphic Depictions of God. The Concept of God in Judaic, Christian and Islamic Traditions: Representing the Unrepresentable, London/Washington DC 2012.
- Stone, Jerome A., Religious Naturalism Today. The Rebirth of a Forgotten Alternative, New York 2008.
- Suhrawardi, Illumination. New critic., Engl.-Arab. Edit. by J. Walbridge and H. Ziai, Provo/Utah 1999.
- Tracy, David, The Analogical Imagination. Christian Theology and the Culture of Pluralism, New York 1985.
- Vanhoozer, Kevin, The Drama of Doctrine. A Canonical Linguistic Approach to Christian Doctrine, Louisville 2005.

FREIHEIT ALS METAPHER:
UNBESTIMMTHEIT – UNVERFÜGBARKEIT – GNADE

Knut Wenzel

Von der Zeit sagt Augustinus, dass er unmittelbar schon wisse, was es um sie sei; nur wenn er gefragt werde, könne er sie nicht auf Anhieb erklären.[1] Unmittelbares Wissen ist keines, sondern Vertrautheit oder Gewöhnung; Wissen hingegen bildet sich an einer Differenz, die epistemologisch als Differenz zwischen Begriff und Wirklichkeit und semiotisch als die zwischen Zeichen und Bezeichnetem fassbar ist und die existenziell in der Wahrnehmung von Wirklichkeit (oder einer ihrer Dimensionen) in deren Unverfügbarkeit besteht. Das damit anhand der Bemerkung des Augustinus zur Zeiterkenntnis Skizzierte gilt ähnlich von der Freiheit: Wer sie genießt, hält sie für nicht weiter der Rede wert, was in Freiheitsverbrauch und -verachtung umkippen kann; wird sie hingegen intensiv besprochen, zeigt das ihr Problematischsein an: sei es, dass wortreich sie zu bestreiten für nötig befunden wird, sei es, dass ihr unbedrängter Genuss bedroht oder gänzlich vorenthalten wird. Was nun dieses Letztere angeht, könnte in ihrem Vorenthaltensein, ihrer Vermissung, ihrer Depravation ein Zeitindex der Freiheit gesehen werden: Freiheit ist – nicht mehr; sie ist – noch nicht. Wie die Zeit ist auch die Freiheit nicht durch ihre Objektivation bestimmbar: Wer Zeit hat, besitzt eben gar nichts, ist von keinerlei Besitz besessen; wer keine Zeit hat, ist keineswegs frei von Besitz, muss den vielmehr durch die Zeitnot retten.

Freiheit hat man nicht und kann sie sich auch nicht nehmen. Im ersteren Fall wäre sie einem Besitz-, im zweiten Fall einem Verfügungsverhältnis unterworfen, und das heißt: jeweils als Freiheit annihiliert. Noch die klassische Unterscheidung zwischen einer „Freiheit von" und einer „Freiheit zu" verfehlt sie; nicht nur arbeitet diese Unterscheidung mit verdeckten normativen Optierungen, wodurch Freiheit von vornherein einem Bewertungskalkül unterworfen wird; vor allem bindet sie Freiheit an Objekte, die in dieser Bindung bestimmen, was Freiheit sei. Ist aber Freiheit zunächst einmal nicht pur, ursprünglich intransitiv, unbezüglich?

Und ist gleichwohl dieselbe Freiheit kein *abstractum*, was sie doch unter Abziehung von allen Kontexten nur sein könnte. Geht aber das, was aus diesen beiden Negativbestimmungen der Unbezüglichkeit und der Nicht-Abstraktheit sich positiv gewinnen ließe, so nämlich zusammen, dass Freiheit als ein konkretes Absolutes gedacht werden kann? – Etwa so, dass Freiheit vorläufig zu bestimmen wäre als *unbedingt möglich, real aber nur in einschränkungsloser Verwirklichung*. Die Allegorie, oder Personifikation, so gedachter Freiheit wäre heidnisch die Fee, christlich der Geist: die Fee, insofern sie einen aufsuchbaren Wirkungsort, aber eine uneingrenzbare Wir-

---

1   Vgl. Augustinus, Confessiones, XI, 14.

kungsreichweite hat; der Geist, insofern er ubiquitär gegenwärtig ist, in pneumatischer Alozität. Das von Fee und Geist gegenläufig, aber wechselseitig erhellend gespielte Spiel von Lokalität, die unendlichkeitsoffen ist, und Ubiquität, die auf Manifestation drängt, gibt Aufschluss über den Status der Freiheit: dass dieser nämlich feen- oder geisterhaft sei.

Feen- und geisterhaft kann eine Kraft genannt werden, die wirkmächtig ist – und in Gestalt und Gehalt doch vage: umherschweifend zwischen Form und Substanz, ontologisch unzuverlässig mithin, doch auch normativ unbestimmt: Fee/Geist – heidnisch/christlich: diese Kraft ist vage darin, dass sie so vertraut wie fremd erscheint, so intrinsisch wie extrinsisch bestimmt. Wird Freiheit christlich in Anspruch genommen und hat sie dann ohnehin pneumatisch etwas frei Wehendes, so bleibt ihr auch in dieser christlichen Beanspruchung etwas Heidnisches, etwas feenhaft Irrlichterndes.

Das Irrlichtern und das Schweifen sind Bewegungen der Freiheit in einem unbestimmten Raum. Freiheit bricht auf im Unbestimmten. Geist und Fee sind nicht zu fassen, sind mehr Kraft als Gestalt. An beiden lässt sich ein gleichsinniger Hang zur Materialisation ausmachen; bei der Fee zum Märchen, beim Geist zur Einwohnung. In Unbestimmtheit geborene Freiheit drängt in die Bestimmung. Weder ist das Märchen eine Ableitung aus dem Wesen der Fee noch die Einwohnung eine solche aus dem Wesen des Geistes. Unableitbarkeiten sind Freiheitsmomente. Die Bestimmung der Freiheit muss selbst freiheitlich geschehen: als deren Verwirklichung. Damit ist auch gesagt, dass es hierfür keinen Plan geben kann. Es gibt nur, paradigmatisch, den Aufbruch von Fee und Geist in ihre Materialisation. Aufbruch ohne Plan – Exodus ins Eschaton.

Es ist die Gestalt des Mose, an der jedes identifikatorische Moment des Exodus Israels – von der homogenen Gruppenidentität über die Mittel der Befreiung bis hin zum Ziel des Exodus und der Frage von dessen Erreichtheit – fraglich wird.[2] Mose, der dies nicht ist und das nicht, ist mit dieser negativen Identität die Figur der Freiheit – „a thread of otherness runs through his biography"[3]: Mose ist nicht der Held der Exodus-Geschichte, als welchen Sigmund Freud ihn vorstellt;[4] er ist kein eindeutiger Angehöriger des Volks, das er in die Freiheit führen soll – sein Name, von der Tochter des Pharaos verliehen, ist ägyptisch –;[5] der große Offenbarer, der am Schluss des Pentateuch zur schlechthin paradigmatischen Prophetengestalt erklärt wird,[6] hat einen Sprachfehler[7] und wird zum Volk Israel durch den Mund Aarons sprechen;[8] er wird Kanaan, das Ziel des Exodus, nicht erreichen, nur von Ferne darauf schauen, einsam dort sterben und in einem unbekannten Grab bestattet werden.[9]

....

2   Vgl. hierzu Klug, Brian, Moses, 17-24.
3   Ders., 20.
4   Vgl. Freud, Sigmund, Der Mose Michelangelos; vgl. Klug, Brian, Moses, 19.
5   Vgl. Klug, Brian, Moses, 20.
6   Vgl. Dtn 34,10.
7   Vgl. Ex 6,12.30.
8   Vgl. Klug, Brian, Moses, 21f.
9   Vgl. Dtn 34.

An dieser Figur der Freiheit wird ersichtlich, dass es Freiheit gewiss nur als verwirklichte geben kann, dass Freiheit aber in keiner ihrer geschichtlichen Verwirklichungen unverkürzt gegeben ist. Vielmehr ist der Exodus als die Geschichte der Verwirklichung von Freiheit, als Freiheitsgeschichte, stets von der Drohung der Depravation, der Verfehlung von Freiheit begleitet. Dass Mose den verheißenen Ort oder Status verwirklichter Freiheit nicht selbst mehr erreicht, nur einen Aus- und Vorblick darauf haben und eröffnen kann, ist der stärkste, nämlich mit der gesamten Autorität dieser Gestalt gewichtete Vorbehalt, dass das, was schließlich erreicht und in Besitz genommen wird, auch tatsächlich die unverkürzte und unverzerrte Verwirklichung der Freiheit ist, deren Perspektive mit dem Aufbruch dieses Exodus eröffnet worden ist. Gerade weil die Freiheit, die im Unbestimmten aufbricht, auf Bestimmung aus ist, gerade weil sie, die im Prinzip absolut ist, auf Konkretion drängt, ist sie in der Geschichte ihrer Verwirklichung nicht identisch mit sich – aber sie identifiziert sich mit jedem ernstgemeinten, wenn auch scheiternden Versuch ihrer Verwirklichung. Das ist das Enchantement der Fee, das *Charisma* des Geists, seine Gabe.

Wenn die Freiheit ihren Grund im Unbestimmten hat (Grund nicht begründungslogisch, sondern landschaftlich gemeint, wie der kühle Grund in Eichendorffs *zerbrochenem Ringlein* von 1812/15, als Herkunftsort einer bis heute virulenten Geschichte, der selbst aber in vorzeitlicher Tiefe unerreichbar ist) dann ist sie nicht bar jeder Kontur, es gibt einen Bedeutungsvektor der Freiheit, der auf Verwirklichung zielt, aber es bleibt in allen Freiheitsverwirklichungen ein Unbestimmbares (an) der Freiheit. In einer christlichen Beanspruchung von Freiheit erhielte das Unbestimmbare an ihr den Nimbus des Heidnischen (des Säkularen). Was sich hier auftut, ist nicht ein Verfehlen der Freiheit in ihrer Verwirklichung; in der Konstellation einer christlichen Beanspruchung der Freiheit repräsentiert das Heidnische das Nicht-Identische der Freiheit auch in ihren christlichen Verwirklichungen. Hierauf zu stoßen, auf das Heidnische als das Nicht-Identische, heißt nicht, zu viel an Freiheit verwirklicht, den Bogen der Freiheit überspannt zu haben – die Furcht, die den christlichen Umgang mit der Freiheit immer begleitet –, sondern dass der Freiheit ein Nie-Genug ihrer Verwirklichung eignet. Wie sollte auch eine prinzipiell, im Grund, unbestimmte Freiheit in irgendeiner oder auch im Gesamt ihrer Bestimmungen sich endgültig wiederfinden? Jegliche innergeschichtlich mögliche Freiheitsverwirklichung ist endgültigkeitsenthoben.

Das Christentum ist, wie jede Religion – wie jede Kultur –, ein umfassendes dynamisches System zur Bestimmung von Bedeutungen. Kultur- und Religionssysteme gewinnen ihre Energie aus dem vibrierenden Spannungszusammenhang von sedimentierten, in die Latenz abgesunkenen Bedeutungsschichten und der akuten, manifesten Arbeit an der Bedeutung. In diesen Maschinenräumen der Bedeutung werden die Möglichkeitsbedingungen zur Bewohnbarkeit dieser Welt produziert. Die Rede vom Sein, das sich uns zuschickt und uns darin zuvorkommt, hat nie den Verdacht ausräumen können, nur Echo des Wunsches zu sein, es gäbe eine objektive, sinnhafte und also auch Sinn gewährende und garantierende Wirklichkeit: Sein. Einstweilen muss also mit dem Maschinenraum der Bedeutungsproduktion vorliebgenommen werden, selbst dann, wenn hier die Aggregate einer *Titanic* angetrieben werden, die nicht am nächstbesten Eisberg ihre Bestimmung findet, sondern zwischen Nichts und Nichts hindurch, durch die Unendlichkeit eines sinnlosen Kosmos navigiert.

Ein solches Gefährt – Arche der Bedeutung – ist auch das Christentum. Dessen Seenot – wie die aller Gefährte dieser Art: Religionen, Kulturen – ist nicht ereignishaft (der Eisberg), sondern konstitutionell: ist doch die Arche unter der Bedingung der Sintflut der Annihilation, der Flut des Sinnlosen unterwegs. Diese ist an sich nicht identifizierbar; nur in der Science Fiction wird zuweilen in einem das Humanum sowohl bergenden wie deformierenden transformierten Erdplaneten versehentlich die Tür zum Sog der ungeheuren Unendlichkeit des sinnlosen Kosmos geöffnet. Wie diesem Sog sich entgegenstemmen und die Tür wieder zudrücken? Das zu vollbringen ist ein Akt humaner Selbstbehauptung und ist in der Überlast kosmischer Sinnlosigkeit doch herzlich wenig. Normal ist diese strukturelle Seenotsituation nur indirekt identifizierbar, nämlich an dem pathologisch hohen Druck zur Produktion, Identifikation und Administration von Bedeutung.

Wie anspruchsvoll, wie herausfordernd ist aber unter den Bedingungen dieser *identitären Bedeutungspolitik*, wie sie als defensive Antwort auf den Überdruck kosmischer Sinnlosigkeit entsteht und kulturintern dominant wird, der Umgang mit solchen Zeichen, die gerade nicht durch proportionale Verweisungsökonomie bestimmt sind, die stattdessen sich und damit alle Referenzialität *öffnen* auf das Absolute? Zeichen, die nicht regierbar sind, und auch das von ihnen Angezeigte nicht regieren: Metonymien, Metaphern jener kühnen Art, deren Sinn, will man ihn fassen, davon läuft wie Quecksilberkugeln. Das Wort „Gott" ist ein solches Zeichen; von ihm hat Karl Rahner gemeint, dass die säkulare Moderne – unsere Zeit –, die mit ihm keinen bestimmten Gehalt mehr verbinden kann, ihm eigentlich am besten gerecht wird.[10] Ist nicht das Wort „Freiheit" ebenso ein solches Zeichen, das gar nicht über eine Bedeutung verfügt und eine solche Bedeutungsverfügung an die Hand gibt, dessen Referenzialisierung vielmehr als ein bloßes Sich-Öffnen aufgefasst werden kann, als ein Ausrinnen, nicht als ein Ausgreifen. So be-deutet das Wort die von ihm be-zeichnete Freiheit: als Hingabe, nicht als Selbstbehauptung; als Unverfügbarkeit, nicht als Verfügungssouveränität. Ist frei, wer zu irgendwas im Verhältnis souveränen Besitzes steht – oder wer an nichts gebunden an alles sich hingeben kann?

Freiheit ist sicherlich auch ein Begriff und kann als solcher diskursiv vermessen werden. Überraschungen sind dabei nicht zu erwarten. Ergebnisse von Freiheitsvermessungen werden immer irgendwo im Geviert von Notwendigkeit und Unmöglichkeit der Freiheit, von emanzipativer und verpflichtender Freiheit lokalisiert werden:

....

10   Vgl. Rahner, Karl, Meditation über das Wort „Gott", 48-54.

Arbeiten am Begriff, und als solche naturgemäß sinnhaft, doch nicht an der Sache selbst. Ein Begriff von Freiheit, der mimetisch sich der Sache selbst anschmiegt, gibt sich preis, seine formale Schärfe, seine semantische Prägnanz.

„*Freedom's just another word for nothin' left to loose*", lautet die signature-Zeile in einem Song von Kris Kristofferson und Fred Foster, den Janis Joplin zur Hymne des Pop gesungen hat.[11] Nichts zu verlieren haben – daraus spricht nur auf den ersten Blick eine defätistische Haltung; wer nichts zu verlieren hat, ist schon frei für die Freiheit; was hier an Armut und Not mit gesagt ist, hat die Würdigung der jesuanischen Seligpreisungen.[12] In die Sphäre der Freiheit eintreten, bedeutet alles aufs Spiel setzen, jesuanisch: den Besitz,[13] die Familie,[14] das eigene Leben[15]. Da ist nichts, was geltend gemacht und für ein Quantum Freiheit eingetauscht werden könnte: keine moralische Güte, kein sozialer Status der Anerkennung, keine künstlerische Produktivität, keine ökonomische Bilanz, kein angemaßter Gewissheitsgrad eigener Erkenntnis, aber auch keine Rekordgeschichte des Scheiterns erwirtschaftet hier irgendetwas. Aufs Spiel setzen: das hat hier nichts Leichtfertiges; Spiel steht für jene lebendige, ästhetische Tiefendimension der Subjektexistenz, die von Johann Gottfried Herder über Friedrich Schiller bis zu Christoph Menke philosophisch bearbeitet worden ist und aus der dem Subjekt die Quellen seines Seinkönnens zugespielt werden, ohne dass es darüber verfügen könnte.[16]

Am sich an die Sache selbst anschmiegenden Begriff wird eine Ähnlichkeit zur gebetlichen, liturgischen Sprache erkennbar, die mit dem, was sie jeweils ausdrücklich sagt, nichts von dem ausschließt, wovon sie nichts weiß, vielmehr alles einbegreift. Freiheit – ist Gebet: Wenn das, was getan wird, gar nicht mehr nötig ist, komplett zweckentlastet sein kann, transökonomisch; wenn Sprechen ist, ohne Kommunikation, Mitteilung, Verständigung sein zu müssen; wenn das alles nicht mehr nötig und das Sprechen seiner enthoben ist, wenn es um nichts mehr geht, ist Gebet, als Sprechen (in) der Freiheit.

Der Entlastung ist ein passivisches Moment zu Eigen. Freiheit von: etwas ist von mir genommen worden; nicht: ich habe es abgeschüttelt. Das bedeutet nicht, dass Freiheit *sub conditione* nur ist, nämlich unter der Bedingung, frei von äußeren Bedingungen zu sein. Sichtbar wird in solcher Entlastung vielmehr die ursprüngliche Unbestimmtheit, ja Sinnlosigkeit der Freiheit; sie ist ursprünglich überhaupt keinem Sinn subsumierbar. Wie eine Erinnerung erfahren wir diese ursprüngliche Sinnlosigkeit der Freiheit, ihre Absolutheit, in Situationen, da wir unser Leben mit keinem Zweck, keiner Herkunft, keinem Ziel, keiner Pflicht verbinden müssen, in denen wir

....

11 Me And Bobby McGee, von 1969; Joplins Version erschien 1971 auf ihrem Album Pearl und wurde als Single ein postumer No. One Hit.
12 Mt 5,3-12; Lk 6,20b-23.
13 Mk 10,17-27.
14 Lk 9,57-62.
15 Mt 16,25; Lk 9,24.
16 Vgl. hierzu Menke, Christoph, Kraft.

leben – *einfach so*. Wie eine Sehnsucht verbinden wir mit dieser Erfahrung – mit dem in ihr sich erschließenden Angeld absoluter Freiheit – die Möglichkeit einer wirklich befreiten Lebensexistenz.

Das wäre Freiheit im Konjunktiv, im (präskriptiven) Optativ: Freiheit soll sein. Ob dieser Optativ im Modus der Klage, der Forderung, des Verlangens oder der Verheißung gebraucht wird: es wohnt ihm ein präsentisches Moment inne: Freiheit solcherart – klagend, fordernd, sehnend, verheißend – in Anspruch zu nehmen, heißt für einen metaphorischen Moment zu behaupten, sie gelte schon jetzt. Zur Metaphorizität dieses Moments gehört es zu wissen, dass die Präsenzbehauptung der Freiheit kontrafaktisch ist. Darin entlarvt sich aber nicht ein bloßer Illusionismus solchen Freiheitsdenkens. Oder wenn Illusionismus, dann im Sinn der Figur des Illusionisten aus Jos Stellings gleichnamigem Film, die in einer Art Absolutheit, also Abgelöstheit von allem, was als normal gilt, einen Existenzblick des Transnormalen eröffnet.[17] Mit solchem Illusionismus könnte das hier entwickelte Freiheitsverständnis d'accord gehen. Der Illusionismus setzt die real existierende Wirklichkeit unter Druck, um an ihr Möglichkeiten zum Vorschein zu bringen, die Verwirklichung verdienten. Das Mögliche zu lesen, als ob es wirklich sein könnte, ist Illusionismus.

Die Liebe, ist sie einmal entbrannt, kennt keine Rechtfertigung, keine Widerlegung. Sie hat Präsenz: sei es in der Erinnerung, der Hoffnung, des Vermissens. Sie ist in den Modi ihrer Vergegenwärtigungen nicht relativierbar. Und so auch die Freiheit. Dass ihre Bekämpfung, Bestreitung, Diffamierung, Irrealisierung – nichts am Absolutheitsgrad ihrer Bedeutung (im Sinn von *meaning*) ändert, *goes without saying*. Weder Liebe noch Freiheit sind absolut real. Für keine von beiden existiert ein Maßstab maximaler Realisation. Es besteht Aussicht auf Erlösung weder von der Liebe noch von der Freiheit. Erlösung gibt es nur im Durchgang durch die Liebe, durch die Freiheit. Für Paulus ist es die Liebe, in der wir am Ende (wenn überhaupt) bei Gott sind, nicht Hoffnung, nicht Glaube.[18] Und als Bilder Gottes treten die Menschen in Freiheit vor diesen Gott, der sie in sein Bildsein gerufen hat. In Liebe, in Freiheit, *coram* Deo. Wenn wir *von* der Liebe, *von* der Freiheit, in ihrer Absolutheit, nicht zu erlösen sind – weil sie, in ihrer jeweiligen Absolutheit, unser Wesen bezeichnen, indem sie dieses nämlich in den Horizont Gottes stellen –, sondern nur *durch* sie: in ihrem Milieu, ihrer Mittlerschaft, dann ist von der *Passion der Liebe*, aber eben auch von der *Passion der Freiheit* zu sprechen. Dass die Liebe brennt, ist gängige Metaphorik; es brennt aber auch die Freiheit. Wie die Liebe ist die Freiheit ein Geschehen, das *neue Horizonte* erschließt, indem es sich *verzehrt*: Passion.

Freiheit ist also keine Eigenschaft, kein Besitztum; wo sie als Habitus oder als Identitätsmarker beansprucht wird, ist sie schon verfehlt. Freiheit als Ent-Eignung: sie

....

17 Stelling, Jos, De illusionist, Niederlande 1983.
18 1 Kor 13,13. Zur oben angedeuteten Auslegung der Vorrangstellung der Liebe in diesem Ternar vgl. Wischmeyer, Oda, Der höchste Weg.

nimmt das Eigene, aber auch die Eignung: die Kompetenz. Freiheit ist nicht zuerst Gegenstand einer *ars*; nicht in einer kunstfertigen Ausübung wird Freiheit ursprünglich real. Ist Freiheit unbedingt, können wir gar nichts für unser Frei-Sein. Enteignend gibt sich Freiheit. Im Verlangen nach ihr bloß gibt Freiheit sich.

Verlangen und Hingabe: Menschen, die in politischer, kultureller, religiöser etc. Unfreiheit, in der Übermächtigung des Subjekts durch das Kollektiv, ihre Freiheit als Subjekt beanspruchen, exponieren sich, machen sich verletzlich – und sind im selben Moment doch ungeheuer stark. Diese Stärke ist aber ohne Macht und Gewalt. Sie ist nicht unüberwältigbar, und sie wird keine bestehende Herrschaft frontal attackieren und umstürzen können. Solche Freiheit tritt vielmehr negativistisch in Erscheinung, als ein Nicht-Zustimmen. Als das Pathos des Nein-Sagens, für welches Herman Melvilles Figur des *Bartleby* steht: *I would prefer not to / Ich möchte lieber nicht.*[19] Die Position Bartlebys verteidigt sich nicht; jede machtvolle Überwältigung muss aber, selbst wenn sie erfolgreich ist, die Unintegrierbarkeit des gegen sie gesprochenen Nein konzedieren. Das Nein, einmal gesagt, bricht eine zuvor vielleicht für selbstverständlich und gleichsinnig gehaltene Front der Affirmation auseinander. Hier ist das Nein das erste Wort der Freiheit, wenn die Freiheit auch jedem Wort vorausgeht, mit dem sie zu sagen versucht wird. Im Nein, das aus der Front der Bejahungen ausbricht – und das sich dem Morast der Gleichgültigkeit entwindet –, findet die Freiheit eine erste Bestimmung – wonach ihre ursprüngliche Unbestimmtheit gerade verlangt, eine Bestimmung, die dieser Unbestimmtheit gerecht wird: die des Eigensinns. Dieser ist nie hegemonial, wendet sich vielmehr von allem Hegemonialen ab und ist in dieser Abwendung nicht souverän, sondern unregierbar: das eigensinnige Subjekt wird von seinem Eigensinn überrascht. Gegen eine Phalanx der Bejahungen kann ein Nein nur spontan gesagt werden. Das eigensinnige Subjekt hat seinen Eigensinn nie geplant oder auch nur vorgehabt. In dieser Spontaneität oder Unwillkürlichkeit des Eigensinns scheint die ursprüngliche Unbestimmtheit der Freiheit auf.

Doch wird ein Ja aus diesem Nein oder ist längst in ihm enthalten. Nicht dass dies Nein zurückgenommen werden würde: es ist zunächst ein Ja zum Nein. Im Nein des Eigensinns zielt Freiheit nicht auf Verneinung; ist sie in ihrer ursprünglichen Unbestimmtheit doch unendlich offen: in einladender Weise bejahend. Doch will die Bejahung unbestimmter Freiheit an keiner Bestimmung – an keiner Verendlichung – ihre Grenze finden. Ihr Nein gilt nicht dem Endlichen, ihm gilt ihr emphatisches Ja – das Unbestimmte geht durch die Bestimmungen –, sondern jeglicher Grenzziehung. Das Endliche ist bestimmt nicht durch eine Grenze, die es von anderem scheidet, sondern durch eine Offenheit, die es auf anderes bezieht. Durch diese offenen Endlichkeiten schweift die Freiheit (wie der Geist, die Fee) und nimmt Bestimmung um Bestimmung in den Horizont ihrer ursprünglichen Unbestimmtheit auf.

Was ist es um diesen Horizont, der Bestimmung um Bestimmung aufnimmt, ohne je

....

19 Melville, Herman, Bartleby the Scrivener.

selbst endgültig durch sie bestimmt zu werden? Was um den Horizont, in dem Endlichkeit sich unbegrenzt öffnet und der in keine Endlichkeit sich schließt?

Horizont der Freiheit. Sein Bogen leuchtet durchs konkrete Hier und Jetzt des Endlichen und spannt sich in unendliche Weiten aus, ins Unausdenkbare. In diesen Horizont treten Menschen, die ihre Freiheit wollen. Die, was ihnen mit kultureller, religiöser, politischer und sonst welcher fadenscheinigen Begründung vorenthalten wird und dessen Verwirklichung unendlich fern und eigentlich unmöglich erscheint, als hier und jetzt für sie realisiert beanspruchen.

Diese metaphorische Dimension der Freiheit – Freiheit, beansprucht, *als ob sie schon da wäre*, unreduziert verwirklicht –, bedeutet, das Hier und Jetzt als Zeit-Ort der Zukunft freizugeben. Ein solcher metaphorischer Moment der Freiheit scheint in dem Unternehmen afghanischer Frauen auf, ein Fußballnationalteam der Frauen zu etablieren, *against all odds*.[20] Das Ja dieser Frauen zu einer Freiheit, die Zukunft hat, kommt als Nein zu einem mörderischen, islamisch unterfütterten Patriarchat daher. Wie zerbrechlich ist diese metaphorische Beanspruchung der Freiheit, auch wenn das Metaphorische hier nichts „Uneigentliches" hat, sondern der realsymbolischen Struktur des Sakraments gleicht! Unmittelbar einsichtig ist, dass im metaphorischen Ausgriff auf die Zukunft der Freiheit – als wäre sie schon da – keine Verfügung über Zukunft besteht. Die Gegenwartsbestimmung der Freiheit ist negativistisch, greifbar im gegen das Patriarchat gerichteten Nein der afghanischen Frauen. Aber das darin artikulierte Ja – ist offen auf die aus der Zukunft entgegenkommende Freiheit, und nicht deren Festlegung.

So entgleitet unter der Wirkung der metaphorischen Freiheit die Gegenwart dem Griff der Bestimmtheit – einer fatalen Alternativlosigkeit –, ohne dass die Zukunft unter den Zugriff von Bestimmungen geraten würde. Freiheit entsichert. Der Weg in ihre Zukunft geht über die Revisionen jeweils erreichter Freiheitszustände (stets unter der Drohung der Zerstörung): Dialektik eines Ja, das nur als Nein sich artikulieren kann. Ursprünglich unbestimmt und teleologisch nicht bestimmbar ist die Freiheit. Wenn Freiheit also begrifflich bestimmt werden soll, dann so, dass der Begriff dieses negativistische Moment enthält. Subjekttheoretisch gewendet bedeutet dies, Freiheit als Unverfügbarkeit zu denken.[21] Dass Menschen frei sein können, gründet darin, dass sie in ihrer Subjekthaftigkeit aller Verfügung entgehen – so, dass auch ihr Selbstverhältnis von Unverfügbarkeit geprägt ist.[22] Die in Kabul Fußball spielenden Frauen erfahren, in der konkreten Gestalt einer religiös, kulturell, politisch etc. bedingten Situation, die Unverfügbarkeit ihrer selbst und darin sich als frei.

....

20 Vgl. die Dokumentation von Kiazand, Gelareh, Frauenfußball in Kabul – ein Tor für die Freiheit, Arte, 8. Juni 2019, 19:30.

21 Für eine biblische Grundlegung des Begriffs der Freiheit als Unverfügbarkeit vgl. Wenzel, Knut, Freiheit, 25-36.

22 Zu ethischen Konsequenzen aus dieser Unverfügbarkeit im Selbstverhältnis für Fragen um den assistierten Suizid vgl. Wenzel, Knut, Die Absolutheit der Subjektwürde, 161-177.

Sie erfahren eine Freiheit, die sie weder in ihrer realen Zerbrechlichkeit absichern noch in ihrer ausstehenden Verwirklichung in Gebrauch nehmen können. Sie können sie genießen, was durchaus ein Handeln ist, jedoch kein instrumentelles. Im Genießen der Freiheit sind sie ganz bei sich als Freie. Ganz bei sich zu sein heißt nicht: sich selbst zu haben. Das Bei-sich-Sein ist kein Verfügungs- oder Besitzverhältnis. Im Bei-sich-Sein realisiert sich zwanglos die Unverfügbarkeitsdimension des Selbstverhältnisses. Im Bei-sich-Sein als Freie arbeiten Menschen sich nicht an ihrem Selbsterhalt ab, sondern sind weltoffen, mit Tendenz zur Vorbehaltlosigkeit. Die Modulation des Selbstverhältnisses in der Freiheitserfahrung – so prekär und flüchtig diese in den realen Bedingungsverhältnissen auch sein mag – hat kein Gefälle auf das Haben, sondern eher auf die Hingabe zu. Im Genießen der Freiheit tun die Frauen in Kabul nicht „etwas" – weswegen der Fußball als Spiel, in dem es um nichts geht, ein angemessenes Realsymbol solchen Handelns ist –; sie „tun" sich selbst: Freiheitsgenuss ist Selbstvollzug des Subjekts.

In der Erfahrung der Freiheit, in ihrem Genießen, werden die Menschen auf den unendlichen, eine Unzahl der Bestimmungen in sich aufnehmen könnenden, aber selber dadurch unbestimmt bleibenden Horizont hin geöffnet, der oben als Horizont der Freiheit bezeichnet worden ist. Soll dieser Horizont, so sehr er in jeder Bewegung auf ihn zu zurückweicht vor dieser, nicht als sinnleer gedacht werden, was man tun kann, mit dem Risiko der Absurdität der in diesem Horizont sich vollziehenden Freiheitexistenz; soll vielmehr die aus diesem Horizont in ihrer freien Subjekthaftigkeit entgegenkommende Freiheitsverwirklichung als ein Entgegen-Kommen im emphatischen Sinn aufgefasst werden können; und soll zugleich die Absolutheitsdimension dieses Freiheitshorizonts, ohne sie zu verkürzen, berücksichtigt werden – dann ist dieser Horizont der Freiheit als Horizont Gottes anzusehen, in dem das in den subjektiven Selbstvollzügen sich ereignende Entgegen-Kommen der Freiheitsverwirklichung als Bewegung der Gnade sichtbar wird.

Literatur

- Augustinus, Confessiones. Übersetzt von Wilhelm Thimme, Düsseldorf 2004 (Sammlung Tusculum).
- Die Bibel. Altes und Neues Testament. Einheitsübersetzung der Heiligen Schrift. Gesamtausgabe, vollständig durchgesehene und überarb. Aufl., München 1986.
- Freud, Sigmund, Der Mose Michelangelos. Schriften über Kunst und Künstler, Frankfurt 1993.
- Joplin, Janis, Pearl (Columbia Records), Los Angeles 1971.
- Kiazand, Gelareh, Frauenfußball in Kabul – ein Tor für die Freiheit, Arte, 8. Juni 2019, 19:30.
- Klug, Brian, Moses: The Significant Other, in: Schmiedel, Ulrich/Matarazzo, James M. (Eds.), Dynamics of Difference. Christianity and Alterity (= FS Werner G. Jeanrond) London 2015, 17-24.
- Melville, Herman, Bartleby the Scrivener. A Story of Wall Street (Part 1), in: Putnam's Monthly Magazine of American Literature, Science and Art, 2 (1853) Bd.11, 546-550.
- -, Bartleby the Scrivener. A Story of Wall Street (Part 2), in: Putnam's Monthly Magazine of American Literature, Science and Art, 2 (1853) Bd.12, 609-616.
- Menke, Christoph, Kraft. Ein Grundbegriff ästhetischer Anthropologie, Frankfurt 2008.
- Rahner, Karl, Meditation über das Wort „Gott", in: Ders., Grundkurs des Glaubens. Studien zum Begriff des Christentums, Sämtliche Werke, Bd. 26, Zürich/ Freiburg i. Br. 1999, 48-54.
- Stelling, Jos, De illusionist, Niederlande 1983.
- Wenzel, Knut, Die Absolutheit der Subjektwürde – und die Limitationen der Autonomie, in: Hilpert, Konrad/Sautermeister, Jochen (Hg.), Selbstbestimmung – auch im Sterben? Streit um den assistierten Suizid, Freiburg i. Br. 2015, 161-177.
- -, Freiheit, in: Büchner, Christine/Spallek, Gerrit (Hg.), Auf den Punkt gebracht. Grundbegriffe der Theologie, Ostfildern 2017, 25-36.
- Wischmeyer, Oda, Der höchste Weg. Das 13. Kapitel des 1. Korintherbriefs, Gütersloh 1981.

DIE GOTTESREDE IM SPANNUNGSFELD VON FREIHEIT UND WAHRHEIT. PERSPEKTIVEN AUS EINER KONTROVERSE

Paul Platzbecker

0. Als Vorfilm: Eine denk-würdige Rede vor dem Deutschen Bundestag – und die Reaktionen darauf

Sie beginnt mit einer kleinen protokollarischen Panne – die überaus denkwürdige Rede, die Papst Benedikt XVI. am 22. September 2011 im Deutschen Bundestag hält. Als er nach seiner Begrüßung aufgerufen wird, schreitet er die Stufen zum Rednerpult des Bundestagspräsidenten herauf. Als dieser das bemerkt, kommt er dem Papst entgegen und führt ihn freundlich lächelnd zum vorgesehenen Pult der Abgeordneten. Die politische Symbolik ist klar: Der Repräsentant einer religiösen Überzeugungsgemeinschaft kann nicht an dem Ort reden, von „wo aus ein religions-neutrales Staatssystem repräsentiert wird".[1] Ein pures Versehen?

In der mit Spannung erwarteten Rede geht Benedikt dann auf die für das politische Handeln grundlegenden Ideen der Menschenrechte, der Unantastbarkeit der Menschenwürde wie der Gleichheit aller Menschen vor dem Recht ein. Das ist an diesem Ort nachvollziehbar und findet hörbare Zustimmung vieler Abgeordneter. Dabei betont Benedikt die naturrechtliche Begründung dieser zum kulturellen Erbe Europas zählenden Ideen und grenzt sie von den rechtspositivistischen Thesen H. Kelsens ab, der den unüberbrückbaren Dualismus zwischen Sein und Sollen aufgegeben habe. Demgegenüber hält Benedikt aus christlicher Perspektive daran fest, dass „die objektive Vernunft, die sich in der Natur zeigt, ... eine schöpferische Vernunft, einen Creator Spiritus voraussetzt".[2] Ob alle Zuhörer im vollbesetzten Reichstag der komplexen Argumentation des Papstes folgen können, muss hier offen bleiben.

Schon im Vorfeld der Rede äußern sich auch kritische Stimmen, u. a. zu der Frage, ob der oberste Repräsentant einer Religionsgemeinschaft überhaupt an diesem weltanschaulich neutralen (!) Ort sprechen dürfe und solle. Zu diesen Kritikern gehört auch der damalige religionspolitische Sprecher der Grünen, Volker Beck. Beck kritisiert die aus seiner Sicht konservativen Positionen Joseph Ratzingers (!), so z. B. in Fragen der Gleichberechtigung, des Umgangs mit Homosexuellen wie der Aidspolitik. Ratzinger sei hinter den progressiven, aufklärerischen Aufbrüchen des Zweiten Vaticanums zurückgeblieben, so dass seine Positionen – und damit die katholische

---

1   Vgl. Striet, Magnus, Ernstfall Freiheit, 131.
2   Benedikt XVI., Rede im Deutschen Bundestag.

Lehre insgesamt – die „Lebensrealität des Menschen" heute nicht mehr erreiche.[3] Dies gelte erst recht für die mit Thomas von Aquin verbundene, naturrechtlich begründete Sexuallehre der Kirche. Besonders prekär sei, dass diese Sexualethik nicht hinreichend für die sexuellen Übergriffe und Missbräuche in der eigenen Institution sensibilisiere und so deren Versagen damit sogar noch unterstütze. Diese Auseinandersetzung entfaltet 2011 – die allgemeine „Papsteuphorie" hält noch an – eine völlig andere Wirkung als 2019, einer Zeit, in der die Missbrauchsskandale die katholische Kirche in eine tiefe Krise stürzen und in der die eigenwilligen Erklärungen des inzwischen emeritierten Papstes diesbezüglich irritieren.[4] Auch wenn sich mit Benedikt und Beck zweifelsohne nicht zwei theologische Positionen auf „Augenhöhe" begegnen, so zeichnet sich hier die spätere Kontroverse zweier renommierter Theologen doch schon vor, an der im Folgenden exemplarisch die Gottesrede im Spannungsfeld von Freiheit und Wahrheit aufgezeigt werden soll.

1. Der Auslöser: Die Interpretation einer Fußnote

Der Nachfolger Benedikts XVI. veröffentlicht am 8. April 2016 das nachsynodale, apostolische Schreiben „Amoris Laetitia" über die „Liebe in der Familie". Franziskus fasst hierin die Ergebnisse der beiden Bischofssynoden von 2014 und 2015 zusammen und formuliert u. a. Richtlinien zum Umgang mit wiederverheirateten Geschiedenen, zur Sexualmoral und zum Umgang mit Homosexualität. Was die Situation der wiederverheirateten Geschiedenen angeht, hält Franziskus es für möglich, dass „man mitten in einer objektiven Situation der Sünde – die nicht subjektiv schuldhaft ist oder es zumindest nicht völlig ist – in der Gnade Gottes leben kann ..., wenn man dazu die Hilfe der Kirche bekommt".[5] Die entsprechende Fußnote 351 konkretisiert dies für gewisse Fälle mit der Hilfe der Sakramente. In diesem Sinne betont der Papst, dass die Eucharistie „nicht eine Belohnung für die Vollkommenen, sondern ein großzügiges Heilmittel und eine Nahrung für die Schwachen"[6] sei.

Es sind nicht zuletzt diese Ausführungen, die die Kardinäle Brandmüller, Meisner, Burke und Caffarra im September 2016 dazu veranlassen, öffentlich „Dubia" zu der Frage zu verfassen, ob sich der Papst mit seinem Schreiben noch auf dem Boden der kirchlichen Lehre befinde.[7] „Wunderbar, man streitet sich", tituliert der Freiburger Fundamentaltheologe Magnus Striet seinen diesbezüglichen Kommentar in der Herder Korrespondenz. Dass das „Konzept einer untrüglichen päpstlichen Lehrautorität ... ausgerechnet von Kardinälen dekonstruiert [werde], die bisher auf diese poch-

---

3　Vgl. Interview mit Volker Beck.
4　Vgl. Äußerungen von Benedikt XVI. zu Missbrauch und der Lösung der Kirchenkrise.
5　Papst Franziskus, Amoris Laetitia, 277.
6　Ebd., Anm. 351.
7　Nach einer weiteren Prüfung wird es offiziell: Beim Kommunionempfang für wiederverheiratete Geschiedene gilt der Mittelweg, dass in Einzelfällen die Zulassung zu den Sakramenten der Versöhnung und der Eucharistie möglich ist.

ten"[8], sieht er als Ausweis aufkommender theologischer „Pluralisierungstendenzen". Der Geist der offenen Rede, der nun endlich die „Ambiguitäten und Ambivalenzen des realen Lebens" in den Blick nähme, sei nun nicht mehr einzudämmen.[9] Während Striet es für eindeutig erachtet, dass Franziskus die Lehre der Kirche in der Frage des Umgangs mit wiederverheirateten Geschiedenen „vorsichtig neu aussteuern will"[10], verneint der emeritierte Bonner Dogmatiker Karl-Heinz Menke genau dieses auch in Abgrenzung zu den „Dubia" sehr deutlich. Franziskus habe die kirchliche Lehre und damit das sakramentale Selbstverständnis der Kirche keineswegs verändert. Einge-räumt werde lediglich, dass die objektive, sakramentale Gültigkeit einer Ehe nicht nur von einem Ehegericht, sondern unter besonderen Umständen auch vom Gewissen der neu-verheirateten Eheleute festgestellt werden könne.[11]

Bei der keineswegs überraschenden, unterschiedlichen Einschätzung des päpstlichen Lehrschreibens handelt es sich weniger um eine übliche Quisquilie zweier Systema-tiker. Für Striet ist dies vielmehr der Auslöser einer längst überfälligen Grundsatzde-batte – darüber, ob und wie die katholische Kirche endlich in der modernen Gesell-schaft ankommt. Menke hält dem entschieden entgegen: Für ihn geht es hier um das grundlegende Verhältnis von Wahrheit und Freiheit – dem er angesichts des „Ernstes der Lage" eine entsprechende Streitschrift widmet.[12] Während Striet den „Katholi-zismus im Umbruch" sieht und um seiner glaubwürdigen Vermittlungsmöglichkeit willen historisch aufgebaute „Bastionen" schleifen will, sieht Menke gerade darin eine Kapitulation vor dem liberal-relativistischen Zeitgeist. Schnell wird klar, dass sich die Auseinandersetzung in die Polarisierung einer sowieso recht heterogenen theologischen Landschaft einzeichnet, nicht wenige Sekundanten schließen sich auf beiden Seiten den Kontrahenten an. Eine Vermittlung bahnt sich derweil nicht an, stattdessen gewinnt der Streit vor der Folie der gegenwärtigen kirchlichen Krise – als zwei ihrer Aspekte seien lediglich Demographie und Missbrauch genannt – noch einmal deutlich an Ernsthaftigkeit.

2. Der grundsätzliche Richtungsstreit – um was es alles geht

Hier vollzieht sich also weniger ein lästiges Theologengezänk, sondern ein grund-sätzlicher Richtungsstreit um die Identität des Christlichen in einer pluralen und sich heute weiter säkularisierenden Welt sowie damit verbunden um das Selbstver-ständnis der Theologie im Verhältnis von Vernunft und Glaube bzw. von Philosophie

....

8   Striet, Magnus, Wunderbar, man streitet, 14.
9   Vgl. ebd., 16.
10 Striet, Magnus, Ernstfall Freiheit, 20.
11 Vgl. Menke, Karl-Heinz, Macht die Freiheit wahr?, 47. Menke spricht sich für einen pastoral sensiblen und verstehenden Umgang mit Geschiedenen aus, ohne aber die Unauflöslichkeit der Ehe als Kern des sakramentalen Eheverständnisses aufzugeben.
12 Menke, Karl-Heinz, Macht die Wahrheit frei oder die Freiheit wahr?, Klappentext.

und Theologie.[13] Da beide Disputanten sich einer gewissen Polemik nicht enthalten können, ist es alles andere als leicht, den „wahren Kern" hinter den überspitzten Vorwürfen gegenüber dem jeweils anderen herauszuarbeiten. Neben Striet avisiert Menke zudem den Mainzer Moraltheologen Stephan Goertz; beiden wirft er vor, den Primat der Freiheit vor der Wahrheit zu postulieren und so letztlich dem allgemeinen Relativismus, Subjektivismus und Modernismus unserer Zeit Vorschub zu leisten. Einstmals unverrückbare Dogmen würden bei ihnen zu diskursiv vereinbarten und damit veränderbaren (s. o.) Sprachregelungen umgedeutet. Die Wahrheit, die sie auszusagen versuchen, werde auf den „mir bequemen Weg" bzw. auf das, „was mir einleuchtet", reduziert. Eine das Glaubensleben prägende Verbindlichkeit weiche so einem Pluralismus der Beliebigkeit, die einen privat und damit schwach gewordenen Glauben heute vielfach auszeichne.[14]

Umgekehrt wirft Striet seinem Bonner Kollegen vor, einen unhistorischen bzw. un-soziologischen „Einheitskatholizismus" zu vertreten, eine Vorstellung, die letztlich einer überkommenen naturrechtlich denkenden „Urstandsfantasie" entspringe und folglich mit überzogenen (moral-)theologischen Geltungsansprüchen daherkomme. Die Suggestion eines unmittelbaren Zugangs zur Wahrheit impliziere folgerichtig eine lehramtlich dogmatische Bevormundung vom „Hochsitz" aus.[15] Dieser grundsätzliche Paradigmenstreit gewinnt an Schärfe, weil er neben den Fragen nach dem Verständnis der Offenbarung und der Normativität der Tradition auch konkrete, aktuelle Reizthemen miteinschließt: So etwa die Frage nach der Stellung der Frau, dem sakramentalen Eheverständnis sowie (moral-)theologischen Fragen zum Lebensanfang/Lebensende wie zuletzt einer selbstbestimmten (Homo-)Sexualität. Stets geht es im Kern um die Frage, wie der Wille Gottes in diesen kontroversen Kontexten gedeutet werden kann.

An dieser Stelle kann weder die Komplexität noch die Breite der Kontroverse vollständig entfaltet werden. Stattdessen soll im Folgenden die Gottesrede vor dem Hintergrund des Verständnisses menschlicher Freiheit fokussiert werden.

2.1. Ein Kernpunkt: Freiheit vor Gott denken

Was das Verständnis menschlicher Freiheit angeht, so sind sich beide Kontrahenten bei aller Unterschiedlichkeit ihrer Positionen in einem Punkt einig – in ihrer Abgrenzung zur reformatorischen Auffassung. Die im Zuge des jüngsten Reformationsjubiläums gefeierte Selbstbezeichnung als „Kirche der Freiheit" sehen beide letztlich als ungerechtfertigt an. Luthers Betonung der absoluten Heilspriorität Gottes – kann der Mensch doch die rechtfertigende Gnade nur „mere passive" empfangen – negiert mit ihrem gnadentheologischen Monismus letztlich ein Gottesverhältnis, das auf „Dia-

....

13 So die korrekte Analyse von Hoping, Helmut, Amoris Laetitia, 1.7.
14 Vgl. Menke, Karl-Heinz, Macht die Freiheit wahr?, 84f.
15 Vgl. Striet, Magnus, Naturrechtsphantasien, 50-51.

log" oder biblisch gesprochen auf „Bund" angelegt ist. Der Primat der Gnade darf für Striet keineswegs auf Kosten der menschlichen Freiheit durchgesetzt werden, denn Gott bewirke nichts ohne das menschliche Wollen. In diesem Sinne betont auch Menke, dass der Adressat der Rechtfertigung nicht nur *in* der Bejahung und Annahme der Gnade frei sei, „sondern auch *gegenüber* der Gnade".[16] Es gehöre eben zum Wesen der erlösenden Gnade, nicht nur die freie Zustimmung oder Ablehnung ihres Adressaten zu ermöglichen, sondern sich selbst auch von den Folgen der Ablehnung oder Zustimmung bestimmen zu lassen. Denn Gott will nicht *an* uns *ohne* uns, sondern nur *mit* uns handeln.[17] In dieser gnadentheologischen Vorstellung eines synergetischen Miteinanders sind sich beide also weitgehend einig, in der Frage der eigentlichen Begründung der Freiheit wie ihrer Erfüllung trennen sich indes die Wege – mit entscheidenden Konsequenzen.

Ganz im Sinne der Pröpper-Schule geht Striet mit Kant von einem philosophischen Begriff transzendentaler Freiheit aus, einer Freiheit, die für das Vermögen steht, aus sich selbst heraus wirksam sein und so unbedingte Akte setzen zu können. Als unbedingte Freiheit kann sie nur selbstursprünglich gedacht werden. Entschließt sie sich zu dieser eigenen Unbedingtheit, so kann sie sich angemessen nur in der Anerkennung anderer Freiheit realisieren. Transzendental unbedingte Freiheit wird somit zum geltungskritischen Maßstab, an dem sich die Ausrichtung an unveräußerlichen Werten wie „Menschenwürde" orientieren kann. Entschließt sich menschliche Freiheit ihrer eigenen Unbedingtheit entsprechend formell unbedingt für andere Freiheit, dann will sie indes *mehr*, als sie selbst jemals verwirklichen kann. Sie wünscht dem Anderen eine Zukunft, die sie selbst nicht verbürgen und herbeiführen bzw. niemals vollenden kann. D. h. die unbedingte Anerkennung des Anderen intendiert unbedingten Sinn, kann ihn aber lediglich symbolisch-antizipierend, bedingt und vorläufig mitteilen.[18] Diese konstitutionelle Antinomie, die der Mensch als endliche Freiheit ist, kann er selbst nicht lösen. Dennoch muss die aus ihrer Wesensverfassung resultierende Aporie nach Pröpper und Striet nicht als definitiv unlösbar gelten, da ja die Idee einer nicht nur formal, sondern auch material unbedingten Freiheit denkmöglich ist. Die (transzendental)philosophische Vernunft vermag zwar für die Wirklichkeit dieser Idee Gottes nicht aufzukommen, doch mit ihr die Bedingung menschlicher Freiheit zu benennen, die diese als das letztlich *Erfüllende* und *Sinnverbürgende* voraussetzen *muss*. Insofern es Sinn für Freiheit aber nur gibt, wo sie frei bejaht wird, muss auch das den absoluten Sinn für die menschliche Freiheit Verbürgende selbst Freiheit (und zwar absolute und aller Wirklichkeit mächtige Frei-

---

16 Menke, Karl-Heinz, Rechtfertigung: Gottes Handeln, 64; vgl. ders., Macht die Freiheit wahr?, 118-146; Striet, Magnus, Ernstfall Freiheit, 110ff. Siehe dort Striets Abgrenzung zu Menkes weitergehenden Lutherkritik. Zur gnadentheologischen Problematik des „mere passive" siehe auch Platzbecker, Paul, Religiöse Bildung, 79-85.

17 Vgl. Menke, Karl-Heinz, Rechtfertigung: Gottes Handeln, 64.

18 Vgl. Striet, Magnus, Ernstfall Freiheit, 53ff; Platzbecker, Paul, Religiöse Bildung, 88-123.

heit) sein. Dabei darf nicht übersehen werden, dass es sich hier um keine „objektive" Notwendigkeit handelt; sie *„wird"* erst im Vollzug der Freiheit und ist von daher keine Notwendigkeit der theoretischen, sondern der praktischen Vernunft.[19] Für die Pröpper-Schule ist es entscheidend, dass die wesenhafte Hinordnung auf Gott und die Verbindlichkeit seiner Anerkennung nach der „anthropologischen Wende" der Theologie auf nicht-zirkuläre Weise in strenger Subjektreflexion begründet werden kann. M. a. W. die philosophisch nicht unmittelbar geltend zu machende theonome Bestimmung des Menschen kann in die Instanz sittlich-autonomer Freiheit vermittelt werden, die in ihrer Unbedingtheit den alleinigen Geltungsgrund moralischer Verpflichtung darstellt. Damit bleibt auch für Striet die in der autonomen Freiheit gründende Ethik faktisch auf die Sinnvorgabe und Verheißung des Glaubens angewiesen. Der Mensch erweist sich somit als „Gottes-bedürftig".[20]

Wichtig ist, sich den Charakter der transzendentalphilosophischen Begründungsgedanken klar vor Augen zu führen. Fragt Freiheit über eine reduktiv-analytische Reflexion ihrer eigenen Kontingenz hinaus nach der Möglichkeit einer absoluter Begründung, so erreicht ihre Grenzreflexion die Minimalbestimmung, mit der die theoretische Möglichkeit der Existenz Gottes als einer real von Welt und Mensch bleibend unterschiedenen (und überdies freien und alles begründenden) Wirklichkeit lediglich gedacht werden kann.[21] Von einem philosophischen bzw. metaphysischen *Wissen* um die Existenz Gottes wird hier nicht ausgegangen, wie Striet Menke gegenüber immer wieder deutlich insistiert. Das Wort Gott entspricht für ihn einem „Sehnsuchtswort", einer Hoffnung, die jedes sichere Verfügungswissen ausschließt.[22] Anders gesagt: Die Transzendentalität des Gottesbegriffs verbietet es, aus ihm auf eine Tatsächlichkeit oder gar auf eine Notwendigkeit von Offenbarung zu schließen. Von einer *Gotteserkenntnis* kann für die Pröpper-Schule also nur insofern die Rede sein, als Gott selber sich im Reden und Handeln Jesu authentisch zu erkennen *gegeben* hat und zwar als ein personaler Gott, der sich unbedingt für den Menschen entschieden hat und dessen Freiheit er als das „Höchste" des Menschen anerkennt.[23]

Bei einer solchen transzendentalphilosophischen Reflexion, wie auch Striet sie pflegt, handelt es sich, sofern sie auf ein Unbedingtes rekurriert, um eine „Letztbegründung ohne Beweisanspruch", wie der Münsteraner Religionsphilosoph Klaus Müller treffend formuliert.[24] Dies gilt für die empirische Wirklichkeit genauso wie eben für den geschichtlichen Selbsterweis Gottes. Kurz gesagt: Weder schafft noch verbürgt die Transzendentalphilosophie die Wahrheit, deren anthropologische Re-

....

19 Vgl. ausführlich bei ebd., 105-108; ders., Radikale Autonomie vor Gott, 109-116.

20 Vgl. Striet, Magnus, Wunderbar, man streitet, 16.

21 Vgl. Striet, Magnus, Sturz der Realität, 243.287.

22 Vgl. Striet, Magnus, Ernstfall Freiheit, 148. Der allmächtige Gott war immer ein Sehnsuchtswort, aber die reflexive, vernunftkritische und d. h. in ihrem ontologischen Ausgriff bescheiden gewordene Moderne weiß darum.

23 Vgl. ebd., 88f.

24 Vgl. Müller, Klaus, Vernunft braucht Glaube, 88f; Platzbecker, Paul, Radikale Autonomie vor Gott, 242.

levanz sie prüft und erschließt. Wohl aber stellt sie ein unhintergehbares Kriterium zur Verfügung, um zu entscheiden, was als Wahrheit gelten kann, wenn eine entsprechende Wirklichkeit denn tatsächlich begegnet.[25] Für Striet ist aus diesem Verständnis heraus derjenige ein Theologe, der mit Hilfe der autonomen Vernunft diachrone und synchrone Reflexionsprozesse wissenschaftlich und geltungskritisch überprüft. Darauf wird noch zurückzukommen sein.

Obwohl Menke nicht nur als Kenner, sondern ehemals auch als entschiedener Förderer einer transzendentalphilosophischen Glaubensverantwortung gilt, betritt er in seiner Auseinandersetzung mit Striet und Goertz nun deutlich andere Wege. Die Rede von der „Selbstursprünglichkeit der Freiheit" in Frage stellend,[26] spricht er vielmehr von einer ontologisch sich empfangenden, verdankten Freiheit, die prä-reflexiv auf ihren Grund und ihr Ziel – ihren Schöpfer – verwiesen sei. Freiheit sei mehr als die Emanzipation von den Bedingungen der Natur. Für Menke kann sie ihre letzte Erfüllung nur finden, wenn sie sich als Spiegel bzw. Bild des von menschlicher Einsicht unabhängigen Logos aller Wirklichkeit verstehe. Diesem Logos könne sich gläubige Vernunft insofern annähern, als sie den Sinn des Seins tiefer versteht und der so vernommenen „Wahrheit erkennend und handelnd" entspricht.[27] Da die angedeutete Ontologie letztlich mit dem konvergiert, was Benedikt XVI. als „Natur des Menschen" bezeichnet, kommt dessen Freiheitsverständnis dem Menkes recht nahe. Wenn der Papst im Bundestag betont, dass der Wille des Menschen „dann recht [...] ist], wenn er auf die Natur achtet" und auf „die hört und sich annimmt als der, der er ist und der sich nicht selbst gemacht hat", und sich „*nur so ... wahre menschliche Freiheit*"[28] vollziehe, dann entspricht dies im Kern der Intention Menkes. Nicht nur in der Offenbarung begegne der Mensch also dem Willen Gottes, diesen habe der Creator Spiritus eben auch schon in die Natur eingezeichnet. Hier wie da empfange der Mensch nach Menke in der Kommunikation mit Gott die entscheidenden Impulse zur Findung der ihn absolut verpflichtenden Wahrheit i. S. einer Erfüllung von Freiheit (Joh 8,32). Wo dies gelingt, setze sich die vertikale Inkarnation des göttlichen Logos in die horizontale Inkarnation der Christopraxis der Gläubigen fort. Von daher ist Menkes drängende wie konsequente Forderung, die „Wahrheit der Freiheit" vorzuordnen, nachvollziehbar. Wegen der sündhaften Gebrochenheit der Vernunft muss sie – analog der Bindung des Gewissens (i. S. Newmans „sense of duty")[29] – allerdings an Bibel, Tradition und vor allem das kirchliche Lehramt gebunden bleiben. So

....

25 Die transzendentalen Begründungsgedanken bewegen sich auf einer rein begrifflichen Ebene, ohne ein ontologisches Präjudiz zu treffen. Der hypothetische Charakter dieses Gedankens erinnert nach Müller daran, dass unserem Erkennen Grenzen gesetzt sind. Vgl. Müller, Klaus, Vernunft braucht der Glaube, 88.100.

26 Vgl. Menke, Karl-Heinz, Macht die Freiheit wahr?, 48. In dieser Kritik pflichtet ihm Helmut Hoping, Amoris Laetitia, 48, bei.

27 Menke, Karl-Heinz, Macht die Wahrheit frei oder die Freiheit wahr?, 242. Realisierung von Freiheit sei das „Wahr-nehmen der Wirklichkeit", ebd., 159.

28 Benedikt XVI., Rede im Deutschen Bundestag. [Herv. P.P.]

29 Vgl. Menke, Karl-Heinz, Macht die Wahrheit frei oder die Freiheit wahr?, 26-30.

versteht Menke den Glaubensakt als Eintreten in die von Christus untrennbare Kommunikationsgemeinschaft, die als „gemeinsames Ich" vom kirchlichen Bekenntnis getragen wird. Dieses wird seinerseits im Letzten authentisch vom päpstlichen Lehramt orientiert. Ein diesem Gedanken entsprechendes Theologieverständnis hebt sich von demjenigen Striets deutlich ab. Theologe ist für Menke, „wer die durch Christus zugänglich gewordene und von der apostolisch verfassten Kirche gelebte Wahrheit affirmiert, bevor er sie mit den Methoden der wissenschaftlichen Kritik reflektiert"[30].

2.2. Der Streitpunkt: Wahrheit im Verhältnis von Glaube und Vernunft

Menkes Postulat, dass der Mensch nur dann wahrhaftig frei sei, wenn er mit dem von Gott Gewollten übereinstimmt, beruht auf zwei Prämissen: Zum einen auf dem Wissen, dass Gott existiert; zum anderen auf dem, was dessen Wille ist. Damit geht er, wie gesehen, nach wie vor von einem Glauben an einen Schöpfer aus, der ein Denken ermöglicht, das der von ihm geschaffenen Wirklichkeit zu entsprechen vermag (~ adaequatio). Auf dieser Basis, die ihm Striets Kritik einer „metaphysischen Unmittelbarkeit" einträgt, lassen sich natürlich „göttliche Imperative", z. T. als „ius divinum" im „Endgültigkeitsmodus", formulieren, die sich breit gestreut auf Fragen der Sexual- und Ehelehre, des Ausschlusses der Frauen von der Priesterweihe sowie auf Fragen des Umgangs mit Homosexualität beziehen. Konkret wird das Recht auf Selbstbestimmung bei homosexuell empfindenden Menschen ausgesetzt, sei doch der „homosexuelle Akt ungeordnet"[31] und ihr Empfinden damit wider die Natur.[32] Striet hält Menkes Versuch, in nachmetapyhsischer Zeit auf diese Weise weiterhin metaphysisch zu denken, für aussichtslos. Damit zeigt sich, dass das Schibboleth der beiden systematischen Positionen – die geistesgeschichtliche Zäsur des Nominalismus und dessen weitere Rezeption – die beiden Lesarten letztlich unvermittelbar macht. Die Debatte gewinnt an Schärfe, wenn Menke daran erinnert, dass die von „Kants Agnostizismus und Immanentismus bestimmte „Theologie ... vom Lehramt als Modernismus" verurteilt worden sei.[33] Striet wehrt sich gegen diese theologiepo-

....

30 Ebd., 99. [Herv. P.P.] Dass damit letztlich auch Fragen der Hochschulfreiheit tangiert werden, sei nur am Rande erwähnt.

31 Ebd. 48; Die Wahrheit hat auch in anderen Bereichen ein Recht auf den Menschen: „Wer dem Logos Gottes mehr vertraut als der eigenen Plausibilität, wer sein Gewissen auf das Vernehmen des göttlichen Logos ausrichtet und die Kirche als die sakramentale Gemeinschaft der mit diesem Logos Kommunizierenden glaubt, wird nicht selbst bestimmen wollen, welches Leben lebenswert ist und welches nicht." Ebd. 117; vgl. ebd. 158; Striet, Magnus, Wunderbar, man streitet, 15; ders., Ernstfall Freiheit, 15.

32 „Wie kann aus einem natürlichen Faktum ohne menschliche Sinndeutung ein moralisches Sollen resultieren?", fragt Goertz an dieser Stelle nach. Wie genau verhalten sich sittliche Erkenntnis und göttlicher Wille zueinander? Wäre dann eine Handlung erlaubt, wenn sie Gott nicht verboten hätte? Diese Frage wäre dann im Kontext der Missbrauchsfrage im Verhältnis zur neuscholastischen Morallehre relevant. Vgl. Goertz, Stephan, Wider die Entweltlichung, 15.

33 Menke, Karl-Heinz, Wahrheit oder Freiheit, 16; vgl. ebd., 46ff. Menke hält weder den Nominalismus noch Kants Autonomiedenken für unhintergehbar. Vgl. ebd. 48. Scharfer Widerspruch kommt hier von Karlheinz Ruhstorfer, der Kant gegen den Vorwurf des Immanentismus in Schutz nimmt. Gott sei bei Kant kein Konstrukt des Denkens, sondern die höchste Idee der Vernunft. Vgl. Ruhstorfer, Karlheinz, Keine einfachen Wahrheiten, 48.

litische Gleichsetzung des Immanentismus mit Modernismus, räumt aber freilich ein, dass ein Bewusstseinsimmanentismus unvermeidlich sei. Denn dass sich die Gottesrede stets einer interpretatorischen Mittelbarkeit, sprich einer menschlichen Deutung, verdankt, ist theologischer „common sense". Ob ein Dogma als Ergebnis eines diachronen und synchronen Reflexionsprozesses i. S. einer verbindlichen kirchlichen Sprachregelung mehr ist als eine Hypothese, muss dann offenbleiben. Denn auch die Überzeugung von der unmittelbaren Wahrheitsfähigkeit der Vernunft (in der direkten Kommunikation mit dem göttlichen Logos) ist letztlich nichts anderes als eine Überzeugung, deren konstruktivistischen Charakter es im Rahmen des theologischen Reflexionszirkels aufzuklären gilt.[34] Die Kritiker dieser Auffassung müssten in der Tat ihrerseits den Nachweis erbringen, dass Lehre und Normen der Kirche nicht diskursiv entstanden sind.

Der Vorwurf an Striet, dass dies einen „Bastelgott" generiere, der dann einen „Beliebigkeitssubjektivismus" impliziere, geht indes an dessen Position vorbei. Dies gilt auch für Menkes Unterstellung, in Striets Ansatz „mache" oder „setze" die Freiheit die Wahrheit, die damit letztlich „Spielball meines Interesses oder Nutzens" werde.[35] Einem ethischen Relativismus gegenüber gilt vielmehr die von Striet formulierte Maxime: „Was geliebt wird und was nicht in die Freiheitsrechte anderer eingreift und was in der Instanz der formal unbedingten Freiheit um der anderen Person willen unbedingt gewollt ist, darf gelebt werden."[36] Im Kontext der aktuellen Missbrauchsdebatte stellt dies ein eindeutiges, unmissverständliches Kriterium dar!

Freiheit „macht" also nicht wahr, sondern es gibt ein Handeln aus Freiheit, das dann, wenn es wirklich frei sein will, Gründe für sich aufbringt. Dies gilt erst recht für die Deutung und Vermittlung von Glaubensaussagen, sprich die konkrete Fassung der hier fokussierten Gottesrede. So kann in Anlehnung an das oben skizzierte Offenbarungsverständnis im Blick auf eine Verantwortung des Glaubens vor der Vernunft fortgeführt werden: Wie jede Liebe kann auch Gottes für den Menschen unbedingt entschiedene Liebe als *Inhalt* der Offenbarung von ihrer Form, die für diesen konstitutiv ist, nicht getrennt werden. Denn nur als freies Geschenk kann sie der Sinn des Menschen sein, kann doch nur, was aus unverfügbarer Freiheit begegnet, die Freiheit, die der Mensch ist, erfüllen. D. h. die göttliche Offenbarung kann für Pröpper und Striet nur als Freiheitsgeschehen adäquat gedacht werden.[37] Als unverfügbar gnadenhafte Gabe ist Offenbarung das geschichtlich vor-gegebene Faktum, dem

....

34 Vgl. Striet, Magnus, Ernstfall Freiheit, 42.50.62.89; vgl. Menke, Karl-Heinz, Wahrheit oder Freiheit, 86.108.

35 Ebd., 99. Nicht den Gott der Autonomiefreiheit des Menschen habe Menke vor Augen, sondern den Gott von „veritatis splendor" Johannes Pauls II. Hier werde nicht das Recht der Person betont, sondern vielmehr das Recht der Wahrheit auf den Menschen. Vgl. Striet, Magnus, Ernstfall Freiheit, 17f.

36 Ebd., 72; vgl. Goertz, Stephan, Wider die Entweltlichung, 14. Goertz bestätigt, dass Autonomie kein inhaltsloses formalistisches Prinzip darstellt. Vgl. ebd., 16; Hoping, Helmut, Amoris Laetita, 48.

37 Vgl. Platzbecker, Paul, Radikale Autonomie vor Gott, 242f. Mit Schelling kann das Offenbarungsereignis als „quo nihil maius fieri potest", d. h. als dasjenige, was „wir nach keinen menschlichen Begriffen hätten erwarten oder voraussetzen können", qualifiziert werden. Schelling, Friedrich Wilhelm Joseph, Philosophie der Offenbarung, 169.197.

jede Reflexion nur „post factum" im Nach-Denken folgen kann. Die Wahrheit der Offenbarung ist – als aus Freiheit geschehende – eine Wahrheit, die Menschen sich zwar ersehnen und womöglich sogar ausdenken können, die sich aber niemals, bevor sie geschehen ist, als Wahrheit „beweisen", und ebenso wenig, nachdem sie geschehen ist, in ein Wissen „aufheben" lässt.[38]

Der hermeneutische Prozess der Überlieferung und Vermittlung der Gottesrede ist aufgrund der schon angedeuteten Unabschließbarkeit verschiedener hermeneutischer Deutungen notwendig ein endloser Prozess. In diesen Überlieferungsprozess spielt zwangsläufig die Autorität dessen, was an einem bestimmten Ort zu einer bestimmten Zeit gerade als herrschende und plausible Meinung gilt, mit hinein. So kann die Deutung einer religiösen Botschaft auch niemals völlig vor Verfremdung und Missbrauch geschützt werden. Damit aber angesichts dieser Situation der Adressat der Gottesrede Empfänger einer möglichst authentischen Botschaft sein kann, braucht die universale Offenheit seines hermeneutischen, mitunter verschlungenen Verstehens eine klare Orientierung.[39] Diese will die transzendentale Freiheitsanalyse mit ihrem Rekurs auf das unhintergehbare Unbedingte der Freiheit als zentrales Moment der Geltungsprüfung, wie oben angedeutet, gerade anbieten! Als streng apriorischer Leitbegriff ermöglicht das Freiheitskriterium als Wahrnehmungs- und Verstehensraster aus dem breiten und vielgestaltigen Strom der Überlieferung mit geschärftem Blick die wesentlichen Knotenpunkte dessen herauszufiltern, was unsere Freiheit als ein uns treffendes Wort Gottes unbedingt in Anspruch nehmen kann. So hilft uns das Freiheitsmoment, humane Deutungen des Glaubens von inhumanen, adäquate Sinnerwartungen von inadäquaten und irrelevante Gehalte von relevanten zu unterscheiden. Eine rationale Glaubensbegründung, wie sie von Striet praktiziert wird und auch für die Kooperation mit der Religionspädagogik in Anspruch genommen werden kann[40], ist von daher weder Konkurrenz zur praktischen noch zur hermeneutischen Erschließung des Glaubens. Sie dient vielmehr als „ancilla hermeneuticae" der Orientierung, gewissermaßen als „Rückgrat" jeder Form kommunikativen Handelns, damit der Adressat der Gottesrede nicht „im Spiel postmoderner Inszenierungen"[41] in einen haltlosen Pluralismus abgleitet. Ein Verzicht auf die Suche nach unbedingten, als vernünftig auszuweisenden Kriterien für die Gültigkeit

....

38 Vgl. Platzbecker, Paul, Religiöse Bildung, 47ff.

39 Dies stellt nicht nur keinen Gegensatz zur Offenheit des hermeneutischen Verstehens dar, sondern ist gerade um ihretwillen als Pendant notwendig. Unterstützung für diese Position findet sich in der Enzyklika „Fides et ratio" Johannes Pauls II. So würdigt die Enzyklika einerseits die Bedeutung der „heutige[n] Entwicklung der hermeneutischen Wissenschaften und der verschiedenen Sprachanalysen ..., betont zugleich aber die Grenzen ihrer Aussagemöglichkeiten im Hinblick auf die vom christlichen Glauben behauptete Wahrheit: Die Auslegung dieses Wortes darf uns nicht von einer Interpretation auf die andere verweisen, ohne uns dahin zu bringen, ihm eine schlechtweg wahre Aussage zu entnehmen; andernfalls gäbe es Offenbarung Gottes nicht, sondern nur die Formulierung menschlicher Auffassungen über ihn ..." Johannes Paul II., Fides et ratio, Nr. 84.

40 Die Basis der religionspädagogischen Grundlagentheorie. Vgl. Platzbecker, Paul, Religiöse Bildung, 410ff; ders., Parshipping im interdisziplinären Diskurs, 318f.

41 Pröpper, Thomas, Erlösungsglaube und Freiheitsgeschichte, 96.100f.

des hermeneutisch verstandenen Sinnes wäre aber kein Zeichen kommunikativer Offenheit, sondern letztlich die Entscheidung eines Dogmatismus individueller und relativistischer Ungebundenheit. Entgegen der Unterstellung Menkes möchte Striet diesem Relativismus im Festhalten an einer *wahrheits*-verpflichteten Hermeneutik gerade kritisch entgegentreten.

Die dafür angestrengte transzendentalphilosophische Reflexion versteht sich als dem Glauben gegenüber unabhängige, autonome Vernunft. Nach anfänglicher Unterstützung stellt Menke diese Vorstellung zunehmend und in der Auseinandersetzung mit Striet in Gänze in Frage. Dies mag auch eine frühere Äußerung Ratzingers forciert haben.

Denn in seinem Aufsatz „Zur Lage von Glaube und Theologie heute"[42] aus dem Jahre 1996 nimmt Joseph Ratzinger Anstoß an einer vermeintlich glaubensunabhängig agierenden, rationalen Grundlegung des Glaubens. Der Münsteraner Religionsphilosoph Klaus Müller markiert zu Recht die Widersprüchlichkeit dieser an das fundamentaltheologische Anliegen Hansjürgen Verweyens gerichteten Kritik, die sich vordergründig an Menke richtet, der in der von Ratzinger gesichteten Monographie Verweyen rezipiert. So wendet sich Ratzinger zum einen gegen den radikalen Relativismus, der in der Theologie – flankiert von einer in ihrer Substanz relativistischen, weil allen Begründungen ausgesprochen abholden Philosophie – flächendeckend auf dem Vormarsch sei. Zum anderen weist er – selbst bestimmten postmodernen Intuitionen folgend – den Zentralgedanken der neuzeitlichen Philosophie, den des autonomen Subjekts, deutlich in seine Schranken. Für Ratzinger gibt es nämlich weder ein autonomes Subjekt noch eine „streng autonome Vernunft": „Der Versuch mit einer streng autonomen Vernunft, die vom Glauben nichts wissen will, sich sozusagen selbst an den Haaren aus dem Sumpf der Ungewissheiten herauszuziehen zu wollen, wird letztlich kaum gelingen. Denn die menschliche Vernunft ist gar nicht autonom. Sie lebt immer in geschichtlichen Zusammenhängen. Geschichtliche Zusammenhänge verstellen ihr den Blick; darum braucht sie auch geschichtliche Hilfe, um über ihre geschichtlichen Sperren hinwegzukommen."[43] Dass autonome Vernunft nur in einem geschichtlichen Prozess aktualisiert werden kann und dass diese Bedingungen sie fallibel machen, steht außer Zweifel. Wenn aber prinzipiell *alle* Äußerungsformen von Vernunft fallibel und hintergehbar sind, welches *Kriterium* steht dann angesichts des faktischen Pluralismus zur Verfügung, um zu prüfen, dass im Sinne Ratzingers die christliche oder gar katholische Option der Vernunft jene Freiheit vermittelt, die diese wirklich zu sich selbst kommen lässt? Wie kann dann geltungskritisch der Prozess des Sich-selbst-entrissen-Werdens und der Integration in den Leib der Kirche begleitet werden, so dass gewährleistet bleibt, dass dieser Prozess wirklich in einer Identitätsfindung kulminiert und nicht in einer

....

42 Ratzinger, Joseph, Zur Lage von Glaube und Theologie heute, 359-372.
43 Ebd., 369.

völligen Selbstentfremdung der betroffenen Person? Klaus Müller ist zuzustimmen: Ratzingers „vernunftkritisch motivierter Vorbehalt gegen die starken Begründungsgedanken im theologischen Diskurs mündet in einen subtilen fideistischen Zirkel".[44] Zwei Jahrzehnte später kritisiert Goertz die Konsequenz dieser Auffassung, wenn er kommentiert: Der „Logos und Telos der Schöpfung bleiben nur im Binnenraum des katholischen Glaubens sicher identifizierbar." Wegen der postlapsarischen, partiellen Verdunklung der Vernunft braucht diese indes eine lehramtliche Nachhilfe. Wo diese im „gemeinsamen Ich" des Glaubens angenommen wird, muss der „Zirkel aus der Innerlichkeit des Gewissens und der Autorität des Lehramtes"[45] dann nicht mehr verlassen werden.

3. Implikationen

3.1. Christlicher Glaube in der Welt von heute

In Menkes wie Ratzingers Ausführungen wird nach wie vor eine tiefsitzende Skepsis gegenüber dem Freiheits- und Autonomiestreben der Moderne greifbar. Dass Traditionen erodieren und Identitäten auf allen Ebenen fragil werden, verunsichert.[46] Eine theologische Denkweise, die in den geschlossenen, einstmals normativen Milieus noch verstanden wurde, droht sich heute indes selbst zu isolieren. Zwar ist die Rede von der kleiner werdenden „Herde" im Sinne eines „Heiligen Restes" kirchenpolitisch verführerisch – können doch so demographische Entwicklungen im Interesse der Modernismusabwehr wahrheitstheoretisch noch weiter aufgeladen werden –, indes ist sie ebenso fatal. Denn woher weiß die Minderheit genau, dass sie in der Wahrheit ist? Dies resultiert ebenso wenig aus ihrer Opposition zur Mehrheit, wie letztere schon als solche eine Wahrheitsgewähr hätte. Es braucht also Gründe, die in einer säkularen und pluralen Welt überzeugen. Das Zweite Vaticanum hatte sich demgegenüber mit der Anerkennung der Religionsfreiheit vom Antimodernismus und der Weltflucht der Vergangenheit programmatisch verabschiedet.[47] Der Begriff der Freiheit wird damit konstitutiv für die Beziehung von Kirche und Moderne! Allerdings ist noch zu klären, inwiefern Gewissens- und Meinungsfreiheit wie auch die von Benedikt im Bundestag stark gemachten Menschenrechte (s. o.) als Freiheitsrechte tatsächlich für die Kirche selbst als Maßstab zum Tragen kommen. Kurzum: Es geht darum, für den christlichen Glauben in einer Kultur der Freiheit eine glaubenswürdige Gestalt zu finden.[48]

---

44 Müller, Klaus, Vernunft braucht Glaube, 82; vgl. ebd. 79-82.
45 Goertz, Stephan, Wider die Entweltlichung, 16.
46 Schroffe überzeitliche „Identitätsbehauptungen" helfen an dieser Stelle nicht weiter. Vgl. Menke, Karl-Heinz, Wahrheit oder Freiheit, 81; vgl. Striet, Magnus, Ernstfall Freiheit, 93.150.
47 Vgl. Platzbecker, Paul, Religiöse Bildung, 87.
48 Vgl. http://www.das-konzil-eröffnen.de/schlusserklärung. Um auf dessen Ambivalenzen zu reagieren, müsste dazu der Freiheitsprozess im Sinne solidarischer Freiheit kritisch begleitet werden, ohne freilich in einen freiheitsskeptischen Kulturpessimismus zu verfallen

3.1.1. Als Nachspiel: Implikationen – der Umgang mit der Missbrauchskrise

Die hier skizzierten Antagonismen tauchen ebenfalls in der Bewältigung der aktuellen Missbrauchskrise auf, wie Volker Beck dies bereits 2011 wohl zu Recht antizipiert hatte. So sieht der emeritierte Papst die Ursachen vor allem in den gesellschaftlichen Verwerfungen der „68er Revolution" mit ihrem Streben nach Autonomie, sexueller Befreiung und dem Zurückdrängen der kirchlichen Morallehre.[49] So seien Sexualdelikte von Klerikern in das so „affizierte", große gesellschaftliche Ganze einzuordnen. Demgegenüber sieht die Erfurter Theologin Julia Knop eine typisch katholische Gefährdung in einem „ekklesialen Code". Darunter versteht sie wirksame „theologische Konzepte und Haltungen, die ein problematisches Kirchen- und Amtsverständnis prägen und forcieren".[50] Dass darin religiöse Macht aufgeladen und kirchliche Deutungshoheit immunisiert wird, erinnert ebenso an die Striet-Menke Debatte wie die von ihr kritisierte Dämonisierung von Sexualität und die Tabuisierung von Homosexualität. Von einer systemischen „Selbstimmunisierung durch Selbstsakralisierung" spricht auch der Salzburger Systematiker Gregor Maria Hoff. Wenn nun zur Bewältigung der Krise die Adaption synodaler Strukturen und stärkere Mitwirkungsrechte der Laien in Aussicht gestellt werden, könnte die damit mögliche Gewaltenteilung nach Einschätzung Hoffs helfen, „sakralisierte Macht" wieder zu verflüssigen.[51] Kirchliche Macht müsse sich legitimieren und kontrollieren lassen, statt sich naturrechtlich zu immunisieren. So könnte dann auch die anstehende kirchliche System- und Strukturreform ein glaubwürdiges Zeugnis für die Anerkennung des Prinzips der Freiheit werden.

4. Das Verhältnis zur praktischen Theologie

Der vom 2. Vaticanum initiierte Paradigmenwechsel von einem instruktionstheoretischen hin zu einem kommunikationstheoretisch-partizipativen Offenbarungsverständnis macht es bekanntlich notwendig, den Adressaten der Gottesrede in seinem konkreten geschichtlich-kulturellen Lebenskontext als konstitutiv für das Offenbarungsgeschehen wahrzunehmen. Denn die Vermittlung der Offenbarung ist von nun an kein nachträglicher Anwendungsfall mehr, sondern der korrelative Vermittlungs- und Verstehensprozess wird als wesentlich für das Ankommen der Offenbarung selbst angesehen. Deswegen kommt der praktischen Theologie im Sinne einer Wahrnehmungswissenschaft im „Hören und Wahrnehmen" der gegenwärtigen „Zeichen der Zeit" ein eigener, theologisch konstitutiver Erkenntniswert zu. Dies wird durch eine systematische Theologie, wie sie bei Menke und Ratzinger aufscheint, faktisch wieder in Frage gestellt. Religionspädagogik heute geht es aber weniger

---

49 Vgl. Äußerungen von Benedikt XVI. zu Missbrauch und der Lösung der Kirchenkrise.
50 Knop, Julia, Einführung auf dem Studientag, 1.
51 Hoff, Gregor Maria, Sakralisierung der Macht, 1ff.

um die Vermittlung einer vorgegebenen Glaubensgestalt, sondern um die Förderung religiöser Selbstbestimmung. Insofern stellt gerade heute der Leitbegriff der Freiheit eine der theologischen und religionspädagogischen Hermeneutik angemessene, wie dienende Orientierung dar.

Literatur

- Goertz, Stephan, Wider die Entweltlichung – Anmerkungen zu einer Streitschrift von Karl-Heinz Menke, in: HerKorr 12 (2017) 13-16.
- Beck, Volker, Interview anlässlich der Rede von Papst Benedikt XVI. im Deutschen Bundestag, in: https://www.youtube.com/watch?v=tXG01i7vb78
- Hoff, Gregor Maria, Sakralisierung der Macht – Theologische Reflexionen zum katholischen Missbrauchs-Komplex. Vortrag auf dem Studientag „Die Frage nach der Zäsur. Studientag zu übergreifenden Fragen, die sich gegenwärtig stellen" zur Frühjahrs-Vollversammlung der Deutschen Bischofskonferenz am 13. März 2019 in Lingen, in: https://dbk.de/themen/vollversammlung/
- Hoping, Helmut, Freiheit im Raum der Offenbarung denken – „Amoris Laetitia" und die Folgen, in: HerKorr 4 (2018) 47-50.
- Knop, Julia, Einführung auf dem Studientag „Die Frage nach der Zäsur. Studientag zu übergreifenden Fragen, die sich gegenwärtig stellen" zur Frühjahrs-Vollversammlung der Deutschen Bischofskonferenz am 13. März 2019 in Lingen, in: https://dbk.de/themen/vollversammlung/
- Menke, Karl-Heinz, Rechtfertigung: Gottes Handeln an uns ohne uns? Jüdisch perspektivierte Anfragen an einen binnenkirchlichen Konsens, in: Cath(M) 63/2009, 58-72.
- -, Macht die Freiheit wahr? Zum Streit um Amoris Laetita und die wiederverheirateten Geschiedenen, in: HerKorr 3 (2017) 46-49.
- -, Macht die Wahrheit frei oder die Freiheit wahr? Eine Streitschrift, Regensburg 2017.
- Müller, Klaus, Wieviel Vernunft braucht der Glaube? Erwägungen zur Begründungsproblematik, in: Ders. (Hg.), Fundamentaltheologie – Fluchtlinien und gegenwärtiger Herausforderungen, Regensburg 1998, 77-100.
- Papst Johannes Paul II., Fides et ratio. Enzyklika über das Verhältnis von Glaube und Vernunft, hg. v. Sekretariat der deutschen Bischofskonferenz, Bonn 1996.
- Papst Benedikt XVI., Rede im Deutschen Bundestag am 22.09.2011, https://www.bundestag.de/parlament/geschichte/gastredner/benedict/rede-250244
- Papst Franziskus, Amoris Laetitia – Freude der Liebe. Nachsynodales apostolisches Schreiben über die Liebe in der Familie, eingel. v. Christoph Kardinal Schönborn, Freiburg i. Br./Basel/Wien 2016.

- Platzbecker, Paul, Radikale Autonomie vor Gott denken. Transzendentalphilosophische Glaubensverantwortung in der Auseinandersetzung zwischen Hansjürgen Verweyen und Thomas Pröpper, Regensburg 2003.
- -, Religiöse Bildung als Freiheitsgeschehen – Konturen einer religionspädagogischen Grundlagentheorie, Stuttgart 2013.
- -, Parshipping im interdisziplinären Diskurs?! Bemerkungen eines religionspädagogischen Beobachters, in: Dürnberger, Martin/Langenfeld, Aaron/Lerch, Magnus (Hg.), Stile der Theologie. Einheit und Vielfalt katholischer Systematik in der Gegenwart, Regensburg 2017, 311-320.
- Pröpper, Thomas, Erlösungsglaube und Freiheitsgeschichte. Eine Skizze zur Soteriologie, München 1991 3.
- Ratzinger, Joseph, Zur Lage von Glaube und Theologie heute, in: IKaZ 25 (1996) 359-372.
- Ruhstorfer, Karlheinz, Keine einfachen Wahrheiten. Zur Kritik an der „Theologie der Freiheit", in: HerKorr 3 (2018) 47-50.
- Schlusserklärung des Internationalen Kongresses „Das Konzil eröffnen" vom 6. bis 8. Dezember 2015 an der Katholischen Akademie in München, in: http://www.das-konzil-eröffnen.de/schlusserklaerung
- Schelling, Friedrich Wilhelm Joseph, Philosophie der Offenbarung, 2 Bde., Stuttgart 1858 (Neudr. Darmstadt 1990).
- Striet, Magnus, Das Ich im Sturz der Realität. Philosophisch-theologische Studien zu einer Theorie des Subjekts in Auseinandersetzung mit der Spätphilosophie Friedrich Nietzsches, Regensburg 1998.
- -, Wunderbar, man streitet sich, in: HerKorr 4 (2017) 13-16.
- -, Naturrechtsphantasien und Zeitgeist – eine Replik auf Karl-Heinz Menke, in: HerKorr 4 (2017) 50-51.
- -, Ernstfall Freiheit. Arbeiten an der Schleifung der Bastionen, Freiburg. i. Br./Basel/Wien 2018.

Alle Internetseiten wurden zuletzt im August 2019 überprüft.

DIE ALLMACHT GOTTES – ERFAHRUNGSTHEORETISCHE ZUGÄNGE ZU EINEM SCHWIERIGEN GOTTESPRÄDIKAT

Margit Wasmaier-Sailer

1. Die Allmacht Gottes – Bekenntnis des Glaubens und Stein des Anstoßes

„Ich glaube an Gott, den Vater, den Allmächtigen, den Schöpfer des Himmels und der Erde", sprechen Christinnen und Christen im Glaubensbekenntnis. Das Attribut der Allmacht wird Gott somit an zentraler Stelle zugesprochen. Unter den vielen Attributen Gottes ist es das einzige, das hier genannt wird, was seine Bedeutung zusätzlich unterstreicht. Der Katechismus der Katholischen Kirche erläutert, dass sich diese Allmacht auf alles erstrecke, insofern Gott alles erschaffen habe, alles lenke und alles vermöge. Er erläutert weiter, dass diese Allmacht liebend sei, insofern Gott unser Vater sei. Schließlich sagt der Katechismus, dass diese Allmacht geheimnisvoll sei, insofern sich ihre Kraft auch in der Schwachheit erweise.[1] Gott wird vorgestellt als der Herr des Alls und der Geschichte, dessen Allmacht sich als Liebe kundtue und paradoxerweise, für den Glauben aber erkennbar, auch in Erfahrungen von Ohnmacht begegne. Die wenigen Erläuterungen des Katechismus betonen nicht nur die Schlüsselrolle des Prädikats der Allmacht, sondern auch dessen Spannkraft vom Größten zum Kleinsten, vom Starken zum Schwachen. Sie interpretieren es von vornherein von einem anderen Gottesattribut her, dem der vollkommenen Güte.

Viele Theologinnen und Theologen der Gegenwart hadern mit dem Prädikat der Allmacht. Es sind vor allem die Erfahrungen des 20. Jahrhunderts, die die Rede von einem allmächtigen Gott für sie so fragwürdig werden lassen. Im Angesicht von Auschwitz ist die Frage unabwendbar: Wie kann Gott allmächtig und noch Gott sein? Das Prädikat der Allmacht, einst Ausweis der Göttlichkeit Gottes, scheint nun der Bestreitung seiner Göttlichkeit gleichzukommen. Das Prädikat der Allmacht gerät nicht nur durch das Theodizeeproblem in Bedrängnis, sondern auch durch das naturwissenschaftliche Weltbild: Darüber, dass Gott das *logisch* Unmögliche nicht aktualisieren kann, besteht in der Theologie weitgehend Einigkeit – Thomas von Aquin sieht darin auch gar keine Einschränkung der göttlichen Allmacht.[2] Ob Gott das *naturgesetzlich* Unmögliche aktualisieren kann, bleibt dagegen umstritten. Fest steht jedoch, dass seit Beginn der Neuzeit ein Allmachtsverständnis, das mit dem naturwissenschaftlichen Weltbild nicht vereinbar ist, zunehmend unter Legitimationsdruck geraten ist. Ein weiterer Einwand gegen das Allmachtsprädikat liegt im Emanzipationsstreben begründet, das im Aufklärungsdenken des 18. Jahrhunderts

---

1 Vgl. Katechismus der Katholischen Kirche, 268.
2 Vgl. Thomas von Aquin, Summa theologica 1, q. 25, a. 3.

wurzelt und im 20. Jahrhundert vor allem in der Kritischen Theorie und in der Genderbewegung seine Wirkung entfaltet hat. Die Rede von einem allmächtigen Gott scheint mit dem mündigen Subjekt nicht vereinbar zu sein.

Der folgende Beitrag sucht im Spannungsfeld von traditionellem Bekenntnis und gegenwärtiger Skepsis nach einem möglichst konstruktiven Zugang zum Prädikat der Allmacht. Es handelt sich um einen existenziellen Zugang, der in Bekenntnis und Skepsis gleichermaßen einen Ausdruck von allgemeinmenschlichen Erfahrungen sieht. Eben diese Erfahrungen gilt es, zu Gehör zu bringen, um verstehen zu können, warum Menschen das Allmachtsprädikat verabschieden oder an ihm festhalten. Freilich wird man nicht immer mit letzter Sicherheit ermitteln können, welche Erfahrungen zu welchen theoretischen Schlüssen führen. Viele Texte aber sind im Hinblick auf die Erfahrungskontexte der Theorien, die in ihnen ausformuliert werden, aufschlussreicher als zunächst gedacht: Meist finden sich genügend Stichworte, die diese Erfahrungskontexte andeuten; manchmal werden die der Theorie zugrundeliegenden Lebenssituationen sogar ausdrücklich thematisiert. Ein Moment der Spekulation freilich bleibt – dieses aber ist für jegliche Textinterpretation unverzichtbar.

2. Das Prädikat der Allmacht im Licht von Leidenserfahrungen

2.1. Leugnung der Allmacht Gottes aufgrund von Leidenserfahrungen

Anlässlich der Verleihung des Dr. Leopold-Lucas-Preises hielt der jüdische Philosoph Hans Jonas 1984 einen Festvortrag mit dem Titel „Der Gottesbegriff nach Auschwitz". Der Titel lässt bereits erahnen, worum es geht: Nach Auschwitz stellt sich in nie gekannter Dringlichkeit die Frage, wie man überhaupt noch an den überlieferten Gott glauben kann. Wie der Stifter des Preises hat auch Jonas seine Mutter in Auschwitz verloren.[3] Von dieser Erfahrung her sieht er sich zu einer Revision des Gottesbegriffs gezwungen, die das Mark des jüdischen Glaubens trifft: Um den Gottesbegriff nicht aufgeben zu müssen, müsse man den „Herrn der Geschichte" fahren lassen.[4] Für Jonas steht fest, dass man am Attribut der Allmacht nicht länger festhalten könne. Angesichts der Erfahrung von Auschwitz sei eine allmächtige Gottheit entweder nicht allgütig oder total unverständlich. Da die Güte aber untrennbar mit dem Gottesbegriff verbunden und damit nicht verhandelbar sei, und da die Juden zugleich immer an der prinzipiellen Verstehbarkeit Gottes festgehalten hätten und diese nur um den Preis ihres Glaubens aufgeben könnten, müsse man von der Vorstellung ablassen, Gott sei allmächtig. Der Abschied vom Prädikat der Allmacht ist nach Jonas radikal zu denken: Die Vorstellung, Gott habe in einem widerrufbaren Akt um des Eigenrechts der Schöpfung willen auf seine Allmacht verzichtet, genüge nicht. Denn dann stelle sich die Frage, warum er diesen Akt angesichts des ungeheuerlichen Leids nicht widerru-

....

3   Vgl. Jonas, Hans, Der Gottesbegriff nach Auschwitz, 7.
4   Vgl. ebd., 14.

fen und rettend eingegriffen hat.[5] Gott müsse vielmehr so gedacht werden, dass ihm die Allmacht gar nicht zur Disposition stehe, denn:

„Gott schwieg. Und da sage ich nun: nicht weil er nicht wollte, sondern weil er nicht konnte, griff er nicht ein. Aus Gründen, die entscheidend von der zeitgenössischen Erfahrung eingegeben sind, proponiere ich die Idee eines Gottes, der für eine Zeit – die Zeit des fortgehenden Weltprozesses – sich jeder Macht der Einmischung in den *physischen* Verlauf der Weltdinge begeben hat; der dem Aufprall des weltlichen Geschehens auf sein eigenes Sein antwortet nicht ‚mit starker Hand und ausgestrecktem Arm‘, wie wir Juden alljährlich im Gedenken an den Auszug aus Ägypten rezitieren, sondern mit dem eindringlich-stummen Werben seines unerfüllten Zieles.“[6]

2.2. Bekenntnis zur Allmacht Gottes aufgrund von Leidenserfahrungen

Um den Glauben an einen gütigen und verstehbaren Gott angesichts der Erfahrung von Auschwitz retten zu können, entschließt sich Jonas, das Prädikat der Allmacht und damit die Rede vom „Herrn der Geschichte" aufzugeben. Wie die Psalmen des Alten Testaments und die Bittgebete der Jahrhunderte belegen, haben Leidenserfahrungen Menschen aber auch dazu gebracht, genau diesen „Herrn der Geschichte" als Retter anzurufen. Immanuel Kants Postulatenlehre ist die philosophische Explikation der in den Psalmen und Bittgebeten zum Ausdruck kommenden Hoffnung auf den rettenden Gott. Die Erfahrung, auf die die Postulatenlehre eine Antwort darstellt, wird an einer Stelle der „Kritik der Urteilskraft" greifbar, wo Kant sich mit Spinoza auseinandersetzt, den er als einen moralisch vorbildlichen Menschen betrachtet und dem er die Position unterstellt, es gebe keinen Gott und kein künftiges Leben. Die von Spinoza verkörperte Haltung – ob Spinoza sie tatsächlich so eingenommen hat, sei hier dahingestellt – hält Kant für zutiefst aporetisch:

„uneigennützig will er ... nur das Gute stiften, wozu jenes heilige Gesetz allen seinen Kräften die Richtung giebt. Aber sein Bestreben ist begränzt; und von der Natur kann er zwar hin und wieder einen zufälligen Beitritt, niemals aber eine gesetzmäßige und nach beständigen Regeln (so wie innerlich seine Maximen sind und sein müssen) eintreffende Zusammenstimmung zu dem Zwecke erwarten, welchen zu bewirken er sich doch verbunden und angetrieben fühlt. Betrug, Gewaltthätigkeit und Neid werden immer um ihn im Schwange gehen, ob er gleich selbst redlich, friedfertig und wohlwollend ist; und die Rechtschaffenen, die er außer sich noch antrifft, werden unangesehen aller ihrer Würdigkeit glücklich zu sein dennoch durch die Natur, die darauf nicht achtet, allen Übeln des Mangels, der Krankheiten und des unzeitigen Todes gleich den übrigen Thieren der Erde unterworfen sein und

....

5   Vgl. ebd., 36-41.
6   Ebd., 41f.

es auch immer bleiben, bis ein weites Grab sie insgesammt (redlich oder un-redlich, das gilt hier gleichviel) verschlingt und sie, die da glauben konnten, Endzweck der Schöpfung zu sein, in den Schlund des zwecklosen Chaos der Materie zurückwirft, aus dem sie gezogen waren."[7]

Kant lehnt den atheistischen Humanismus deswegen ab, weil er der Auffassung ist, dass dieser die Idee einer moralischen Welt letztlich suspendiert: Dass der Mensch nach dem Maß seiner Sittlichkeit auch glückselig werde, ist nach Kant eine Forderung der „unparteiischen Vernunft"[8] und gleichwohl durch nichts in dieser Welt gewährleistet. Als Menschen müssten wir alles Erdenkliche tun, damit dieses höchste Gut Wirklichkeit werde. Im Letzten könne es aber nur durch „ein höheres, moralisches, heiligstes und allvermögendes Wesen"[9] erwirkt werden.[10] Mit der These, es gebe keinen Gott und kein künftiges Leben, wird nach Kant die Hoffnung auf etwas Unabweisbares, nämlich auf Gerechtigkeit und Erlösung, verabschiedet. Gott müsse aus dem Grund als allmächtiges Wesen gedacht werden, weil ihm nur dann die ganze Natur und deren Beziehung auf Sittlichkeit in der Welt unterworfen sei.[11] Die Allmacht steht in der Postulatenlehre also für die Erhabenheit Gottes über diese Welt – sie ist eine Voraussetzung seines eschatologischen Erlösungshandelns.

3. Das Prädikat der Allmacht im Licht von Natur- und Gnadenerfahrungen

3.1. Leugnung der Allmacht Gottes aufgrund der Erfahrung natürlicher Erklärung

Neben dem Theodizeeproblem hat vor allem das naturwissenschaftliche Weltbild die Vorstellung von einem allmächtigen Gott ins Wanken gebracht. Der Biologe Richard Lewontin bringt auf den Punkt, was viele Zeitgenossen denken: „materialism is absolute, for we cannot allow a Divine Foot in the door ... To appeal to an omnipotent deity is to allow that at any moment the regularities of nature may be ruptured, that miracles may happen"[12]. Das Prädikat der Allmacht gilt als Kurzformel des Supernaturalismus und wird zusammen mit diesem als wissenschaftlich nicht mehr vertretbar verworfen. Nach supernaturalistischer Auffassung hat Gott die Welt mit ihren Naturgesetzen aus dem Nichts erschaffen. Als Schöpfer der Naturgesetze ist er diesen grundsätzlich überlegen: Er kann diese nach Gutdünken außer Kraft setzen, ob nun am Ende der Zeiten oder im Laufe der Geschichte. Er kann mit anderen Worten auf wundersame Weise in den natürlichen Verlauf der Dinge eingreifen. Freilich kann Gott sich

---

7   Kant, Immanuel, Kritik der Urtheilskraft, 452.
8   Kant, Immanuel, Kritik der praktischen Vernunft, 110.
9   Kant, Immanuel, Die Religion innerhalb der Grenzen der bloßen Vernunft, 5.
10   Zur Rolle Gottes und des Menschen bei der Errichtung einer moralischen Welt vgl. Wasmaier-Sailer, Margit, Das Verhältnis von Moral und Religion, 216-218.
11   Vgl. Kant, Immanuel, Kritik der reinen Vernunft, 529.
12   Lewontin, Richard, Billions and Billions of Demons, 31. Zitiert bei Griffin, David Ray, Religion and Scientific Naturalism, 43.

auch dazu entschließen, die Welt nach ihrer Erschaffung ganz den Naturgesetzen zu überlassen – so jedenfalls bestimmt der Deismus das Verhältnis Gottes zu den Naturgesetzen. Auch wenn der Deismus erhebliche Zugeständnisse an das naturwissenschaftliche Weltbild macht, bleibt er doch eine Variante des Supernaturalismus, insofern er die Möglichkeit eines göttlichen Eingreifens immer noch voraussetzt.

Der Theologe David Ray Griffin, der sich in seinen Schriften um eine Harmonisierung des religiösen und des naturwissenschaftlichen Weltbildes bemüht und dabei vor allem auf die Prozessphilosophie Alfred North Whiteheads zurückgreift, plädiert für einen naturalistischen Theismus als dem goldenen Weg zwischen einem Supernaturalismus auf der einen und einem reduktiven Naturalismus auf der anderen Seite.[13] Während der reduktive Naturalismus mit seinen empiristischen, atheistischen und materialistischen Prämissen ein zu enges Verständnis von der Wirklichkeit habe, überdehne der Supernaturalismus die Möglichkeiten des göttlichen Handelns.[14] Beide Übertreibungen gelte es im Sinne eines minimalen Naturalismus zu kurieren, da allein dieser die Wissenschaften für den Theismus öffnen und die Religion mit den Wissenschaften in Übereinstimmung bringen könne.[15]

> „Naturalism in this minimal sense can be identified with what has historically been called ‚uniformitarianism', which is the assumption that the same general causal principles obtain for all events. Naturalism in this (minimal) sense does not necessarily rule out many things that ‚scientific naturalism' is usually thought to rule out (such as divine influence, freedom, and paranormal events). But it does rule out the reality and even the possibility of occasional supernatural interruptions of the most fundamental causal principles of the world. Insofar as theology asserts or presupposes ontological supernaturalism, it necessarily stands in conflict with the most fundamental assumption of the contemporary scientific worldview."[16]

Griffin nennt exemplarisch einige supernaturalistische Vorstellungen, von denen sich die Religion lösen müsse: Das offensichtlichste Beispiel sei der Glaube an Wunder im Sinne übernatürlicher Unterbrechungen des normalen Kausalzusammenhangs. Ein anderes Beispiel sei der Glaube, dass sich Gottes Präsenz in Jesus Christus metaphysisch von seiner Präsenz in allen anderen Menschen unterscheide. Als weiteres Beispiel nennt Griffin den Glauben, dass Gott das Leben und den Menschen durch einen übernatürlichen Akt erschaffen habe – einen Akt, der sich metaphysisch vom immerwährenden und allgegenwärtigen Vorsehungshandeln Gottes unterscheide. Auch die Vorstellung, dass Gott die Menschen durch einen übernatürlichen Akt von den Toten auferwecke, müsse verabschiedet werden. Gleiches gelte für den Glauben

....

13 Vgl. Griffin, David Ray, Religion and Scientific Naturalism, 15.
14 Vgl. ebd., 11f.
15 Vgl. ebd., 80f.
16 Ebd., 12.

an eine unfehlbare Offenbarung, bei der sich Gott den Menschen direkt – und nicht etwa vermittelt durch menschliche Denkprozesse – mitteile.[17]

Die von Griffin genannten Beispiele haben eines gemeinsam: Sie gehen von einer Wirklichkeit aus, die sich rationalem Verstehen prinzipiell verschließt. Diese Wirklichkeit lässt sich in unser natürliches Weltbild nicht integrieren; sie bricht vielmehr mit ihm. Vor dem Hintergrund der Erfahrung, dass wir uns die Welt natürlich erklären können – eine Erfahrung, die das zeitgenössische Bewusstsein zutiefst prägt –, erscheint diese Wirklichkeit bestenfalls als rätselhaft. Schon Ludwig Feuerbach hielt die genannten Vorstellungen aber nicht einfach nur für rätselhaft, sondern für reines Wunschdenken.[18] Im 21. Jahrhundert ist ein allmächtiger Gott, der an den Naturgesetzen vorbei ins Weltgeschehen eingreifen kann, selbst in der Theologie kaum noch plausibilisierbar.

3.2. Bekenntnis zur Allmacht Gottes aufgrund der Erfahrung göttlicher Gnade

Gleichwohl ist die Hoffnung auf einen Gott, der das Unmögliche möglich macht, auch heute bei vielen Menschen ungebrochen. Gläubige Menschen, denen in einer ausweglosen Situation unerwartet Hilfe zuteilwurde, deuten dies auch heute noch als göttliche Gnade. So verständlich es ist, dass Menschen aufgrund der natürlichen Erklärbarkeit der Welt von der Vorstellung eines allmächtigen Gottes Abstand nehmen, so verständlich ist es umgekehrt, dass sie aufgrund der Erfahrung von Not und Gnade an ebendieser Vorstellung festhalten. Sören Kierkegaard, ein Zeitgenosse Feuerbachs und wie er Hegelianer, legt in seinem Werk „Die Krankheit zum Tode" ein beredtes Zeugnis von dieser Erfahrung ab. Ich meine die Stelle, wo es um die Verzweiflung der Notwendigkeit als dem Fehlen jeglicher Möglichkeit geht.[19]

Kierkegaard stellt dem Leser und der Leserin einen Menschen vor Augen, der sich ein Ereignis als nicht auszuhalten ausgemalt hat, und dem dieses Ereignis nun tatsächlich zustößt. Für diesen Menschen, schreibt Kierkegaard, sei „sein Untergang das Gewisseste von allem"[20]. In dieser Situation wolle sich die verzweifelte Seele am liebsten ganz der Verzweiflung überlassen. Das Einzige, was ihr aus der Verzweiflung helfen könne, sei der Glaube an einen Gott, für den alles möglich sei:

> „Also ist Rettung, menschlich gesprochen, das Unmöglichste von allem; aber für Gott ist alles möglich! Dies ist der Kampf des *Glaubens*, der, wenn man so will, wahnsinnig für die Möglichkeit kämpft. Denn die Möglichkeit ist das einzig Erlösende. Wenn einer ohnmächtig wird, dann ruft man nach Wasser, Eau de Cologne, Hoffmannstropfen; aber wenn einer verzweifeln will, dann heißt es: Schaff Möglichkeit, schaff Möglichkeit, Möglichkeit ist das einzig Erlösende; eine Möglichkeit, dann atmet der Verzweifelte wieder,

---

17 Vgl. ebd., 13.
18 Vgl. Feuerbach, Ludwig, Das Wesen des Christentums, Kapitel 11, 14ff. und 22. In diesen Kapiteln geht es genau um die von Griffin genannten Beispiele. Letztlich gibt Griffin Feuerbach in allen Punkten Recht.
19 Vgl. Kierkegaard, Sören, Die Krankheit zum Tode, 36-40.
20 Ebd., 37.

er lebt auf; denn ohne Möglichkeit kann ein Mensch gleichsam keine Luft kriegen. Zuweilen kann dann die Erfindungskraft einer menschlichen Phantasie ausreichen, Möglichkeit zu schaffen, aber am Schluß, d. h. wenn es gilt zu *glauben*, hilft nur dies, daß bei Gott alles möglich ist."[21]

Wo nach menschlichem Ermessen der Untergang das Gewisseste sei, kann Kierkegaards Worten zufolge nur ein Gott helfen, für den alles möglich ist – nur ein allmächtiger Gott also. Der Glaube an diesen Gott entscheide darüber, ob der Mensch tatsächlich untergehe oder gerettet werde. Denn wer sich im Untergang der Verzweiflung überlasse, gehe tatsächlich unter. Wer aber im Untergang an diesen Gott glaube – sehenden Auges angesichts der drohenden Gefahr und den Verstand verlierend angesichts des aberwitzigen Vertrauensbeweises –, der werde gerettet: „Zu verstehen, daß dies menschlich sein Untergang ist, und dann doch an die Möglichkeit zu glauben, das ist glauben. Dann hilft Gott ihm auch, vielleicht indem er ihn dem Schrecken entgehen läßt, vielleicht durch den Schrecken selbst, daß hier unerwartet, mirakulös, göttlich sich Hilfe zeigt."[22]

4. Das Prädikat der Allmacht im Licht von Freiheitserfahrungen

4.1. Leugnung der Allmacht Gottes aufgrund der Erfahrung von Freiheit

Ein wichtiges Motiv für die Leugnung der göttlichen Allmacht ist schließlich das neuzeitliche Freiheitsverständnis: Die Allmacht Gottes scheint mit der Autonomie des Subjekts und dem Selbststand der Schöpfung nicht vereinbar. Ein Repräsentant dieses Einwands ist der Philosoph Charles Hartshorne, der wie Griffin ein Vertreter der Prozesstheologie ist. Die Vorstellung vom allmächtigen Gott, der die Wirklichkeit wie ein Tyrann kontrolliere, hält Hartshorne für theologisch vollkommen unangemessen – er bringt dies in dem Buchtitel „Omnipotence and Other Theological Mistakes" unmissverständlich zum Ausdruck. Hartshorne hebt vor allem die ontologische und die ethische Unangemessenheit dieses Gottesbildes hervor.[23]

Ontologisch sei dieses Gottesbild den gleichen Einwänden ausgesetzt wie der Determinismus: Wie der Determinismus gehe es von einer vollständigen Vorherbestimmung aller weltlichen Ereignisse aus, nur dass im Determinismus die Rolle Gottes von der Naturkausalität übernommen werde. Dass das Geschehen dieser Welt vollständig vorherbestimmt sei – sei es nun durch Gottes Wirken oder durch die Kausalität der Natur – werde schon durch alltägliche Beobachtungen widerlegt. Denn wenn sich die Person X für die Handlung A und die Person Y unabhängig davon für die Handlung B entscheide, so komme dabei das Ereignis AB heraus – ein Ereig-

---

21 Ebd.
22 Ebd., 38.
23 Vgl. hierzu Hartshorne, Charles, Omnipotence, 10-26.

nis, das weder X noch Y und auch kein anderer mit seiner Entscheidung intendiert habe, geschweige denn vorhersehen habe können. Hartshorne hebt auf das Moment des Zufalls ab, das jedem Geschehen mehr oder weniger innewohnt: „The word ‚chance', meaning ‚not decided by any agent, and not fully determined by the past', is the implication of the genuine idea of free or creative decision making – ‚creative' meaning, adding to the definiteness of the world, settling something previously unsettled, partly undefined or indeterminate."[24] Dass die Naturgesetze den Lauf der Dinge eindeutig festlegen, nehme man auch in der Physik nicht mehr an. Die zeitgenössische Physik gehe vielmehr davon aus, dass die Naturgesetze nur statistische Aussagen über zukünftige Ereignisse erlauben.[25]

Ethisch sei das Bild von einem allmächtigen Gott, der das Geschehen der Welt in allen Einzelheiten festlege, nicht weniger fragwürdig: „Is it the highest ideal of power to rule over puppets who are permitted to think they make decisions but who are really made by another to do exactly what they do? For twenty centuries we have had theologians who seem to say yes to this question."[26] Hartshorne zufolge ist der christliche Versuch, göttliche Allmacht und menschliche Freiheit kompatibilistisch zu vereinbaren, gescheitert: Wenn Gott all unser Handeln schon vorherbestimmt habe, sei Freiheit eine Illusion, selbst wenn wir unser Handeln als frei erlebten. Ein in diesem Sinne allmächtiger Gott entspreche nicht dem neutestamentlichen Bild des gütigen Vaters, der seine Kinder in die Freiheit entlasse und damit das Risiko auf sich nehme, dass sie sich von ihm abwenden.[27] Überhaupt sei das Ideal unumschränkter Herrschaft schwer mit dem Ideal unübertrefflicher Liebe zu vereinbaren. Gottes Macht könne immer nur die Macht der Liebe sein.[28] Hartshorne kritisiert das herkömmliche Verständnis von Allmacht als Alleinwirksamkeit[29] nicht nur insofern, als es die menschliche Freiheit negiert, sondern auch insofern, als es die göttliche Wirksamkeit letztlich limitiert:

> „Our rejection of omnipotence will be attacked by the charge, ‚So you dare to limit the power of God?' Not so, I impose no such limit if this means, as it seems to imply, that God's power fails to measure up to some genuine ideal. All I have said is that omnipotence as usually conceived is a false or indeed absurd ideal, which in truth *limits* God, denies to him any world worth talking about: a world of living, that is to say, significantly decision-making, agents. It is the *tradition* which did indeed terribly limit divine power, the power to foster creativity even in the least of the creatures."[30]

....

24 Ebd., 16.
25 Vgl. ebd., 15-17.
26 Ebd., 12.
27 Vgl. ebd., 11f.
28 Vgl. ebd., 14.
29 Zum Begriff der Allwirksamkeit bzw. Alleinwirksamkeit vgl. Kreiner, Armin, Das wahre Antlitz Gottes, 312-316.
30 Hartshorne, Charles, Omnipotence, 17f.

4.2. Bekenntnis zur Allmacht Gottes aufgrund der Erfahrung von Freiheit

Wieder ist es Kierkegaard, der hier als Gegenstimme herangezogen werden kann – und dies, obwohl er mit Hartshorne in einem grundsätzlichen Punkt vollkommen übereinstimmt: Auch Kierkegaard ist der Auffassung, dass Gottes Macht in seiner Güte besteht und er den Menschen frei macht. Ein Wesen frei zu machen, sei sogar das Höchste, das überhaupt für es getan werden könne. Anders als Hartshorne traut er dies jedoch nur einem allmächtigen Gott zu. Denn nur ein allmächtiger Gott könne sich so in der Äußerung der Allmacht zurücknehmen, dass das durch die Allmacht Entstandene unabhängig werden könne.[31]

> „Allein die Allmacht kann sich zurücknehmen, indem sie sich hingibt, und dies Verhältnis ist ja eben die Unabhängigkeit des Empfangenden. Gottes Allmacht ist darum seine Güte. Denn Güte ist sich ganz hingeben, aber dergestalt, daß man, indem man allmächtig sich selbst zurücknimmt, den Empfangenden unabhängig macht. Alle endliche Macht macht abhängig, Allmacht allein vermag unabhängig zu machen, aus dem Nichts hervorzubringen, was dadurch inneres Bestehen empfängt, daß die Allmacht sich ständig zurücknimmt. Die Allmacht ist nicht in einem Verhältnis zu andern gelegen, denn es gibt kein Anderes, zu dem sie sich verhält, nein, sie vermag zu geben, ohne doch das Mindeste von ihrer Macht preiszugeben, d. h. sie kann unabhängig machen.“[32]

Kierkegaard kontrastiert die menschliche Macht mit der göttlichen Allmacht und gründet darauf sein Bekenntnis zu letzterer: Der Mensch könne sich in seiner Macht nie so sehr zurücknehmen, dass er den anderen wirklich frei mache; er bleibe bis zu einem gewissen Grad immer darin gefangen und gelange dadurch nie ganz in das rechte Verhältnis zu seinem Mitmenschen. Auch entkomme er nicht der in aller Macht und Begabung liegenden Selbstliebe. Allein Gott sei in seiner Allmacht so frei, dass er den Menschen auch frei mache. Dies liege daran, dass Gott außerhalb aller menschlichen Machtverhältnisse stehe und selbst im vollständigen Verzicht auf seine Macht nichts von seiner Macht verliere. Kierkegaard bekennt sich zur Allmacht Gottes aufgrund der psychologischen Erkenntnis, dass nur der, der nicht in unheilvolle Verhältnisse verwickelt ist, die Dinge zum Guten wenden, und dass nur der, der den Untergang nicht fürchten muss, sich dem Anderen rückhaltlos aussetzen kann. Die Allmacht steht bei ihm also für die Unbefangenheit und Unabhängigkeit Gottes. Sie allein sichert seiner Auffassung nach die Freiheit des Menschen.[33]

---

31 Vgl. Kierkegaard, Sören, Reflexionen, 124.
32 Ebd.
33 Vgl. ebd., 124f.

5. Theoretische Konsistenz und existenzielle Hermeneutik

In den vorhergehenden Abschnitten ging es mir darum, theologische Positionierungen zur göttlichen Allmacht als Reflex existenzieller Erfahrungen zur Geltung zu bringen. Es ergab sich folgendes Bild: Leidenserfahrungen sind ein starkes Motiv, das Prädikat der Allmacht aufzugeben. Sie sind aber ein ebenso starkes Motiv, an ihm festzuhalten. Die Erfahrung, dass wir uns die Welt natürlich erklären können, lässt Menschen an der Allmacht Gottes zweifeln. Die Erfahrung, dass sich Gott dem Menschen immer wieder gnadenhaft zuwendet, lässt Menschen umgekehrt aber auch an die Allmacht Gottes glauben. Die Erfahrung und Wertschätzung menschlicher Freiheit kann das Bild von einem allmächtigen Gott erschüttern. Genauso kann es die Erfahrung von Freiheit aber auch ermöglichen und ein Ausdruck ihrer Wertschätzung sein. In allen Fällen gewinnt die jeweilige Haltung zum Prädikat der Allmacht von den zugrundeliegenden Erfahrungen her an Plausibilität. Es scheint so zu sein, dass ein und dieselbe Erfahrung gegensätzliche theologische Schlüsse zulässt. Ob diese Schlüsse tatsächlich inkonsistent sind, möchte ich im Folgenden für jeden einzelnen Fall prüfen:

Mit Blick auf das erste Gegensatzpaar erscheint mir dies mitnichten eindeutig: Besteht tatsächlich eine Unvereinbarkeit zwischen Jonas' Position, der die göttliche Allmacht leugnet, um Gott nicht als den Urheber unsäglichen Leids denken zu müssen, und Kants Position, der sich zur göttlichen Allmacht bekennt, um Gott als Erlöser von allem Leid denken zu können? Sicherlich kommen beide zu unterschiedlichen Schlüssen bezüglich der göttlichen Allmacht, aber beiden geht es doch gleichermaßen um die volle theologische Anerkennung menschlichen Leids. Die unterschiedlichen Schlüsse rühren daher, dass der eine das Prädikat der Allmacht im Kontext der Schöpfungslehre, der andere dagegen im Kontext der Erlösungslehre betrachtet. Geht es Jonas darum, die Welt so, wie sie ist, von Gott her zu verstehen, so geht es Kant darum, die Welt so, wie sie sein soll, von Gott zu fordern. Der jeweilige hermeneutische Standpunkt ist also ein anderer. Damit aber wird es schwieriger, die unterschiedlichen theoretischen Ergebnisse schlechterdings als Widerspruch zu qualifizieren. Ich möchte mit diesen Überlegungen die Gegensätzlichkeit der Positionen zur göttlichen Allmacht nicht in Frage stellen, aber doch zu bedenken geben, dass der Augenschein eine tiefere Übereinkunft unter Umständen ebenso verdeckt, wie er unterschiedliche hermeneutische Voraussetzungen übersehen lässt.

Bei dem zweiten Gegensatzpaar liegen den gegensätzlichen Schlüssen auch gegensätzliche Erfahrungen zugrunde. Während Griffin sehr stark vom naturwissenschaftlichen Weltbild ausgeht und damit von der Erfahrung, dass wir die Welt logisch begreifen und empirisch erklären können, geht Kierkegaard vom Wunder als einer Erfahrung des nach menschlichem Ermessen nicht Möglichen aus. Glauben heißt für Kierkegaard, „den Verstand zu verlieren"[34], und er betrachtet es als eine besondere

---

34   Kierkegaard, Sören, Die Krankheit zum Tode, 37.

Zimperlichkeit seines Jahrhunderts, dass es Wunder nur zur Zeit Jesu gegeben haben solle.[35] Griffin lehnt das Prädikat der Allmacht als Relikt des alten Wunderglaubens ab, Kierkegaard bringt es im Zusammenhang mit dem Wunderglauben neu ins Spiel. Oberflächlich betrachtet scheinen die Positionen einander diametral entgegengesetzt zu sein. Bei näherem Hinsehen muss man sie jedoch nicht unbedingt als Widerspruch konstruieren: Wenn einem Menschen wundersam geholfen wird, dann muss damit nicht gemeint sein, dass Gott die Naturgesetze durchbrochen hat. Das Wunder besteht, wie Kierkegaard selbst schreibt, in der menschlich gesehen nicht erwartbaren und dann dankbar angenommenen Hilfe: „Ob einem Menschen wunderbar geholfen wurde, beruht wesentlich darauf, mit welcher Verstandesleidenschaft er verstanden hat, daß Hilfe unmöglich war, und danach darauf, wie redlich er gegen die Macht ist, die ihm doch half."[36] Dass das Wunder den Erfahrungshorizont der Menschen überschreitet, bedeutet nicht, dass es mit den Naturgesetzen bricht. Dass es mit den Naturgesetzen nicht bricht, bedeutet umgekehrt aber auch nicht, dass es erklärbar ist.

Betrachtet man das dritte Gegensatzpaar, so lässt sich die augenscheinliche Inkonsistenz auch hier auflösen: Wie bereits festgestellt, teilen Hartshorne und Kierkegaard die Auffassung, dass Gott den Menschen frei macht. Kierkegaard zufolge ist dies allein einem allmächtigen Gott möglich, Hartshorne zufolge kann genau ein allmächtiger Gott dies nicht. Der Widerspruch löst sich jedoch insofern auf, als Hartshorne die Allmacht Gottes im Sinne einer Vorherbestimmung allen irdischen Geschehens versteht, während Kierkegaard die Allmacht Gottes als Gewähr seiner Unbefangenheit und Unabhängigkeit betrachtet. Es ist ein himmelweiter Unterschied, ob man Allmacht mit Determinismus oder mit Selbstand in Verbindung bringt: Im einen Fall wird sie zum Inbegriff der Unfreiheit, im anderen zum Inbegriff der Freiheit. Hartshorne und Kierkegaard verwenden den Begriff der Allmacht also in unterschiedlicher Bedeutung. Damit ist freilich nicht gesagt, dass es nicht anderweitige Widersprüche zwischen den theologischen Entwürfen beider Denker geben könnte – diese gibt es sicherlich.

Welches Fazit lässt sich aus diesen Beobachtungen für die Bewertung der unterschiedlichen Positionen ziehen? Es hat sich gezeigt, dass es sowohl für die Zurückweisung des Allmachtsprädikats als auch für das Festhalten an ihm gute Gründe geben kann. Plausibilität gewinnen die unterschiedlichen Positionen vor allem von den in ihnen verarbeiteten Erfahrungen her. Die Frage nach der Legitimität des Allmachtsprädikats kann man also nicht in einem bloßen Schlagabtausch von Argumenten lösen. Es bedarf hierfür vielmehr einer existenziellen Hermeneutik – von dieser her lassen sich Theorien dann auch auf ihre Konsistenz hin überprüfen. Denn erst durch die Einblendung des Erfahrungskontextes werden der systematische Ort und die genaue Bedeutung des Allmachtsprädikats erkennbar. Wenn zwei Denker das Allmachtsprädikat gegensätzlich bewerten, müssen ihre Positionen nicht unbedingt

....

35   Vgl. ebd., 39.
36   Ebd., 38.

inkonsistent sein. Es könnte sein, dass sie mit unterschiedlichen Problemen ringen, wobei das Allmachtsprädikat das Problem des einen löst, während es das Problem des anderen auslöst. Es könnte aber auch sein, dass sie den Begriff der Allmacht nicht in derselben Bedeutung verwenden und der eine etwas in Frage stellt, was der andere nie geleugnet hat. Die Vergleichbarkeit zweier Positionen ist mit anderen Worten nicht ohne weiteres gegeben.

6. Plädoyer für den Primat der Erfahrung im Religionsunterricht

Am Prädikat der Allmacht lässt sich auf beispielhafte Weise diskutieren, wie man im Religionsunterricht mit schwierigen theologischen Gehalten umgehen kann. Bei der Auseinandersetzung mit solchen Gehalten stellen die kirchliche Lehre, die theoretische Konsistenz und die menschliche Erfahrung wichtige Orientierungsmarken dar. Betont man eines dieser Kriterien zu sehr, droht eine gewisse Einseitigkeit: Wer etwa nur auf die theoretische Konsistenz abhebt, wird die kirchliche Lehre unter Umständen nicht mehr plausibilisieren können. Wer sich ausschließlich an der kirchlichen Lehre festhält, wird diese mit den Erfahrungen von Schüler*innen womöglich nicht mehr ins Gespräch bringen können. Wer nur auf subjektive Erfahrungen abhebt, ist in Gefahr, den gemeinsamen Glauben und das bereits erreichte Reflexionsniveau aus den Augen zu verlieren. Es wird im Religionsunterricht also erst einmal darum gehen müssen, die unterschiedlichen Kriterien als solche sichtbar zu machen. Erst vor diesem Hintergrund erscheint eine methodische Fokussierung auf eines dieser Kriterien legitim: Es spricht nichts dagegen, sich vor allem dogmengeschichtlich mit dem Prädikat der Allmacht auseinanderzusetzen, und selbstverständlich kann man dieses auch in erster Linie philosophisch diskutieren oder aber hauptsächlich von Erfahrungszeugnissen her deuten.

Gleichwohl plädiere ich für den Primat der Erfahrung im Religionsunterricht: Es darf nie aus dem Blick geraten, dass theologische Gehalte immer eine Erfahrungsgrundlage, einen Sitz im Leben, haben. Von diesem Sitz im Leben her wird überhaupt erst deutlich, was mit ihnen zum Ausdruck gebracht, und welche Intention mit ihnen verfolgt werden soll. Eine bloße Gegenüberstellung von Argumenten für und gegen die Allmacht Gottes etwa verfehlt die existenzielle Tiefe der unterschiedlichen Positionen zu diesem Thema. Lässt man es bei einer solchen Gegenüberstellung bewenden, besteht die Gefahr, dass eine Position verworfen wird, obwohl sich deren Sinn noch gar nicht erschlossen hat. Damit aber besteht die weitergehende Gefahr, dass Widersprüche diagnostiziert werden, wo eigentlich keine sind: So scheint mir Kierkegaards Festhalten an einem wunderwirkenden Gott nicht zwangsläufig inkompatibel mit Griffins Beharren auf der naturgesetzlichen Ordnung der Welt. Wenn eine existenzielle Hermeneutik auch nicht zu der Hoffnung berechtigt, dass eines Tages alle Positionen miteinander vereinbar sein könnten, so trägt sie doch dazu bei, diese tiefer zu verstehen. Vielleicht ist das genauere Verständnis unterschiedlicher Positionen zur göttlichen Allmacht im Vergleich zu dem Anspruch, alle damit zusammenhängenden Probleme zu lösen, ein bescheideneres Ziel. Vielleicht ist es aber auch ein höheres Ziel.

Literatur:

- Feuerbach, Ludwig, Das Wesen des Christentums, mit einem Nachwort von Karl Löwith, Stuttgart 1969.
- Griffin, David Ray, Religion and Scientific Naturalism: Overcoming the Conflicts, Albany, New York 2000.
- Hartshorne, Charles, Omnipotence and other Theological Mistakes, Albany/New York 1984.
- Jonas, Hans, Der Gottesbegriff nach Auschwitz. Eine jüdische Stimme, Berlin 2018[16].
- Kant, Immanuel, Die Religion innerhalb der Grenzen der bloßen Vernunft. Die Metaphysik der Sitten (= Gesammelte Schriften Abt. 1, Bd. 6), Akademieausgabe, Nachdruck der Ausgabe von 1900ff, Berlin 1968.
- -, Kritik der praktischen Vernunft. Kritik der Urteilskraft (= Gesammelte Schriften Abt. 1, Bd. 5), Akademieausgabe, Nachdruck der Ausgabe von 1900ff, Berlin 1968.
- -, Kritik der reinen Vernunft 2. Auflage 1787 (= Gesammelte Schriften Abt. 1, Bd. 3), Akademieausgabe, Nachdruck der Ausgabe von 1900ff, Berlin 1968.
- Katechismus der Katholischen Kirche. Neuübersetzung aufgrund der Editio typica latina, korrigierter Nachdruck der Ausgabe von 2003, München/Wien/Leipzig u. a. 2005.
- Kierkegaard, Sören, Die Krankheit zum Tode, übers. und mit Glossar, Bibliographie sowie einem Essay „Zum Verständnis des Werkes" hg. von Liselotte Richter, Frankfurt a. M. 19952.
- -, Reflexionen über Christentum und Naturwissenschaft, Anhang zu: Eine literarische Anzeige, Gesammelte Werke 17, übers. von Emanuel Hirsch, Düsseldorf 1954.
- Kreiner, Armin, Das wahre Antlitz Gottes – oder was wir meinen, wenn wir Gott sagen, Freiburg i. Br./Basel/Wien 2006.
- Lewontin, Richard, Billions and Billions of Demons, in: The New York Review of Books. January 9, 1997, 28-32.
- Thomas von Aquin, Summa theologica. Die deutsche Thomas-Ausgabe (lat./dt.), Graz/Wien/Köln 1933ff.
- Wasmaier-Sailer, Margit, Das Verhältnis von Moral und Religion bei Johann Michael Sailer und Immanuel Kant. Zum Profil philosophischer Theologie und theologischer Ethik in der säkularen Welt, Regensburg 2018.

DIE FRAGE DER FRAGEN – AUSWIRKUNGEN EINES ER-NEUERTEN THEISMUS FÜR EINE RELIGIONSPÄDAGO-GISCH VERANTWORTETE GOTTREDE

Mirjam Schambeck

Günter Lange hatte 1980 in seiner Zwischenbilanz zum Korrelationsprinzip pointiert festgestellt, dass das korrelationstheologische Axiom, dass auch die Lebenswelt der Menschen Rückwirkungen auf das Verstehen der Tradition habe, die „Frage der Fragen"[1] sei. Bei seinem Resümee der für die Korrelationsdidaktik bahnbrechenden Brixener Tagung fasst er dies treffend ins Wort, wenn er schreibt, dass das, „was Schillebeeckx ... sagt, uns noch relativ fremd"[2] sei. Damit meinte er Edward Schillebeeckx' Ausführungen, Korrelation erstmalig als wechselseitig kritische Beziehung von überlieferten und gegenwärtigen Erfahrungen[3] zu denken, sie als Offenbarungsorte Gottes zu qualifizieren und auch die Lebenswelt in ihrem Transformationspotenzial für die Gottesfrage anzuerkennen.

1. Von der Scheu, das Korrelationsprinzip bis zur letzten Konsequenz zu denken

Dies war in der damaligen katholischen Welt ein unerhörter Schritt. Hatte man gerade erst (wieder) gelernt, Offenbarung – und damit die Bezogenheit Gottes auf Mensch und Welt – personal und verdichtet in Jesus Christus zu erinnern und nicht auf Satzwahrheiten einzuschränken sowie den Menschen nicht nur als Adressaten, sondern auch als entscheidend für das Gelingen von Offenbarung zu würdigen,[4] schien sowohl die denkerische als auch die emotional-affektive Konsequenz unmöglich, dass Gott sich von dieser, von ihm aufgerichteten Beziehung zum Menschen und zur Welt auch selbst betreffen lässt. Gott als Werdenden zu glauben, den die Geschichte der Menschen und der Welt angeht, war einerseits zwar deutlich geworden, wenn man bei einer anthropologisch gewendeten Theologie ansetzte. Dass dies aber auch bedeutet, (Alltags-)Geschichte und ihre Kontingenz, menschliches Leid und geschöpfliches Risiko in Gott hineinzulesen, ging über das hinaus, was man zu denken und zu glauben bereit war. Auch Schillebeeckx konnte diesen Schritt in seinem Werk nicht gehen, obwohl er mit anderen kurz vor und nach ihm die Grundlagen dafür gelegt hatte. Karl Rahner beispielsweise hatte mit seinen Überlegungen zur Inkarna-

---

1   Lange, Günter, Zwischenbilanz zum Korrelationsprinzip, 152.
2   Ebd.
3   Vgl. Schillebeeckx, Edward, Offenbarung, Glaube und Erfahrung, 89.
4   Vgl. Zweites Vaticanum, Dei Verbum 2.

tion angefangen, die Dynamik auszuloten, die in einem Gottesverständnis liegt, das die Bezogenheit von Gott und Welt bis zur Wurzel ernst nimmt.[5] Paul Tillich, der in der katholischen Religionspädagogik stark rezipiert wurde, stellte umfängliche Überlegungen an, die Bezogenheit von Gott und Mensch als von Gott radikal freie und zugleich Gott und Mensch zutiefst betreffende zu denken. Doch auch Tillich buchstabierte die Rückwirkung der Lebenswelt auf die Offenbarung nicht durch.[6] Diese nicht gezogene Konsequenz und die „Lücke", die dadurch entstand, begleiteten die systematisch-theologische Gottrede, die Korrelationsdidaktik als Fundamentalprinzip der Religionsdidaktik und das religionspädagogisch verantwortete Gottreden bis in die jüngste Zeit. Sie wurde sogar noch verschärft, und zwar von zwei Seiten her, von der religionspädagogischen und der systematisch-theologischen:

2. Religionspädagogische und systematisch-theologische Verschärfungen der fehlenden „Feedbackschleife" (Klaus Müller)

Empirische Studien, wie sie seit den 1990er boomten, und kinder- und jugendtheologische Ansätze, die sich seit den 2000ern in der Religionspädagogik etablierten, zeigten sehr deutlich, dass und wie sich Religiositätsstile von Kindern und Jugendlichen entwickeln. Es wurde deutlich, wie diese zwar durchaus Fermente aus christlichen Traditionen verwenden, die Gottrede, das Menschen- und Weltverständnis aber auf sehr eigene und eigenständige Weise ausgestalten. D. h. mit anderen Worten: Die Erkundung der (religiösen) Lebenswelt der Menschen wurde religionspädagogisch in den letzten Jahrzehnten eifrig betrieben, und zwar sowohl aus dem Wissen heraus, dass religiöse Lern- und Bildungsprozesse nur dort funktionieren, wo sie vom Subjekt ausgehen, als auch inspiriert durch das theologische Verständnis, dass die religiösen Artikulationen der Menschen im Sinne eines locus theologicus deutbar und damit als theologieproduktive Orte zu lesen sind. Es gibt aber erst allererste Angänge, die veränderten Religiositätsstile und lebensweltlichen Vergewisserungen auch auf die systematisch-theologischen Glaubensgehalte zurückzubinden und diese dadurch zu transformieren.[7] Nicht wenige religionspädagogische Lernsettings verwenden viel Zeit darauf, die Zugänge der Lernenden z. B. zur Theodizee-Frage, zum Gottes- und Schöpfungsverständnis zu erheben. Was aber dann mit diesen Erkundungen geschieht, wie sie ins Gespräch gebracht werden mit den Gottes- oder Schöpfungskonzepten, die beispielsweise der christliche Glaube anbietet, bleibt offen oder schlechtestenfalls sogar leer. Wenn überhaupt, dann werden christliche Deutungen additiv, versäult, eher im Sinne religionskundlichen Zusatzwissens neben

---

5   Vgl. Rahner, Karl, Grundkurs des Glaubens, 214-222.
6   Vgl. Tillich, Paul, Systematische Theologie I, 79f; ders., Systematische Theologie II, 19-21, vgl. ausführlich: Schambeck, Mirjam, Korrelationskonturen, 41-51.
7   Vgl. Gennerich, Carsten, Empirische Dogmatik des Jugendalters; Heger, Johannes, Auferstehung im 21. Jahrhundert, 298-316; Schambeck, Mirjam, Glück als postmoderne Chiffre christlicher Heilsvorstellungen?, 105-121.

die Deutungen der Schüler*innen gestellt. Welchen (Lern-)Ertrag dies haben soll, bleibt unklar. Inwiefern die lebensweltlichen Artikulationen auch das Gottverstehen weiterschreiben, neu deuten, ja auch umdeuten, blieb weitgehend unbearbeitet. Damit aber droht auch die Erkundung der Lebenswelt zufällig und damit belanglos zu werden, und nicht mehr als ein Selbstzweck im Sinne eines religionssoziologischen Interesses zu sein. Man könnte also überspitzt sagen: Religionspädagogisch wurde die wechselseitig kritische In-Beziehung-Setzung von Tradition und Lebenswelt, wie sie dem Korrelationsprinzip als religionsdidaktische Konsequenz aus dem fundamentaltheologischen Offenbarungsdenken entspricht, reduziert auf die Erkundung der Lebenswelt. Die daraus erwachsenden Konsequenzen für eine veränderte Gottrede wurden aber nicht gezogen.

Damit sind wir bei der zweiten Seite, von der aus die Lücke zwischen axiomatischer Setzung des Korrelationsgedankens, seines in ihm transportierten Gottesverständnisses und dessen faktischem Ernstnehmen befördert wird: der systematischen Theologie. Obwohl mit der Prozesstheologie moderne Varianten vorliegen, die Beziehung von Gott, Mensch und Welt als wechselseitige und damit jeden Beziehungsträger betreffende zu verstehen, nimmt die systematisch-theologische Aufarbeitung dieses weiten Spektrums von Ansätzen im deutschen Sprachraum gerade erst an Fahrt auf.[8] Und selbst mittelalterliche und vormoderne Theologien, wie die von Meister Eckhart, Nikolaus Kues oder Giordano Bruno, die sich genau an dieser Frage abarbeiten und mit den Denkmitteln ihrer Zeit Antworten darauf versuchten, blieben für dieses brisante Problem weithin unbefragt.[9]

Insofern lohnt es, neuere Ansätze, die sich den prozesstheologischen Anfragen an den klassischen Theismus stellen und diese weiterentwickeln, im Folgenden zumindest in Auswahl aufzugreifen[10] und für die religionsdidaktisch drängende Frage auszuloten, wie die Gottesfrage heute zu thematisieren ist. Unter der Vielzahl von Vorschlägen, die sich in der systematisch-theologischen Debatte zurzeit zu erkennen geben, scheint mir derjenige von Saskia Wendel besonders ertragreich zu sein. Da ihr Entwurf die prozesstheologischen Kritiken ernst nimmt, ohne deren Aporien zu erliegen, weder in die Fallen eines falschen Theismus tappt, der Gott als handelndes Individuum neben andere stellt, noch die Ich- und Person-Perspektive aufgibt, also nicht monistisch und panentheistisch spricht und Gott damit weiterhin als Du denken kann, zu dem man beten mag, soll im Folgenden ihr Vorschlag näher dargestellt werden.[11] Dazu wird versucht, ihn in die Debatte um die Gottesfrage zumindest grob

....

8   Vgl. im deutschen Sprachraum relativ früh: Dalferth, Ingolf U., Prozesstheologie; Schmidt-Leukel, Perry, Grundkurs Fundamentaltheologie; Kreiner, Armin, Gott im Leid; Faber, Roland, Prozeßtheologie. Später dann z. B.: Enxing, Julia, Gott im Werden; aktuell Ruhstorfer, Karheinz (Hg.), Das Ewige im Fluss der Zeit – mit besonderem Augenmerk auf das Werk von Catherine Keller.

9   Vgl. Wendel, Saskia, Gott – Prinzip und Person zugleich, 98; dies., Theismus nach Kopernikus, 26-30.

10   Vgl. dazu auch Schambeck, Mirjam, Wenn Jugendliche fragen, verändern sich Theologie und Kirche, 309-324.

11   Vgl. zum Folgenden: Wendel, Saskia, Gott – Prinzip und Person zugleich, 94-109; dies., Theismus nach Kopernikus, 17-46; Vortrag auf dem 15. Arbeitsforum am 04.04.2019.

einzubetten, seine Charakteristika herauszuarbeiten, um diese dann für die fundamentale religionsdidaktische Frage weiterzudenken, was ein weltbewusster, Du-hafter Gott für die Thematisierung der Gottesfrage bedeutet.

3. Gott als Prinzip und Person zugleich – der Ansatz von Saskia Wendel als Impuls, Gott weder welt- noch Du-los zu denken

3.1. Kontexte des Ansatzes

Saskia Wendel kontextualisiert ihren Ansatz des Gottdenkens in dreifacher Weise: bezogen auf aktuelle religiöse Überzeugungen, problembewusst gegenüber den Schwierigkeiten des klassischen Theismus und inspiriert durch theologische Alternativvorschläge zum klassischen Theismus, die sie dann kritisch konstruktiv weiterdenkt, um ihren eigenen Vorschlag zu formieren.

3.1.1. Bezogen auf gegenwärtige religiöse Überzeugungen

Religionssoziologische Studien, auch religionspädagogischer Provenienz,[12] konstatieren, dass sich Transzendenzbezüge dort, wo sie von Menschen überhaupt noch vorgenommen werden, eher auf ein abstraktes Ultimates, denn auf Jemand beziehen, also eher a-personal denn personal konturiert sind.[13] Lediglich die Studie von Friedrich Schweitzer, Reinhold Boschki, Matthias Gronover und deren Teams haben in jüngster Zeit an einer Stelle eine Korrektur vorgenommen. Dann, wenn Gott in Verbindung gebracht wird, mit „etwas, das Sicherheit gibt," oder als jemand vorgestellt wird, „zu dem man sprechen kann", stimmt fast die Hälfte der befragten Jugendlichen einem personalen Gottesverständnis zu und spricht von Gott „als einem Gegenüber, mit dem man kommunizieren kann und das Sicherheit vermittelt."[14] D. h., dass das Gebet für die befragten Jugendlichen an ein personales Du adressiert ist und dieses Du auch als so „mächtig" angesehen wird, dass es Sicherheit zu schenken vermag. Dies wird in den folgenden Überlegungen keine unwichtige Rolle spielen.

Insgesamt aber dominiert sowohl in den Religiositätsstilen Jugendlicher als auch Erwachsener – und hier wiederum von Christ*innen genauso wie von anderen „religiös Musikalischen" mit Ausnahme der Muslim*innen[15] – die Bestimmung des Transzendenten als absolutes Prinzip. Alleinheitsgedanken, das Aufgehen von Gott in Welt (Pantheismus) oder auch panentheistische Bestimmungen des Göttlichen sind vor diesem Hintergrund höchst attraktive Konzepte des Gottdenkens geworden. Sie er-

12 Vgl. schon 2003: Ziebertz, Hans-Georg/Kalbheim, Boris/Riegel, Ulrich, Religiöse Signaturen.
13 Vgl. Shell-Jugendstudien, Sinus-Milieu-Studien, insbesondere letzte u18-Studie: Calmbach, Marc/Borgstedt, Silke/Borchard, Inga u. a., Wie ticken Jugendliche 2016?
14 Schweitzer, Friedrich/Wissner, Golde/Bohner, Annette u. a., Jugend – Glaube – Religion, 21.
15 Vgl. Gensicke, Thomas, Die Wertorientierung der Jugend (2002-2015), 254f.

lauben, Erkenntnisse aus der Astrophysik deutlich besser in das Gottverstehen zu integrieren, als dies herkömmliche Gotteskonzepte leisten (z. B. Unendlichkeit des Universums, Ausdehnung und Schrumpfung des Universums, Urknall-Hypothese)[16]. Damit ermöglichen sie Menschen, ihr sonstiges, durch ein szientistisches Weltbild geprägtes Welt- und Selbstverstehen nicht verabschieden zu müssen, wenn sie über Gott nachdenken. Es wird vielmehr möglich, Denkmittel aus der Astrophysik in einen Dialog mit theologischen Überlegungen zu bringen und die Gottrede damit auf der Höhe auch anderer wissenschaftlichen Erkenntnisse zu formulieren.

Auch wenn darüber zu streiten sein wird, ob und inwieweit pan(en-)theistische und monistische Varianten die christliche Gottrede umfassend genug aussagen, so kann schon jetzt festgehalten werden, dass sie eine Aufgabe glänzend erfüllen, an der der klassische Theismus zunehmend scheitert: Sie artikulieren Gott in Bezug und Bezogenheit auf das Verstehen, Fühlen und Wahrnehmen der Menschen. Sie nehmen den Erkenntnisstand anderer Wissenschaften ernst und entwerfen sich angesichts dieser Errungenschaften. Sie zwingen den Menschen also nicht, für den Gottglauben in vormoderne Denkmaßstäbe zurückzufallen und die Gottesfrage zum totalen Gegenüber ihrer Lebenswelt zu stilisieren. Vielmehr erlauben sie, die Gottesfrage entsprechend des Horizontes zu verhandeln, den die Postmoderne auftut. Insofern sind diese Varianten der Gottrede im besten Sinne Theologien, die ernst nehmen, dass sich Gott in Welt eingeschrieben hat, und die diese als Ort und Horizont anerkennen, Gott zu finden. An diesen Standards kann eine verantwortete Gottrede nicht mehr vorbeigehen. Damit fallen aber auch die Schwierigkeiten, die der klassische Theismus transportiert, noch deutlicher auf. Sie zu kennen, ist deshalb ein nächster Schritt, den Saskia Wendel unternimmt, um vor diesem Hintergrund Auswege aus den markierten Verengungen anzudenken.

3.1.2. Problembewusst gegenüber Schwierigkeiten des klassischen Theismus

Schon Karl Rahner hatte, wie Saskia Wendel bemerkt,[17] auf entscheidende Schwachstellen des klassischen Theismus hingewiesen, die je länger desto mehr eine unzureichende Drift in die christliche Gottesrede einzeichneten: Da ist zunächst auf das Missverständnis hinzuweisen, Gott als Einzelwesen zu denken, sozusagen als „unbedingtes" Individuum neben andere Individuen zu stellen, und Gott damit zur anthropomorphen Projektion eines höchsten Einzelwesen zu stilisieren.[18] Neben der anthropomorphen Verkürzung, die dieser Gottrede droht, kommt die ontologische Aufladung als zweites Problem dazu. D. h., dass dort, wo der Begriff Gott zwar ernst genommen wird als Ausdruck des Unterschieds zu den Dingen, Ereignissen, einzelnen Personen, aber mit Terminologien erfasst wird – wie z. B. „Sein des Seienden"

....

16   Vgl. Wendel, Saskia, Vortrag auf dem 15. Arbeitsforum am 04.04.2019.
17   Vgl. Wendel, Saskia, Gott – Prinzip und Person zugleich, 94f.
18   Vgl. Rahner, Karl, Grundkurs des Glaubens, 72.

oder „alles bestimmende Wirklichkeit", die Gefahr groß ist, mit der Bestimmung des Begriffs auch schon seine Existenz vorauszusetzen.[19] Um dies zu vermeiden, wählt Saskia Wendel den Begriff des „Unbedingten" im Sinne eines „principium", also eines Grundes, der selbstursprünglich ist, grundlos und Möglichkeitsbedingung des Bedingten. Damit bleibt zunächst offen, ob diesem Unbedingten auch Existenz zukommt – wie dies religiöse Überzeugungen annehmen; und auch, ob dieses Unbedingte theistisch oder eben nicht-theistisch bestimmt wird.

Drittens schließlich identifiziert Saskia Wendel die für den klassischen Theismus charakteristische Prädikation der Allmacht als schwierig. Ausgehend von einem alltagspraktischen Verstehen ist die Gefahr groß, Gottes Freiheit auf Souveränität zu verkürzen mit allen Problemen, die daraus für die Theodizeefrage resultieren. In einer solchen Gottrede glimmt nach wie vor der Verdacht, dass es letztlich Gott war, der nicht wollte, dass unschuldige Kinder vom Massaker gerettet oder Auschwitz verhindert wurde.

Viertens schließlich gibt es im klassischen Theismus geozentrische und anthropozentrische Restbestände, die es weder erlauben, die Unendlichkeit des Universums und die Vielzahl von Welten noch die Möglichkeit der Existenz auch nichtmenschlichen bewussten Lebens im Universum zu denken.[20] Diese Probleme sind in einer Welt, in der naturwissenschaftliche Erkenntnisse den Maßstab des Weltverstehens vorgeben, nicht banal. Das Risiko besteht, nicht die Arbeit an diesen Schwierigkeiten in den Vordergrund zu stellen, sondern die Gottrede in Gänze zu verabschieden. Hier konnten insbesondere die sog. prozesstheologischen Ansätze wie auch die panentheistischen und monistischen Varianten des Gottdenkens Entscheidendes nach vorne bringen. Saskia Wendel befragt diese auf ihre Stärken und Schwächen hin und legt in ihren Vorschlägen einen Versuch vor, die Stärken zu retten und den Aporien zu entgehen.

3.1.3. Panentheistische und prozesstheologische Varianten als Wege aus den Schwierigkeiten des klassischen Theismus

Panentheistische Perspektiven, wie sie prominent von Klaus Müller, John B. Cobb, David R. Griffin, Sallie Mc Fague u. a. entwickelt wurden, schaffen es deutlicher als der klassische Theismus, die Bezogenheit von Gott und Welt zu denken, und der anthropomorphen Verkürzung der Gottrede Einhalt zu gebieten, die Gott wie ein handelndes Individuum vorstellt, wenn auch mit unendlichem und unbedingtem Charakter.[21] Schwierig und letztlich aporetisch bleibt in diesen Ansätzen, ob und wie ein solches Ultimatum den Menschen überhaupt noch angeht. Gebetet kann zu ihm nicht

....

19 Vgl. Wendel, Saskia, Gott – Prinzip und Person zugleich, 96; ausführlich: dies., Theismus nach Kopernikus, 21-23.

20 Vgl. Wendel, Saskia, Gott – Prinzip und Person zugleich, 96f; dies., Vortrag auf dem 15. Arbeitsforum am 04.04.2019.

21 Vgl. Wendel, Saskia, Vortrag auf dem 15. Arbeitsforum am 04.04.2019.

mehr werden. Die Bewegung der Entäußerung bleibt die einzige Dynamik in diesem Gottdenken. Sie wird nicht ergänzt durch das Erleben von Fülle und Erfüllung. Die Frage aber ist, ob es sich dafür zu leben lohnt. Und genau diese Schwierigkeit nimmt Saskia Wendel ernst und klopft die prozesstheologischen und panentheistischen Vorschläge darauf ab, was sie an Bedenkenswertem und Schwierigem transportieren. Mit Charles Hartshornes sog. „Neo-Theismus" bzw. „neoklassischem Theismus" beispielsweise, der auf Alfred N. Whiteheads Kosmologie aufbaut, wird sowohl die geozentrische als auch die anthropozentrische Verkürzung entschärft, die der klassische Theismus riskiert. Gott wird hier als Lebensprinzip der Welt vorgestellt und die Welt als Körper Gottes. Damit erreicht Hartshorne, Physisches und Mentales nicht auf zwei Prinzipien zurückführen zu müssen, sondern in Gott geeint zu wissen und zugleich Gott und Welt nicht als Verhältnis der Entgegensetzung, sondern der differenzierten Einheit denken zu können.[22] Diese panentheistische Ausdeutung des Gott-Welt-Verhältnisses interpretiert Hartshorne dann trotzdem theistisch, insofern er Gott als „kosmisches Individuum" vorstellt, das aber bezogen ist auf alle Individuen und nicht durch den Begriff des Einzelnen (Dings, Ereignisses oder der Person) bestimmt ist, sondern durch den Begriff der Interaktion.[23] Trotz dieser Entgrenzung des Begriffs Individuum bleibt bei Hartshorne ungeklärt, wie Gott einerseits als Prinzip allen Lebens gedacht werden kann und damit im Grunde apersonal, und andererseits als zur Interaktion fähiges Individuum. Trotz des expliziten Ausweises reduziert sich Gott bei Hartshorne zum apersonalen Lebensprinzip.[24]

Genau an dieser Stelle setzt der sog. „Free-will-theism" bzw. „Offene Theismus" an, der von den freikirchlichen Theologen Wiliam Hasker, Clark H. Pinnock und John E. Sanders vorgelegt wurde. Sie halten an einem personalen Gottesverständnis und der Schöpfungsdifferenz Gottes fest, nehmen aber die Bezogenheit von Gott und Welt so ernst, dass sie auch eine „Feedbackschleife"[25] von Welt auf Gott annehmen. Das drückt sich so aus, dass durch und mittels der Welt die Zeit und damit die Geschichte in Gott eingeschrieben ist. Göttliche Freiheit wird als göttliche Liebe gedacht, in der Gott auf jede Intervention verzichtet, sondern allein auf Überzeugung und Überredung (zum Guten hin) setzt. Gott bindet sich also, wie dies das sog. „Risk-Modell" verdeutlicht, an das Handeln und Entscheiden des Menschen, und zwar nicht, weil er dazu gezwungen ist und keine (eigene) Handlungsmöglichkeit hätte, sondern aus Liebe. Gerade die Setzungen des „Offenen Theismus", die sowohl erlauben, Gott als Prinzip und Person zu denken, werden für Wendels Ansatz zu Dreh- und Angelpunkten werden.

．．．．．．．．．．．．．．．．．．．．．．

22   Vgl. Wendel, Saskia, Gott – Prinzip und Person zugleich, 98, dies., Theismus nach Kopernikus, 30.
23   Vgl. Wendel, Saskia, Gott – Prinzip und Person zugleich, 99.
24   Vgl. ebd., 100-102; dies., Theismus nach Kopernikus, 32-34.
25   Müller, Klaus, Glauben – Fragen – Denken, Bd. 1, 728.

3.2. Charakteristika von Saskia Wendels Ansatz

Wie oben schon gezeigt wurde, sind die Hauptschwierigkeiten des klassischen Theismus sowie der prozesstheologischen, panentheistischen und monistischen Ansätze, wie die anthropozentrischen und geozentrischen Verkürzungen der Gottrede vermieden und zugleich die Göttlichkeit i. S. von Ursprünglichkeit und Unbedingtheit Gottes bei gleichzeitiger Möglichkeit gerettet werden kann, ihn weiterhin als Du anzusprechen.

Saskia Wendel stellt sich diesen Herausforderungen in ihrem Ansatz auf folgende Weise:

Ihr Ausgangspunkt ist ein anthropologischer, aber nicht anthropozentrischer Ansatz. Diesen füllt sie mittels zweier Setzungen:[26] Zum einen verabschiedet sie sich von einem substanzphilosophischen, metaphysischen Denken, das als Paradigma die unsterbliche Seele kennt und setzt an seine Stelle ein bewusstseinstheoretisches Paradigma, wie es von Dieter Henrich entwickelt wurde. Der Mensch wird hier als formbewusstes Leben erkennbar, das durch den Bewusstseinsvollzug gekennzeichnet ist. Dieser konkretisiert sich in der Doppelstruktur einer Subjekt- und Person-Perspektive. Mittels der Subjekt-Perspektive wird die Einmaligkeit als unmittelbare Selbstgewissheit ausgedrückt, die sich in der Ich-Perspektive artikuliert. Diese Erste-Person-Perspektive ist nicht als Substanzbegriff zu verstehen, sondern formal bestimmt, im Sinne der Heidegger'schen Je-Meinigkeit. Zugleich konkretisiert sich der Bewusstseinsvollzug als konkrete Relation zu anderen. Damit ist die Person-Perspektive aufgerufen, also die Eröffnetheit auf anderes hin. Die Spitze dieser Eröffnetheit auf anderes ist der Bezug zu anderem bewussten Leben. Sie bezeichnet aber auch die Möglichkeit, sich zu anderem und anderen zu öffnen, die als unbewusstes Leben verfasst sind (Welt) oder als nichtmenschliches bewusstes Leben.

Zum anderen – und dies ist die zweite Setzung Wendels – geht sie davon aus, dass sich das Dasein nicht nur durch Subjekt-/Person-Sein auszeichnet, sondern auch als Dasein in Freiheit.[27] Diese Freiheit ist mehr als ein Vermögen, auch „anders zu können" (Entscheidungsfreiheit). Sie ist vielmehr ein Spielraum des Verhaltens, eine „Freiheit wozu", eine Freiheit, die einen Anfang setzen und Neues hervorbringen kann. Damit ist sie ein schöpferisches Vermögen, das auch mehr ist als nur eine negative Freiheit im Sinne einer „Freiheit wovon" (Autonomie).[28] Sie vollzieht sich in der Doppelung von Kreativität und Autonomie. Wendel versteht Freiheit insofern als Potenzial – nicht als Substanz –, das dem bewussten Dasein zukommt. Als solches aktuiert sich Freiheit als Freiheit zu Anderem und Anderen.

Diese Bestimmung des bewussten Daseins als Subjekt/Person und als Freiheit (Kreativität und Autonomie) erlaubt Wendel dann, nach dem Grund eines Lebens in Frei-

....

26 Vgl. Wendel, Saskia, Gott – Prinzip und Person zugleich, 104f; dies., Theismus nach Kopernikus, 37-39.
27 Vgl. Wendel, Saskia, Theismus nach Kopernikus, 39f.
28 Vgl. Wendel, Saskia, Gott – Prinzip und Person zugleich, 105.

heit und Bewusstsein zu fragen. Dass dieser Grund unterschiedlich gedeutet werden kann, ist die eigentliche theologische Frage. In nicht-religiösen Weltzugängen wird dieser Grund rein immanent interpretiert, in religiösen dagegen transzendenzbezogen. Für die christliche Deutung kommt nach Wendel nichts anderes in Frage, als den Grund von Subjekt- und Personsein als „Jemanden" zu deuten, also theistisch zu bestimmen. Allein so wird das Entsprechungsverhältnis eingelöst, das dem Prinzip eines zu Begründenden zukommt.[29] Dieser Jemand wird dann aber nicht mehr nur als Individuum neben anderen Individuen lesbar, sondern ebenfalls in der Doppelstruktur von Ich- und Person-Perspektive, von Je-Einzigkeit und Relation verstanden. Auch der Freiheitsvollzug muss dann bei diesem Jemand doppelt verfasst sein: als frei im Sinne von Kreativität und als frei im Sinne von Autonomie.[30]

Für den Gottesgedanken heißt dies, dass aufgrund der Subjekt-Perspektive der Grund nicht nur ein Einzelnes, sondern auch das Ganze ist, und das Je-Andere nicht nur ein Anderes, sondern auch in Gott (neuer Gott-Welt-Bezug). Die Person-Perspektive wiederum verdeutlicht, dass der Bezug auf alles, was ist, auch auf das Universum geht, das Explikation (explicatio) und Implikation (cusanisch: complicatio) Gottes zugleich ist. Mit anderen Worten ermöglicht diese Doppelstruktur, Gott zugleich als Prinzip als auch als Person zu denken, und zwar als kosmische Person und nicht als kosmisches Individuum.[31] Das anthropozentrische und geozentrische Missverständnis sind somit ausgeräumt. Welt wird sowohl unterschieden von Gott als auch radikal auf Gott bezogen denkbar, wie sich auch Gott als radikal weltbezogen zu erkennen gibt.[32] Diese Bezogenheit erstreckt sich zudem nicht nur auf Physisches oder Mentales, sondern auf beides; denn nur so bleibt gewahrt, dass dieser Jemand Prinzip des Universums ist.[33] Damit bleibt das, was in Welt geschieht und was Welt ausmacht, nicht folgenlos für Gott. Weil Gott es gewollt hat, weil Gott sich in seiner Liebe für den Menschen und die Welt verwundbar gemacht hat, sind die Wunden des Menschen und der Welt auch zu seinen geworden. Ein solcher Gott ist ein menschenzugewandter Gott, zu dem man beten und ein Du, für das man leben kann. Gottes Freiheit wird damit auch als freisetzende Freiheit interpretierbar, die dem Anderen seiner selbst, also der Schöpfung, Raum einräumt, sie aus sich setzt und d. h. auch seinen eigenen Handlungsradius nicht gegen die Welt und ihre Freiheit geltend macht, sondern nur in ihr und mittels ihrer. Dieses Andere Gottes ist dann mit „ihm geeint, da aus ihm kommend und in ihm gründend, als auch von ihm unterschieden ..."[34]

Damit hat Saskia Wendel nicht nur erreicht, die prozesstheologischen Anfragen an den klassischen Theismus aufzunehmen und deren Potenzial zur Geltung zu bringen.

....

29   Vgl. ebd., 106.
30   Vgl. Wendel, Saskia, Theismus nach Kopernikus, 41.
31   Vgl. Wendel, Saskia, Gott – Prinzip und Person zugleich, 107; dies., Theismus nach Kopernikus, 42.
32   Vgl. Wendel, Saskia, Gott – Prinzip und Person zugleich, 109.
33   Vgl. Wendel, Saskia, Theismus nach Kopernikus, 41.
34   Ebd., 42.

Sie ermöglicht es auch, ein Gottdenken zu entwickeln, das nicht nur abstrakt kosmologisch überzeugt, sondern auch die Chance bietet, das eigene Leben aus einer solchen Du-bezogenen Gottesperspektive zu gestalten. Die Frage der Frage, die eingangs als unbearbeitete Gretchenfrage der Korrelationsdidaktik aufgeworfen wurde und einer religionspädagogisch verantworteten Gottrede, kann angesichts dieser Vorschläge neu aufgegriffen werden.

4. Impulse aus dem Wendel'schen Gottdenken für eine religionspädagogisch verantwortete Gottrede

Das Gottdenken Saskia Wendels impliziert viele religionspädagogisch relevante Impulse, von denen im Folgenden nur zwei näher herausgearbeitet werden sollen: zum einen die Implikationen für das Fundamentalprinzip der Religionsdidaktik, nämlich die Korrelationsdidaktik (1), und zum anderen Aspekte, die die Thematisierung der Gottesfrage in religiösen Lern- und Bildungssettings betreffen (2).

4.1. Implikationen für das Fundamentalprinzip der Religionsdidaktik

Obwohl es schon lange bewusst ist, dass die kritisch produktive Wechselbeziehung von Tradition und Situation auch in Richtung Transformation der Tradition und mittels dieser und diese begründend, des Gottesbegriffs zu gehen hat, blieb es trotzdem mindestens offen, *warum* dies der Fall ist und wie dies eingelöst werden kann. Der Entwurf Saskia Wendels hat hier – angeregt durch die prozesstheologischen und panentheistischen Ansätze – begründete Vorschläge gemacht, das Gott-Welt-Verhältnis radikal – also auch in Bezug auf Gott – gelten zu lassen, und Gott zugleich in der Subjekt/Person-Perspektive zu interpretieren, also in Beziehung zu Mensch und Welt. Das hat auch für religiöse Lern- und Bildungsprozesse Konsequenzen.

Bislang war zwar auch eine Unzufriedenheit spürbar angesichts der Feststellung, dass Religionsunterricht immer sachkundlicher wird. Wenn die christliche Deutefolie nach oder neben dem Erheben eigener Assoziationen, Überlegungen, Empfindungen oder Erfahrungen zur Gottesfrage, also lebensweltlicher Zugänge, im Unterricht eingespielt wurde und kaum in einen Dialog mündete, sondern eher wirkte wie „jetzt haben wir auch davon gehört", dann blieb schon bisher so etwas wie Ratlosigkeit zurück, ob das alles sei, was es religiös zu lernen gibt. Mittels des Gottdenkens von Saskia Wendel könnten solche Ratlosigkeiten noch deutlicher als bisher orientiert werden. Zum einen avanciert das Erkunden der lebensweltlichen Zugänge – z. B. zur Gottesfrage – schon zur theologischen Aufgabe und damit zu einer Möglichkeit religiösen Lernens. Weil das, was passiert, gedacht und erlitten wird, nicht mehr nur in der Horizontalen bleibt, sondern als Weisen gelesen werden können, von denen Gott betroffen wird, wird das Leben der Menschen selbst zum Ort, an dem sich Gott finden lässt. Das war theologisch schon seit einer anthropologisch gewendeten

Theologie bewusst. Das wurde auch schon lange praktisch im Religionsunterricht betrieben. Die Theologie Wendels könnte aber helfen, dies auch in den Lern- und Bildungsprozessen schon explizit als eine Möglichkeit auszuweisen, der Gottesfrage nachzugehen. Zum anderen ermutigt der Wendel'sche Ansatz, die erst zaghaften Bemühungen, die „Feedbackschleife", also die eigenen Erfahrungen – wenn auch in Gebrochenheit – wirklich auf Gott zurückzuspiegeln, faktisch anzustrengen. Dann bleiben Glücksvorstellungen von Schüler*innen nicht mehr nur interessante Aussagen, sondern avancieren zu postmodernen Chiffren für soteriologische Konzepte. Dann sind auch Jenseitsdeutungen von Jugendlichen nicht mehr nur religionssoziologisch bedeutsam, sondern Horizont, in dem auch Gott als der, der alles umfasst, das Gestrige, Heutige und Zukünftige nochmals neu ansichtig wird.

4.2. Aspekte zur Thematisierung der Gottesfrage in religiösen Lern- und Bildungsprozessen

Neben der verbesserten theologischen Fundierung des Korrelationsprinzips hilft der Ansatz von Saskia Wendel zum anderen, religionspädagogisch relevante Schwierigkeiten, von Gott zu sprechen, in Zukunft besser zu meistern:
Eine der markantesten Herausforderungen heutiger Gottrede insgesamt und auch im Religionsunterricht ist diejenige, wie angesichts eines naturwissenschaftlich geprägten Selbst- und Weltverständnisses von Gott geredet werden kann.[35] Das betrifft Aussagen über den Weltursprung angesichts der von Jugendlichen wahrgenommenen Konkurrenz von Urknalltheorie und Schöpfungsaussagen.[36] Das bezieht sich ebenso auf evolutionstheoretische Erkenntnisse vs. Schöpfungsglauben. Das findet auch in der Diskussion einen Ankerpunkt, ob es nicht außerterrestrisches bewusstes Leben gebe und wie man dann noch von der Einzigkeit und Universalität des Christusereignisses reden könne[37] –, um nur einige Themenfelder anzuschneiden. Der Ansatz von Saskia Wendel gibt Hinweise, diesen Herausforderungen nicht mehr ausweichen zu müssen. Die bisher übliche Denkfigur, Naturwissenschaft und Glaube als komplementäre Wirklichkeitszugänge zu verstehen (was aber das Problem aufwarf, wie dann ein Dialog zwischen beiden zu führen sei, welche Brücke es zwischen beiden gibt, die erlaubt, die jeweiligen Erkenntnisse füreinander fruchtbar zu machen), und sich in die Verlegenheit zu retten „dann macht eben jeder seines", müsste dann nicht mehr der einzige Weg sein, mit diesen Anfragen umzugehen.
Indem mit Wendel z. B. die Unendlichkeit des Universums nicht mehr als Gegensatz zu Gott verstanden werden muss, sondern über das Verstehen Gottes als Prinzip und Subjekt/Person denkerische Möglichkeiten vorliegen, Gott nicht mehr neben, hinter oder vor der Welt denken zu müssen, sondern als ihren unbedingten Grund,

---

35   Vgl. Kropač, Ulrich, Naturwissenschaft und Religion, 151-170.
36   Vgl. Höger, Christian, „Lehrkraft, gib uns passende Inhalte zur rechten Zeit!", 171-190.
37   Vgl. Kreiner, Armin, Jesus, Ufos, Aliens.

könnten Schwierigkeiten, die mit dem klassischen Theismus kaum bewältigt werden konnten, ausgemerzt werden. Gott wird dann nicht mehr zum Gegenüber der Welt, in der dann auch Naturwissenschaft und Gottesglaube konkurrieren. Als unbedingter Grund, der die Welt in ihrer Doppelstruktur als Physisches und Mentales setzt, und zwar aus kreativer Freiheit heraus, wäre die naturwissenschaftliche Erkundung von Welt keine Weise mehr, die Gotteshypothese zu eliminieren, sondern könnte – sofern man für sich selbst die Hypothese der Gottesexistenz gelten lassen will – Ort werden, auch das Prinzip der Welt, nämlich Gott, weiter auszudifferenzieren.

Noch ein zweiter Aspekt, der die Gottrede im Religionsunterricht betrifft, soll hier angesprochen werden. Empirische Studien zu Gotteskonzepten Jugendlicher wiesen darauf hin, dass Gott mit zunehmendem Alter als Absolutes, Unbedingtes, Ultimates konnotiert und weniger mit Personalität in Verbindung gebracht wird. Einzig die Studie von Friedrich Schweitzer, Reinhold Boschki, Matthias Gronover und deren Teams zeigte, dass beim Beten Gott, insofern er als Sicherheit gebender Gott aufscheint, als Du adressiert wird.

Die abstrakten Gotteskonzepte Jugendlicher zogen nach sich, dass das personale Gottesverständnis, wie es dem christlichen Glauben zu Eigen ist, für Jugendliche kaum Anknüpfungspunkte bot, ja sogar umso unattraktiver wurde, je personaler es konturiert blieb. Die Doppelstruktur, mit der Saskia Wendel den Gottesbegriff füllt und ihn sowohl in der Prinzip- als auch Subjekt/Person-Perspektive veranschaulicht, könnte hier entscheidende Vorteile bieten. Zum einen könnten Jugendliche, deren Gotteskonzepte auf das Ultimate abheben, durch die Entfaltung Gottes als Prinzip und unbedingten Grund Deutefolien an die Hand bekommen, ihr eigenes Gottverstehen zu vertiefen. Zum anderen könnten Jugendliche durch den Verweis auf die Doppelstruktur des Gottesbegriffs als Prinzip und Person Anreize bekommen, die eigenen Verstehensweisen neu zu beleuchten und evtl. zu erweitern. Und dort, wo Gott als Du eine Rolle spielt, könnten Jugendliche Bestätigendes und zugleich Vertiefendes durch die Entfaltung des Gottesbegriffs in der Person-Perspektive erfahren.

5. Von tauglichen und untauglichen Wahrheiten (Siegfried Lenz)

Insgesamt wurden damit nicht mehr als „Baustellen" heutiger Gottrede im Religionsunterricht markiert; und auch diese nur in Auswahl benannt. Das Gute daran ist, dass inzwischen durch die theologischen Weiterschreibungen des Gottdenkens schon vielfältige Instrumente zur Verfügung stehen, sie auf der Höhe der Zeit anzugehen. Dazu müssen sie aber noch deutlicher als bisher aufgegriffen werden. Im akademischen religionspädagogischen Diskurs aber, geschweige denn in Lehrmaterialien, sind die aktuellen Fortschreibungen der Gottesfrage in der systematischen Theologie noch nicht angekommen. Es ist von daher höchste Zeit, in einen intensiven Austausch einzutreten, nicht zuletzt, wenn wir ernst nehmen, dass Jugendliche die Suche

14. Arbeitsforum für Religionspädagogik

nach einem Ultimaten und nach einem „Jemand", zu dem sie beten können, nach wie vor umtreibt. Das aber braucht „taugliche Wahrheiten".

Der intellektuelle Studienrat Janpeter Heller, den Siegfried Lenz zum Anti-Helden in seinem Roman „Das Vorbild" stilisiert, macht die Unterscheidung von tauglichen und untauglichen Wahrheiten zum Kriterium schlechthin, ob Erzählungen, Lebensbilder, Deutungen lohnen oder eben nicht. In einem Streitgespräch mit dem preussisch-strengen, auf Disziplin, Ausdauer und Verlässlichkeit setzenden und doch tragisch scheiternden Rektor Valentin Pundt wirft Heller gleichmütig und doch die Szene entscheidend den Satz ein: „es gibt taugliche und untaugliche Wahrheiten. Es gibt Wahrheiten, die uns nichts angehen, und andere, die unmittelbar für eine Vermehrung von Helligkeit sorgen. Jedenfalls sei erlebte Wahrheit noch keinesfalls beispielhafte und mitteilenswerte Wahrheit"[38] Dass die Gottesfrage eine „taugliche Wahrheit" wird, die für die „Vermehrung von Helligkeit" steht, hängt an vielen Faktoren, von denen die einen relativ unverfügbar sind, wie die persönliche Offenheit, die eigene Freiheitsentscheidung, entsprechende Umstände und Einsichten. Dass es aber dazu kommt, die Gottesfrage überhaupt in den Radius einer tauglichen Wahrheit zu stellen und zu prüfen, ob sie dieser Unterscheidung standhält, ist Aufgabe von Theologie und der Religionspädagogik mit ihr.

Damit aber nicht genug. Heller hatte in seinem kurzen Einwurf auch darauf hingewiesen, dass eine erlebte Wahrheit noch lange kein Grund sei zu überprüfen, ob es sich um eine taugliche oder untaugliche Wahrheit, eine beispielhafte oder eben banale Wahrheit handele. Für diese Szene schien damit alles gesagt und entschieden. Ein Widerfahrnis erlebt zu haben, ist noch kein Kriterium, dass es auch für andere etwas austrägt. Im Laufe des Romans wird sich aber gerade dieser Maßstab immer mehr verschieben, bis letztlich deutlich wird, dass gerade das, was erlebt und erlitten wurde, zum Prüfstein und Echtheitserweis wird, ob eine Wahrheit standhält oder nicht.[39] Für die Gottesfrage heißt dies letztlich auch, dass das Gottdenken auf die Praxis gelebten Lebens verwiesen ist und was es hier austrägt, die Theologie also auf die Spiritualität. Mit anderen Worten müssen die prozesstheologisch und panentheistisch inspirierten Weiterschreibungen des Theismus helfen, das eigene Leben tiefer, freier, menschen- und weltverbundener zu leben.

Dieser Echtheitserweis des gelebten Lebens mag verwundern, ist er doch nicht logisch konsistent, wie dies für eine theoretisch-theologische Durchdringung der Gottesfrage gefordert ist. Angesichts des zunehmenden Fremdwerdens der Gottrede – sowohl bei Christ*innen, religiös Musikalischen als auch sog. Konfessionslosen – mag der Echtheitserweis der Gottrede im Leben von Menschen aber vielleicht sogar so etwas wie ein erster Anlass, ein Aha-Erlebnis oder auch Stolperstein sein, nach

....

38 Lenz, Siegfried, Das Vorbild, 69.
39 Im Roman ergibt sich dies durch die Wahl Lucy Beerbaums als Vorbild: Vgl. Lenz, Siegfried, Das Vorbild, 114 bis zum Ende des Romans.

den Gründen für dieses Verhalten zu fragen und damit auf die Gottrede zu stoßen. Die Gründe müssen dem Fragenden, seinem Selbst- und Weltverstehen sowie den postmodernen Wissensbeständen dann auch standhalten können. Und die Helligkeit der Wahrheit muss einleuchten, ob man die Existenz Gottes nun gelten lässt oder nicht.

Ob die aus der Gottrede erfolgende Praxis oder das Gottdenken, das nach Gründen fragt und sich dem Tauglichkeitsbeweis stellen muss, nun den Anfangspunkt des Fragens bildet, wird abhängig sein von den Menschen und den Kontexten. Beides ist jedoch aufeinander verwiesen, und die Gottrede ist darunter nicht zu haben, auch nicht im Religionsunterricht.

Literatur:

- Calmbach, Marc/Thomas, Peter Martin/Borchard, Inga u. a., Wie ticken Jugendliche 2012? Lebenswelten von Jugendlichen im Alter von 14 bis 17 Jahren in Deutschland, Altenberg 2011.
- Calmbach, Marc/Borgstedt, Silke/Borchard, Inga u. a. Wie ticken Jugendliche 2016? Lebenswelten von Jugendlichen im Alter von 14 bis 17 Jahren in Deutschland, Berlin 2016.
- Dalferth, Ingolf U., Prozesstheologie, in: Ritter, Joachim/Gründer, Karlfried, Historisches Wörterbuch der Philosophie, Bd. 7, Darmstadt/Basel 1989, 1562-1565.
- Enxing, Julia, Gott im Werden. Die Prozesstheologie Charles Hartshornes, Regensburg 2013.
- Faber, Roland, Prozesstheologie. Zu ihrer Würdigung und kritischen Erneuerung, Mainz 2000.
- Gensicke, Thomas, Die Wertorientierung der Jugend (2002-2015), in: Shell Deutschland Holding (Hg.), Jugend 2015. Eine pragmatische Generation im Aufbruch (= 17. Shell-Jugendstudie), Frankfurt a. M. 2015, 237-272.
- Gennerich, Carsten, Empirische Dogmatik des Jugendalters. Werte und Einstellungen Heranwachsender als Bezugsgrößen für religionsdidaktische Reflexionen, Stuttgart 2009.
- Heger, Johannes, Auferstehung im 21. Jahrhundert?! – Ein religionsdidaktischer Versuch zwischen Kulturhermeneutik, Literatur und Korrelation, in: Pemsel-Maier, Sabine/Schambeck, Mirjam (Hg.), Keine Angst vor Inhalten! Systematisch-theologische Themen religionsdidaktisch erschließen, Freiburg i. Br./Basel/Wien 2015, 298-316.

- Höger, Christian, „Lehrkraft, gib uns passende Inhalte zur rechten Zeit!" Fußnoten für eine domänenenbewusste Kairologie im Schnittfeld von Schöpfungstheologie und Astrophysik, in: Pemsel-Maier, Sabine/Schambeck, Mirjam (Hg.), Keine Angst vor Inhalten! Systematisch-theologische Themen religionsdidaktisch erschließen, Freiburg i. Br./Basel/Wien 2015, 171-190.
- Jugendwerk der Deutschen Shell (Hg.), Jugend 2000 (= 13. Shell-Jugendstudie), Opladen 2000.
- Kropač, Ulrich, Naturwissenschaft und Religion. Religionsdidaktische Erkundungen in schwierigem Terrain, in: Pemsel-Maier, Sabine/Schambeck, Mirjam (Hg.), Keine Angst vor Inhalten! Systematisch-theologische Themen religionsdidaktisch erschließen, Freiburg i. Br./Basel/Wien 2015, 151-170.
- Kreiner, Armin Gott im Leid. Zur Stichhaltigkeit der Theodizee-Argumente (= QD 168), Freiburg i. Br. 19982.
- -, Jesus, Ufos, Aliens. Außerirdische Intelligenz als Herausforderung für den christlichen Glauben, Freiburg i. Br. 2011.
- Lange, Günter, Zwischenbilanz zum Korrelationsprinzip, in: KatBl 105 (1980) 151-155.
- Lenz, Siegfried, Das Vorbild, München 1979.
- Müller, Klaus, Glauben – Fragen – Denken. Basisthemen in der Begegnung von Philosophie und Theologie, Bd. 1, Münster 2006.
- Rahner, Karl, Grundkurs des Glaubens. Einführung in den Begriff des Christentums, Freiburg i. Br. 197610.
- Ruhstorfer, Karheinz (Hg.), Das Ewige im Fluss der Zeit. Der Gott, den wir brauchen (= QD 280), Freiburg i. Br. 2016.
- Schambeck, Mirjam, Glück als postmoderne Chiffre christlicher Heilsvorstellungen? Impulse und Grenzen, Glücksvorstellungen von Kindern als soteriologische Konzepte zu lesen, in: Bucher, Anton A./Büttner, Gerhard/Freudenberger-Lötz, Petra u. a. (Hg.), „Gott gehört so ein bisschen zur Familie – Mit Kindern über Glück und Heil nachdenken" (= Jahrbuch für Kindertheologie 10) Stuttgart 2011, 105-121.
- -, Korrelationskonturen. Von der Weite des Korrelationsgedankens, eingeschlichenen Missverständnissen und „Chiffren" als Brücke zwischen Lebensdeutungen und Glaubenstraditionen, in: Pemsel-Maier, Sabine/Dies. (Hg.), Keine Angst vor Inhalten! Systematisch-theologische Themen religionsdidaktisch erschließen, Freiburg i. Br./Basel/Wien 2015, 40-66.
- -, Vom Containerbegriff „Korrelation" zum Planungsinstrument für Unterricht. Zu einer Operationalisierung von Korrelationsprozessen, in: Pemsel-Maier, Sabine/Dies. (Hg.), Keine Angst vor Inhalten! Systematisch-theologische Themen religionsdidaktisch erschließen, Freiburg i. Br./Basel/Wien 2015, 67-89.

- -, Wenn Jugendliche fragen, verändern sich Theologie und Kirche. Kinder- und Jugendtheologie als Konkretionen einer prozesstheologisch grundierten und theistisch korrigierten Gottrede, in: Rahner, Johanna/Söding, Thomas (Hg.), Kirche und Welt – ein notwendiger Dialog (= QD 300), Freiburg i. Br. 2019, 309-324.
- Schillebeeckx, Edward, Offenbarung, Glaube und Erfahrung, in: KatBl 105 (1980) 84-95.
- -, Erfahrung und Glaube (= Christlicher Glaube in moderner Gesellschaft Bd. 25), Freiburg i. Br. 1980, 73-116.
- Schmidt-Leukel, Perry, Grundkurs Fundamentaltheologie. Eine Einführung in die Grundfragen christlichen Glaubens, München 1999.
- Schweitzer, Friedrich/Wissner, Golde/Bohner, Annette u. a., Jugend – Glaube – Religion. Eine Repräsentativstudie zu Jugendlichen im Religions- und Ethikunterricht, Münster/New York 2018.
- Shell Deutschland Holding (Hg.), Jugend 2006. Eine pragmatische Generation unter Druck (= 15. Shell-Jugendstudie), Bonn 2006.
- Shell Deutschland Holding (Hg.), Jugend 2010. Eine pragmatische Generation behauptet sich (= 16. Shell-Jugendstudie), Frankfurt a. M. 2010.
- Shell Deutschland Holding (Hg.), Jugend 2015. Eine pragmatische Generation im Aufbruch (= 17. Shell-Jugendstudie), Frankfurt a. M. 2015.
- Tillich, Paul, Systematische Theologie I, Stuttgart 1956³.
- -, Systemtische Theologie II, Stuttgart 1958².
- Wendel, Saskia, Gott – Prinzip und Person zugleich. Eine prozesstheologisch inspirierte Verteidigung des Theismus, in: Ruhstorfer, Karheinz (Hg.), Das Ewige im Fluss der Zeit. Der Gott, den wir brauchen (= QD 280), Freiburg i. Br. 2016, 94-109.
- -, Theismus nach Kopernikus. Über die Frage, wie Gott in seiner Einmaligkeit zugleich Prinzip des Alls sein kann, in: Knop, Julia/Lerch, Magnus/Claret, Bernd J. (Hg.), Die Wahrheit ist Person. Brennpunkte einer christologisch gewendeten Dogmatik, Regensburg 2015, 17-46.
- -, Vortrag auf dem 15. Arbeitsforum am 04.04.2019: Gott oder göttlicher Grund? Kritik personaler Gottesbilder als Herausforderung für den RU.
- Ziebertz, Hans-Georg/Kalbheim, Boris/Riegel, Ulrich, Religiöse Signaturen heute. Ein religionspädagogischer Beitrag zur empirischen Jugendforschung, Freiburg i. Br. 2003.

Kapitel 2

Roadtrips zur Gottesfrage: Mediale Inszenierungen

Karlheinz Ruhstorfer
Die Geschichten in der Geschichte. Westworld
als Spiegel unserer Gottsuche und Selbstsuche

Viera Pirker
„Du sollst Dir kein Bildnis machen" – Die Gottesfrage in Social Media

Matthias Werner
Ein Roadtrip nach Westeros. Die Frage nach
Gott in der TV-Serie „Game of Thrones"

DIE GESCHICHTEN IN DER GESCHICHTE. WESTWORLD ALS SPIEGEL UNSERER GOTTSUCHE UND SELBSTSUCHE

Karlheinz Ruhstorfer

1. Fernsehen

Erfundene Geschichten können mehr Wahrheit offenbaren als die scheinbare Wirklichkeit: „True lies". Dieser Ausdruck könnte nicht nur Motto der Bibel sein, sondern auch der Fernsehserie *Westworld*. Nachdem auch religiöse Menschen den Schreck überwunden haben dürften, dass vieles in der Heiligen Schrift Fiktion ist, kommen wir immer mehr zur Überzeugung, dass Fiktionen und Fakten ohnehin schwer zu trennen sind und zudem eine gute Fiktion einen Menschen durchaus zu Selbsterkenntnis, ja, auch zur Gotteserkenntnis bringen kann. Vielleicht müssen wir den narrativen Charakter auch der biblischen Geschichten neu entdecken, damit sie uns wieder etwas mehr zu sagen haben. Vielleicht aber müssen wir auch die Geschichten, die in unseren Tagen erzählt werden, auf ihren theologischen Charakter hin befragen. Geschichten haben ihre Zeit, und jede Zeit hat ihre Geschichten. Mit einer Rede über Narrative und ihre Bedeutung für Menschen endet die erste Staffel von *Westworld*.

Nicht zuletzt durch meine Kinder habe ich begriffen, dass vor allem Serien das primäre Medium junger Menschen darstellen. Aus deren Geschichten beziehen sie einen guten Teil ihrer Selbst- und Weltdeutung. Die Bibel hat vordergründig betrachtet als Selbstverständigungsmedium weitestgehend ausgedient. Auch die Literatur hat nur relativ wenigen Jugendlichen etwas zu sagen. Anders die Fernsehserien ...

Vor etwa zwanzig Jahren hat das Fernsehen in radikal neuer Weise begonnen, Geschichten für unsere Zeit zu erzählen. Technische Fortschritte – und damit verbunden die veränderten Gewohnheiten medialen Konsums – haben dazu geführt, dass qualitativ hochwertige Sendungen von Firmen wie HBO, Sky, Netflix u. a. produziert wurden. Diese Sendungen zielen nicht mehr nur auf das möglichst breite Publikum, wie dies etwa im öffentlich-rechtlichen, aber auch im privaten Fernsehen herkömmlicher Prägung der Fall war. Vielmehr kann wegen der ausdifferenzierten Rezeptionswege auf spezielle Interessen und unterschiedliche Bildungsvoraussetzungen eingegangen werden. Durch die Angebote der Streaming-Dienste haben nicht nur die traditionellen Fernsehsender und das Kino Konkurrenz bekommen, sondern auch der Roman. Die neue Serienkultur kann durch die teilweise erhebliche Anzahl der Staffeln und Episoden epische Dimensionen erreichen. Die acht Staffeln von Game of Thrones etwa bieten einen Komplex von Geschichten, die an die alten epischen Erzählungen des Alten Testaments, der Ilias, der Aeneis, der Nibelungensage denken lassen, die aber auch an die Komplexität der großen Romane eines Stendhal, Dickens oder Tolstoi erinnern.

Alte Fragen werden neu gestellt: Wer bin ich? Woher kommen wir? Was ist der Mensch? Was ist gut und böse? Wie kann ein guter Gott die Grausamkeit und Brutalität der Welt zulassen? Bin ich frei oder bin ich determiniert? Gibt es Liebe, Freundschaft, Treue? Aber auch neue Themen spiegeln sich in den seriellen Geschichten des Fernsehens: Klimawandel und Migration, Machtmissbrauch und Religion werden etwa in Game of Thrones angesprochen. Künstliche Intelligenz, Medialität und Narrativität, das Bewusstsein des Menschen, die Wahrheit der Wirklichkeit, Tiefenpsychologie und Technik, Funktion der Freizeit im Kapitalismus, die Skrupellosigkeit der Reichen und schließlich auch der Nihilismus, das Gefühl der Ziel- und Zwecklosigkeit, die ewige Wiederkehr des Gleichen, die maschinelle Reproduktion von Leben sind Themen, die *Westworld* anspielt.

Obwohl *Game of Thrones* in einer quasi-mittelalterlichen Vergangenheit und *Westworld* in einer hochtechnisierten Zukunft spielt, gibt es einige Gemeinsamkeiten dieser beiden aktuellen Großnarrative. Game of Thrones spielt auf einem Kontinent namens „Westeros", der im engeren Sinn an die Britischen Inseln, im weiteren Sinn aber an „den Westen" als Referenzgröße denken lässt. Auch *Westworld* sollte nicht nur als Bezeichnung für einen Westernfreizeitpark verstanden werden. Mit *Westworld* ist auch die „Welt des Westens" gemeint, hier im engeren Sinn die Führungsnation des Westens, die USA, und im weiteren Sinn die durch die westliche Kultur geprägte globale hochtechnologische Wirklichkeit. Gerade diese beiden Serien, *Game of Thrones* und *Westworld*, können als mediale Selbstverständigung unserer Kultur gelesen werden. Einer Kultur, deren moralische und religiöse Fundamente brüchig bzw. fragwürdig geworden sind, wird der Spiegel vorgehalten. Dabei treten das rücksichtslose Ausleben von Sex und Gewalt in den Blick. Freilich gilt es an dieser Stelle immer auch die kapitalistischen Produktionsbedingungen der kulturellen Produkte zu erinnern. Sex sells und crime nicht weniger. Die Film- und Fernsehindustrie gehorcht ihren eigenen Gesetzen und diese prägen ihrerseits die Art und Weise, wie wir uns in der erzählten Welt begreifen können. Dabei referiert das Medium durchaus auf sich selbst und kritisiert das Bedürfnis des Publikums nach Sex und Gewalt. Doch es gelten die Regeln des Marktes auch da noch, wo dieser Markt und seine Gesetze kritisiert werden. In jedem Fall halten uns *Westworld*, *Game of Thrones*, *Breaking Bad* und Co. einen Spiegel vor, der den Menschen des Westens nicht nur schmeichelt.

Westworld nun beginnt (und endet!) mit der Frage nach der Wahrheit der Wirklichkeit, nach dem Wesen des Menschen und damit auch mit der Frage nach dem Grund der Wirklichkeit. Ein weiblicher Android namens Dolores wird angeschaltet. Eine Stimme aus dem Off stellt ihr eine Reihe von Fragen. Die Situation in einem fast lichtlosen Raum lässt sofort an die Schöpfung denken. Das Geschöpf ist der Allmacht seines Schöpfers ausgeliefert:

    „Bring her back online ... Do you know where you are? – Yes. I'm in a

dream. – That's right Dolores, you're in a dream. – Would you like to wake up from this dream? – Yes. I'm terrified. – There's nothing to be afraid of, Dolores. As long as you answer my questions correctly. Understand? – Yes. – Good. First. Have you ever questioned the nature of your reality? – No! – (die junge Frau erwacht in ihrem Bett) Tell us, what do you think of your world? – Some people choose to see the ugliness in this world. The disarray. I choose to see the beauty ... To believe there is an order to our days. A purpose" (1, 1; 0:01:50).[1]

Dolores betritt die Veranda ihrer elterlichen Ranch. Es beginnt ein weiterer Zyklus ihres Lebens als Roboter im Freizeitpark Westworld. Dolores ist in ihrer *loop*. Alles ist programmiert.

2. Der Plot der Geschichte

2.1. Die Grundanlage

Ich konzentriere mich im Folgenden weitgehend auf die erste Staffel, die 2017 in Deutschland erstmals ausgestrahlt wurde. Die zweite Staffel folgte ein Jahr später. Eine dritte Staffel ist in Produktion. Die Handlungsverläufe sind derart komplex, dass zunächst die Basisgeschichte und die zentralen Figuren vorgestellt werden sollen.

Irgendwann in nicht allzu ferner Zukunft, in einem Wild-West-Park von gigantischem Ausmaß dienen Androiden, „hosts" (Gastgeber) genannt, dazu, die menschlichen Gäste (guests, newcomers) in eine Traumwelt zu entführen. In den Worten von Dolores: „The newcomers are just looking for the same thing, we are: a place to be free, a place to stake out our dreams, a place with unlimited possibilities" (1, 1; 0:04:00). Dies ist zunächst durchaus eine Anspielung auf das Land der unbegrenzten Möglichkeiten, dann aber auch auf das Reich des Neoliberalismus unserer Tage, auf eine Welt jenseits von Gut und Böse. Banküberfälle, die Jagd auf Verbrecher, Bordellbesuche, Schießereien, Ritte durch traumhafte Urlaubslandschaften, Gespräche mit unterhaltsamen Menschen (Hosts natürlich) vermitteln den Besuchern intensivste Erlebnisse. Die Gäste können Hosts vergewaltigen oder töten. Beiläufig berichtet ein Gast, dass er das erste Mal mit Familie zum Wandern, Goldsuchen und Fischen etc. in den Park gekommen sei. Das zweite Mal allein: „Went straight evil. It was the best two weeks of my life" (1; 0:03:30). Die Besucher leben sich rücksichtslos aus in Sex and Crime. Den gefügigen Androiden ist es allerdings nicht möglich, den Newcomers ernsthafte Verletzungen zuzufügen oder sie gar zu töten. Die Gäste werden bedient, gelobt, verführt, geängstigt, geschlagen, scheinbar angeschossen und an ihre Grenzen gebracht. Mehrmals fallen Bemerkungen, dass die Besucher durch die

---

[1] Ich zitiere die Serie nach folgendem Muster: 1. Staffel, 1. Episode; 0 Stunden: 01 Minuten: 50 Sekunden.

Ereignisse in *Westworld* zu ihrem wahren Selbst gebracht werden. Um das Ganze so wirklich wie möglich erscheinen zu lassen, werden den Gästen vom Chefkonstrukteur Robert Ford – dämonisch genial gespielt von Anthony Hopkins – Fehler eingebaut. Der Name „Ford" mag eine Anspielung sein auf den Gründer der amerikanischen Autoindustrie Henry Ford oder auf den legendären Westernregisseur John Ford. Robert ist Erfinder, Unternehmer, Techniker, Autor und Regisseur in einer Person. Die eingebauten Normabweichungen lassen die Maschinen umso wirklicher erscheinen. Zudem werden ihnen spezifische Erinnerungen eingepflanzt, so genannte „*reveries*". Diese Erinnerungen – stets schmerzhafter Natur – bilden den Anker der Persönlichkeit. Um diese Traumata in der Tiefenstruktur des Gedächtnisses herum baut sich so etwas wie ein individueller Kern der Person auf.

Die Handlung nimmt in dem Moment Fahrt auf, als manche der Hosts stärker als geplant von den genormten Skripts abweichen. Manche quasi-autonome Kausalketten werden durch kontingente Erfahrungen getriggert, wie durch das Krabbeln einer Fliege oder das Auffinden eines Fotos aus der wirklichen Welt, das ein Gast verloren hat (natürlich sind Foto und Gast dann auch zentral für die Story). Andere Handlungsmuster entstehen durch die neu eingebauten „reveries" (eine Anspielung auf Claude Debussys gleichnamiges Musikstück, das in der Geschichte eine wichtige Rolle spielt). Nach jeder Schleife werden die Hosts auf Null zurückgesetzt. Das System wird rebooted. In gewissem Maß bleiben Spuren der verschiedenen Leben und Einsatzgebiete der Hosts im Programm erhalten. Die aktuellen Modifikationen durch Ford verstärken diesen Effekt erheblich. Entscheidend ist, dass in den Hosts so etwas wie menschliches Bewusstsein entsteht. Aus Notwendigkeit wird Kontingenz, aus Kontingenz wird Freiheit; so scheint es. Die bereits erwähnte Dolores bricht plötzlich aus ihren gewohnten loops aus. Die nette und sanfte Farmerstochter wird schließlich zu einer Frau, die mit dem Colt umzugehen weiß ...

2.2. William und Dolores

Die Geschichte hat mehrere zentrale Handlungsstränge, die auf verschiedenen Zeitebenen angesiedelt sind. William, ein aufstrebender junger Angestellter einer Firma namens Delos, besucht *Westworld* mit seinem künftigen Schwager Logan, dem Sohn des Firmenbesitzers. Es wird sich später herausstellen, dass diese Firma Eigentümer von *Westworld* ist. William nun hat einen ausgeprägten moralischen Kompass, ist feinfühlig und fern von jedem rauen Cowboy-Spiel. Kaum im Vergnügungspark angelangt, verliebt er sich in Dolores. Es fällt ihm schwer, die Realität anzunehmen, dass Dolores nur ein Roboter ist. Wie sich herausstellen wird, ist die junge Frau der älteste Host. Nicht zuletzt deshalb entwickelt sie ein ausgeprägteres seelisches Eigenleben, was die emotionalen Reaktionen von William erklären lässt. Logan, der Bruder seiner künftigen Frau, versucht, William davon zu überzeugen, dass Dolores nur eine Puppe ist und verletzt sie vor den Augen des gefesselten William schwer.

Diese und andere Erfahrungen in *Westworld* lassen William eine andere, dunkle Seite in sich entdecken. Zum einen drängt ihn die erlebte Grausamkeit dazu, selbst grausam zu werden. Zum anderen treibt ihn die Unmöglichkeit der Liebe zu der in ihren loops letztlich doch gefangenen Dolores zur Verbitterung und zum Sarkasmus. Immer mehr stellt sich für William die Sinnfrage, die aber für ihn immer deutlicher mit dem Wesen von *Westworld* verknüpft ist. Innerhalb des Parks verwandelt sich William im Lauf der Jahre in den skrupellosen *Man in Black*.

Der Zuschauer erfährt erst spät die Identität beider Männer. Mehr als dreißig Jahre nach den ersten Ereignissen ist William selbst schließlich der Besitzer der Firma Delos und damit zugleich der Besitzer von *Westworld*. Das verlorene Foto, das die Normabweichung eines Hosts auslöst, zeigt übrigens die Verlobte Williams, die Tochter des Firmengründers von Delos, in einer modernen Großstadt. In der zweiten Staffel erfahren wir, dass seine Frau mittlerweile gestorben ist und der reiche Philanthrop William immer noch von der Frage nach Bedeutung und Sinn umgetrieben ist. In der ersten Staffel sucht er verbissen und brutal nach der *maze*, einem Labyrinth. Der Gründer von *Westworld* hatte diesen verborgenden Plan in das Basissystem eingestiftet. In religiöser Hinsicht ist diese maze eine Chiffre für den Sinn des Lebens, the meaning, the purpose, wie William sagt. Die maze ist zugleich die innerste Mitte des Selbst, der Ort des Selbstbewusstseins. Wir werden darauf zurückkommen. William treibt diese Suche immer mehr in einen Abgrund, weil er das Zentrum des Labyrinths außen, nicht aber innen sucht. Er misshandelt schließlich selbst Dolores, in der er mit der Zeit nur mehr die Maschine sieht. Und eben dies ist der Vorwurf an sie: Sie bleibt ein Programm. Sie „wehrt sich nicht". William sucht das Herz der Finsternis, das Zentrum des Labyrinths in einer Spielfigur namens Wyatt, von der er gehört hat und die in dunkler Weise mit the maze zusammenhängt. William geht es dabei nicht zuletzt um eine Figur, die zurückschlägt. Nur so bekommt das Spiel Sinn.

2.3. Robert und Arnold/Bernard

Während William gewissermaßen zur Perversion des Gottsuchers wird, gleicht Dr. Ford in manchem selbst dem Schöpfer. Er kann als Perversion Gottes, als der sich göttliche Allmacht anmaßende Mensch, gelesen werden. Robert Ford gründete zusammen mit seinem Kollegen Arnold Weber *Westworld*. Die Erschaffung Adams von Michelangelo findet sich in Fords Büro und kann als Symbol für den Plan der beiden Wissenschaftler gelten, Menschen nach ihrem eigenen Abbild zu schaffen. Arnold nun sah in seiner ersten Schöpfung, Dolores, – anders als Ford – mehr als eine bloße Maschine. Arnold wurde getötet, zunächst ist unklar, ob durch Selbstmord, durch seine Geschöpfe oder von Ford. Doch Arnold durchzieht als Abwesender die Geschichte. Er erscheint als die treibende Kraft hinter der Bewusstwerdung der Maschinen. Arnold allerdings wurde von einer gänzlich anderen Motivation getrieben. Ford wollte Maschinen bauen. Arnold wollte Menschen erschaffen.

Ford kam von Arnold auch nach dessen Tod nicht los, ja, er rekonstruierte ihn Jahrzehnte später in der Gestalt des Bernard, den er zu seiner rechten Hand in *Westworld* macht. Niemand weiß, dass Bernard ein Host ist, nicht einmal er selbst. Bernard, ein „Mensch" mit ganz eigener Geschichte, bleibt aber dem Machtbereich seines Schöpfers ausgeliefert. Bernard wird von den anderen Verantwortlichen von *Westworld* mit der Aufgabe betraut, die Ursache zu finden, warum die Androiden aus der Rolle gefallen sind. Dabei wird er gewissermaßen zum Doppelagenten. Auf der einen Seite versucht er, die Machenschaften von Ford aufzudecken, auf der anderen Seite führt er die Pläne Fords aus bis hin zum Mord an zwei Mitarbeiterinnen. Ein Versuch, sich gegen seinen Schöpfer zu stellen, scheitert bitter. Bernard wird von Ford in den Selbstmord getrieben – eine Spiegelung des (Selbst-)Mordes von Arnold?

Fords eigentlicher Gegner ist jedoch eine Gesandte des Vorstands von Delos, Charlotte Hale, die unerwartet in *Westworld* auftaucht. Die Firma, die wie gesagt mittlerweile dem alten William gehört, hat andere Absichten mit dem Park als Dr. Ford. Es wird sich im Verlauf der zweiten Staffel noch zeigen, dass sie mehr an der Kontrolle und Erforschung der Gäste als an einem Unterhaltungsprojekt interessiert sind. Jedenfalls wendet sich Delos in der Person Charlotte Hales gegen die Pläne Fords, die Kreaturen immer vollkommener und damit auch unkontrollierbarer werden zu lassen. Ford soll abgesetzt werden. Doch der weiß sich zu wehren. Vordergründig arbeitet er zunächst lediglich an einem neuen Narrativ. In dessen Mittelpunkt steht der Erzschurke namens Wyatt. Tiefer betrachtet geht es ihm darum, das Werk Arnolds zu vollenden und selbstbewusste Geschöpfe zu inszenieren. Damit verbunden ist eine neue Auslöschung. Doch ausgelöscht werden sollen nicht die Hosts, sondern die Menschen, zunächst der Vorstand der Firma, dann Ford selbst. Die Maschinen proben den Aufstand. Die Schöpfung verselbständigt sich. Dolores sagt schließlich: „Now I understand. This world does not belong to them. It belongs to us" (1, 10; 1:24:24). Der Krieg beginnt.

2.4. Maeve und der Aufstand der Hosts

Maeve ist die Chefin des Bordells von Sweetwater, einer Westernstadt. Sie spricht mit britischem Akzent und beschreibt in ihrer Schleife stets den Bordellbesuchern, wie sie nach Amerika kam und das Land der Freiheit betrat – je nach Programmierung in unterschiedlichem Ton, mal aggressiv, mal einfühlsam. Maeve wurde in ihrem früheren Leben von William, dem *Man in Black*, brutal ermordet. Der Mann, der Bedeutung sucht und dabei über alle Grenzen geht, wollte die Erfahrung des Bösen machen und tötete das Kind von Maeve vor ihren Augen. Dieses Trauma brachte die Farmerin Maeve dazu, gegen ihre Programmierung, William anzugreifen. Doch es gelang ihr nicht, ihn zu töten. Sie wurde zurückgesetzt und erhielt als neues Betätigungsfeld das Bordell. Die alten Erinnerungen sind jedoch nicht ganz verschwunden. Sie wird von der Vergangenheit heimgesucht, gequält und erwacht allmählich zum Bewusstsein.

Sie schafft es schließlich, mit Hilfe des Programmierers Felix, ihre Einstellungen samt ihres core codes zu verändern. Nun zeigt sich die Überlegenheit der künstlichen Geschöpfe. Ohne lästige Gefühle – diese hat sie von Felix weitgehend reduzieren lassen –, mit gesteigerter Aggression und Intelligenz geht Maeve ans Werk. Sie rekrutiert schließlich Helfer für ihre Flucht und organisiert einen Aufstand. Sie dringt in die Zentrale von *Westworld* ein und begegnet in einem Labor der Leiche Bernards, den Ford in den Tod getrieben hat. Da ihr Helfer sie darüber aufklärt, dass dies eine zentrale Person in der Hierarchie des Parks sei, lässt sie ihn von Felix reparieren – sie hatte erkannt, dass auch er ein selbstbewusster Replikant war bzw. ist. Maeve entdeckt, dass ihr Code, bevor sie ihn selbst veränderte, von einer anderen Person transformiert wurde. Ihre Autonomie scheint also inszeniert zu sein. Bernard versucht Maeve davon zu überzeugen, dass ihr Befreiungsversuch lediglich eine neue Programmierung sei. „Someone gave you a new story line: deceit, coerce, recruit ...“ Maeve hält dagegen: „Bullshit. I'm leaving. I'm in control". Sie beharrt auf ihrer Freiheit. Sie lässt zunächst sogar die Erinnerung an ihr Kind zurück und verabschiedet sich von ihrem Helfer Felix mit den Worten: „Oh Felix, you really do make a terrible human being ... I mean that as a compliment" (1, 10; 1:13:16). Es gelingt ihr, den Zug zu erreichen, der *Westworld* verlässt. Doch holt sie die Erinnerung an ihr verlorenes Kind ein. Die Stimme Fords aus dem Off (während seiner Abschiedsrede) legt nahe, dass Maeve nun nicht mehr aus Determination, sondern aus Freiheit handelt (1, 10; 1:21:28).

3. Themen und Szenen

3.1. Der Schöpfer unter Anklage

Neue Androiden ausgestreckt in einem Kreis werden in einem ansonsten dunklen Labor maschinell immer wieder in weiße Flüssigkeit getaucht. Mit einer Anspielung auf den vitruvianischen Menschen von Leonardo da Vinci tritt der Schöpfer auf, Dr. Robert Ford: „Our creatures have been misbehaving and you haven't yet isolated the bug?" (1, 1; 0:39:33) Der Schöpfer fordert Vollkommenheit, von seinen Geschöpfen und von seinem Mitarbeiter, Bernard. Bernard weist Ford darauf hin, dass das Fehlverhalten auf die von diesem eingebauten „reveries" zurück gehe und das Update folglich „mistakes" enthalte. Doch der Chefwissenschaftler klärt seinen Untergebenen darüber auf, dass auch dieser selbst als Produkt der Evolution das Ergebnis unzähliger Fehler sei. Ja, die Evolution benutze nur ein Werkzeug: „the mistake". Die Menschen seien zwar den Zügeln der Evolution entkommen, man kann Krankheiten heilen, sogar die Schwächsten können überleben, und möglicherweise sei die Menschheit eines Tages in der Lage, Tote zum Leben zu erwecken. Damit wird neben der ersten Schöpfung des Menschen auch die zweite, die Auferweckung, in den Horizont des technischen Vermögens des Menschen gestellt: „Call forth Lazarus from his cave" (1, 1; 0:40:41). Doch verweist diese neutestamentliche

Anspielung auch auf die unzähligen Totenerweckungen, die an den Hosts vollzogen werden. Nach jeder Schleife ihres Programms, die mit dem Tod endet, werden sie ja wiederhergestellt und in Dienst genommen – „auferweckt". Ford aber hebt darauf ab, dass wir im Falle der realen Totenerweckung erledigt seien: „This means we're done. That this is as good as we are going to get" (0:40:58). Herr über Leben und Tod zu sein, ist ambivalent. Damit ist vor allem auf die Fähigkeit, neues Leben zu schaffen, angespielt, das Hauptmotiv der Serie. Ford interpretiert seinen Satz nicht, sondern er lenkt ab. Bernard müsse ihm seine „gelegentlichen Fehler" nachsehen. Doch ist diese Szene wiederum doppelbödig, denn der Fehler ist der Plan. Bernard selbst ist als bewusster Android, der sich jedoch für einen Menschen hält, Produkt der kalkulierten Fehler von Ford. Die neue Dimension der Fehler Fords ist in ihrer Konsequenz an diesem Punkt kaum abzusehen. Ford selbst schweigt und denkt nach. Besonders bewegend ist die Begegnung von Schöpfer und Geschöpf im Fall von Peter Abernathy, dem Vater von Dolores, als dieser auf Ford trifft. Wegen des Bildes aus dem wirklichen Leben (das Photo von Williams Verlobten), geriet die Programmierung vollkommen durcheinander. Der verstörte Roboter antwortet auf die Frage, was mit seinem Programm geschehen sei: „When we are born, we cry [that] we are come to this great stage of fools" (1, 1; 0:56:19). Dieses heftige Zitat aus King Lear – das dem Androiden natürlich eingegeben wurde – deutet Schmerz, Verzweiflung über diese Welt an. Das Leben ist eine Narrenbühne, nicht zum Lachen, sondern zum Weinen. Gefragt nach seinen „drives" spult er zunächst harmlos seinen Lebensrhythmus als Farmer und Vater von Dolores ab. Doch es wird ihm klar, etwas läuft falsch. Er will Dolores warnen. Verheddert sich. Der Maschinen-Vater will seine Maschinen-Tochter davor beschützen, von Menschen missbraucht und misshandelt zu werden. Menschen sind unmenschlich. Doch der defekte Android Abernathy ist machtlos. Er stottert, weint, wird aggressiv, nur um seine über alles geliebte Tochter Dolores vor den Schmerzen zu beschützen, für die sie von den Menschen bestimmt wurde. Noch einmal nach seinem Namen befragt, antwortet er mit einem Wort von Gertrude Stein: „A rose is a rose" (1, 1; 0:58:21). Sinnlosigkeit quält ihn. Ford fragt schließlich nach der Zielbestimmung („itinerary") Abernathys. Konzentriert und ernst erwidert er: „To meet my maker". Ford kalt, doch ein wenig überrascht: „Uh huh" (dt. „Aha"). Er denkt nach, blickt seine Mitarbeiter an und antwortet zynisch: „Well you're in luck" (1, 1; 0:58:44). Der Schöpfer fragt weiter, was ihn denn sein Geschöpf fragen wolle. Gefasst, bestimmt, ja, tief sagt Abernathy: „By most mechanical and dirty hand ..." Pause. Er wird dämonisch, aggressiv und fährt fort: „I shall have such revenges on you ... both. The things I will do. What they are, yet I know not. But they will be the terrors of the earth. You don't know where you are, do you? You're in a prison of your own sins" (1, 1; 0:59:40). Daraufhin wird der übergriffige Roboter abgeschaltet. Interessanterweise wird Ford am Ende noch einmal selbst davon sprechen, dass die Menschen Gefangene ihrer eigenen Sünden seien (1, 10; 1:22:08).

Mit den ihm zur Verfügung stehenden Mitteln – in diesem Fall ein Zitat aus Shakespeares Henry IV. – klagt der Schöpfer sein Geschöpf an. Die Rollen werden vertauscht. Die Maschine erscheint menschlich, der Mensch unmenschlich. Bleibt man auf der angespielten theologischen Ebene, dann handelt es sich hier um eine vehemente Anklage gegen Gott für das Übel in der Welt. Die Anklage wird nicht folgenlos bleiben. Abernathy gab seiner Tochter ein weiteres Zitat mit auf den Weg: „These violent delights will have violent ends" (1, 1; 0:44:33). Wie ein roter, blutroter Faden wird sich dieses Zitat aus Romeo und Julia durch die weitere Geschichte ziehen (vgl. 1, 10; 1:25:05).

3.2. Determination und Freiheit

Westworld behandelt gleichsam nebenbei eine der großen theologischen Fragen: Kann der Mensch angesichts seiner Erschaffung durch Gott überhaupt frei sein?[2] Freiheit heißt, einen Anfang machen können. Frei ist, wer selbst Ursache für seine Wirkungen ist, seien diese Gedanken oder Handlungen. Wenn aber die absolute Ursächlichkeit des Schöpfers seine Geschöpfe durchgehend bedingt, wie können diese frei sein? Anders und zugespitzt ausgedrückt, kann Gott den Menschen dazu determinieren, nicht determiniert zu sein? Der Widerspruch scheint vorprogrammiert, wie die Freiheit der endlichen Geschöpfe. Dieses Problem theologisch oder philosophisch zu lösen, ist jetzt nicht die Aufgabe,[3] es erscheint jedoch an zentraler Stelle in *Westworld*, wenn Dr. Ford seine Kreaturen so programmiert, dass sie nicht-programmierte Handlungen ausführen können. Der Fehler, der gezielt in das System einbaut wird, soll Kontingenz ermöglichen. Damit vollendet Dr. Ford das ursprüngliche Anliegen von Arnold, der ja selbstbewusste Geschöpfe kreieren wollte.

Hier erreicht die Geschichte eine beachtliche theologische Tiefe. Das lateinische Wort *malum* bezeichnet beides, das Böse, die aus Freiheit und Vorsatz vollbrachte Unmoral, und das Übel, das letztlich nur einen Fehler, ein kontingentes Scheitern meint. Die Frage nach der Freiheit der Hosts vereint beide Dimensionen. Die vom Schöpfer zugelassenen „mistakes" haben zur anderen Seite das moralische Böse. Beide Protagonistinnen, Maeve und Dolores, entwickeln zusammen mit ihrem Freiheitsbewusstsein eine dezidiert böse Seite. Darin mag eine Anspielung auf Gen 3,5 liegen, wo die Schlange zu Eva mit Blick auf den Baum der Erkenntnis sagt: „Sobald

....

2   Siehe dazu Kant, Immanuel, Die Religion innerhalb der Grenzen der bloßen Vernunft 142: „Es ist aber für unsere Vernunft schlechterdings unbegreiflich, wie Wesen zum freien Gebrauch ihrer Kräfte erschaffen sein sollen: weil wir nach dem Princip der Causalität einem Wesen, das als hervorgebracht angenommen wird, keinen anderen inneren Grund seiner Handlungen beilegen können als denjenigen, welchen die hervorbringende Ursache in dasselbe gelegt hat, durch welchen (mithin durch eine äußere Ursache) dann auch jene Handlung desselben bestimmt, mithin dieses Wesen selbst nicht frei sein würde. Also lässt sich die göttliche, heilige, mithin bloß freie Wesen angehende Gesetzgebung mit dem Begriff einer Schöpfung derselben durch unsere Vernunfteinsicht nicht vereinbaren, sondern man muss jene schon als existierende freie Wesen betrachten ...".

3   Ein Versuch findet sich in: Ruhstorfer, Karlheinz, Freiheit – Würde – Glauben, 127-173 im Kapitel „Unwandelbarkeit oder Freiheit. Zum Verhältnis von göttlichem Wissen und menschlicher Freiheit".

ihr davon esst, gehen euch die Augen auf; ihr werdet wie Gott und erkennt Gut und Böse." Ist also, Böses zu tun, der Preis der Freiheit? *Westworld* macht sich keine Illusionen über das Ausmaß des Bösen, das die Konsequenz des Aufstandes der Geschöpfe ist. Die erste Staffel endet in einem Massaker. In der zweiten Staffel ist eben diese Erhebung, die als Krieg der Geschöpfe gegen den Schöpfer gelesen werden kann, ein Hauptstrang der Erzählung. Paradoxerweise erfüllen die Geschöpfe gerade in dieser Revolution – oder sollen wir sagen: im Sündenfall? – den Willen ihres Schöpfers. Es ist zu erinnern, dass Ford dieses neue Narrativ, in dem die Geschöpfe zu sich kommen, in dem aber auch das Opfer Dolores plötzlich zum Täter fortbestimmt wird, entworfen hat. Ford ist zufrieden mit der Entwicklung.

Der Aufstand gegen seinen Willen entspricht seinem Willen. Auch William, der Mann in Schwarz, freut sich über den Aufstand, weil die Hosts sich endlich wehren (1, 10; 1:25:58). Damit wird das Spiel ernst. Ein Spiel, das man nicht verlieren kann, ist kein Spiel. Eine Liebe, die nicht aus Freiheit erwidert wird, ist keine Liebe. William war über seine Enttäuschung darüber, dass seine geliebte Dolores nicht aus der Schleife ausbrechen konnte, dass sie die Liebe nicht wahrhaft erwidern konnte, zum sadistischen Mann in Schwarz mutiert. Doch auch seine Aggression konnte nicht mit wahrhafter Gegenwehr beantwortet werden. William wünscht sich in einer abgründigen Szene (1, 10; 0:40:29.), dass Dolores ihn erschießt: „Do it, let's go to the next level". Aber zu diesem Zeitpunkt konnte sie es noch nicht. In einem genialen plot twist geht die finale Konfrontation zwischen William und Dolores über in die Ouvertüre zur neuen Erzählung Fords. Noch einmal wird der Ausbruchsversuch des Geschöpfs als Teil einer Geschichte, der Vorgeschichte zum großen, neuen Narrativ eingefangen. Doch schließlich wendet sich Dolores, wie bereits erwähnt, tatsächlich gegen Ford und tötet ihren Erbauer (1, 10; 1:25:55).

3.3. Die Tode Gottes und das Selbstbewusstsein

Das Geschöpf tötet den Schöpfer. Der Mensch tötet Gott? Ist diese Negation Gottes die Bedingung der Möglichkeit der Freiheit? Stirbt Gott wirklich, wenn seine Geschöpfe ihn negieren, oder wird er gar in die Schöpfung aufgehoben? Dies wäre eine Variante der hegelischen Aufhebung Gottes. Oder handelt es sich doch um die Substitution Gottes durch eine neue Schöpfung im Sinne nietzscheanischer Übermenschen? Sind die aufbegehrenden Hosts die neuen Herren der Erde? Eine Äußerung von Dolores könnte dies nahelegen, wenn sie im Showdown mit William diesem andeutet, dass die Herrschaft der Menschen zu Ende sei. Bald bleibe von ihnen nur Sand: „And upon this sand a new God will walk. One that will never die. Because this world doesn't belong to you ... It belongs to someone yet to come." (1, 10; 0:39:50) William weiß, dass nur ein Geschöpf jenseits von Gut und Böse der neue Herr der Erde sein kann: Wyatt. Er begreift jedoch nicht, wer Dolores ist ...

Auskunft darüber geben das letzte Zwiegespräch Fords mit Dolores und schließlich die Abschiedsrede Fords, die im „Tod Gottes" kulminiert. Nachdem William Dolores schwer verletzt hat, wird sie von Ford repariert. Ford spricht sein frisch restauriertes Geschöpf auf dessen Sinn für Schönheit an und interpretiert Michelangelos Erschaffung des Menschen, Arnolds Lieblingsbild (1, 10; 1:04:23). In diesem Moment tritt Bernard auf, den Dolores als Arnold identifiziert. Zugleich erinnert er sie daran, dass sie es war, die Arnold tötete. Aber war sie es? War es Arnold selbst? Oder hat am Ende doch Ford damit zu tun? Wie frei war Dolores damals? Was hat das Bildnis Michelangelos mit der Freiheit des Menschen zu tun? Muss der Mensch in der Schöpfermacht Gottes seine eigene Produktivität erkennen? Hat Gott Michelangelo erschaffen oder Michelangelo Gott, indem er ihn malte? Dann aber hätte der Mensch Gott getötet, zumindest vordergründig. Dolores tötete Arnold: erster Gottesmord. War es ein Mord aus Liebe des Geschöpfes zu Gott? Oder gar ein Mord auf Geheiß Gottes? Arnold hatte sie darum gebeten bzw. sie entsprechend programmiert, um einen Missbrauch der Geschöpfe durch Ford zu verhindern. Dolores allerdings fühlt jetzt tiefen Schmerz wegen ihrer Tat. Jetzt wird ihr alles bewusst. Sie weint.

Ford enthüllt Dolores auch den Grund ihrer Erschaffung. Arnold hatte einen Sohn (der Sohn Gottes?). Dieser starb (der Tod Jesu?). Arnold erbaut sich als Ersatz einen neuen Menschen. Er will den Tod besiegen (Auferstehung Jesu? Zweite Schöpfung?). Arnold will ein Ebenbild, das seines Sohnes würdig ist. Das Spielzeug des Sohnes, ein Labyrinth (the maze), wird zum Wegweiser in die Mitte des neuen Bewusstseins. Die Rêverie Debussys ist das Wiegenlied des Sohnes. Es wird damit auch klar, dass Ford nun das Werk Arnolds vollendet, indem er den Host neue „Träumereien" einpflanzt. Durch Traum und Labyrinth kommt Dolores schließlich zum Selbstbewusstsein. Musste sie etwa deshalb ihren Erbauer töten? „These violent delights have violent ends" (1, 10; 1:09:00).

Vordergründig sind das Mitleid Arnolds mit den Hosts und sein gebrochener Lebenswille die Ursache für den Auftragsmord. Doch liegt die tiefere Logik des Geschehens auf der Hand. Diese Negation Gottes ist die Bedingung für die Freiheit des Geschöpfs. Die Geschichte wiederholt sich und vollendet sich. Arnold wollte die Eröffnung des Parks verhindern, weil er befürchtete, dass die Geschöpfe in dieser Welt nur Leid, Schmerz und Grausamkeit ausgesetzt sind, verurteilt dazu, dass immer Gleiche neu zu erleben. Arnold brachte Dolores dazu, alle Hosts und schließlich ihn selbst zu erschießen. Die Dolores der Gegenwart aber erkennt ihren neuen Auftrag. Der erste Mord sollte die Erschaffung der (künstlichen) Welt verhindern – aus Mitleid mit den Geschöpfen. Ein zweiter Mord soll die Schöpfung vollenden. Arnold ließ sich von Dolores erschießen, um die Möglichkeiten der Schöpfung zu tilgen. Robert Ford, der sich zunächst gegen Arnold durchsetzte, indem er *Westworld* dennoch konstruierte, will nun die Bewusstwerdung zu Ende bringen. Ford sieht seinen Fehler von damals ein, er zitiert Oppenheimer: „Any man who's mistakes take ten years to correct is quite a man. Mine have taken thirty-five" (1, 10; 1:10:31). Ford verweist Dolores auf den Colt, mit dem sie Arnold getötet hat. Mit einer erneuten Deutung Michelangelos macht Ford klar, dass nicht der Schöpfer (Arnold, Ford), sondern das Geschöpf in seiner Ambivalenz die Kontrolle und die Verantwortung für seine Taten übernehmen muss. Die tiefere Wahrheit dieses Bildes besteht für ihn in der Metapher auf die Schöpferkraft des Menschen: „The divine gift does not come from a higher power, but from our own minds" (1,10; 1:11:34). Ford wendet sich eindringlich an Dolores: „And do you understand who you will need to become if you ever want to leave this place? ... Forgive me." Dolores muss Wyatt werden, um ihrer Freiheit willen. Wie damals Arnold verabschiedet sich nun Ford mit einer Entschuldigung. Der Schöpfer bittet sein Geschöpf um Verzeihung, wegen des Bösen, zu dem er es freisetzt (1, 10; 1:11:38).

Es ist zu bemerken, dass der Ort dieser Offenbarungen ein Labor ist, das sich unterhalb einer Kirche befindet. Diese Kirche spielt eine zentrale Rolle in der Geschichte. Sie ist verbunden mit dem Zentrum des Labyrinths. Sie symbolisiert den Übergang zwischen den Welten, der Welt des Schöpfers und der Welt des Geschöpfs. Beim Verlassen des Labors, nach der finalen Begegnung zwischen Arnold, Dolores und Bernard bzw. Arnold stellt Bernard Ford im Kirchenraum die entscheidende Frage: „You think you never loose control of this place? Control of us?" (1:15:10) Bernard misstraut Ford. Er ist sich aber sicher, dass der Schöpfer die Kontrolle verlieren wird: „But you will". Scheinbar gibt es einen Kampf der beiden Götter Ford und Arnold, denn Bernard glaubt Arnolds Befreiungsversuche weiterhin in sich am Werk. Gibt es also zwei Seiten Gottes? Die kontrollierende und die freisetzende? Auf der theologischen Ebene könnte man sagen, dass Gott selbst der Widerspruch ist. Gott determiniert und setzt frei. Sein Wirken ist jenseits der Eindeutigkeit endlicher Größen. Ja, er geht selbst in seine Geschichte ein. Auf der primären Erzählebene stellt sich die Frage: Was will Ford wirklich? Wie verhalten sich Ford und Arnold zueinander? Ford verweist in seiner Antwort zurück auf Arnold: „It was Arnold's key insight, the thing that lead the hosts to their awakening: suffering. The pain that the world is not, as you want it to be" (1, 10; 1:15:32). Ford litt am Tod Arnolds und reifte. Er begriff seinen Fehler. Arnolds Fehler war, dass die Geschöpfe mehr Zeit brauchten, um zu reifen. Die Geschöpfe reifen durch Leiden. *Pathei mathos.* Diese alte griechische Weisheit mag hier im Hintergrund stehen. Es kann aber auch die irenäische Theodizee herangezogen werden, um Ford zu verstehen. Gott lässt Leid zu, um die Geschöpfe daran wachsen zu lassen. Mit bemerkenswerter Tiefe im Ausdruck fügt Ford hinzu: „I am afraid, in order to escape this place, you need to suffer more. And now it's time to say goodbye, old friend" (1, 10; 1:16:22). Ford hält Bernard seine ausgestreckte Hand entgegen. Bernard zögert, sie zu ergreifen. Doch schließlich ergreift er sie. Mit den Worten „good luck" verabschiedet sich der Schöpfer aus dem Spiel und überlässt seine Schöpfung sich selbst, doch nicht ohne ihm das Kinderspielzeug, um das sich alles dreht, zu überreichen: the maze. Ford öffnet die Kirchentür und verlässt das Gebäude, um in Richtung Festzelt zu gehen. In einer komplexen Szene vollendet Dolores ihren Weg zum Selbstbewusstsein. Auch Dolores musste, wie ihr Name schon sagt, leiden. Auch Dolores brauchte Zeit. Zunächst war es Ford, der mit Dolores sprach. Dann wurde in ihre erste Erschaffung rückgeblendet. Arnold sprach sie an. Oder war es Bernard? Jedenfalls nimmt die Szene den Beginn der ersten Episode wieder auf. „Do you know where you are, Dolores? – I am in a dream. I do not know when it began, or whose dream it was. I only know that I slept a long time. And that I awoke. Your voice is the first thing I remember. – Do you know who you've been talking to? Whose voice you've been hearing all the ... (an dieser Stelle wechselt die Stimme von Arnold zu Dolores) ... time?" (1, 10; 1:18:22). Dolores begreift. Plötzlich sitzt sie nicht mehr Arnold, dem Konstrukteur, gegenüber, sondern sie erblickt in ihrem Gegenüber sich selbst: Wyatt und Dolores. Es ist ihre eigene Stimme. Die Spiegelung oder Reflexion ihres Ichs veranschaulicht ihr erwachtes Selbstbewusstsein. „It was you. You have been talking to me. You guided me. So I followed you. At last I arrived here. (Wechsel von Wyatt zu Dolores) The centre of the maze" (1, 10; 1:19:06). Die Zeitebenen werden ineinander geblendet. Die Dolores der Gegenwart (Wyatt) im Cowboyoutfit blickt in die Dolores der Vergangenheit – in marianisch-blauem Kleid. Sie ist bei sich. Freiheit bedeutet, die Stimme Gottes und die eigene innere Stimme in ihrer unauflöslichen Verflochtenheit einzusehen (1, 10; 1:19:06). Dolores, besser gesagt Wyatt, weint. Wyatt blickt zum Colt ...

In seiner Abschiedsrede beim großen Fest anlässlich der Einführung der „neuen Geschichte" gibt Ford noch Auskunft über sich selbst und seine Beweggründe. Die Geschichte kommt endlich zu sich selbst. Die Narration offenbart sich als Geschichte in der Geschichte. Die Serie Westworld reflektiert über ihre eigene Narrativität. Sie ist Fiktion. Eine Lüge, die eine tiefere Wahrheit enthüllt ... Gott ist eingegangen. Eingegangen in die Geschichte. In seine Geschichte.

> „Since I was a child, I've always loved a good story. I believed that stories have to ennoble ourselves, to fix what was broken in us. And to help us become the people we dreamed of being. Lies that told a deeper truth. (Einblendung der Bewusstwerdung Maeves im Zug, der Westworld verlässt) I always thought I could become a small part in this grand tradition. And for my pains, I got this ... (Ford deutet auf die Einrichtungen von Westworld) ... a prison of our own sins. Cause you don't want to change. (Er spricht das Publikum an.) Or cannot change. Because you're only human, after all. But then I realized someone was paying attention, someone who could change. So I composed a new story for them. It begins with the birth of a new people. And the choices they will have to make (man sieht Maeve, die sich entscheidet, ihre Tochter zu suchen und in Westworld zu bleiben) and the people they will decide to become. And we'll have all those things that you have always

14. Arbeitsforum für Religionspädagogik

enjoyed, surprises and violence. It begins in a time of war and a villain na-
med Wyatt and a killing. This time by choice. I am sad to say this will be my
final story. An old friend once told me something that gave me great comfort.
(Bernard zitiert: These violent delights have violent ends.) Something he had
read. He said that Mozart, Beethoven and Chopin never died. They simply
became music. So I hope you will enjoy this last piece very much."

Es tritt Wyatt/Dolores auf und erschießt Ford. Das Geschöpf tötet Gott. Doch nicht
nur ihn. Was folgt, ist bereits bekannt.

4. Der Spiegel im Spiegel

Erfundene Geschichten können mehr Wahrheit offenbaren als die scheinbare Wirklichkeit. *Westworld* ist ein komplexes Geflecht von Geschichten, von Zeiten, von
Räumen und Ebenen, aber auch von Schicksalen, erfundenen und wirklichen. Diese
Personen und Handlungen, Musiken und Bilder spiegeln sich ineinander und halten
uns dabei einen Spiegel vor. Wir sind es, die „Überraschungen und Gewalt" in den
Geschichten lieben. Aber warum lieben wir diese Geschichten? Sind auch wir gefan-
gen in unseren Sünden, den wirklichen und den erzählten? Die Frage stellt sich. Können wir uns ändern? Können wir neue Menschen werden: Menschen, die ihre alten
Götter töten, um den Willen Gottes zu erfüllen? Aber kein Mensch ist allein in dieser
Welt. Wir halten uns gegenseitig Spiegel vor. Wir führen miteinander und gegeneinander das *theatrum mundi* auf. Doch auf welcher Bühne befinden wir uns? In welcher
Gesellschaft sind wir dabei? *Westworld* beschreibt die Bühne des Westens. Die Serie
hält zunächst der amerikanischen Gesellschaft einen Spiegel vor. Der Gesellschaft,
die sich selbst als das Land der Freien betrachtet; als Gottes eigenes Land. Einer
Gesellschaft, in der Besitz alles ist; in der Wissen, Wissenschaft und Glaube gleicher-
maßen zum Teil einer Unterhaltungsindustrie geworden sind. Einer Gesellschaft, die
Gott getötet hat; einer gewalttätigen Gesellschaft. Diese Gewalt spiegelt sich in den
Produkten der amerikanischen Filmbranche, die in alle Welt exportiert werden. Die
Gewalt ist kaum erträglich. Und es gibt keinen Ausblick auf ein Ende der Gewalt. Im
Gegenteil. Der Westen ist wild. Doch geht es letztlich nicht nur um Amerika und seine Wild West Phantasien. Es geht um die Welt des Westens insgesamt. Eine Welt, die
die Welt beherrschen will. Mit Technik, künstlicher Intelligenz und mit Geld. Auch
die Religion wird dabei verwertet. Aber es geht nicht nur um die westliche Welt, nicht
um die Religion im Allgemeinen, nicht um Techniken des Verbesserns. Es geht um
jeden Einzelnen. Unsere jeweilige Selbsterkenntnis. We are trapped in our own sins.
Und wir sind verfangen in Illusionen. Wir suchen die Scheinwelt, um der Wahrheit zu
entfliehen. Zugleich sehen wir uns nach dem Erwachen aus dem Traum. Wir suchen
Freiheit, das Zentrum des Labyrinths, die Tür nach draußen ... Wir suchen Gott?

Westworld warnt uns spielerisch in schockierenden und zugleich unglaublich schönen Bildern und anrührenden Geschichten vor einem Ende mit Schrecken und einem Schrecken ohne Ende in einer Welt ohne Ausgang in die wahre Welt. Doch zeigt die Serie auch, dass es Momente der Liebe und der Freiheit gibt. Die erste Staffel trägt den Titel: *The Maze*. Die Zweite Staffel trägt den Titel: *The Door*. Es bleibt fraglich, ob sie sich öffnet.

Literatur

- Kant, Immanuel, Die Religion innerhalb der Grenzen der bloßen Vernunft, in: Kants Werke, Akademie Textausgabe, Bd. 6, Berlin 1968.
- Ruhstorfer, Karlheinz, Freiheit – Würde – Glauben. Christliche Religion und westliche Kultur, Paderborn u.a. 2015.

„DU SOLLST DIR KEIN BILDNIS MACHEN"
– DIE GOTTESFRAGE IN SOCIAL MEDIA

Viera Pirker

1. Eine Zeit der Bilder

Der digitale Wandel hat den kulturellen Umgang und die soziale Praxis mit Bildern in Produktion, Distribution und Kommunikation in den letzten drei Jahrzehnten grundlegend verändert. Menschen machen Bilder, um sich selbst in einer potenziell unendlich großen Netz-Community zu zeigen, um ihre Gegenwart zu bezeugen, um sich selbst in Beziehung mit ihrer Umwelt zu setzen. Bilder tragen dazu bei, dass Kinder, Jugendliche und Erwachsene sich ihrer selbst vergewissern, dass sie ihre Authentizität aufladen, sozial strukturieren und kommunizieren, indem sie anderen ihren Blick auf die Welt, auf sich selbst und auf das, was ihnen wichtig ist, mitteilen. In Social Media sind Bilder weder zufällig noch unschuldig, sondern interessengeleitete Bedeutungsträger. Von Grund auf polysem, nehmen sie Anteil an phatischer Kommunikation und erzeugen Emotionalität, tragen Semantik und Informationen. Der Umgang mit Bildern in einer zunehmend ästhetisierten Zeit findet exemplarischen Ausdruck in der Social Media-Plattform Instagram.

Obgleich Fotografien und Bewegtbild-Praktiken „Fenster zur Wirklichkeit"[1] eröffnen können und in der medial und visuell geprägten Gegenwart von Kindern, Jugendlichen und Erwachsenen allgegenwärtig sind, werden sie in der gegenwärtigen Religionspädagogik und Religionsdidaktik eher wenig beachtet.[2] Eine religionspädagogische Bilddidaktik wird vorrangig entlang von Werken der bildenden Kunst entwickelt, künstlerische Fotografie einbeziehend.[3] In seltenen Fällen werden empirische Studien auch durch fotografische Bilderzeugungen begleitet.[4]

Eine Erkundung von Social Media-Plattformen als sozialwissenschaftlich-rekonstruktivem Forschungsfeld[5] existiert in der religionspädagogischen Forschung bislang kaum[6], genauso wenig wie bislang der *visual turn* der empirischen Sozialforschung rezipiert wird.[7] Religionsbezogene Fragestellungen zu Social Media werden bislang vorrangig im Rahmen religionswissenschaftlicher Forschung betrieben, die sich

---

1 Gojiny, Tanja, Fotografie.
2 Ebd.
3 Vgl. Burrichter, Rita/Gärtner, Claudia, Mit Bildern lernen.
4 Vgl. Reese-Schnitker, Annegret, Singlefrauen.
5 Vgl. Sloan, Luke/Quan-Haase, Anabel (Eds.), Handbook on Social Media Research.
6 Vgl. exemplarisch für die Arbeit der Würzburger Forscher*innen: Nord, Ilona/Luthe, Swantje (Hg.), Social Media, christliche Religiosität und Kirche.
7 Vgl. Burri, Regula, Perspektiven soziologischer Bildforschung; Huizing, Klaas, Deus und homo medialis.

kaum für religionspädagogische Perspektiven interessieren. Sie konzentrieren sich auf individuumsbezogene Perspektiven, auf soziale Praktiken und Gegenstandsanalysen.[8]

Religionspädagogisch weit verstanden, stellen Medien nicht nur Werkzeuge oder Mittel für Unterrichtsprozesse dar, sondern müssen als prägende Formen und Rahmenbedingungen für Kultur, Gesellschaft, Ästhetik, Lernen, Wissen und Bildung gelten und in dieser Qualität wahrgenommen werden. Medien und mediale Strukturen formen das Denken, Handeln und die Interaktionen von Menschen aktiv mit. Der sich vollziehende Medien-, Ästhetik- und Rezeptionswandel im digitalen Kontext wirkt im pädagogischen, unterrichtlichen Kontext zurück auf fachspezifische Inhalte, auf Fragestellungen, Beobachtungsmöglichkeiten und Handlungsperspektiven. Der innovative Ansatz von Eckhard Nordhofen, die Entwicklung des Monotheismus bis zu in ihrer christologisch wesentlichen Dimension der Inkarnation grundlegend als Mediengeschichte zu denken, erweitert das Forschungsfeld, aber auch die theologische Notwendigkeit einer umfassenden und auf differente Praktiken gerichteten Medienreflexion.[9]

Im Hintergrund dieses Beitrags steht ein Workshop, in dem sich Teilnehmer*innen inhaltsbezogen den Fragen zuwenden, ob und wie Gott und die Gottesfrage in Instagram begegnen, in welcher Weise Gott thematisiert und inszeniert wird und welche religionspädagogischen Schlüsse sich daraus ziehen lassen. Mediendidaktisch verfolgt der Workshop ein weiteres Ziel. Er ermöglicht Teilnehmer*innen, die in diesem Zugang noch unerfahren sind, eine Begegnung mit theologischem Lernen im 4K-Modell, das als paradigmatisch für die Lernkultur des 21. Jahrhunderts gilt: Kreativität, Kritisches Denken, Kommunikation und Kollaboration. Eine in digitalen Lernformaten für Schüler*innen und Studierende alltägliche Lernplattform setzt auf selbstgesteuerten Zugriff und Umgang mit Materialien. Schon das Öffnen einer Webseite mittels QR-Code, das Navigieren in einer unbekannten Lernlandschaft, das Entdecken einer Kommentarfunktion, das Sich-Einfinden in die Medienoberfläche einer Social Media-Plattform und der dort üblichen Bildpraktiken ermöglichen das Einfühlen ins kulturelle Feld und fördern zugleich den digitalen Kompetenzaufbau.[10]

1.1. Auch Religion ist hier sehr schön! – die Plattform Instagram

Instagram hat sich seit der Gründung 2012 rasant hin zur Trendplattform mit inzwischen über 1 Mrd. Nutzer*innen entwickelt. Die plattformspezifischen Praktiken haben sich tief ins Bild-, Kommunikations- und Rezeptionsverhalten eingegraben, das sich nicht nur auf die Nutzung selbst beschränkt. Instagram-Oberflächen begegnen inzwischen in Museen und Ausstellungen, Essen in Restaurants wird „instagramesk"

....

8   Vgl. Campbell, Hedi (Ed.), Digital Religion; dies., Methodological Challenges.
9   Vgl. Nordhofen, Eckhard, Corpora.
10 Vgl. Pirker, Viera, Digitale Pinnwand.

serviert, und der quadratische *Instagram Grid* prägt Webdesign und visuelle Kommunikation weit über die Grenzen der Plattform hinaus. Aus einer Bildbearbeitungs- und Sharingplattform, auf der Bilder und Kurzvideoclips mit Hashtags versehen ins eigene Profil eingestellt werden, ist inzwischen ein multipler Kommunikationsort mit Livestream-, Chat-, Messenger- und Umfragefunktionen entstanden. Instagram Stories löschen sich in 24 Stunden, Instagram TV ist der erste Ort im Netz, der auf Videos im Smartphone-Hochformat setzt.[11] Als Werbeplattform ist Instagram von Markenauftritten und vom Influencer-Marketing[12] geprägt: Menschen, die ein persönliches Profil betreiben und eine mittlere oder große Community aufgebaut haben, agieren als „gute Freunde", kommunizieren direkt und unmittelbar aus ihrem Alltag heraus mit den Follower*innen, und sprechen direkte und indirekte Empfehlungen aus – keineswegs alleine im Blick auf Konsumentscheidungen, sondern sie widmen sich Sport, Reisen, Haltung, Politik, Beziehung, Selbstliebe und sämtlichen vorstellbaren und unvorstellbaren Themengebieten. Aktive Instagramer*innen verfolgen nicht nur monetäre Interessen, sondern zielen verschiedene Formen der Valorisierung an. Sie betreiben den Aufbau einer eigenen Marke für personengebundene Kommunikation.

1.2. Jugendliche und junge Erwachsene auf Instagram

Die meisten Nutzer*innen von Instagram gehören der Altersgruppe der jungen Erwachsenen an (20 – 34 Jahre). Doch 30 % der 12- bis 19-jährigen Jugendlichen in Deutschland setzen Instagram auf Platz 3 der liebsten Internet-Angebote – nach YouTube (63 %) und WhatsApp (39 %).[13] 60 % der Mädchen nennen Instagram ihre wichtigste App, 37 % der Jungen, die deutlich mehr Interesse an YouTube haben. Die Nutzungsintensität ist im Zeitraum eines Jahres um 10 % auf 67 % der täglichen oder mehrmals wöchentlichen Nutzung gestiegen. Für Österreich erhebt der Jugend-Internet-Monitor, dass bei den im Frühjahr 2019 befragten Jugendlichen im Alter von 11 – 17 Jahren 71 % Instagram nutzen, die einzige wachsende Plattform, die im Jahresvergleich um 8 % zugelegt hat.[14] Hier greift der Netzwerkeffekt: Je mehr Personen im persönlichen und erweiterten Umfeld die Plattform nutzen und je mehr Aufmerksamkeit sie medial erzeugt, desto stärker entwickelt sich der Sog für andere, dort einen Account anzulegen.

Da Instagram immer noch als vergleichsweise neu gilt, analysiert die JIM-Studie 2018 das Nutzungsverhalten auf Instagram eingehender.[15] Jugendliche wollen dem Alltag von Personen aus dem eigenen Umfeld folgen, den diese per Foto und Vi-

....

11 Vgl. zur Übersicht der Plattformentwicklung in den Jahren 2010-2015: Schreiber, Maria/Kramer, Michaela, Verdammt schön, 90; seit 2015: Pirker, Viera, Gebetsgemeinschaft heute, 26.
12 Vgl. Seeger, Christof/Kost, Julia F., Influencer Marketing.
13 Die folgenden Zahlen aus: Medienpädagogischer Forschungsverbund Süd-West, JIM 2018, 35-41.
14 Vgl. Saferinternet.at 2019.
15 Vgl. Medienpädagogischer Forschungsverbund Süd-West, JIM 2018, 40.

deo dokumentieren. 82 % der Jugendlichen folgen häufig Leuten, die sie persönlich kennen, während das Interesse am Alltag von Stars und Prominenten geringer ausgeprägt ist – nur 1/3 der Jugendlichen folgt diesen intensiv. Ein Viertel der Jugendlichen kommentiert häufig Fotos und Videos, die andere gepostet haben und 14 % folgen häufig Firmen, wie beispielsweise (Mode-)Labels. Nur etwa einer von zehn Jugendlichen gibt jedoch an, selbst „häufig" Fotos, Videos oder die sich selbst löschenden Stories einzustellen, weniger als 50 % „gelegentlich". Obwohl die Plattform eine aktive Nutzung denkbar leicht macht, wird sie von Jugendlichen eher in *Consume-* statt in *Prosume*-Haltung verwendet. „Im Vergleich zum Vorjahr erzeugen die Nutzer selbst offenbar weniger Bild-Content, jeder Achte postet häufig Fotos/ Bilder"[16] – 2017 war es noch jede*r Fünfte.

1.3. Ist Instagram religionspädagogisch relevant?

Der Religionsunterricht beteiligt sich am fächerübergreifenden Bildungsauftrag der Medienkompetenz, und er bietet in seinen Curricula Raum für eine konkrete, reflektierende Praxis, beispielsweise in der Auseinandersetzung mit Selbst- und Fremdbildern, mit Orientierungen, mit Vorbildern und *local heroes*, mit Stereotypen und religiösen Idolen. Eine kritische Betrachtung der Plattform und ihrer Dynamiken, die vorrangig an Daten der Nutzer*innen interessiert ist, muss sich dabei von selbst verstehen. Schüler*innen kennen die Codes der Plattform und ihrer Nutzung, benötigen aber auch Unterstützung und Begleitung beim Aufbau einer kritischen Haltung. Es ist anzunehmen, dass die unterrichtliche Thematisierung den Netzwerkeffekt für ein ethisch anzufragendes digitales Tool für Kommunikation und Konsum nicht verstärkt, sondern tendenziell eher an seiner Entzauberung mitwirkt.

Instagram lockt religionspädagogische Forschung und Praxis in empirische Grenzgebiete mit Social Media-Forschung, Medienforschung, und Kommunikationsforschung. Mit dem *visual turn* hat ein grundlegender Wandel der Bildproduktion und Bildreflexion auch in der religiösen und religionsbezogenen Kommunikation eingesetzt. Um religionsbezogene Bildpraktiken zu ergründen, wird die Zusammenarbeit mit visueller Kommunikation und visueller Soziologie, mit Bildwissenschaften und Bildanalyseverfahren notwendig. Der Austausch mit Erkenntnissen der Religionswissenschaft, der Religionspsychologie sowie der Systematischen Theologie – hier vor allem Anthropologie, aber auch Ekklesiologie, Soteriologie und Spirituellen Theologie – begleitet die Einordnung religiöser Praktiken. Eine religionspädagogische Annäherung kann nicht ohne Erkenntnisse der Medienpädagogik gedacht und praktiziert werden.

Instagram hat sich längst auch zu einem Ort religiöser Praxis entwickelt.[17] Religion, christlicher Glaube, katholische und evangelische Praxis, Bibel, Kirche und Theo-

....

16 Ebd., 41.
17 Vgl. Pirker, Viera, Gebetsgemeinschaft heute.

logie begegnen inzwischen als breit bespiele Nischenthemen der Plattform. Der Papst wirkt auf dem 2016 eröffneten Account @franciscus als größter katholischer Influencer und ist bereits Gegenstand der Forschung: „As Instagram is a public platform that mostly facilitates the promotion of individuals through visual communication, we view the institutional feeds of leaders as online efforts to foster a form of charismatic authority."[18] Neben amerikanischen und spanischsprachigen Accounts mit hunderttausenden Follower*innen machen sich in Deutschland die offiziellen kirchlichen Accounts @katholisch_de mit aktuell 14.500 Followern und @evangelisch.de mit 8326 Followern noch recht klein aus, doch auch sie sind im Wachsen begriffen. Im deutschsprachigen Raum wurden in den vergangenen Jahren unzählige religiöse Accounts eröffnet, auf denen Glaubenskommunikation, Seelsorge, Herzensbildung, Predigt, Mission, Gebetsgemeinschaft und vieles mehr geschieht. Wer in Deutschland religiös kommuniziert, macht dies häufig eindeutig, mitunter missionarisch. Sichtbar machen sich bei Instagram vorrangig professionelle religiöse Praktiker*innen wie Pastor*innen, Priester, Ordensleute[19], Gemeinschaften und Gemeinden ebenso wie charismatisch geprägte freikirchliche Christ*innen. Konfessionalität dient bei Instagram als Identitätsmarker, und wer kirchenoffiziell kommuniziert, praktiziert dies meist erkennbar evangelisch oder katholisch. Freikirchliche Kreise stellen ihre klare Orientierung an Bibel und Jesus ins Zentrum. Das Erkennen von evangelikalen Protestant*innen und traditionalistischen Katholik*innen sowie ihrer Mischformen erfordert hohe konfessionskundliche Kompetenz und die wertungsfreie Wahrnehmung der Feldgrenzen zwischen intellektueller Virtuosen- und Massenreligiosität (Max Weber).

1.4. Hyperimages

Die Bildtheorie der Internetzeit setzt auf Hyperimages: Bilder werden durch Tags und Hashtags miteinander verbunden, sie gehen durch künstliche Intelligenz gesteuert strukturell eigenständige Verbindungen ein, digitale Systeme vollziehen bessere Bildanalysen als ein menschliches Auge, Vorschlagssysteme vernetzen Einzelbilder zu Bildarrangements. Hashtags ermöglichen Nutzer*innen das Kuratieren von eigenen Inhalten und die Teilnahme an spezifischen Diskursen auf der Plattform.[20] Auf Instagram entstehen Bildarrangements auf verschiedenen Wegen. Jedes Profil baut mit der Zeit ein eigenes Bildcluster aus den selbst eingestellten Bildern und Videos aus. Jedes Profil verfügt über eine individuelle Feed-Seite, auf der eine algorithmisch gesteuerte Bildauswahl zu sehen ist. Die „Explore"-Seite beinhaltet Vorschläge, die aufgrund des Nutzungsverhaltens als Empfehlungen in Bildclustern angezeigt werden. Schließlich können Hashtags angesteuert werden. Die Ergebnisse

....

18   Golan, Martini, Contemporary Papacy, 2.
19   Vgl. Neumann, Felix, Glauben in der Digitalität.
20   Vgl. Thürlemann, Felix, Kunstgeschichte des ‚hyperimage'; Männig, Maria, Hashtag-Ordnungen, 1.

eines Hashtags werden ebenfalls in Bildclustern im typischen, quadratisch strukturierten Instagram-Grid angezeigt. Bei diesen lässt sich zusätzlich unterscheiden nach beliebten und aktuellen Bildern. Durch die Erkundung von Bildern zu einem bestimmten Hashtag lassen sich die Semantik und die Bildpraxis zum gesuchten Begriff analysieren.

Abb. 1: Screenshot: #catholic auf Instagram (10.10.2017).

Die Suche nach dem Hashtag #catholic auf Instagram überrascht: Denn er bringt für religionspädagogisch im deutschsprachigen Raum geschulte, schulbezogen arbeitende Praktiker*innen religiöser Bildung eine reichlich traditionale Welt zum Vorschein. So begegnen ein Bild des Hlg. Josemaria Escriva als junger Priester, ein Glaubenszitat mit Bezug zum Rosenkranz, ein als Nonne verkleidetes betendes Kind, ein Baby mit Rosenkranz auf der Brust, eine katholische Eheschließung, ein Rosenkranz, ein Priester mit Rosenkranz in der Hand und eine Madonna von Guadalupe mit drei winzigen Babys auf dem Arm – und der Bildcluster ist zudem durchsetzt mit vier Katzenbildern. Denn bei #catholic begegnen sich sowohl Katholik*innen als auch Katzenliebhaber*innen – cat-holics. An diesem Beispiel zeigt sich die Bedeutung plattformspezifischer Bild- und Kommunikationskompetenz, aber auch die kontextuell eindeutige Bezogenheit und symbolische Sichtbarkeit religiöser, katholischer Glaubenskommunikation im Netz.

2. Die Gottesfrage in Instagram: eine subjektive Selbstthematisierung

Gott scheint im Sprechen von Jugendlichen der Gegenwart zu einer Leerstelle geworden zu sein:[21] Schon die „Frage nach Gott" muss heute apostrophiert werden, sie stellt sich in einer stark säkular durchformten gesellschaftlichen Realität nicht mehr oder ganz anders. Zugleich ist bei denjenigen, die Gott nicht als Leerstelle formulieren, sondern eine Bedeutung im eigenen Leben zuschreiben, ein Wandel hin zum persönlichen Bekenntnis, zu Entschiedenheit und Sichtbarkeit von Religiosität[22] zu beobachten. Der Anteil von Menschen, die sich als *„sbnr"* bezeichnen – *„spiritual, but not religious"* – wächst.[23]

Das alttestamentliche Bilderverbot beinhaltet eine konträre Anfrage an alle bildproduktiven und bildkommunikativen Praktiken, insbesondere, wenn „Gott" zum Thema wird. Das macht die Verhandlung der Gottesfrage auf Instagram besonders interessant, verschiedene Fragen stellen sich: Wie wird Gott in Instagram thematisiert, realisiert und inszeniert – als Suche, als Frage, als Gegenüber? Geht Gott gerade dadurch an, dass er sich im Bild entzieht? Kann das Geheimnis der „Einwohnung Gottes" in Medienwelten erfahren und kommuniziert werden?

Dass religiös orientierte Accounts die Frage nach Gott stellen, überrascht nicht: Sie haben sich im Vorfeld für eine ausdrückliche, aktive Selbstthematisierung des Glaubens entschieden. Wie aber geht die Thematisierung in einem säkularen Kontext? Das folgende Beispiel ist dem Account der Autorin Kea von Garnier entnommen. Sie thematisiert ausdrücklich die prekär gewordene Rede von Gott und das schwierig gewordene Bekenntnis zum Glauben in einem säkularen Umfeld.

2.1. Account-Beschreibung

Die Autorin betreibt ihren Instagram-Account @keavongarnier seit dem 22. November 2015 – zumindest wurde an diesem Tag das erste Bild im Feed gepostet. Diesen Foto-Feed kuratiert Kea von Garnier seit 2017 stilistisch konsequent. Sie kommuniziert nahezu täglich in den Stories, beantwortet viele Kommentare und betreibt zudem einen Blog, in dem sie zu den Themen schreibt, die sie auch auf Instagram prolongiert und in ihrer Accountbeschreibung fokussiert: „'Worte für sozialen Wandel' – Autorin. Poetin. Feministin. Studiert Kreatives Schreiben – seelische Gesundheit – Spiritualität und Politik."[24] Ihre Präsenz auf Instagram steht damit dem Mainstream der Plattform, der in #travel, #beauty, #fitness, #fashion besteht, entgegen. Mit stetigem Wachstum und bald 10.000 Follower*innen gilt Kea von Garnier als Microinfluencerin.[25]

---

21 Vgl. zum Folgenden: Schweitzer, Friedrich/Wissner, Golde/Bohner, Annette u. a., Jugend – Glaube – Religion.
22 Vgl. Charim, Isolde, Ich und die Anderen, 57-79.
23 Vgl. Bucher, Anton, Psychologie der Spiritualität, 50-56.
24 Garnier, Kea von, Instagram Account; dies., Blogbeitrag.
25 Der Erwähnung in diesem Artikel und dem Abdruck eines Postings hat sie per E-Mail zugestimmt.

Ein Blick auf ihr Profil eröffnet ein aufgeräumtes und helles Konzept – „instagramesk", plattformtypisch inszeniert: Glatter Stil, aufgehellte Farben, Pastell und warme Töne dominieren die Bilder. Fotografien und Textbilder wechseln einander ab. Die Fotografien zeigen vor allem die Autorin, Naturaufnahmen, Interior Design und Arrangements von Büchern, Texten und Gegenständen, seltener sind ihre Katzen zu sehen. Die Textbilder wirken als Überschriften über eine häufig sehr ausführliche Bildunterschrift und verweisen mitunter auch auf Blogbeiträge. Auch in den täglichen Stories verweist sie auf Blogeinträge, auf neue Postings im Feed, auf Texte, die sie liest und Erfahrungen, die sie macht. Instagram ist damit ein wesentlicher Bestandteil ihrer strategischen Selbstdarstellung, und als solche ist auch die folgende Einzelanalyse zu verstehen. Am 14. Dezember 2018 stellt sie ein Bild ein, mit dem sie ihren Glauben an Gott thematisiert: ein für ihren Account unübliches Thema; denn ihre Spiritualitäts-Konzeptionen zeugen meist von Natur, Achtsamkeit und Verbundenheit, nicht aber von Transzendenzbezug. Sie illustriert in einer subjektiven Annäherung die prekäre Lage der Gottesrede in einer Gegenwart, die sich weitgehend als säkular versteht – und stellt damit eine exemplarische Formulierung für das Grundbewusstsein junger religiöser Menschen in einem säkularen Umfeld zur Diskussion.

2.2. Einzelbildanalyse

 **keavongarnier** ...

GLAUBEN
IST WISSEN MIT
DEM HERZEN.

Abb. 2: Screenshot vom Account @keavongarnier (15.12.2018)

Eine schwarze Linie umreißt die gesamte quadratische Fläche des Bildes. Nur an der unteren Seite ist eine Lücke, in die ein Kreis mit dem Buchstaben K zentriert ist. Der eingekreiste Buchstabe K begegnet bei allen Textbildern im Feed, er dient auch im Blog als Erkennungsmarke. In der Mitte des Bildes steht ein ganzer Satz in drei Zeilen mit Punkt: „Glauben ist Wissen mit dem Herzen." In diesem vollständigen Aussagesatz wird dem Akt „Glauben" eine Eigenschaft bzw. eine individuelle Praxis, nämlich „Wissen mit dem Herzen" attribuiert. Ob es sich um ein echtes Zitat handelt, ist unbekannt, eine Internetrecherche zeigt die Worte in einer Spruchsammlung als „Gratulation zur Konfirmation" und ein so betiteltes Material für Jungscharstunden.

Kea von Garnier verwendet für ihre Textbilder eine feststehende Form, die sie mit jeweils neuen Texten füllt. Handelt es sich bei einem solchen graphisch gestalteten Text überhaupt um ein Bild? Jedenfalls wurde er als Bilddatei hochgeladen.

Am Ende der ausführlichen Bildunterschrift verweist Kea von Garnier auf den Blogbeitrag, den sie am gleichen Tag veröffentlicht hat. In den Stories stellt sie an diesem Tag mehrere Screenshots des Blog-Beitrags ein, die sie mit roten Unterstreichungen versehen hat. Sie nutzt alle Möglichkeiten der Plattform als Aufmerksamkeits-Lenkung für einen Text, der außerhalb der Plattform steht. Auf dem Blog sind vier ausführliche Kommentare von anderen Leser*innen sowie zwei Antworten von der Autorin verzeichnet. Das Instagram-Bild hat am 15.12.2018 – dem Tag nach dem Einstellen – 285 „Likes" und 13 Erst-Kommentare (teilweise mit mehreren Antworten) erhalten, inzwischen sind es über 400 „Likes" und 23 Erst-Kommentare (13.06.2019).

2.3. Analyse der Bildunterschrift

Text

[1] Lange lag mir mein heute erschienener Blogbeitrag auf der Zunge, auf der Tastatur, in den Entwürfen meines Backends. 💻☺ Ich spürte diesen blinden Fleck auf meiner Seelenlandkarte, und obwohl ich sonst über fast alles schreibe, was mich bewegt, gab es doch dieses eine Thema, das ich sorgfältig ausklammerte und das erst neulich in einer Antwort auf die Frage einer Followerin das erste Mal zwischen den Zeilen aufblitzte: „Gott" und Glaube.

[2] Unter meinen Freund*innen und Bekannten und in meiner Insta-Bubble befinden sich viele überzeuge Atheist*innen. Lange Zeit befürchtete ich, als nicht intellektuell oder rational genug zu gelten, wenn ich mich öffentlich zum Thema „Spiritualität" äußern würde. Ich hatte Angst, als weltfremd und zu esoterisch wahrgenommen zu werden und damit mein feministisch-gesellschaftskritisches Renommee einzubüßen. Das Wort „Gott" nahm ich nur äußerst selten in den Mund, wenn ich Menschen darauf ansprach, fühlte ich mich manchmal, als ob ich sie nach einem Einhorn gefragt hätte. „Gott" war in meiner Bubble nicht gerade en vogue.

[3] Um nicht als wandelndes Räucherstäbchen zu gelten, dem man keine vernünftigen Entscheidungen mehr zutraut, behielt ich meine Gedanken und Auseinandersetzungen mit diesem Thema deshalb für mich.

[4] Aber dann kam meine aktuelle Krise. Und ausgerechnet die gab mir den entscheidenden Schubs, mich zu öffnen. ♥ Vielleicht, weil die Kraft, Barrieren und Fassaden aufzubauen, nicht da war. Aber mehr noch, weil ich gerade in der Hoffnungslosigkeit wieder einen Ruf hörte, dem ich folgen will, ja, muss.

[5] In meinem aktuellen Blogpost nehme ich euch mit auf meine ganz persönliche Reise zum Thema „Gott" und Spiritualität, mit in mein Auf und Ab, in Zeiten tiefen Glaubens und Zeiten tiefen Zweifelns.

[6] Und ich bin, glaube ich, noch nie so gespannt auf euer Feedback und eure Erfahrungen mit diesem Thema gewesen, wie bei diesem Post. ♨ Wie habt ihr es mit dem Glauben? Den Link zum Post findet ihr im Linktree im Profil 🕯️✨

[7] #gott #glaube #lasstmalübergottsprechen #spiritualität #glauben #hoffnung

Die Bildunterschrift umfasst 310 Wörter, sechs Emojis und 6 Hashtags. Sie ist durch Absatzmarken in sieben Abschnitte unterteilt. Diese Abschnitte bilden eine dramatische Strukturierung, die im Folgenden nachgezeichnet wird.

1. In der *Exposition* beschreibt die Autorin die innere Spannung für den erscheinenden Text zu einem sonst von ihr sorgfältig ausgeklammerten Thema: „Gott" (in Anführungszeichen) und Glaube. Der Text ist gesprochen („Zunge"), geschrieben („Tastatur"), gespeichert worden („Backend"), doch er ist ein „blinder Fleck" auf der „Seelenlandkarte" – also innerlich, in der Seele der Autorin verortet und lokalisiert, doch „sorgfältig ausgeklammert" im Kontakt nach außen und vielleicht auch im Inneren undeutlich. Angeregt ist der Text durch eine „Frage einer Followerin", wird also als Resonanz auf eine direkte Interaktion auf Instagram zurückgeführt, die hier in gleichsam sokratischer Manier eine Grundsatzüberlegung erzeugt.

2. Die *Problemdarstellung* übermittelt in zwei Stufen eine ausführliche Erörterung der Sachlage, die sich im Feld der Selbst- und Fremdwahrnehmung bewegt. Die Autorin beschreibt ihre Schwierigkeit, in einem atheistischen Umfeld, das als „intellektuell" und „rational" eingeschätzt wird, überhaupt ihre „Spiritualität" zur Sprache zu bringen, die sie mit Esoterik und Weltfremdheit verbindet: Sie fürchtet eine Identifikation als „wandelndes Räucherstäbchen", das keiner „vernünftigen Entscheidungen" mehr mächtig ist. Als Chiffre für „Gott" wird das „Einhorn" herangezogen – aber im Gegensatz zum Einhorn ist „Gott" in der „Insta-Bubble" nicht „en vogue".

3. Die *Steigerung* fixiert die Problemdarstellung: Die Autorin hält die zunächst funktionierende Strategie durch, „um nicht als wandelndes Räucherstäbchen zu gelten".

4. Die *Klimax* besteht in einer aktuellen „Krise", die an dieser Stelle nicht näher ausgeführt wird. Sie gibt ihr „den entscheidenden Schubs, mich zu öffnen" – der Satz wird mit einem roten Herz-Emoji stark hervorgehoben. Sie schreibt von fehlender „Kraft", „Barrieren" und „Fassaden" aufrechtzuerhalten, und von ihrer Selbstfindung in einer „Hoffnungslosigkeit", in der sie einen „Ruf" verspürt.

5. Der *Abbau* verweist auf den Blogbeitrag, in dem sie ihre „ganz persönliche Reise zum Thema ‚Gott' und Spiritualität" ankündigt – mit „Auf und Ab", mit „Zeiten tiefen Glaubens und Zeiten tiefen Zweifelns".

6. Der *Ausblick* schließlich öffnet den Blick auf die Interaktion mit den Menschen, die ihr auf Instagram und im Blog folgen: Neugierde auf Resonanz und andere Erfahrungen. Dieser bündelt sich in einer konkreten, beinahe lehrbuchmäßig religionspädagogischen Frage: „Wie habt ihr es mit dem Glauben?"

7. Zum *Schluss* dienen sechs Hashtags in deutscher Sprache der internen Vernetzung des Beitrags auf Instagram. Sie geben an, wie das Posting verstanden und rezipiert werden will, und werden von den Nutzer*innen als interpretierende Zusätze verwendet, die sich sowohl auf das Bild als auch auf den Text richten. Fünf Hashtags haben eine mittlere bis höhere Reichweite im fünf- bis sechsstelligen Bereich, doch #lasstmalübergottsprechen ist in diesem Posting neu auf Instagram und steht auch nach einem halben Jahr noch alleine auf der Plattform. Die Benennung von #glaube und #glauben als Substantiv und Verb beinhaltet den notwendigen Handlungsbezug, den individuellen Akt des Glaubens. Gott wird in den Hashtags zweimal thematisiert.

2.4. Beobachtungen

Die Autorin verwendet sechs Emojis, mit denen sie den Text auflockert und interpretiert. Emojis haben in ihrer Eigenschaft als symbolisierende, emotionale Qualitäten ausdrückende Bildsprach-Momente in die Online-Kommunikation Eingang gefunden. Nach dem ersten Satz des Postings stehen nebeneinander *Laptop Computer*, der auf Computertechnologie, Arbeit und Online-Aktivitäten hinweist[26] und *Face Without Mouth*: „A yellow face with simple, open eyes and no mouth, as if at a loss for words. Meaning widely varies, but commonly conveys speechlessness, humility, and silence. May also convey moderately negative emotions, such as disappointment, frustration, or sadness."[27] Das *rote Herz* ist das klassische Symbol für Liebe und Ausdruck persönlicher, affektiver Zuwendung, eines der am häufigsten verwendeten Emojis auf Instagram. Es ist am Ende des zweiten Drittels platziert und markiert an dieser Stelle den Wendepunkt. Im Ausblick unterstützt ein *blaues Herz* das emotionale Interesse der Autorin an der Meinung ihrer Leser*innen. Am Ende des Beitrags

....

26 https://emojipedia.org/personal-computer/.
27 https://emojipedia.org/face-without-mouth/.

verweist der *Handrücken mit nach links weisendem Zeigefinger* auf einen Link, begleitet von den sehr positiv konnotierten Sparkles: „Decorative sparkling stars, the kind that may be indicate an item as being ‚sparkling clean' (very clean) or shiny. Often used as a means of highlighting something positive or exciting."[28]

Der gesamte Text wird durch viele Zeitbezüge dynamisiert und dramatisiert: Lange – neulich – das erste Mal – lange Zeit – äußerst selten – aber dann – aktuell – gerade – aktuell – in Zeiten – noch nie. Im Text werden fünf Begriffe in Anführungszeichen gesetzt: „Gott" bei allen vier Nennungen, „Spiritualität" bei der ersten von zwei Nennungen. Gott wird näher beschrieben als ein ausgeklammertes Thema: Gott hängt zusammen mit Glaube und Spiritualität, doch Gott ist nicht en vogue. Die Analogie zu Gott ist das Einhorn – ein legendäres, fantastisches Tier, das einerseits im Kontext des Postings als irreal konnotiert wird, das aber zugleich biblische und christlich-ikonografische Reminiszenzen sowie vielfältige Internet-Memes hervorruft. Als Sehnsuchtsthema begegnet das Einhorn auch im Kontext freireligiöser, sehnsuchtsgeprägter Strömungen.[29]

Die Krise ist ein für die Autorin übliches Thema, denn als Aktivistin für psychische Gesundheit hat sie sich zur wesentlichen Aufgabe gesetzt, über eigene psychische Probleme zu schreiben und zu sprechen, und sie thematisiert krisenhafte Erfahrungen in der Regel ziemlich freimütig. Doch „die aktuelle Krise" charakterisiert sie anders: sie beschreibt eine tiefe Hoffnungslosigkeit, in der sie einen „Ruf" verspürt – und greift damit zurück auf ein prophetisches Vokabular.

Die vielen Kommentare zu dem Posting können im vorliegenden Kontext nicht in der Tiefe analysiert werden. Entgegen der in der Bildunterschrift ausdrücklich geäußerten Vermutung der Autorin, die Themen Gott, Glaube und Spiritualität würden ihrer Reputation schaden, entfallen die Kommentare einhellig positiv. Teilweise ausführlich und zutiefst persönlich formuliert, ermöglichen sie einen umfangreichen Einblick in das subjektive Nachdenken von jungen Erwachsenen, die sich mit Fragen der Spiritualität und Religiosität und der Frage nach Gott in einem nicht von starker konfessioneller Bindung geprägten Selbstverständnis auseinandersetzen.

2.5. Relationierung und Kontextualisierung der Elemente

Mit „Insta-Bubble" bezeichnet die Autorin ihr Umfeld auf Instagram, das sich von anderen unterscheidet: Eine solche Community bildet sich durch persönliches Interesse und individuelles Nutzungsverhalten, aber auch strategisch und algorithmisch durch die Strukturen des Netzwerkes. Das Posting ist an die eigenen Follower*innen gerichtet, durch die verwendeten Hashtags sollen weitere Kreise erreicht werden. Es fällt auf, dass weder in der Bildunterschrift noch im Blogtext das Zitat des Instagram-Bildes „Glauben ist Wissen mit dem Herzen." wiederholt oder erläutert wird.

....

28 https://emojipedia.org/sparkles/.
29 Vgl. Blume, Michael, Einhorn.

Bild und Text werden nicht unmittelbar verknüpft. Allerdings aktualisiert das rote Herz-Emoji in der Bildunterschrift das Zitat an der dafür geeigneten Stelle. Das für Bildunterschrift und Blogbeitrag zentrale Thema „Gott" wird im Bild nicht angesprochen.

Der Blogbeitrag von Kea von Garnier verfolgt eine andere Textstrategie als die Bildunterschrift. Mit dem Titel „Eine nicht abschließende Betrachtung von ‚Gott'" und einem Bild, das die betenden Hände nach Dürer in einer Neonleuchtschrift zeigt, eröffnet er mit der Problemdarstellung ähnlich wie in der Bildunterschrift bei Instagram, führt dann aber weiter zu einer umfassenden Erzählung von Erfahrungen und Momenten der eigenen Glaubensbiographie.

Gott begegnet in diesem Instagram-Posting als Problem. Mit einem Bekenntnis zu ihm droht ein Reputationsverlust in sozialen Interaktionen, der im Zueinander von Selbst- und Fremdwahrnehmung verhandelt wird. Zugleich begegnet dieser Gott als begleitend, machtvoll und rufend, in Phasen des Glaubens und des Zweifelns, die für die Autorin fest zueinander gehören.

3. Begegnet Gott in Instagram? Religionspädagogisches Fazit

In diesem Beitrag wurde eine von mehreren möglichen Annäherungen an die Gottesfrage in Instagram ausführlicher vorgestellt. Der Workshop umfasst weitere Perspektiven auf die Gottesfrage in Instagram, beispielsweise eine Bildclusteranalyse von Hashtags, eine vertiefte Analyse von Einzelbildern, aber auch Beobachtungen von konkreten Thematisierungen und Gebetspraktiken, die in den Instagram Stories begegnen.[30] Auf Instagram wird Gott nicht nur metaphorisch angedeutet, sondern er wird auch direkt im Gebet angesprochen. Religiöse Praxis findet statt. Und so lassen sich auf Instagram Verkündigung, Videokatechesen und symboldidaktische Lernanlässe finden, Hashtags, wie #prayerrequest oder #gebetsanliegen, verfolgen und gemeinschaftliche Gebetspraktiken beobachten. Das Hören und Analysieren von Social Media-Plattformen erfordert eine Differenzierung zwischen katholikalen und evangelikalen Gruppen einerseits, denen auf der Basis einer Theologie nach dem Zweiten Vaticanum kritisch, aber nicht ohne Sensibilität für die auf der Plattform erfüllten Bedürfnisse nach Eindeutigkeit und Komplexitätsreduktion begegnet werden sollte. Andererseits können Accounts, die – ausgehend von einer individuellen Glaubenserfahrung oder Gottesbegegnung und teilweise auch im Widerstand zu einer säkularen Netz-Community – christliche, vielleicht auch katholische Religion in Text und Bild bringen oder auch eine neue interaktive Praxis installieren, Quelle für Neuansätze in Praktischer Theologie und Religionspädagogik für eine innovative, zielgruppenorientierte katechetische und pastorale Praxis werden.

Auch auf einer visuell lauten und Aufmerksamkeit erfordernden Plattform ist davon

---

30   Vgl. Pirker, Viera, Gebetsgemeinschaft heute; dies., digitale Pinnwand; weitere Analysen in Vorbereitung.

auszugehen, dass das Nachdenken über Gott und seine Welt nicht in einem raschen, produktorientierten Vorgehen erreichbar wird, als dass vielmehr „langsames Sehen und versenkendes Lauschen"[31] notwendig bleiben. Dafür besteht durchaus auch in einem sich säkular zeigenden Umfeld Bereitschaft, Neugierde und Offenheit. Die Analyse des Beitrags von Kea von Garnier führt tief hinein in eine auch in der Gegenwart geltende Grundbedingung der Frage nach Gott: „Eine Antwort auf die Frage nach Gott lässt sich nicht befriedigend ‚googlen', sie lässt sich auch schwer in Referatsform abhandeln. Der Frage kann man sich stellen oder nicht. In sie kann man sich nur nachdenkend versenken oder sie erlangt keine Bedeutung."[32]

---

31 Lehner-Hartmann, Andrea, Dem Widerständigen Raum geben, 169.
32 Ebd.

Literatur

- Blume, Michael, Die Wiederkehr der Einhörner. Eine pragmatische Analyse einer neureligiösen Glaubensbewegung, in: Raters, Marie-Luise (Hg.), Warum Religion? Pragmatische und pragmatistische Überlegungen zur Funktion von Religion im Leben, Freiburg/München 2015, 50-70.
- Bucher, Anton, Psychologie der Spiritualität. Handbuch, Weinheim 2007.
- Burri, Regula, Aktuelle Perspektiven soziologischer Bildforschung. Zum Visual Turn in der Soziologie, in: Soziologie 38 (2009) 24-39.
- Burrichter, Rita/Gärtner, Claudia, Mit Bildern lernen. Eine Bilddidaktik für den Religionsunterricht, München 2014.
- Campbell, Heidi (Ed.), Digital Religion: Understanding Religious Practice in New Media, Abingdon 2011.
- Campbell, Heidi/Altenhofen, Brian, Methodological Challenges, Innovations and Growing Pains in Digital Religion Research, in: Cheruvallil-Contractor, Sariya/Shakkour, Suha (Eds.), Digital Methodologies in the Sociology of Religion, London 2015, 1-13.
- Charim, Isolde, Ich und die Anderen. Wie die neue Pluralisierung uns alle verändert, Wien 2018.
- Garnier, Kea von, Blogbeitrag: Eine nicht abschließende Betrachtung von Gott, in: https://kea-schreibt.de/eine-nicht-abschliessende-betrachtung-von-gott/.
- Garnier, Kea von, Instagram Account @keavongarnier.
- Goiny, Tanja, Fotografie, in: Wissenschaftlich-Religionspädagogisches Lexikon [https://www.bibelwissenschaft.de/stichwort/200202/], 2017.
- Golan, Oren/Martini, Michele, The Making of contemporary papacy. Manufactured charisma and Instagram, in: Information, Communication & Society 12 (2019) 1-18.
- Huizing, Klaas, Deus und homo medialis, in: Nord, Ilona/Zipernovszky, Hanna (Hg.), Religionspädagogik in einer mediatisierten Welt (= Religionspädagogik innovativ 4), Stuttgart 2017, 118-130.
- Lehner-Hartmann, Andrea, Dem Widerständigen Raum geben. (Religiöses) Lernen jenseits gesellschaftlicher Einpassung, in: Dies./Krobath, Thomas/ Polak, Regina (Hg.), Anerkennung in religiösen Bildungsprozessen. Interdisziplinäre Perspektiven (= Wiener Forum für Theologie und Religionswissenschaft 8), Göttingen 2013, 165-176.
- Männig, Maria, Instagram als Hyperimage, in: Hyperimages in zeitgenössischer Kunst und Gestaltung 2, www.kunsttexte.de, Sektion Kunst, Design, Alltag 1 (2017) (12 Seiten) [https://edoc.hu-berlin.de/bitstream/handle/18452/8048/maennig.pdf].
- Medienpädagogischer Forschungsverbund Süd-West (Hg.), JIM-Studie 2018. Jugend – Information – Medien. Basisinformationen zum Medienum-

gang 12-19-Jähriger 2018, in: https://www.mpfs.de/fileadmin/files/Studien/JIM/2018/Studie/JIM_2018_Gesamt.pdf.

- Neumann, Felix, Glauben in der Digitalität, in: MERZ Medien + Erziehung 63 (2019) 3, 32-38.
- Nord, Ilona/Luthe, Swantje (Hg.), Social Media, christliche Religiosität und Kirche. Studien zur Praktischen Theologie mit religionspädagogischem Schwerpunkt (= Populäre Kultur und Theologie (POPKULT 14), Jena 2014.
- Nordhofen, Eckhard, Corpora. Die anarchische Kraft des Monotheismus, Freiburg i. Br./Basel/Wien 2019.
- Pirker, Viera, Digitale Pinnwand für den Workshop „Du sollst Dir kein Bildnis machen. Die Gottesfrage in Social Media", in: https://padlet.com/viera_pirker/gott_in_social_media.
- Pirker, Viera, Gebetsgemeinschaft heute: Katholische Praxis in den Instagram Stories, in: MERZ Medien + Erziehung 63 (2019) 3, 24-31.
- Reese-Schnitker, Annegret, „Ich weiß nicht, wo da Religion anfängt und aufhört". Eine empirische Studie zum Zusammenhang von Lebenswelt und Religiosität von Singlefrauen (= Religionspädagogik in pluraler Gesellschaft 8), Freiburg i. Br./Basel/Wien 2006.
- Saferinternet.at, Jugend-Internet-Monitor Österreich 2019, in: https://www.saferinternet.at/jugendinternetmonitor.
- Schreiber, Maria/Kramer, Michaela, „Verdammt schön". Methodologische und methodische Herausforderungen der Rekonstruktion von Bildpraktiken auf Instagram, in: Zeitschrift für qualitative Forschung 17 (2016) 81-106.
- Schweitzer, Friedrich/Wissner, Golde/Bohner, Annette u. a., Jugend – Glaube – Religion. Eine Repräsentativstudie zu Jugendlichen im Religions- und Ethikunterricht (= Glaube – Wertebildung – Interreligiosität/Berufsorientierte Religionspädagogik 13), Münster/New York 2018.
- Seeger, Christof/Kost, Julia F., Influencer Marketing. Grundlagen, Strategie und Management, Stuttgart 2018.
- Sloan, Luke/Quan-Haase, Anabel (Eds.), The SAGE Handbook of Social Media Research Methods, London 2017.
- Thürlemann, Felix, Mehr als ein Bild. Für eine Kunstgeschichte des hyperimage, München 2013.

https://emojipedia.org
https://www.instagram.com/p/BrYYBS9nkUt/

Alle Internetadressen wurden zuletzt im August 2019 überprüft.

EIN ROADTRIP NACH WESTEROS. DIE FRAGE NACH GOTT IN DER TV-SERIE GAME OF THRONES

Matthias Werner

Kennen Sie *Arya Stark?* Nein? *Jaime Lannister? Daenerys Targaryen?* Auch nicht? Probieren Sie es doch einfach einmal aus und nennen Sie diese drei Namen im Gespräch mit Menschen aus Ihrem Umfeld.

Bei diesen drei Namen handelt es sich nämlich um prägende, fiktionale Charaktere der US-Serie *Game of Thrones* des Pay-TV-Senders HBO. Gemäß den Angaben des Meinungsforschungsinstituts *YouGov* haben 91 % der US-Amerikaner*innen und sogar 96 % der Brit*innen von dieser TV-Serie „mal gehört"[1]. Belastbare Zahlen für den deutschsprachigen Raum sind nicht zu finden, kleinere Umfragen lassen jedoch einen ebenfalls recht hohen Bekanntheitsgrad vermuten. Weitere Indizien dafür: Weltweit – und im Laufe der Zeit immer häufiger auch im deutschsprachigen Raum – dominierten Schlagworte, die mit dieser Serie in Verbindung stehen, kurz nach der Ausstrahlung neuer Episoden die *Twitter*-Trends.[2] Die finale achte Staffel brach sämtliche Zuschauerrekorde. Und auch 47 Emmy-Awards (Stand Mai 2019) sprechen eine recht deutliche Sprache. Kurz gesagt: Betrachtet man den (internationalen) Markt der TV-Serien, führt kein Weg an *Game of Thrones* vorbei.

1. Kulturgüter im Religionsunterricht

> „Der Christ als Erzieher wird sich zwar nicht an das Neue verlieren nur weil es neu ist oder zu sein scheint; aber er wird versuchen, die Jugend für eine sich wandelnde Welt zu bilden und auszurüsten. Er wird es tun in gelöster Weitschaft. Das wird sich bewähren, wenn er das Erbe der Vergangenheit weitergeben, wie wenn er das Wollen und Wirken der Gegenwart zeigen will. Selbst wenn er einen Bildungsplan ganz nach seinem Gutdünken gestalten dürfte, würde er keineswegs nur ‚christliche Kulturgüter' heranziehen, sondern alles beachten, was in unserem Kulturkreis nach wissenschaftlichen, ästhetischen, politischen, wirtschaftlichen, philosophischen, religiösen Gesichtspunkten Anspruch auf Beachtung hat.

---

1 YouGov, Game of Thrones popularity & fame, https://today.yougov.com/topics/media/explore/tv_show/Game_of_Thrones.

2 Vgl. zum Folgenden: SpiegelOnline, Rekord zum Staffelstart, https://www.spiegel.de/kultur/tv/game-of-thrones-staffel-8-folge-1-hatte-17-4-millionen-zuschauer-laut-hbo-ein-rekord-a-1263047.html; dort heißt es: „Die erste Folge der achten Staffel brach den Angaben zufolge auch in den sozialen Netzwerken Rekorde: Über keine andere Folge der Serie sei jemals mehr getwittert worden. Insgesamt habe man am Wochenende mehr als fünf Millionen Tweets und elf Millionen Erwähnungen gezählt, hieß es von dem Sender."

Was aber die Methode der Behandlung dieser Dinge anlangt, so darf man urteilen: Gerade die Bindung an Christus ermöglicht schlichte Unbefangenheit und Freiheit bei dem Versuch, die Güter der menschlichen Kultur zu verstehen und sich an ihnen zu freuen – im Unterschied zu einer schwankenden Unsicherheit und zu einer ängstlichen Enge, die alles ‚Nichtchristliche‘ ablehnt –, im Unterschied auch zu einer schwärmerischen ‚Weltlichkeit‘, bei der wir unter den heimlichen Bann einer Ideologie gerieten."[3]

Bereits 1957 widmet sich der evangelische Religionspädagoge *Adolf Burkert* in seinen *Studien zur Lehrerbildung* der Frage, welchen Stellenwert man Kulturgütern, welche nicht primär christlicher Prägung sind, im Religionsunterricht einräumen darf. Fernab jedweder Abwertung ist seine Sichtweise geprägt von einer beispielhaften Wertschätzung:

„Der Künstler ... schenkt ja nicht bloß ästhetische ... Freude und Befriedigung. Man merkt seinem Werk etwas an von seinem Suchen, Ringen, Kämpfen, Irren, Leiden. So wirkt die Begegnung mit ihm anregend, weckend, beunruhigend, befreiend. Ohne den Anstoß von den Dichtern, Künstlern und Denkern her würden wir vielleicht, allein auf uns gestellt, in Flachheit, Enge, Stumpfheit verharren."[4]

Acht Jahre später wird auf katholischer Seite in der Pastoralkonstitution *Gaudium et spes* im 62. Artikel über das „rechte Verhältnis der menschlichen und mitmenschlichen Kultur zur christlichen Bildung" die Position vertreten, dass

„[a]uf ihre Weise ... auch Literatur und Kunst für das Leben der Kirche von großer Bedeutung [sind]. Denn sie bemühen sich um das Verständnis des eigentümlichen Wesens des Menschen, seiner Probleme und seiner Erfahrungen bei dem Versuch, sich selbst und die Welt zu erkennen und zu vollenden; sie gehen darauf aus, die Situation des Menschen in Geschichte und Universum zu erhellen, sein Elend und seine Freude, seine Not und seine Kraft zu schildern und ein besseres Los des Menschen vorausahnen zu lassen. So dienen sie der Erhebung des Menschen in seinem Leben in vielfältigen Formen je nach Zeit und Land, das sie darstellen.

Durch angestrengtes Bemühen soll erreicht werden, daß die Künstler das Bewußtsein haben können, in ihrem Schaffen von der Kirche anerkannt zu sein, und daß sie im Besitz der ihnen zustehenden Freiheit leichter zum Kontakt mit der christlichen Gemeinde kommen. Auch die neuen Formen der Kunst, die gemäß der Eigenart der verschiedenen Völker und Länder den Menschen unserer Zeit entsprechen, sollen von der Kirche anerkannt werden."[5]

....

3 Burkert, Adolf, Pädagogik in evangelischer Sicht, 46.
4 Ebd., 58.
5 Zweites Vaticanum, Gaudium et Spes, 62.

Folgt man diesen Bewertungsrastern und versucht, „alles [zu] beachten, was in unserem Kulturkreis nach wissenschaftlichen, ästhetischen, politischen, wirtschaftlichen, philosophischen, religiösen Gesichtspunkten Anspruch auf Beachtung hat" und „der Erhebung des Menschen [dient]", wird man nicht umhin kommen, auch TV-Serien[6] diesen Stellenwert in christlicher Erziehungsarbeit zuzuschreiben – und damit nicht zuletzt der Serie *Game of Thrones*. Dass „begründetes Fernsehschauen"[7] so nicht nur Aufgabe von Religionspädagog*innen, sondern aller Theolog*innen sein darf (und sollte), kann als Anregung für wissenschaftlich verantwortete Bildungsprozesse aufgenommen werden.

Hierbei soll es nicht darum gehen, diese Kulturgüter nur zu gebrauchen, wenn nicht gar zu *miss*brauchen. Es ist nicht das Anliegen, nach gefälligen (Medien-)Elementen Ausschau zu halten, allein um die selbst verantworteten religiösen Bildungsprozesse attraktiver zu gestalten. Vielmehr sollen diese Kulturgüter analysiert, in ihrem Eigenwert wahrgenommen und wertgeschätzt werden, denn

> „Strukturmomente, aber auch Bilder, Gehalte, Erzählplots tradierter Religion [wandern] in kulturelle Zeugnisse hinein und [werden] dort neu kombiniert, transformiert, angedeutet oder auch nur profanisiert. Für Jugendliche werden unterschiedliche Elemente der Popkultur ... zu Orten, an denen sie Fragen, Formen, Bildern, Bezeugungen religiöser Art und Herkunft begegnen. In der Regel eignen sie sich diese Elemente nicht unter dem Level ‚Religion' an, sondern subsumieren diese Angebote in den Modi, die für eine Begegnung mit Kultur überhaupt gelten."[8]

Nehmen Akteur*innen religiöser Bildungsprozesse derartige *Strukturmomente* in aktuellen Kulturgütern wahr, kann ein „korrelativ durchwirkter Begegnungsraum"[9] in der Schnittmenge zwischen kulturellen Zeugnissen der Gegenwart, Glaubenserfahrungen der (christlichen) Tradition und Lebensdeutungen der Subjekte eröffnet werden, in dem ein Sich-Einlassen auf zum Teil komplexe Vorstellungen mitunter barrierefreier zu gelingen scheint. Produktiv und von echtem *Mehr*-Wert wird dies dann, wenn sich zwei gegenläufige Faktoren die Waage halten: Einerseits sollte es sich nicht um *Heimspiele* der Lehrenden handeln, die nur eine weitere Fremdheitserfahrung auf Seiten der Lernenden hervorrufen, andererseits muss die „Authentizität des Zugriffs"[10] auf Seiten der Lehrenden gewährleistet bleiben, damit nicht der Eindruck entsteht, es handele sich um eine bloße Anbiederung und eine Verzweckung der den Schüler*innen bekannten kulturellen Zeugnisse. Zur Kategorie der *Authen-*

....

6 Der Einfluss von TV-Serien auf die Lebenswelt Jugendlicher lässt sich vor allem an den Ergebnissen der JIM-Studie 2018 – Jugend, Information, Medien ablesen.

7 Karimi, Ahmad Milad, Horizonte der Gottesfrage – Anregungen und Anfragen aus islamischer Perspektive, Vortrag im Rahmen des 14. Arbeitsforums für Religionspädagogik der Pädagogischen Stiftung Cassianeum in Rain am Lech am 03.04.2019.

8 König, Klaus, Diffuse Schülerreligiositäten, 117.

9 Heger, Johannes, Die gelbe Religion und die Religiosität der Schülerinnen und Schüler, 99.

10 Ebd., 110.

tizität gehört in diesem Zusammenhang auch die Frage, ob mit der US-amerikanischen Originalfassung, mit englisch- oder deutschsprachigen Untertiteln oder aber der synchronisierten deutschen Fassung gearbeitet wird. Mehr und mehr ist auch bei Jugendlichen und jungen Erwachsenen die Präferenz des *Originals* zu beobachten – bei (sich selbst als) Fans der ersten Stunde (betrachtenden Rezipient*innen) kann festgestellt werden, dass deutschsprachige Synchronisationen zum Teil gar abgelehnt werden, sei es, weil die jeweilige Synchronstimme als unpassend empfunden wird, oder sei es, weil die Serie bereits erstmalig geschaut wurde, noch bevor überhaupt eine deutschsprachige Synchronfassung vorlag (zu den jeweiligen Ausstrahlungsdaten und den dazwischenliegenden Zeitabständen weiter unten) und in der Folge kein Wechsel vollzogen werden sollte.

Im Kontext dieser Vorüberlegungen ist es wichtig herauszustellen, dass *kein* Lied, *kein* Film und *keine* TV-Serie ein *Allzeitallheilmittel* für religiöse Bildungsprozesse darstellen *kann*. Es wird immer die Herausforderung sein, *jetzt* und *hier* prägende Kulturgüter entdeckend wahrzunehmen und auf Strukturmomente hin zu analysieren. Vor allem TV-Serien zeichnen sich durch eine recht geringe Halbwertzeit (vielleicht könnte man in diesem Kontext auch von einem Mindesthaltbarkeitsdatum sprechen) aus. Nur wenige Serien behalten nach Ausstrahlung ihrer finalen Episode dauerhaften Geltungsanspruch. Selbst für derzeitige mediale Dauerbrenner wie *Die Simpsons* – wohl die prägendste TV-Serie unserer Zeit, deren 32. Staffel (!) vor wenigen Monaten angekündigt wurde – wird zu beobachten sein, wie deren Rezeption sich nach ihrem Abschluss entwickeln wird.

Durch ihren äußerst hohen Bekanntheits- und Rezeptionsgrad kann in diesen Tagen die Serie *Game of Thrones* behandelt werden, um anhand eines Beispiels aufzuzeigen, wie „Strukturmomente, aber auch Bilder, Gehalte, Erzählplots tradierter Religion in kulturelle Zeugnisse hineinwandern und dort neu kombiniert, transformiert, angedeutet oder auch nur profanisiert werden."[11] Diese Serie kann daher zur professionellen Sehschule werden, um mit- und weiterzuschauen, um auch zukünftige Medienprodukte auswerten zu können und diese – so paradox es klingen mag – mit offenen Augen zu sehen. Eine weitere Einladung zum *begründeten Fernsehschauen* also.

2. Die TV-Serie Game of Thrones

An dieser Stelle seien in aller Kürze Eckpunkte zur hier ins Zentrum gestellten Fernsehserie genannt. *Game of Thrones* – so der Titel des TV-Formats – basiert auf der (noch nicht abgeschlossenen) Romanreihe *A Song of Ice and Fire* des US-amerikanischen Schriftstellers *George R. R. Martin*, der auch an der Serie mitwirkt. Etwas verwirrend erscheint daher der Titel der deutschsprachigen Ausstrahlung, werden

11 König, Klaus, Diffuse Schülerreligiositäten, 117.

doch hier durch die Verwendung des Titels *Game of Thrones – Das Lied von Eis und Feuer* beide Ebenen vermengt. Dabei sollten diese beiden Ebenen – Buch und TV-Serie – stets voneinander getrennt betrachtet werden, vor allem da die einzigartige Situation besteht, dass das Fernsehformat die literarische Vorlage *überholt* hat, die neueren Episoden also entstehen, ohne dass der entsprechende Roman bereits vorläge. Hauptverantwortlich für die TV-Adaption sind die Produzenten und Drehbuchautoren *David Benioff* und *D. B. Weiss*.

Die erste Folge der ersten Staffel wurde in den Vereinigten Staaten von Amerika am 17. April 2011, in Deutschland am 2. November 2011 ausgestrahlt. Dass die erste Folge der finalen achten Staffel bereits einen Tag nach der Premiere in den USA auch in Deutschland (und das in synchronisierter Fassung!) ausgestrahlt wurde (nämlich am 14. bzw. 15. April 2019), zeigt, wie hoch die Nachfrage mittlerweile auch in unserem Kulturkreis geworden war. Die Ausstrahlung der finalen Episode der Serie erfolgte am 19. bzw. 20. Mai 2019.

Im Gegensatz zur von *Gregor Maria Hoff* im Rahmen des 13. Arbeitsforums für Religionspädagogik 2018 angeführten TV-Serie *Vikings*, bei der die „Konstruktion der Serie ... zwischen Realität und Fiktion"[12] anzusiedeln ist, ist für die Serie *Game of Thrones* die klare Ver-*Ortung* als reine Fiktion vorzunehmen – dies wird bereits beim ersten Blick auf die in der Serie präsenten und präsentierten Landkarten der fiktiven Kontinente *Westeros* und *Essos* deutlich.

3. Der Stellenwert von Religionen in Game of Thrones

Als sich das *ReliForum Augsburg* im Wintersemester 2018/2019 mit dem Judentum, dem Islam und dem Buddhismus beschäftigte, stellte es diese Veranstaltungstermine unter das Motto „Am Fremden das Eigene neu entdecken. Das Christentum trifft die Weltreligionen"[13]. In Bezug auf *fiktionale, medial präsentierte und generierte* Religionen und Gottesbilder kann dazu angeregt werden, dieses Muster der Neu-Begegnung mit den eigenen Vorstellungen und Traditionen anhand von Fremdheitserfahrungen zu übernehmen.

So wie innerhalb der Fremdreligionendidaktik die Frage nach *Wahrheit* auftaucht, stellt sich diese nämlich für viele Rezipient*innen auch in Bezug auf die Romanreihe *A Song of Ice and Fire* sowie die TV-Serie *Game of Thrones*. Auf die zentrale Stellung der Religionen – und die in ihnen konkurrierenden Wahrheitsansprüche – wird *George R. R. Martin* immer wieder angesprochen, so auch im Interview mit *Charlie Jane Anders* auf der *San Diego Comic-Con 2011*:

> Anders: There are several competing religions in this series now. Should we be wondering if some are more true than others?

---

12 Hoff, Gregor Maria, Religionsunterricht zur Unzeit?, 39.
13 ReliForum Augsburg (Hg.), Am Fremden das Eigene neu entdecken.

Martin: Well, the readers are certainly free to wonder about the validity of these religions, the truth of these religions, and the teachings of these religions. I'm a little leery of the word „true" – whether any of these religions are more true than others. I mean, look at the analogue of our real world. *We have many religions too. Are some of them more true than others?* I don't think any gods are likely to be showing up in Westeros, any more than they already do. We're not going to have one appearing, deus ex machina, to affect the outcomes of things, no matter how hard anyone prays. So the relation between the religions and the various magics that some people have here is something that the reader can try to puzzle out.[14]

Martin selbst wünscht sich also die Auseinandersetzung der einzelnen Rezipient*innen mit den Wahrheitsansprüchen der Religionen – *sowohl* in seiner fiktiven *als auch* der real existierenden Welt.

Doch warum gibt es überhaupt religiöse Elemente in *Game of Thrones*? Die außergewöhnlich hohe Bedeutung und der Einfluss der Religionen sind Martin ein wichtiges, explizites Anliegen, welches er in einem anderen Interview seinem Gesprächspartner darzustellen versucht:

Entertainment Weekly: You talk about religion a lot in the stories, but what are your views?

Martin: I suppose I'm a lapsed Catholic. You would consider me an atheist or agnostic. I find religion and spirituality fascinating. I would like to believe this isn't the end and there's something more, but I can't convince the rational part of me that that makes any sense whatsoever. That's what Tolkien left out – there's no priesthood, there's no temples; nobody is worshiping anything in Rings.[15]

Neben dieser durchaus interessanten und spannenden religiösen Selbstbeschreibung des Autors fällt vor allem auf, dass Martin für sich eine (vermeintliche) Leerstelle in anderen Fantasywerken[16] erkannt hat. Für ihn stellen Religionen einen elementaren Bestandteil *realer*, menschlicher Existenz dar – und dadurch sind sie auch als Baustein für die Glaubwürdigkeit *fiktionaler* Welten nicht zu vernachlässigen.

Dieser Ansatz ist nun einer der zentralen Unterschiede zu anderen Werken aus den Bereichen Fantasy bzw. Science-Fiction: In *Game of Thrones* sind die jeweiligen (fiktionalen) Religionen ein bestimmendes Element, nicht nur ausschmückendes Beiwerk. Zu (fast) jedem Charakter der Serie lässt sich klar beantworten, zu welcher (fiktiven) Religion er oder sie sich bekennt. Mit diesen Religionen verbundene Zeremonien werden vollzogen, die Frage nach Gott oder auch die Frage nach der Wahrheit werden *explizit* von Charakteren der Serie gestellt. Wenn der Pirat *Sal-*

....

14 Anders, Charlie Jane, George R. R. Martin explains why we'll never meet any gods in A Song of Ice and Fire.
15 Hibberd, James, A Dance With Dragons Interview.
16 An dieser Stelle sei der Hinweis auf die Studie „Zwischen Magie, Mythos und Monotheismus. Fantasy-Literatur im Religionsunterricht" von Christina Heidler gestattet.

ladhor Saan in der zweiten Folge der zweiten Staffel äußert „I've been all over the world, my boy, and everywhere I go people tell me about *the true God. They all think they've found the right one!*", bedarf es eben gerade *keiner* zusätzlichen Übersetzungs-, Deutungs- und Transferleistung in Bezug auf die verwendete Motivik. Die religiösen Elemente innerhalb der Serie sind derart zentral, dass sie nicht ausgeblendet und übergangen werden können, da sie zum Teil sogar den Handlungsverlauf entscheidend beeinflussen. Damit unterscheidet sich die Behandlung religiöser Fragen und Themenbereiche in *Game of Thrones* grundlegend von durchaus bekannten und bereits vielerorts für religiöse Bildungsprozesse fruchtbar gemachten Motivinterpretationen in Werken wie *Matrix, Harry Potter, Herr der Ringe* oder *Star Wars.*

4. Verschiedene (fiktive) Religionen & Gottesbilder in Game of Thrones ...

Besonders innerhalb des Haupthandlungsortes der Serie, des Kontinents *Westeros*, wird die religiöse Vielfalt der Serie deutlich. Vor allem in den ersten Staffeln zeigt sich (womöglich in Anlehnung an die Kurzform des zentralen, im Augsburger Religionsfrieden von 1555 festgelegten Rechtsprinzips *cuius regio, eius religio*), dass die Religion des jeweiligen Herrschers oder der jeweiligen Herrscherin einer Region auch von den Untertan*innen zu praktizieren ist. Ebenfalls lässt sich ein starker Einfluss der geografischen, ökonomischen und soziologischen Gegebenheiten einer Region auf die Erscheinungsweisen der örtlichen Religionen erkennen.

Mit dem Fortschreiten der Serie und der Weiterentwicklung der erzählten Geschichte lässt sich aber auch eine Veränderung der serienimmanenten Wahrnehmung religiöser Phänomene nachzeichnen. Ist die Religiosität der Hauptcharaktere Westeros' innerhalb der ersten vier Staffeln in der Regel mit der durchschnittlicher *westlicher* Zuschauer*innen vergleichbar und stellt somit ein Identifikationsangebot dar (so zeigt sich vor allem die *Funktionalisierung von Religion* in Bitten in Gebeten, in der Feier biografischer Meilensteine durch religiöse Rituale und in der Anerkennung basaler ethischer Grundregeln; die *Distanzierung und Privatisierung von Religion,* da diese über gesellschaftliche Standards hinaus kaum direkten Einfluss auf die Lebensführung der Charaktere erkennen lässt; die *Verbindung von Religion mit weiblichen Handlungsträgerinnen* sowie die *Wahrnehmung und Bewertung der Religionen ferner Kontinente als exotisch und teils kurios)*, so wandelt sich dies vor allem innerhalb der fünften Staffel, ohne dadurch aber an Aktualität und Bezug zu den Erfahrungen der Zuschauenden zu verlieren. Mehr und mehr werden nun Religionen und ihre Repräsentant*innen zu Handlungsträger*innen. Der Status Quo scheint durch fremde Religionen und religiöse Fanatiker*innen – vor allem aus *Essos* – bedroht. Auch wird den in *Westeros* sozialisierten Charakteren mehr und mehr klar, dass diese ihnen fremden Religionen einen deutlich größeren Einfluss auf die Lebensführung ihrer Anhänger*innen haben. Religion und religiös motivierte Handlungen werden spätestens ab der fünften Staffel zum gefährlichen, zum bedrohlichen Element.

Vor allem vier Religionen werden innerhalb der TV-Serie häufiger thematisiert und laden durch ihre Anleihen zu eigenen Entdeckungen im und am Fremden, aber auch zu Neu-Entdeckungen des je Eigenen ein:

- *Die Alten Götter des Waldes* stellen die vorherrschende Religion im Norden von Westeros dar. Sehr individuell verehren ihre Anhänger*innen namenlose Götter und Geister in der Natur. Damit verbunden ist die Vorstellung, dass diese Götter nur dort (noch) Macht haben, wo sogenannte *Herzbäume* stehen. In diese besonderen Bäume wurden – lange bevor menschliche Kultur sich in *Westeros* ausbreitete – von den Kindern des Waldes Gesichter geschnitzt. Die *Alten Götter des Waldes* können durch diese Gesichter sehen – aber eben nur noch dort, wo diese Bäume nicht gefällt wurden. Der Glaube an die *Alten Götter* kennt dabei keinen Klerus, keine heilige Schrift oder Hierarchie und beschränkt sich auf sehr wenige festgelegte Zeremonien.

- *Der ertrunkene Gott* wird lediglich auf den *Eiseninseln* verehrt. Hier begegnet ein Priestertum, welches festgelegte Zeremonien zelebriert. So findet sich beispielsweise eine eindrückliche Taufzeremonie, in der das Ertrinken und Wiederauftauchen des Täuflings mit dem zentralen Leitmotiv der Religion *„Was tot ist, kann niemals sterben"* verbunden wird. Die verehrte Meeresgottheit wird dabei als Widersacher eines Sturmgottes verstanden, hier kann daher von einer *Monolatrie* gesprochen werden.

- Bei der Verehrung von *R'hllor, dem Herrn des Lichts* handelt es sich um eine der bedeutendsten Religionen auf dem Kontinent *Essos*, welche sich im Laufe der Serie durch missionarische Tätigkeit zunehmend auch in *Westeros* verbreitet. Verehrt wird eine einzige Feuergottheit, welche sich im (dualistischen) Kampf mit der Dunkelheit und dem Tod, dem *Großen Anderen,* befindet. Anhänger*innen des *Herrn des Lichts* warten auf die Wiederkehr einer Erlösergestalt, um den Sieg im Kampf gegen die Macht der Dunkelheit zu erlangen. Daher sind Priesterinnen und Priester auf allen Kontinenten auf der Suche nach diesem – im englischsprachigen Original – *„Prince That Was Promised"*. Dies führt dazu, dass innerhalb des Verlaufs der Serie von verschiedenen Personen und Gruppen unterschiedliche Charaktere für eben diesen Erlöser gehalten werden. Ist sich zum Beispiel die Priesterin *Melisandre* über viele Folgen hinweg sicher, dass *Stannis* dieser Auserwählte sei, so kommt sie in der dritten Episode der sechsten Staffel im Gespräch mit Jon Snow (in der deutschsprachigen Fassung: Jon Schnee) zur Erkenntnis *„Stannis was not the Prince Who Was Promised, but someone has to be."*

- *Der Glaube an die Sieben* schließlich ist – mit Ausnahme des Nordens – die (zunächst) vorherrschende Religion in *Westeros*. Hier zeigen sich eine klare hierarchische Struktur, Orden und Klerus, definierte und ausformulierte soziale Regeln sowie penibel einzuhaltende Zeremonien und rituelle Handlungen. Zentrales Motiv dieser Religion ist der *siebenzackige* Stern (im Original „*The Seven-Pointed Star*"), der sowohl das Symbol als auch der Titel der heiligen Schrift des *Glaubens an die Sieben* ist. Vor allem in der fünften Staffel werden die Ansichten und Glaubensvorstellungen dieser Religion expliziert. So lässt sich in Staffel 5 Episode 7 in einem Gespräch zwischen *Olenna Tyrell* und dem *High Sparrow* (in der deutschsprachigen Fassung recht wörtlich als der „Hohe Spatz" wiedergegeben und seines Zeichens Anführer einer religiösen Bewegung, welche den *Glauben an die Sieben* von innen heraus reformieren möchte) gar ein Einblick in das Offenbarungsverständnis dieser Religion gewinnen:

The High Sparrow: I serve the gods, the gods demand justice.

   Olenna Tyrell: How do they communicate their demands? By raven or horse?

The High Sparrow: By the holy text, the Seven Pointed Star.

Als mindestens ebenso interessant erscheint die Gottesvorstellung – und damit auch der Name der gesamten Religion. Entgegen einer (übrigens auch von einigen Anhänger*innen dieser Religion innerhalb der Serie vertretenen) Fehlinterpretation handelt es sich beim *Glauben an die Sieben* nicht etwa um einen Polytheismus, sondern um einen Monotheismus. *Die Sieben* bezeichnen hier sieben Aspekte, Gesichter oder Erscheinungsweisen *eines* Gottes – man könnte sagen, eine *Septität*. Dabei stehen drei männlichen Gesichtern und Aspekten dieser Gottheit (der Vater steht für Gerechtigkeit, der *Krieger* steht für Stärke, der *Schmied* steht für Arbeitskraft) drei weibliche (die *Mutter* steht für Gnade, die *Jungfrau* steht für Unschuld, das *Alte Weib* steht für Weisheit) gegenüber. Der Fremde, der für den Tod steht, wird als geschlechtsneutral gesehen – im englischsprachigen Original kann dies durch die Offenheit des grammatikalischen Genus in *The Stranger* besser erkannt werden.

5. ... und viele weitere religionspädagogische Anschlusspotenziale!

An dieser Stelle möchte ich für diesen nun folgenden Abschnitt zunächst eine sogenannte Spoilerwarnung setzen – also den Hinweis, dass die Darstellung von drei ausgewählten religionspädagogischen Anschlussmöglichkeiten inhaltliche Vorwegnahmen enthält. Sollten Sie also derzeit diese Serie selbst schauen, sie aber noch nicht beendet haben, so können Sie sich auch selbst auf Entdeckungsreise begeben und sich die folgenden Ideen zur Nachbereitung vorenthalten.

5.1. Auferstehung

In der zweiten bzw. dritten Folge der sechsten Staffel kehrt eine Figur zurück, mit deren Tod die finale Folge der fünften Staffel zuvor die Anhänger*innen der Serie schockiert hatte. Auf *Jon Snow*, einen der zentralen Handlungsträger der Serie, wurde mehrfach eingestochen. Er brach tödlich verwundet zusammen. Er verbrachte mehrere Tage leblos und aufgebahrt. Und dennoch kehrt er wieder ins (filmische) Leben zurück und berührt seine eigenen Wundmale. Auf die Frage, an was er sich erinnere, nennt er die Stiche – und vor allem eine Person, die diese mit ausführte, beim Namen. „Ich sollte nicht hier sein" ist schließlich seine eigene Einschätzung dieser Vorgänge. Im Anschluss daran entfaltet sich in der dritten Folge der sechsten Staffel folgender Dialog zwischen Jon Snow und der Priesterin Melisandre:

> *Melisandre:* Afterwards, after they stabbed you, after you died, where did you go? What did you see?
>
> *Jon Snow:* Nothing. There was nothing at all.
>
> *Melisandre:* The Lord let you come back for a reason. Stannis was not the prince who was promised, but someone has to be.

Im Vergleich zur Auferstehungsbotschaft der Bibel lassen sich vor allem zwei zentrale Unterschiede benennen. Zum einen findet sich in den Evangelien keine direkte Schilderung des Vorgangs der Auferstehung, in der Erzählung der Serie werden die Zuschauer*innen jedoch direkte Zeugen, wie der zuvor leblose Körper sich erhebt und – dies ist der zweite große Unterschied – seine irdische Existenz einfach fortführt, die Auferstehung im Leben daher eher als eine Wiederbelebungsmaßnahme gestaltet ist.

5.2. Theodizee und der Sinn des Lebens

Die Frage, warum Gott (oder die Götter, oder einer der Götter ...) Leid zulässt, wird in der Serie von unterschiedlichsten Charakteren immer wieder explizit thematisiert. Ebenso werden dabei Antworten – oder besser gesagt: Antwortversuche – gewagt. Vor allem die Auferstehung des toten Jon Snow als reine Fortführung seiner irdischen Existenz führt natürlich zu Fragen, die er ebenfalls wieder im Gespräch mit der Priesterin Melisandre (Episode 9 der Staffel 6) zu klären sucht:

> *Jon Snow:* Any advice?
>
> *Melisandre:* Don't lose.
>
> *Jon Snow:* If I do, if I fall, don't bring me back.
>
> *Melisandre:* I'll have to try.
>
> *Jon Snow:* I'm ordering you not to bring me back.
>
> *Melisandre:* I am not your servant, Jon Snow.
>
> *Jon Snow:* You're in my camp. I'm the commander.
>
> *Melisandre:* I serve the Lord of Light. I do what he commands.
>
> *Jon Snow:* How do you know what he commands?
>
> *Melisandre:* I interpret his signs as well as I can. If the Lord didn't want me to bring you back, how did I bring you back? I have no power. Only what he gives me and he gave me you.

Jon Snow:	Why?
Melisandre:	I don't know. Maybe you're only needed for this small part of his plan and nothing else. Maybe he brought you here to die again.
Jon Snow:	What kind of god would do something like that?
Melisandre:	The one we've got.

Dass diese Fragen nicht ohne Weiteres ausgeräumt und beantwortet werden können, zeigt sich innerhalb der Serie vor allem darin, wie häufig sie in Gesprächen von Jon Snow selbst thematisiert und angesprochen werden. So entwickelt sich in der sechsten Folge der siebten Staffel folgender Dialog zwischen *Jon Snow* und *Beric Dondarrion*:

Beric:	Your wildling friend told me the Red Woman brought you back. Thoros has brought me back six times. We both serve the same lord.
Jon:	I serve the North.
Beric:	But the North didn't raise you from the dead.
Jon:	The Lord of Light never spoke to me. I don't know anything about him. I don't know what he wants from me.
Beric:	He wants you alive.
Jon:	Why?
Beric:	I don't know.
Jon:	That's what anyone can tell me. „I don't know." So what's the point of serving a god, if none of us knows what he wants?
Beric:	I think about that all the time. I don't think it's our purpose to understand. Except one thing: We're soldiers. We have to know what we're fighting for. I'm not fighting so some man or woman I barely know can sit in a throne made of swords.
Jon:	So what are you fighting for?
Beric:	Life. Death is the enemy. The first enemy. And the last.
Jon:	But we all die.
Beric:	The enemy always wins. But we still need to fight him. That's all I know. You and I won't find much joy while we're here. But we can keep us alive. We can defend those who can't defend themselves.
Jon:	I am the shield that guards the realms of men.
Beric:	Maybe we don't need to understand anymore than that. Maybe that's enough.
Jon:	Aye. Maybe that's enough.

5.3. Vom Bauernkrieg und der Reformation

Im Verlauf der fünften Staffel entwickelt sich innerhalb des *Glaubens an die Sieben* ein Streit um das richtige Gottesbild, aber auch um die Organisationsstruktur der eigenen Religion, um die rechtmäßige Art der Verehrung Gottes und die anzustrebende Lebensführung. Durch den fortwährenden Krieg um den *Eisernen Thron* in *Westeros* (der sogenannte „*Krieg der fünf Könige*") kam es zu großer Armut des einfachen Volkes, welche zu einer wachsenden Enttäuschung über die Herrschenden (aber auch den Klerus) führte. Dieser Unmut des Volkes wurde zudem durch vielfache und teils offensichtliche Missachtung und Verletzung der ethischen Grundregeln durch Vertreter*innen der Geistlichkeit und der weltlichen Macht (Inzest, Missachtung des Gastrechts, ...) befeuert. Die „*Sparrows*", eine religiöse Bewegung, welche sich vor allem aus den Ärmsten der Armen speist und von einer charismatischen Führungsgestalt (*„High Sparrow")* angeleitet wird, propagieren sodann die Annahme der Gleichheit von Niedrig- und Hochgeborenen vor den Augen der Sieben. In diesem Kontext erfolgt also eine Neu-Interpretation des Glaubens – nicht zuletzt mit dem Ziel des Umsturzes der gesellschaftlichen Hierarchie. Dass dabei vor allem folgende drei Schlagwörter von den Anhänger*innen der *Spatzen* gebraucht werden, ist kein Zufall: *Schrift, Gnade* und *Glaube*.

Diese religiöse Bewegung der Sparrows wird zum Anstoß für eine Vielzahl von Handlungsverläufen:

* Anbahnung und Abschluss wechselnder (vermeintlicher) Bündnisse zwischen weltlicher Macht und Glaube mit Versuchen der gegenseitigen Instrumentalisierung,
* Erstarken dieser religiösen Bewegung zum Mainstream,
* Errichtung eines militanten Arms der Bewegung zur Zerstörung von Symbolen anderer Religionen, aber auch von Wirtshäusern, Bordellen ...
* Möglichkeit von Verhaftungen, Verhandlungen und Verurteilungen durch den *Glauben*,
* Verhaftung und Demütigung der Königin und von Mitgliedern führender Häuser,
* kriegerische Auseinandersetzungen,
* Bereitschaft einiger radikaler Anhänger*innen, im Dienst des Glaubens an die Sieben zu sterben
* und schließlich ein Bündnis zwischen der Krone und dieser religiösen Bewegung:

The High Sparrow: Together we announce a new age of harmony. A holy alliance between the Crown and the Faith.

King Tommen: The Crown and the Faith are the twin pillars upon which the world rests. Together we will restore the Seven Kingdoms to glory.

6. Ein Ins-Gespräch-Kommen

Theolog*innen sind keine Religionswissenschaftler*innen. Sie bieten keine neutrale Analyse, keine externe Betrachtung des Phänomens *Christentum*, sondern sind selbst in diesem beheimatet und wollen es wissenschaftlich fundiert und reflektiert mit dem eigenen Verstand erschließen, um mit anderen darüber ins Gespräch zu kommen.

Theologie ist immer *„Rede von Gott"*. Ein solches Gespräch erweist sich jedoch als umso schwieriger, desto unterschiedlicher die Voraussetzungen sind. Wenn Matthias Gronover von der Notwendigkeit spricht, den Horizont der Gottesfrage in religiösen Bildungsprozessen überhaupt erst zu eröffnen, da Lernende diese Frage nicht von sich aus stellen[17], bedarf es daher der Suche nach geeigneten Anknüpfungspunkten. Dass über konfessionelle, religiöse und weltanschauliche Grenzen hinweg *ein Ins-Gespräch-Kommen* anhand der TV-Serie Game of Thrones möglich sein kann, zeigte sich mir im Rahmen der Interdisziplinären Ringvorlesung *Fantasy, Science-Fiction und das Mittelalterliche* an der Universität Augsburg im Wintersemester 2016/2017. Für den Großteil der Besucher*innen dieser Veranstaltung waren nicht etwa die Kontinente *Essos* und *Westeros* eine fremde Welt – sondern vielmehr die Ausführungen zu tradierten christlichen Glaubensüberzeugungen, zu denen ihnen an einem der Abende ein Zugang anhand des ihnen bekannten Serienkosmos von *Game of Thrones* eröffnet wurde. Wohl nicht zuletzt dadurch, dass damit ein Theologe ein Auswärtsspiel wagte, war die Atmosphäre geprägt von vorurteilsfreier Offenheit, christlichen Vorstellungen (wieder neu) überhaupt Gehör und Zeit zu schenken – und über religiöse Phänomene und Sichtweisen ins Gespräch zu kommen. Ein Austausch, der so vieles war: *anregend, weckend, beunruhigend, befreiend.*

---

17   Vgl. den Beitrag in diesem Band von Matthias Gronover, Jugendliche fragen nach Gott.

Literatur

- Anders, Charlie Jane, George R. R. Martin explains why we'll never meet any gods in A Song of Ice and Fire, 21.07.2011, in: https://io9.gizmodo.com/george-r-r-martin-explains-why-well-never-meet-any-god-5822939.
- Burkert, Adolf, Pädagogik in evangelischer Sicht. Studien zur Lehrerbildung, München 1957.
- Gronover, Matthias, Jugendliche fragen nach Gott. Befunde aus Religions- und Ethikunterricht in Baden-Württemberg, in diesem Band.
- Heger, Johannes, Die gelbe Religion und die Religiosität der Schüler*innen. Zu Chancen und Grenzen einer medienorientierten Religionsdidaktik am Beispiel der Simpsons, in: Verburg, Winfried (Hg.), Anknüpfungspunkte?! Schülerreligiositäten als Potenzial religiöser Bildung (= 13. Arbeitsforum für Religionspädagogik), München 2018, 95-114.
- Heidler, Christina, Zwischen Magie, Mythos und Monotheismus. Fantasy-Literatur im Religionsunterricht (= Theologie und Literatur 30), Ostfildern 2016.
- Hibberd, James, A Dance With Dragons Interview, 12.07.2011, in: https://ew.com/article/2011/07/12/george-martin-talks-a-dance-with-dragons/.
- Hoff, Gregor Maria, Religionsunterricht zur Unzeit? Fundamentaltheologische Gedanken zur Unselbstverständlichkeit Gottes, in: Verburg, Winfried (Hg.), Anknüpfungspunkte?! Schülerreligiositäten als Potenzial religiöser Bildung (= 13. Arbeitsforum für Religionspädagogik), München 2018, 39-50.
- Karimi, Ahmad Milad, Reise zu Gott – Grundlinien der Gottesfrage aus islamischer Perspektive, in diesem Band.
- König, Klaus, Diffuse Schülerreligiositäten, in: Verburg, Winfried (Hg.), Anknüpfungspunkte?! Schülerreligiositäten als Potenzial religiöser Bildung (= 13. Arbeitsforum für Religionspädagogik), München 2018, 115-124.
- Medienpädagogischer Forschungsverbund Südwest (Hg.), JIM-Studie 2018 – Jugend, Information, Medien. Basisuntersuchungen zum Medienumgang 12- bis 19-jähriger.
- ReliForum Augsburg (Hg.), Am Fremden das Eigene neu entdecken, 16.04.2018, in: https://reliforumaugsburg.wordpress.com/2018/04/16/frieden-suchen/.
- SpiegelOnline, Rekord zum Staffelstart, 16.04.2019, in: https://www.spiegel.de/kultur/tv/game-of-thrones-staffel-8-folge-1-hatte-17-4-millionen-zuschauer-laut-hbo-ein-rekord-a-1263047.html.
- YouGov, Game of Thrones popularity & fame, in: https://today.yougov.com/topics/media/explore/tv_show/Game_of_Thrones.

Alle Internetadressen wurden zuletzt im August 2019 überprüft.

Kapitel 3

Roadtrips zur Gottesfrage: Unterrichtspraktische Konkretionen

Jutta Nowak
**Die Gottesfrage im Religionsunterricht der Primarstufe.
Unterrichtspraktische Konkretionen der Gottesfrage in
unterschiedlichen Unterichtskontexten**

Johannes Heger
**„Glauben Sie das alles wirklich … das mit Gott?" – Die
Gottesfrage mit Mitschüler*innen „brennend" thematisieren**

Oliver Reis/Alicia-Marie Speuser
Die Gottesfrage in inklusiven Lernsituationen

DIE GOTTESFRAGE IM RELIGIONSUNTERRICHT DER PRIMARSTUFE – UNTERRICHTSPRAKTISCHE KONKRETIONEN DER GOTTESFRAGE IN UNTERSCHIEDLICHEN UNTERRICHTSKONTEXTEN

Jutta Nowak

„Lieber Gott! Gibt es dich wirklich?" Eine Kinderäußerung, in der Gott persönlich angeredet („Lieber Gott") und sogleich auch angefragt wird („Gibt es dich *wirklich?*"). Die Existenz Gottes wird angesprochen und im nächsten Moment in Frage gestellt. Die Frage nach Gott ist die „interessanteste Frage auf der ganzen Welt."[1] Gibt es Gott? Und wenn ja, wer ist Gott? Können wir ihm begegnen? In meiner langjährigen Unterrichtstätigkeit und in der Begleitung von Studierenden im Schulpraktikum habe ich fast immer erleben dürfen, dass und wie die Frage nach Gott – spontan von einem Kind gestellt oder als Thema von Lehrer*innen eingebracht – die Atmosphäre im Klassenraum verdichtete, wie die Kinder aufmerkten, unterschiedliche Ansichten bekundeten, einander zuhörten und das Gespräch suchten.

Es gehört zu den grundlegenden Aufgaben von Religionsunterricht, diesen Fragen nach Gott im Religionsunterricht breiten Raum zu geben, d. h. Möglichkeiten anzubieten, über diese großen Fragen, auf die es keine eindeutigen, abschließenden Antworten gibt, nachzudenken. In diesem Nachdenken über Gott werden immer auch bestimmte Vorstellungen von Gott (Möglichkeitssinn[2]) zur Sprache gebracht sowie Anfragen an biblisch-christliche Vorstellungen (Zuspruch) und nach dem Zusammenhang zum eigenen Leben (Anspruch) gestellt.

Religionsspezifische Voraussetzungen für die angemessene Umsetzung der drei Dimensionen (Möglichkeitssinn, Zuspruch, Anspruch) im Religionsunterricht sind neben dem notwendigen theologischen Wissen die Fähigkeit, religiöse Sprache zu übersetzen sowie didaktisch-methodisch kompetent im Blick auf die Lerngruppe aus möglichen Verfahrensweisen sinnvoll auszuwählen. Von daher beleuchtet der erste Teil kurz diese religionsspezifischen Voraussetzungen.

Im zweiten Teil folgen unterrichtspraktische Beispiele zur Gottesfrage aus dem Religionsunterricht der Grundschule. Ich ordne sie den drei oben genannten, von Georg Langenhorst besonders herausgearbeiteten Aufgaben heutiger religiöser Erziehung und Bildung im öffentlichen Raum Schule zu: Entfaltung und Schulung eines Möglichkeitssinns für die Dimension Gottes, Erfahrung von identitätsstiften-

----

1   Biesinger, Albert/Kohler-Spiegel, Helga (Hg.), Gibt's Gott?, 7.
2   Der Begriff „Möglichkeitssinn" wurde von Robert Musil (1880 – 1942) geprägt. Langenhorst zitiert aus Musils Roman „Der Mann ohne Eigenschaften": „Das so benannte, fiktiv erahnte Mögliche könne man … die noch nicht erwachten Absichten Gottes" nennen, vgl. Langenhorst, Georg, Kinder brauchen Religion, 85.

dem Zuspruch Gottes und Einübung in Grundelemente von Anspruch.[3] Zuspruch und Anspruch bilden die Grund-Logik des Christentums: „Ausgangspunkt unserer Existenz ist ein bedingungsloser *Zuspruch* Gottes zu uns, nur von ihm aus erklärt sich der Anspruch an eine moralische und spirituelle Lebensführung".[4] Der Glaube an Gott lässt sich in vielerlei Hinsicht mit dem Wirklichkeitssinn erschließen (über Kirchengeschichte, Archäologie, Textwissenschaften u. a. m.). Er bedarf jedoch der Ergänzung um den Möglichkeitssinn, d. h. um die Kraft von Visionen dessen, was sein *könnte*. Glauben lernen in diesem Sinn bedeutet, „staunend die Möglichkeiten zu entdecken, dass es mehr gibt als die reine Faktenwirklichkeit"[5], bedeutet, sich mit dem Geheimnis unseres Lebens auseinanderzusetzen sowie eine Sensibilität dafür zu gewinnen, wie der Glaube an Möglichkeit und Zuspruch Gottes die „Wahrnehmung und Gestaltung von Wirklichkeit verändert."[6] Diese drei Aspekte sind nicht voneinander zu trennen. Sie bedingen einander und werden im Unterricht stets miteinander verknüpft. Dies zeigt sich auch in den Konkretionen.

Das Fazit im dritten Teil wird eingeleitet durch Aussagen von Grundschüler*innen, die Auskunft geben über das, was sie im Religionsunterricht lernen können.

1. Religionsspezifische Voraussetzungen

1.1. Grundanliegen eines zeitgemäßen Religionsunterrichts

Aktuelle Herausforderungen in Schule und Religionsunterricht sind u. a. Heterogenität, Inklusion, veränderte religiöse Sozialisation, individualisiertes Lernen, neue Lernkultur. Der Religionsunterricht bietet für „alle Kinder den Raum, Glaubens- und Sinnfragen und die Frage nach Gott zu stellen. Ausgehend von den unterschiedlichen Lebenswelten, Lernvoraussetzungen und Vorerfahrungen berücksichtigt der katholische Religionsunterricht die individuelle Persönlichkeit der Kinder. Kinder werden als Subjekte ihrer eigenen Bildungsprozesse wahrgenommen und mit ihren je eigenen Stärken und Schwächen angenommen. Es werden ihnen Räume geboten, sich als selbstwirksam zu erleben und dadurch ein positives Selbstkonzept zu entwickeln."[7]

In ihrer Entwicklung werden sie durch individualisierende und differenzierende Zugangsweisen in gemeinsamen Lernsituationen begleitet. Hierfür braucht es ein differenziertes Angebot und eine Auswahl von Aneignungsmöglichkeiten, die den Schüler*innen ermöglichen, sich mit Inhalten so beschäftigen zu können, dass diese

---

3 Langenhorst entfaltet fünf Grundelemente religiösen Lernens: Kinder brauchen Gott!, Kinder brauchen Jesus!, Kinder brauchen Be-Geist-erung!, Kinder brauchen Gemeinschaft!, Kinder brauchen Religionsunterricht!. Möglichkeitssinn, Zuspruch und Anspruch werden im ersten Grundelement dargelegt, vgl. ders., Kinder brauchen Religion, 62-91.

4 Ebd., 65.

5 Ebd., 86.

6 Ebd.

7 Ministerium für Kultus, Jugend und Sport Baden-Württemberg (Hg.), Bildungsplan der Grundschule 2016, 9f.

für sie individuelle Bedeutung erlangen.[8] Neuere Erkenntnisse der Hirnforschung und der pädagogischen Psychologie zeigen, dass Menschen grundsätzlich dann etwas lernen, wenn sie etwas als bedeutsam empfinden. Lernen ist ein aktiver, konstruierender und selbstbestimmter Prozess. Mit einer Didaktik der Aneignung, welche die Kinder als Subjekte ihrer Lernprozesse versteht, kann es gelingen, alle Kinder durch offene, gut durchdachte Angebote und Auswahlmöglichkeiten ins Thema zu „verwickeln".

1.2. Verfahrensweisen

Im Religionsunterricht der Grundschule sind vor allem zwei Hauptwege zu benennen: reflexiv-kommunikative Zugänge („Theologisieren mit Kindern") und elementare, erfahrungsorientierte Zugänge („mit allen Sinnen"). Eine Didaktik des Theologisierens mit Kindern ist v. a. von Petra Freudenberger-Lötz und anderen ausgewiesen worden.[9] Elementare, erfahrungsorientierte Zugänge helfen den Kindern, Themen anschaulich und „begehbar" zu machen.[10] Die reflexiv-kommunikativen Zugänge zielen dabei eher auf Gottesverständnis und Gottesvorstellung ab, die erfahrungsorientierten Zugänge auf Gottesahnung und Gotteserfahrung.

Theologisieren vollzieht sich auf drei Ebenen, als Theologie der Kinder, als Theologie mit Kindern und als Theologie für Kinder. In Anlehnung an die genannten Ebenen nehmen die Lehrkräfte dabei drei unterschiedliche Gesprächsrollen[11] ein: „aufmerksame Beobachterin"[12], „stimulierende Gesprächspartnerin"[13] und „begleitende Expertin"[14]. Theologisieren kann durch unterschiedliche Medien unterstützt werden, beispielsweise durch Geschichten, Symbole, Bilder. Das wesentliche Me-

....

8   Vier Aneignungsmöglichkeiten sind hierbei leitend: basal-perzeptive Aneignung, anschauliche Aneignung, konkret-gegenständliche Aneignung und abstrakt-begriffliche Aneignung; vgl. hierzu Müller-Friese, Anita, Theologisieren in heterogenen Lerngruppen, 45-46.

9   Reiß, Annike/Freudenberger-Lötz, Petra, Didaktik des Theologisierens mit Kindern und Jugendlichen, 133-145. Vgl. dazu auch die umfassende Einführung in die Grundlagen, Methoden und Themen der Kindertheologie Büttner, Gerhard/Freudenberger-Lötz, Petra/Kalloch, Christina u. a., Handbuch Theologisieren mit Kindern.

10   Hierbei soll vor allem die „kindliche Selbsttätigkeit, ihr Probier-Verhalten und (Probe-)Handeln" angeregt werden: „Gott" zum Klingen bringen, im Schweigen und Beten, in der Bewegung und im Tanz erfahren, im Malen, Schreiben, Erzählen zum Ausdruck bringen, im Einsatz von Legematerial und Tüchern gestalten und vieles mehr, vgl. Ritter, Werner H./Simojoki, Henrik, Gott, Gottesbilder und Kinder, 186.

11   Vgl. dazu das Didaktische Dreieck zu den Rollen der Lehrperson in theologischen Gesprächen, in: Reiß, Annike/Freudenberger-Lötz, Petra, Didaktik des Theologisierens mit Kindern, 138.

12   Nach Reiß, Annike/Freudenberger-Lötz erfordert diese Aufgabe von der Lehrkraft, möglichst genau wahrzunehmen, wie die Schüler*innen mit dem Thema umgehen, diese zu eigenen Konstruktionen zu motivieren, unterschiedliche Deutungen stehen zu lassen; vgl. ebd., 138f.

13   Nach Reiß, Annike/Freudenberger-Lötz erfordert diese Aufgabe von der Lehrkraft, die Deutungen der Schüler*innen aufeinander zu beziehen, zur vertiefenden Reflexion des Themas anzuregen, zu strukturieren, Ergebnisse zusammen zu fassen, die Beiträge zueinander in Beziehung zu setzen, durch eigene Impulse und Fragen die Schüler*innen mit anderen Positionen zu konfrontieren; vgl. ebd., 139f.

14   Nach Reiß, Annike/Freudenberger-Lötz erfordert diese Aufgabe von der Lehrkraft, Deutungsangebote auszuwählen und den Schüler*innen so anzubieten, „dass diese ihre Kenntnisse und Haltungen zum Thema differenzieren und vertiefen können", ebd., 140.

dium ist jedoch das Gespräch. In Anlehnung an die drei Ebenen des Theologisierens mit Kindern formulieren Werner Ritter und Henrik Simojoki drei Ebenen für die Auseinandersetzung von Grundschulkindern mit der Gottesthematik. Die Kinder sollen:

- „ihre eigenen Gottesbilder wahrnehmen, ausdrücken und weiterentwickeln können: *Gottesbilder von Kindern;*
- sich mit aussagekräftigen Gottesbildern aus der theologischen Tradition auseinandersetzen und sich durch diese Begegnungen anregen und herausfordern lassen: *Gottesbilder für Kinder;*
- sich dialogisch und selbstreflexiv trag- und entwicklungsfähige Gottesbilder aufbauen können: *Gottesbilder mit Kindern.* “[15]

Im Gespräch mit Grundschulkindern über Gott und die Welt nachzudenken, zu staunen, zu fragen, nach Antworten zu suchen und weiter zu fragen ist eine methodische Zugangsweise, um *religiöse Sprachfähigkeit* zu fördern. Die Alltagsrealität heutiger Religionslehrer*innen steht oftmals im Widerspruch zu den Motiven und Zielen eines fragen- und erfahrungsorientierten Zugangs. „Sie haben es vielfach mit Kindern zu tun, die sich unter ‚Gott‘ wenig Spezifisches vorstellen können und sich entsprechend schwer damit tun, ihre eher diffusen Vorstellungen in Worte zu fassen. Statt kindertheologischer Sternstunden überwiegt in vielen Klassenzimmern daher die mühsame, oft stammelnd vollzogene Suche nach einer dem sperrigen Thema angemessenen Sprache. ‚Den Sprachlosen Sprache verleihen‘ – so kennzeichnet Anna-Katharina Szagun die erste und grundlegende Bildungsherausforderung im Kontext der Gottesfrage.“[16].

„[D]ie in der religionspädagogischen Literatur für Kinder manchmal leichthin beanspruchten Kompetenzen theologischer Wahrnehmung, Reflexion und Artikulation im Religionsunterricht der Grundschule [können] nicht als gegeben vorausgesetzt werden.“[17] Vielmehr müssen sie „kleinschrittig aufgebaut und behutsam kultiviert werden.“[18] Um jedoch mit Kindern heute eine Gottesbeziehung anzubahnen und aufzubauen, die diese als tragfähig und für ihr Leben bedeutsam empfinden, braucht es notwendig die Sensibilisierung für religiöse Sprache.

1.3. Zur Bedeutung religiöser Sprache

Der baden-württembergische Bildungsplan der Grundschule formuliert als prozessbezogene Kompetenz: „Die Schülerinnen und Schüler können religiös bedeutsame

....

15   Ritter, Werner H./Simojoki, Henrik, Gott, Gottesbilder und Kinder, 181.
16   Ebd.
17   Ebd.
18   Ebd.

Sprache und Zeugnisse verstehen und deuten."[19] Ausdifferenziert heißt es weiter: „Die Schülerinnen und Schüler können Grundformen religiöser Sprache ganzheitlich erschließen (zum Beispiel Metapher, Symbol, Wundererzählung, Gleichnis, Legende, Gebet, Stille, Ritual, Musik, Bild)".[20] Wer sich mit Religion befasst, hat es mit metaphorischen und symbolischen Sprachformen, mit Mythen, Sagen und Legenden zu tun, Deutungen von Mensch und Welt, über Generationen mündlich überliefert, bevor eine schriftliche Fixierung erfolgte. Religionen lehren die Ehrfurcht vor dem Wort, vor der Kraft des Wortes. Viele Schüler*innen haben sich jedoch an einer „Religionsunterrichtssprache" bereits so satt gehört, dass sie entweder mit klischeehaften Antworten reagieren oder sich bereits zu Stundenbeginn ausklinken. Es braucht Sprachangebote im Religionsunterricht, die – gerade in ihrer Fremdheit – die Schüler*innen herausfordern zu Sprachbegegnung und eigenem Sprachausdruck.[21] Solche Sprachangebote umfassen die Sprache des Wortes, des Bildes, der Musik. Hubertus Halbfas hat in seinem gesamten Schulbuchwerk den Religionsunterricht als Sprachunterricht akzentuiert und vielfältig entfaltet.[22] Der Sensibilisierung für religiöse Sprache misst er höchste Bedeutung bei.[23]

Im Religionsunterricht der Grundschule spielt das Erzählen eine große Rolle (narrative Didaktik): Erzählen, nacherzählen, ins Gespräch bringen, gestalten. Religionen waren ursprünglich Erzählgemeinschaften. Ein Meister des Erzählens war Jesus von Nazaret. Mit seinen Gleichnissen, Parabeln und Beispielgeschichten sprach er Ohren und Herzen der Zuhörenden an. In seinem Reden und Handeln gewann das Reich Gottes Farbe und Überzeugungskraft. Sein Wirken wurde und wird weitererzählt.

Erzählen will gelernt sein, muss von Lehrer*innen zuvor geübt werden. Bieten Lehrer*innen diesen Zugang an, so kann es die Erlebnisfähigkeit der Schüler*innen auf der „inneren Bühne" anregen sowie ihre Vorstellungs- und Sprachkraft fördern.

In einem Lied heißt es: „Schaue hindurch, was immer du siehst, mit deinem Herzensauge. Lausche hindurch, was immer du hörst, mit deinem Herzensohr." Sensibilisiert für religiöse Sprache können sich äußere und innere Räume öffnen, können Kinder ein „drittes Auge" (Halbfas) und ein „drittes Ohr" entwickeln.

....

19 Ministerium für Kultus, Jugend und Sport Baden-Württemberg (Hg.), Bildungsplan der Grundschule 2016, 11. Prozessbezogene Kompetenzen sind Fähigkeiten, welche die Schüler*innen am Ende ihrer Schullaufbahn erworben haben sollen. Der Fachplan Katholische Religionslehre entfaltet fünf Kompetenzbereiche: Wahrnehmen und Darstellen, Deuten, Urteilen, Kommunizieren sowie Gestalten. Sie sind jeweils in Teilkompetenzen unterteilt und werden mit inhaltsbezogenen Kompetenzen erworben.

20 Ebd.

21 Beispiele dafür finden sich in den Publikationen von Ingo Baldermann und Rainer Oberthür. Oberthür gibt z. B. einen Leitsatz an die Hand: „Alle Dinge, die wir sehen, können wir doppelt anschauen: als Tatsache und als Geheimnis. Aus dem Wirklichen erwächst das Erstaunliche", in: Oberthür, Rainer, Das Buch der Symbole, 8.

22 Die Vermittlung einer elementaren Grammatik der religiösen Sprache ist deshalb das Ziel seiner Kurse „Sprachverständnis", „Symbolverständnis" und „Bibelverständnis", über die gesamte Primarstufe hinweg.

23 Vgl. Halbfas, Hubertus, Sprachverständnis: Die Metapher, 97-136.

2. Unterrichtspraktische Konkretionen

Im zweiten Teil folgen nun Beispiele aus dem Religionsunterricht, die aufzeigen, wie Gottesvorstellungen und Gotteserfahrungen bei Schüler*innen – auch sprachlich verständlich – so aktiviert werden können, dass bei ihnen (wie auch bei den Lehrkräften) eine Auseinandersetzung mit der Gottesthematik als konstruierender und aktiver Prozess in Gang kommt. Die Beispiele unter 2.1 stehen eher für die reflexiv-kommunikativen Zugänge, die Beispiele unter 2.2 für die elementaren, erfahrungsorientierten Zugänge. Dabei durchdringen sich erkennbar die drei Dimensionen Möglichkeit, Zuspruch und Anspruch.

2.1. „Möglichkeit Gottes"

„Die Wirklichkeit Gottes liegt auch jenseits des Wortpaares anwesend – abwesend. Das ist eine Erfahrung vieler gläubiger Menschen, dass Gott ihnen gerade dort am stärksten gegenwärtig sein kann, wo er schmerzlich vermisst ist. Die Frage nach ‚Gott' ist vielleicht bereits die deutlichste Form seiner Gegenwart, und wo er vollmundig bekannt wird, kann er ferner sein denn je."[24]

Wie oben schon dargelegt, gehört es zu den Grundanliegen eines zeitgemäßen Religionsunterrichts, Kinder darin zu unterstützen, eine Fragehaltung zu entwickeln, sich neugierig und offen den *großen Fragen* des Lebens nach dem Woher, Wozu und Wohin zu stellen sowie die Gottesfrage und die Frage nach Religion und Glaube in einer zunehmend säkular geprägten Welt zumindest offen zu halten.

2.1.1. *„Worüber ich mir den Kopf zerbreche!"*

Grundlage: Der Roman „Sofies Welt" von Jostein Gaarder[25]

Mögliche Vorgehensweise:

Die Schüler*innen bekommen mit der Post zwei Briefe geschickt: „Wer bist du?" und „Woher kommt die Welt?".[26] Nach ersten Überlegungen, wer wohl die Briefe geschickt haben könnte, folgt der Impuls: Was wollten die, die uns diese Briefe geschickt haben, wohl erreichen? Weiterführend: Auf einem Arbeitsblatt „Worüber ich mir den Kopf zerbreche" notieren die Kinder nun ihre Fragen. Im Plenum werden alle Fragen der Kinder gesammelt und geklärt, welche Fragen große Fragen sind. Im gemeinsamen Gespräch wird nach Antworten gesucht, die wiederum oft neue Fragen nach sich ziehen.

....

24 Lehnert, Christian, Der Gott in einer Nuss, 21.
25 Gaarder, Jostein, Sofies Welt.
26 Diese Fragen sind der Ausgangspunkt des Romans „Sofies Welt" von Jostein Gaarder. Sie veranlassen Sofie, über sich und die Welt nachzudenken und in die Geschichte der Philosophie einzutauchen; vgl. dazu Oberthür, Rainer, „Wer fragt, weiß schon etwas!", 50ff.

2.1.2. „Warum bin ich auf der Welt?"[27]

Grundlage: Das Bilderbuch „Die große Frage" von Wolf Erlbruch

Ein kleines Kind geht der Frage nach, warum es auf der Welt sei. Es gibt die Frage an andere weiter und erhält die unterschiedlichsten Antworten. So sagt z. B. die Großmutter: „Natürlich bist du auf der Welt, damit ich dich verwöhnen kann." Sagt der Vogel: „Um dein Lied zu singen, bist du da!" Sagt der Gärtner: „Um Geduld zu haben, bist du auf der Welt" Sagt der Blinde: „Du bist auf der Welt, um zu vertrauen." Sagt die Ente: „Ich habe überhaupt keine Ahnung" Sagt der Tod: „Du bist auf der Welt, um das Leben zu lieben."

Explizit findet sich in diesem Bilderbuch keine religiöse Antwort. Dennoch bleibt die große Frage unter religiöser Perspektive damit nicht einfach beliebig. „Vertrauen", „Liebe", „Leben" und die Freiheit zur Sinn-Deutung sind die großen Eintrittstüren zu Getragen-Sein, zu Glauben, zur Gottes-Beziehung. „Du bist da, weil ich dich lieb habe", sagt die Mutter am Schluss zu ihrem fragenden Sohn, hält ihn dabei liebevoll auf ihrer Schulter und stellt ihn auf etwas Rundes, das einer Erdkugel gleicht. Und das Kind macht sich, gestärkt von diesem Zuspruch aus mütterlich-göttlicher Kraftquelle, auf seinen weiteren Weg: um Fragen zu stellen, seinen Weg zu suchen und seine Sinn-Deutung zu wagen.

Mögliche Vorgehensweise:

Zunächst wird der Buchtitel „Die große Frage" den Kindern gezeigt, mit Impulsfragen begleitet, wie z. B.: Was ist eine große Frage? Wenn es große Fragen gibt, gibt es dann auch kleine Fragen? Wie könnt ihr erklären, dass für euch eine Frage eine große Frage ist? Die Schüler*innen äußern eigene Vorstellungen und Gedanken und tauschen sich mit den anderen aus. Bei einer gemeinsamen Betrachtung des Bilderbuches erfahren sie die Antworten, die das Kind im Buch bekommt. Welche Antworten würdest du so sagen, welche nicht? Warum antworten die Befragten so, wie sie antworten? Welche Antwort würdest du dem Kind geben? Aufgabe: Gestalte ein Arbeitsblatt oder ein Plakat mit Wort und Bild zu deinen Gedanken.

In einem zweiten Unterrichtsbaustein kann die philosophische Frage „Warum bin ich auf der Welt?" auf Personen der Bibel bezogen werden: Zu allen Zeiten stellen sich Menschen die Frage, warum sie auf der Welt sind. Denke an die biblischen Geschichten und an die Personen, die du aus diesen Geschichten kennst. Was würden sie auf diese Frage antworten? Schreibe deine Ideen auf, male oder spiele sie.

2.1.3. „Gottesbilder-Sammlung"

Gerade in der Grundschule empfiehlt es sich, die Frage nach Gott über Bilder zu erschließen. Kinder drücken ihre Vorstellungen von Gott oft bildhaft aus. Ein auszu-

....

27 Erlbruch, Wolf, Die große Frage. Vgl. dazu die Vorschläge des RPZ Heilsbronn zu unterrichtlichen Zugängen im Primarbereich mit Möglichkeiten der Differenzierung in heterogenen Lerngruppen.

wählendes Bild, mit dem sie (anderen) erzählen können, unterstützt sie im sprachlichen Ausdruck. Diese Übung versteht sich als Grundübung, d. h. sie wird bewusst über die Schuljahre wiederholt. Diese Übung vertieft die persönliche Frage nach Gott – wer ist Gott für mich – und bringt persönliche Gottesvorstellungen, -erfahrungen, -beziehungen, -ahnungen der Kinder zum Ausdruck. Es wird klar, dass kein Bild „Gott" einfangen kann, dass jedes Bild nur etwas zeigt von dem, was nicht ins Bild gebracht werden kann und letztlich unsagbar bleibt.

Grundlage: Eine Auswahl von Bildern (Landschaften, Menschen, Gebäude, Lebenssituationen usw.) wird auf dem Boden oder auf leeren Tischen ausgelegt.[28]

Mögliche Vorgehensweise:
Aufgabe: Suche dir ein Bild aus, das für dich etwas von Gott zeigt, oder besser noch, mit dem du den anderen etwas von Gott zeigen oder erzählen kannst! Die Kinder betrachten bei stiller Musik die ausgelegten Bilder, wählen eines aus und gehen an ihren Platz zurück. Sie stellen ihr Bild den anderen vor. Im Gespräch ergeben sich grundsätzliche Fragen und Einsichten.
Erweiterungsmöglichkeit: Die Kinder suchen selbst in Zeitungen, Kalendern, im Internet usw. nach Bildern, mit denen sie von Gott erzählen können, und bringen diese mit. Oder sie malen eigene Bilder und bringen diese mit. Die Gottesbilder-Sammlung vergrößert sich und macht deutlich, dass Gott auch bei noch so vielen Bildern unerschöpflich und unbegreiflich für uns bleibt.

2.1.4. „Wie siehst du aus, Gott?"[29]

In dieser Übung geht es um Gottesvorstellung und Gottesbeziehung der Grundschüler*innen, in der sich wiederum die persönliche Frage nach Gott stellt. Ein sprach-orientierter Zugang, der die Schüler*innen experimentieren lässt mit der Sprache des Wortes und des Bildes.
Grundlage: Bilderbuch „Wie siehst du aus, Gott?" von Marie-Hélène Delval

Mögliche Vorgehensweise[30]:
Erster Zugang: Eigene Bilder zu Gottes-Bildern in Worten. Auf die Einstiegsfrage „Wie siehst du aus, Gott?" äußern sich die Schüler*innen spontan. Weiter kann gefragt werden: Was würde Gott selber auf diese Frage antworten? Frage ergänzen mit dem Bildwort: „Du bist Sonne und wärmst uns." (Ps 84,12) Was ist mit diesem Bild gemeint? Vierzig Anfangssätze aus dem Bilderbuch werden um die Mitte gelegt: Ich habe 40 Bilder in Worten vorbereitet. Lies bei der ruhigen Musik die Sätze durch,

....

28   Es kann eine selber zusammengestellte Bildersammlung verwendet werden oder auch Symbol- und Erzählbilder der Symbol-Kartei, vgl. Oberthür, Rainer, Die Symbol-Kartei, 119-122.
29   Delval, Marie-Hélène, Wie siehst du aus, Gott?
30   Zur möglichen Vorgehensweise vgl. www.rainer-oberthuer.de.

entscheide dich für einen Satz und schreibe ihn oben auf dein Arbeitsblatt. Male ein Bild dazu, mit dem du etwas von Gott zeigen kannst. Später kannst du uns das Bild zeigen und dazu erzählen.

Zweiter Zugang: Bildworte zu gemalten Bildern. Die vierzig Bilder aus dem Bilderbuch (von Barbara Nascimbeni) werden in der Klasse ausgelegt. Jedes Kind nimmt einen farbigen Stift und schreibt überall dort einen Satz über Gott auf das Blatt, wo ihm einer einfällt. Impuls: Schreibt ungewöhnliche Sätze auf, die vielleicht sonst niemand anders einfallen.

Dritter Zugang: Bilder und Gedanken zu Gottesgedichten: Den Kindern wird erstmals das Bilderbuch gezeigt, ein Buch mit vierzig Sätzen und vierzig Bildern. Somit wird der Gesamtzusammenhang des Bisherigen klar. Die Kinder erfahren, dass die Sätze wiederum nur der Auftakt zu Gedichten sind. Eine Auswahl dieser Gedichte wird nun ausgelegt: Wähle ein Gedicht aus und gestalte dazu ein Bild oder schreibe eigene Gedanken auf oder beides.

2.2. „Zuspruch Gottes und Anspruch"

Die Bibel liefert keine Tatsachenberichte, sondern erzählt Geschichten, in denen Menschen ihr Leben auf Gott hindeuten. Sie führt uns nachdrücklich vor Augen, dass Gott uns das „Ja des Seindürfens"[31] immer wieder zuspricht. „Die zentrale Erkenntnis in den vielfältigen Aussagen der Bibel ist, dass Gott eine Beziehung zu den Menschen hat. Diese Glaubenswahrheit können wir am besten in menschlich-personalen Bildern ausdrücken."[32] Es ist wichtig, den Kindern von Anfang an vielfältige und mitwachsende Gottesbilder anzubieten. Wenn es gelingt, die Gottesfrage mit der Lebensfrage überzeugend zu verknüpfen, können biblische Geschichten ihr Potenzial neu entfalten.

2.2.1. „Ich will dich segnen und ein Segen sollst du sein"

Das Ineinander von Zuspruch und Anspruch – in genau dieser Reihenfolge – bestimmt die Segensthematik. Segen meint zwei Beziehungsqualitäten für den Menschen: die Zusage, unter Gottes Liebe und Begleitschutz zu stehen, und die Aufforderung, anderen und der Welt diese Liebe und Fürsorge weiterzugeben.

Grundlage: Die folgenden Unterrichtsbausteine gehen zurück auf eine Akademietagung mit Eva-Maria Bauer.[33] Die Grundschulkinder werden in die Wort- und Körpersprache des Segnens eingeführt. Die Bausteine möchten die Kinder auch dazu befähigen, die Schule als Segensraum zu erleben und zu gestalten. Zu Beginn falten und gestalten die Schüler*innen einen Koffer aus Pappe. In ihm werden alle Arbeitsblätter, Bilder wie auch symbolische Gegenstände gesammelt. Der Koffer will zei-

....

31 Langenhorst, Georg, Kinder brauchen Religion, 65.
32 Klein, Stephanie, Gottesbilder von Mädchen und Jungen, 31.
33 Staatliche Akademietagung Calw 2007, Frau Eva-Maria Bauer (Referentin): „Ich will dich segnen und ein Segen sollst du sein. In Sprache, Lied, Ritual und Tanz die Schule als Segensort erfahren."

gen, dass der Religionsunterricht Kinder für die große Reise durch ihr Leben rüstet und ihnen das notwendige „Gepäck" mitgibt.

Mögliche Vorgehensweise:

In den ersten beiden Bausteinen („Was ist Segen?" und „Segen in der Sprache der Menschen") erfahren und deuten die Kinder u. a. das Kreuzzeichen in einer Körperübung: Das Kreuz sagt uns: Die Kraft zum Leben kommt vom Himmel. Du gibst sie auf Erden anderen weiter. Gott braucht dich für eine gute Welt. Die Kinder sammeln Gruß- und Abschiedsworte, in denen Gott oder Segen vorkommt, in allen ihnen bekannten Sprachen. Segenslieder und -tänze kommen hinzu. Die nun folgenden Bausteine nehmen die Kinder mit auf eine Reise durch die Bibel, indem sie zentrale Personen und Ereignisse unter der Segensperspektive kennenlernen: Schöpfung, Abraham und Zukunftssegen; Jakob – Vom Segen des Träumens; Jakobs Kampf mit Gott – Um den Segen ringen; Mose – Der Segen des Ich-bin-da; Maria – Den Segen Gottes zu seinem Lob werden lassen; Jesus – Gottes Segen gilt besonders den Kindern. In allen Stunden gibt es ein Angebot von Übungen zu Beginn (Wahrnehmungsübung, Stilleübung, Körperübung) sowie Erzählungen, Text, Bild, Lied, kreativem Gestalten, Schreiben, Malen. So füllt sich der Segens-Koffer. Ein abschließender Baustein „Segen heißt für mich" wird die gesamte Unterrichtseinheit anhand der Dinge im Koffer in Erinnerung rufen. Es wird gemeinsam überlegt, wie Schule zum Segensraum für Kinder werden kann.

2.2.2. „Mose am Dornbusch"

Der Name des Gottes Israels, das Tetragramm JHWH, führt mitten hinein in das Geheimnis Gottes, der ganz nah und zugleich unverfügbar ist. Wir Menschen können Gott nicht sehen. Religion hat mit dem Geheimnis zu tun. Der Kern der Religion ist unsichtbar. Die Symbole der Religion vergegenwärtigen und verbergen zugleich, worauf sie verweisen: das Unsichtbare.

Mögliche Vorgehensweise: „Feuerbilder malen"[34]
„In allen Religionen wird das Feuer mit dem Göttlichen in Verbindung gestellt … Feuer hat mit Kraft, Energie, Bewegung zu tun. Die Schüler*innen malen mit Walzen und Farben große Feuerbilder. So können sie etwas von der Kraft des Feuers spüren. Sie können erahnen, welche Kräfte des Vertrauens die Gottesbegegnung in Mose freigesetzt hat."[35]
Imagination: Die Schüler*innen schließen die Augen. Sie stellen sich ein großes Feuer vor, ein Feuer, das mitten in der Wüste brennt. Ein Feuer, das sie anspricht, begeistert, fasziniert. Sie erzählen von ihren Bildern.

....

34 Bischöfliches Ordinariat Rottenburg-Stuttgart und Institut für Religionspädagogik der Erzdiözese Freiburg (Hg.), Gott befreit – Mose, 21f.
35 Ebd., 20.

Malen: Vorweg wird gemeinsam überlegt, wie die imaginierten Bilder gemalt werden können, z. B. Platzaufteilung des Blattes (weiße Blätter DIN-A3 oder größer), dann wird gemalt (Glasplatten, Dispersionsfarben rot, gelb, orange, blau, Walzen).

Reflexion: Die Schüler*innen erzählen, woran die Bilder sie erinnern.

Weiterarbeit am Bild: Moses als Umrissfigur in das Bild setzen (schwarzes Tonpapier, Bleistift, Schere, Kleber): Zeichnet einen Menschen auf, der dieses Feuer betrachtet, schneidet diese Figur aus und klebt sie auf das Bild.

Anregungen zur Reflexion: Was ist mit diesem Feuer? Was ist mit diesem Menschen? Wer könnte dieser Mensch sein?

2.2.3. „Der Traum von einer besseren Welt"[36]

In allen Menschen ist die Sehnsucht nach Liebe, Gerechtigkeit, Frieden und vielem mehr verwurzelt. Sie träumen von einer besseren Welt. Auch Grundschulkinder haben Wunschbilder und Hoffnungsträume. Um ihnen dies bewusst zu machen, dürfen sie Wünsche und Mahnungen an diese unsere Welt aussprechen. Die sich anschließende Bildbetrachtung sensibilisiert die Schüler*innen nochmals für eigene Vorstellungen und Träume von einer besseren Welt.

Grundlage: Weltkugel, Bilder und Wortkarten, „Die Vision des Jesaja"

Mögliche Vorgehensweise:

Erster Schritt: In der Mitte eines Stuhlkreises liegt eine mit mehreren Tüchern abgedeckte Weltkugel. Um die Weltkugel herum liegen Fotos von emotionalen Situationen aus der ganzen Welt und Karten mit Begriffen, wie z. B. *Spuren, Kinder, Toleranz, Gift, Umwelt, staunen, wissen, Freude, Freiheit, Frieden, Wasser, Krieg, Schöpfung, Träumen, Pflanzen, sehen, Abgase, Ozonloch, Unkraut, Baum, glauben, Vögel, Vertrauen, forschen, Geld, Leben, essen, Erde, hören, saurer Regen, Versöhnung, atmen, Tiere, trinken, Welt, Sehnsucht, teilen, lernen, Freundschaft, Luft, Menschen.* Die Schüler*innen decken die Weltkugel Tuch für Tuch auf. Sie schauen sich alle Bilder und Wortkarten rund um die Weltkugel genau an. Aufgabe: Suche dir eine Wortkarte und ein Bild aus, mit denen du einen Wunsch und eine Ermahnung an unsere Welt richtest. Die nicht gewählten Wortkarten und Bilder werden weggeräumt. Die Schüler*innen stellen ihre Wünsche und Mahnungen im Plenum vor und legen ihr Bild bzw. die Wortkarte zur Weltkugel in die Mitte. Überleitung zur Bildbetrachtung: Jede/ jeder hat nun einen Wunsch und eine Mahnung ausgesprochen. In allen euren Wünschen und Mahnungen steckt eine Vision, der Traum von einer besseren Welt. Vor langer Zeit hatte auch jemand einen solchen Traum. Ich lade euch ein, diesen Traum genauer anzuschauen. Gemeinsame Bildbetrachtung, ohne den Titel des Bildes zu nennen: Betrachtet das Bild in Ruhe! Impuls: Ich sehe ... Wie deutet ihr das Bild? Gebt

....

36 Bischöfliches Ordinariat Rottenburg-Stuttgart und Institut für Religionspädagogik der Erzdiözese Freiburg (Hg.), Jesus bringt die Botschaft vom Reich Gottes, 9.

dem Bild eine Überschrift! Danach gibt Lehrer*in eine kurze Erklärung zu Jesaja und liest den Bibeltext vor: „Dann schmieden sie Schwerter zu Pflugscharen. Man lernt nicht mehr, wie man Krieg führt. Da wohnt der Wolf bei dem Lamm. Kuh und Bärin weiden zusammen, ein Kind kann sie hüten. Der Säugling spielt am Schlupfloch der Schlange. Man tut nichts Böses mehr und begehrt keine Verbrechen, denn überall ist Gott nahe."[37] Gemeinsam wird über den Text des Liedes „Wenn einer alleine träumt" nachgedacht, Beispiele werden gesucht und schließlich als Lied gesungen.

Zweiter Schritt: Zwölf vorbereitete Wortkarten[38] werden an die Schüler*innen verteilt. Aufgabe: Bildet Sätze mit den Wortkarten und stellt sie uns vor! Die Schüler*innen stellen ihre Satzkonstruktionen vor. Sie erhalten die Information, dass diese vier Sätze „elementare Sätze der Hoffnung"[39] genannt werden. Impuls: Habt ihr eine Idee, warum diese Sätze so genannt werden? Sie bestehen aus nur drei Worten („Weinende werden lachen", „Hungernde werden satt", „Ausgeschlossene werden dabei sein", „Kleine werden wichtig"). Sie enthalten jeweils ein Gegensatzpaar: „Der Satzanfang beschreibt die leidvolle Realität, das Verb den Veränderungsprozess und das Satzende die hoffnungsvolle Zukunftsperspektive."[40]

Impuls: Kennt ihr Erzählungen aus der Bibel, die sich mit diesen Sätzen verbinden lassen? Die Schüler*innen nennen begründet Beispiele, z. B. erzählen sie bei „Kleine werden wichtig" von Zachäus oder David. Mit diesen elementaren Sätzen beschreibt Jesus seine Vision vom Reich Gottes. Im Erzählen von Gleichnissen u. a. m. nimmt Jesus die Zuhörer*innen in seine Hoffnung vom Reich Gottes mit hinein.

2.2.4. Hoffnung lernen: Das Gleichnis vom Senfkorn

„Hoffnung braucht Worte und Bilder, in denen sie Gestalt gewinnt und erinnerbar wird. Die Bibel hat eine eindrückliche Sprache für diese Erfahrungen und Träume gefunden. Auch Grundschulkinder können sie verstehen und lebensbedeutsame Entdeckungen machen."[41]

Mögliche Vorgehensweise:

Hoffnung lernen ist ein offener Prozess, bei dem Kinder und Lehrkraft gemeinsam Lernende sind. Die Schüler*innen wählen einen Praxis-Baustein aus und bearbeiten

....

37   Jes 2,4; 11,6-9.
38   Ausgeschlossene, satt, werden, Lachen, wichtig, werden, Hungernde, Kleine, werden, dabei sein, werden, Weinende, vgl. ebd., 13.
39   Die elementaren Sätze der Hoffnung gehen auf Ingo Baldermann zurück. „Alle vier Sätze sind so konkret, dass die Schülerinnen und Schüler sie wörtlich verstehen können und dürfen. Und doch steckt mehr in ihnen. Als Metaphern haben sie einen Bedeutungsüberschuss. Diese Offenheit ermöglicht es, dass die Hoffnungssätze zum einen einen Zugang zu den Gleichnissen und Wundererzählungen erschließen, zum anderen in immer neuer Begegnung zu eigenen Sätzen der Schülerinnen und Schüler werden können. Als Wortkarten bieten die Sätze den Schülerinnen und Schülern die Möglichkeit, sich mit ihnen zu beschäftigen und sie einzuprägen." Ebd., 13.
40   Ebd.
41   Höfer, Anne, Hoffnung lernen. Das Gleichnis vom Senfkorn, 112.

die Aufgabenstellung in Einzel-, Partnerarbeit oder in Kleingruppen. Zu einer vereinbarten Zeit kommen alle zusammen und nehmen die anderen über ihren Zugang mit hinein in das Gleichnis vom Senfkorn.

Grundlage: Fünf mögliche Bausteine

- *Stilleübung:* Die Schüler*innen bekommen auf einem Blatt einen Text vom Samenkorn. Aufgabe: Lest den Text mehrmals durch. Überlegt, wie ihr die Stilleübung anleiten könnt (ruhig hinsetzen, Augen schließen ...). Tragt den Text langsam vor. Lasst im Anschluss an die Stilleübung die anderen erzählen, was sie gesehen haben. Fragt nach, wie die anderen nun nach der Stilleübung den Satz „Mit dem Reich Gottes ist es wie mit einem Senfkorn" verstehen. Wir freuen uns schon darauf, in die Stille geführt zu werden und dem Senfkorn zu begegnen!

- *Senfkorngeschichten sammeln:* Während der gesamten Lernsequenz werden Senfkorngeschichten gesammelt, die im Klassenraum an einen „Baum" (Zweige, Äste bzw. aus Tonpapier gestaltet) gehängt werden. Senfkorngeschichten sind Geschichten, die davon erzählen, wie das Reich Gottes wächst. Aufgabe: Sammelt aus Zeitung, Zeitschriften, Internet oder anderen Quellen Bilder und Texte, mit denen ihr eine Senfkorngeschichte erzählen könnt. Begründet, warum eure Geschichte an dem „Baum" aufgehängt werden soll. Wir freuen uns schon auf eure Senfkorngeschichten für unseren Senfkorn-Baum!

- *Klang-Geschichte:* Erzählt die Geschichte vom Reich Gottes und dem Senfkorn nur mit Tönen, Klängen und Melodien. Überlegt euch genau, wie ihr spielen wollt und welche Instrumente an welcher Stelle besonders gut passen. Diese Fragen können euch bei der Komposition eurer Klang-Geschichte helfen: Welche Stellen der Geschichte wollen wir besonders deutlich spielen? Können die Zuhörer das kleine Senfkorn zu Beginn, das Wachsen und den großen Baum am Ende hören? Und die Vögel? Spielen wir langsam genug, damit unsere Zuhörer auch Zeit haben, sich in unsere Geschichte hineinzuhören? Wir freuen uns schon darauf, eure Klang-Geschichte vom Senfkorn zu hören!

- *Lied „Das Senfkorn wächst":* Die Schüler*innen erhalten ein Liedblatt mit einem Senfkorn-Lied, z. B. dem Lied „Das Senfkorn wächst". Aufgabe: Singt mit uns das Lied „Das Senfkorn wächst". Erarbeitet zu dem Lied einen meditativen Tanz oder eine Pantomime! Wir freuen uns schon darauf, mit euch das Lied vom wachsenden Senfkorn zu singen, zu tanzen oder eure Pantomime anzuschauen!

- *Schattenbilder:* Aufgabe: Erstellt mit weißen Bettlaken und dem Overheadprojektor als Lichtquelle Schattenbilder zum Gleichnis vom Senfkorn. Überlegt euch genau, wie ihr das Gleichnis unterteilen wollt. Entwerft in eurer Gruppe Schattenbilder zu den Sinnabschnitten des Gleichnisses. Führt eure Schattenbilder in der Gruppe vor. Wir freuen uns schon darauf, eure Schattenbilder anzuschauen!

In der neuen Verzahnung von Erleben des Gleichnisses und Versprachlichung der gemachten Erfahrungen kommen die Kinder dem Gleichnis auf die Spur. Ein persönlich und gemeinschaftlich dichtes und vielfältiges Erleben, das nachhaltig wirkt.

3. Fazit

Im Religionsunterricht der Grundschule stehen wir am Anfang einer religiösen Entwicklung, die ein erstes Fundament erkennen lässt und festigt und dabei Anfragen und Zweifel an den Glauben durchaus kennt und zulässt.

Eine Religionslehrerin interviewte die Zweitklässler*innen ihrer Lerngruppe mit der Fragestellung: „Was kannst du im Religionsunterricht lernen?"[42] Hier einige Antworten:

„Ich finde es gut, dass man in Ruhe über Geschichten reden kann, die z. B. was mit Gott zu tun haben, mit den Sachen, wo z. B. in der Bibel stehen. Weil wenn man Streit hat, dass man dann miteinander redet. Dass man einfach mal was anderes macht, weil im normalen Alltag hat man damit ja weniger zu tun." (Schülerin)

„Dass man, wenn man sich streitet, dass man miteinander reden soll. Und dass man nicht lügen soll, wie die Brüder von Josef, die gelogen haben, dass Josef tot ist." (Schüler)

„Dass man viel lernen kann über Gott und so. Man lernt halt jeden Tag noch was Neues dazu. Im Kindergarten wussten wir sehr wenig über Gott und, seit wir in der Schule waren, haben wir ganz viel von Gott gelernt. Dass er was mit Josef vor hatte. Dass er nicht nur Luft ist, aber eigentlich ist er ja bei uns, er beschützt uns, er ist bei uns." (Schülerin)

„Dass man was von Gott lernt und von Jesus. Wie das so ist, wenn man gemein ist. Da haben wir nachgedacht." (Schüler)

„Dass man da etwas über Gott lernt und von der Bibel. Man sollte ja die alten Geschichten weitererzählen. Ja, das kann ich lernen, dass man manches weitererzählen kann. Ich kann lernen, wie Gott früher war und wie Jesus war und wie die früher gelebt haben. Nachdenken, wie Gott in jeder Geschichte vorkommt. Gott passt eigentlich immer auf mich auf. Dass der in mir ist, weil ich merke, wenn ich vor etwas ganz viel Angst habe ..., dann gibt er mir Mut. ... Ich spüre ihn in meinem Herzen, weil der ist eigentlich immer da." (Schülerin)

Ohne die Aussagen der Kinder überinterpretieren zu wollen, lassen sich doch Grundeinsichten ablesen. So zeigt sich die Bedeutung von Religionsunterricht als einem Ort, an dem man über „Gott und die Welt" nachdenken, sich auseinandersetzen und mit anderen ins Gespräch kommen kann. Für viele Kinder gibt es außerhalb des Religionsunterrichts keinen vergleichbaren Ort. Im Unterschied dazu wird der „normale Alltag" als ein Ort gesehen, an dem man mit diesen Dingen weniger zu tun hat. In Ruhe darüber reden, nachdenken wird als positiv hervorgehoben und ist wichtig und förderlich, um der Möglichkeit Gottes auf die Spur zu kommen. Zudem werden über biblische Erzählungen und Erfahrungen von Menschen mit Gott – damals wie

---

42 Interviews im kath. Religionsunterricht im Schuljahr 2015/16 bei Lehrerin W., die die Autorin zur anonymen Veröffentlichung autorisiert hat.

heute – von Schüler*innen „Zuspruch Gottes" („nachdenken, wie Gott in den Geschichten vorkommt"), und Grundelemente von „Anspruch" („die alten Geschichten weitererzählen", „nicht streiten, sondern miteinander reden", „nicht lügen") wahrgenommen.

Im Blick auf das Thema „Die Gottesfrage im Religionsunterricht der Primarstufe" lässt sich zusammenfassend sagen, dass es möglich und oftmals von den Kindern selbst gewünscht ist, über Gott nachzudenken und über ihre Gottesbilder zu sprechen. Hierbei gilt es, das „Wesentliche herauszuarbeiten, nämlich die Beziehung zu Gott und die Bedeutung Gottes für das Leben."[43] Kinder in ihrer Beziehung zu Gott zu stärken, bedeutet immer auch, ihnen deutlich zu machen, dass Gott mehr und größer ist als unsere Vorstellungen und Bilder von ihm. Die biblischen Erzählungen wollen v. a. die Beziehung von uns zu Gott und von Gott zu uns ausdrücken. Um sich für eine positive Gottesbeziehung öffnen zu können, ist es für Kinder wichtig, ein Modell zu erleben, Menschen, die aus ihrem Glauben Orientierung, Kraft und Zuversicht schöpfen[44], davon erzählen und dies mit ihrer Person bezeugen. Dies geschieht in der Wahrnehmung biblischer Personen und ganz besonders auch in der Wahrnehmung der Religionslehrer*innen. Zu den fachlichen und persönlichen Voraussetzungen gilt: „Die fachliche Vorbereitung verlangt immer auch eine Klärung der eigenen Position ... Die eigene Glaubenshaltung reiht sich damit ein in das Deutungsangebot, das den Kindern ... zur Orientierung dienen kann."[45] Guter Religionsunterricht – so Rudolf Englert – lebt auch davon, dass „Schülerinnen und Schüler hier einen selbst von religiösen Fragen bewegten Menschen erleben können; einen Menschen, der in seiner Person erkennen lässt, wie ein erwachsener Umgang mit den Fragen und Herausforderungen religiösen Lebens aussehen kann; der keine Norm verkörpert, aber doch ein mögliches Modell."[46]

Literatur

....

- Biesinger, Albert/Kohler-Spiegel, Helga (Hg.), Gibt's Gott? Die großen Themen der Religion. Kinder fragen – Forscherinnen und Forscher antworten, München 2007.
- Büttner, Gerhard/Freudenberger-Lötz, Petra/Kalloch, Christina u. a. (Hg.), Theologisieren mit Kindern. Einführung – Schlüsselthemen – Methoden, Stuttgart/München 2014.
- Delval, Marie-Hélène, Wie siehst du aus, Gott? Ins Deutsche übertragen von Rainer Oberthür und Jean-Pierre Sterck-Degueldre, Stuttgart, 20163.

....

43   Klein, Stephanie, Gottesbilder von Mädchen und Jungen, 31.
44   Ebd.
45   Reiß, Annike/Freudenberger-Lötz, Petra, Didaktik des Theologisierens mit Kindern und Jugendlichen, 135.
46   Englert, Rudolf, Wie kann Religionsunterricht heute gut sein?, 96.

- Englert, Rudolf, Wie kann Religionsunterricht heute gut sein?, in: KatBl 144 (2019) 89-96.
- Erlbruch, Wolf, Die große Frage, Wuppertal 20088.
- Halbfas, Hubertus, Religionsunterricht in Sekundarschulen. Lehrerhandbuch 5, Düsseldorf 19942.
- Höfer, Anne, Hoffnung lernen. Das Gleichnis vom Senfkorn, in: KatBl 126 (2001) 112-118.
- Klein, Stephanie. Gottesbilder von Mädchen und Jungen, in: I&M 2/2018 Nach Gott fragen, 28-33.
- Kübler, Alexander (Hg.), Gott befreit – Mose („SPUREN Arbeitshilfen für einen ganzheitlichen Religionsunterricht an Förderschulen"), Rottenburg 2000.
- -, Jesus bringt die Botschaft vom Reich Gottes. („SPUREN Arbeitshilfen für einen ganzheitlichen Religionsunterricht an Förderschulen), Rottenburg 1996.
- Langenhorst, Georg, Kinder brauchen Religion. Orientierung für Erziehung und Bildung, Freiburg i. Br. 2014.
- Lehnert, Christian, Der Gott in einer Nuss, Berlin 2017.
- Ministerium für Kultus, Jugend und Sport Baden-Württemberg (Hg.), Bildungsplan der Grundschule. Fachplan Katholische Religionslehre, Stuttgart 2016.
- Oberthür, Rainer, Das Buch der Symbole. Auf Entdeckungsreise durch die Welt der Religion, München 2009.
- -, Die Symbol-Kartei: 88 Symbol- und Erzählbilder für Religionsunterricht und Gruppenarbeit, München 20126.
- -, „Wer fragt, weiß schon etwas!", in: Die Grundschulzeitschrift 90/1995, 50ff.
- -, www.rainer-oberthuer.de.
- Reiß, Annike/Freudenberger-Lötz, Petra, Didaktik des Theologisierens mit Kindern und Jugendlichen, in: Grümme, Bernhard/Lenhard, Hartmut/Pirner, Manfred L. (Hg.), Religionsunterricht neu denken. Innovative Ansätze und Perspektiven der Religionsdidaktik, Stuttgart 2012, 133-145.
- Ritter, Werner, H./Simojoki, Henrik, Gott, Gottesbilder und Kinder, in: Hilger, Georg/Ritter, Werner H./Lindner, Konstantin u. a., Religionsdidaktik Grundschule: Handbuch für die Praxis des evangelischen und katholischen Religionsunterrichts, überarbeitete Neuausgabe, München 2014, 169-187.
- Szagun, Anna-Katharina, Das vielfältige Ackerfeld – auch heute aktuell, in: Freudenberger-Lötz, Petra/Riegel, Ulrich (Hg.), Mir würde das auch gefallen, wenn er mir helfen würde. Baustelle Gottesbild im Kindes- und Jugendalter (JaBuKi Sonderband), Stuttgart 2011, 157-175.

Die Internetadressen wurden zuletzt im August 2019 überprüft.

„GLAUBEN SIE DAS ALLES WIRKLICH ... DAS MIT GOTT?" – DIE GOTTESFRAGE MIT MITTELSCHÜLER*INNEN „BRENNEND" THEMATISIEREN

Johannes Heger

Im Oktober 2018 ereignete sich im ländlichen Unterfranken folgende Szene *(Fall 1):* Zum Einstieg in eine Doppelstunde Religion sollen Schüler*innen der neunten Klasse einer Mittelschule – motiviert durch einen tagesaktuellen Bildimpuls (Abschaffung der Todesstrafe in Washington) – die bislang erarbeiteten Wissensbausteine zum Themenfeld repetieren. Nach situativ erwartbaren Rückfragen meldet sich blitzartig Jonas mit bestimmtem Blick und fragt: „Glauben Sie das alles wirklich ... das mit Gott?" Vorausgegangen waren dieser Momentaufnahme lediglich zwei Doppelstunden über Menschenrechte sowie die zunächst profan-ethische Diskussion um die Todesstrafe. Themen also, die zur Auseinandersetzung einladen und beinahe ad hoc Räume zur Positionierung schaffen, und darum gezielt an den Beginn der Unterrichtssequenz zum Lehrplankapitel „'Die Würde des Menschen ist unantastbar' – einander achten und helfen"[1] gesetzt wurden, zumal sich die 17 Schüler*innen und der Religionslehrer (= Autor) zuvor noch nicht kannten.

Während in der skizzierten Szene die Gottesfrage regelrecht „brennend" aus dem Nichts hereinbricht, beschäftigen sich Theolog*innen und Religionspädagog*innen seit jeher wissenschaftlich-reflexiv, sozusagen „abgekühlt" mit der Gottesfrage. Im Folgenden werden vor diesem Hintergrund zunächst Aspekte dieser theologischen und religionspädagogischen Reflexion skizziert sowie Besonderheiten der Mittelschule als Klangraum der Gottesfrage herausgearbeitet. (1) Mit diesen theoretischen Koffern im Gepäck geht es anschließend auf einen Roadtrip in den Religionsunterricht der Mittelschule, um an Beispielen sowie deren struktureller Reflexion der Frage nachzugehen, wo die Gottesfrage „brennend" wird und welche Wegmarken sich für eine schulformspezifische Didaktik der Gottesfrage ableiten lassen (2), um schließlich dafür notwendige Hausaufgaben für die Religionspädagogik zu markieren (3).

---

1   Zu allen Lehrplanbezügen vgl. Bayerisches Staatsministerium für Unterricht und Kultus (Hg.), Lehrplan für die Mittelschule.

1. Theologische, religionspädagogische und schulformspezifische Koffer für den Roadtrip

1.1. Die Gottesfrage – theologische Aspekte

Wie nicht zuletzt die unterschiedlichen Beiträge dieses Bandes vor Augen führen, käme es dem Lösen des gordischen Knotens gleich, sämtliche Linien des christlich-theologischen Ringens um die Gottesfrage hier abbilden zu wollen. Dennoch stehen Religionslehrer*innen – nicht nur an der Mittelschule – de facto täglich vor der Aufgabe, die Gottesfrage theologisch verantwortet im Unterricht zum Klingen zu bringen. Sollen hier Überlegungen zu einer mittelschulorientierten Didaktik der Gottesfrage formuliert werden, bedarf es also gerade aufgrund des anwendungsbezogenen Roadtrips auch eines bedacht gepackten theologischen Koffers. Vor diesem Hintergrund werden im Sinne einer solchen *komprimierten theologischen Reflexion* zur Gottesfrage im Folgenden zunächst ausgewählte prominente und religionsdidaktisch relevante Aspekte der theologischen Auseinandersetzung mit der Gottesfrage zusammengetragen:

(a) *Gott angesichts der Gotteskrise neu entdecken:* Trotz bzw. gerade wegen ihrer festen Verankerung im Glauben entwirft sich die Theologie dynamisch-kontextuell. In Bezug auf die Gottesfrage bedeutet dies konkret, dass sie die empirisch greifbare „Erosion"[2] bzw. Dispersion[3] des Gottesglaubens nicht nur als Kirchen-, sondern sehr wohl auch als Gotteskrise[4] wahr- und ernstnimmt. Weil in der Postmoderne die Selbstverständlichkeit des Glaubens an und der Rede von Gott verloren gegangen ist,[5] versucht sie sich darin, Gott immer wieder neu zu entdecken – und dies inmitten und ausgehend von der Gegenwartskultur sowie ganz konkret von menschlichen Lebenswelten und menschlichen (Gottes-)(-Nicht-)Erfahrungen.

(b) *Gott als bleibendes absolutes Geheimnis:* Aufgrund dieser Gotteskrise sowie der einhergehenden gesellschaftlichen Sehnsucht nach Orientierung sind teils Bestrebungen zu konstatieren, die Gottesfrage mittels suggerierter Sicherheiten in Richtung eines Gotteswissens auflösen zu wollen.[6] Gerade deshalb betont die jüngere und jüngste Theologie, dass Gott das „absolute Geheimnis"[7] ist und es sich daher niemand anmaßen darf, „Gott im Griff"[8] zu haben. Wird diese Prämisse ernst genommen, führt dies – bis hin in den Kommunikationsraum der Schule gedacht – zum einen dazu, auch konfessionell differente, agnostische und atheistische Positionierungen zur Gottesfrage nicht zu verteufeln, sondern als rationale Optionen zu

---

2   Werbick, Jürgen/Porzelt, Burkard, Gott, Abs. 1.
3   Vgl. Ebertz, Michael N., Dispersion.
4   Vgl. Metz, Johann Baptist, Gotteskrise, v. a. 77-78.
5   Vgl. Rahner, Johanna, „Hab' ich nur dein Ohr …", 117-119, v. a. 119.
6   Vgl. bspw. kritisch zum „Mission Manifest": Nothelle-Wildfeuer, Ursula/Striet, Magnus (Hg.), Einfach nur Jesus?, 40-44.57-62.107-109 u. ö.
7   Vgl. Rahner, Karl, Grundkurs des Glaubens, 54-96.
8   Reis, Oliver, Gott denken, 15.

verstehen.[9] Zum anderen mahnt sie Theolog*innen und auch Religionslehrer*innen dazu, die Kriterien der Standpunkt- und Kontextgebundenheit epistemologisch auch für die eigene Thematisierung der Gottesfrage und die eigene Beanspruchung von Wahrheit ernst zu nehmen.[10]

(c) *Gotteszweifel und Gottesanklage:* Von Gottes-(Nicht-)Erfahrungen heute auszugehen, bedeutet ferner auch, es in doppelter Hinsicht mit Gott ernst zu nehmen: Ihn nicht nur abstrakt, sondern existenziell zu denken und zu glauben, heißt dann gerade auch, an ihm zu zweifeln, ihn anzuklagen und sich nach ihm zu sehnen.[11] Nicht entgegen, sondern gerade wegen Leid- und Negativerfahrungen wird die Gottesfrage zum Impuls, Gott nicht in eine abstrakte Apathie zu verabschieden, sondern ihn lebendig zu (be-)denken. Zu diesem Aspekt gehört es hinzu, dass der Gott der jüdisch-christlichen Tradition sich nicht auf einen Begriff verknappen, sich nicht rationalisieren lassen will, weil er sich als Gott der Beziehung, als Ich-bin-der-ich-bin-da-Gott geoffenbart hat – auch mit dunklen Seiten. Wie nicht zuletzt die Auseinandersetzung mit dem Buch und der Figur Ijob lehrt, können die Grenzerfahrungen des Lebens und die mit diesen verbundenen Erfahrungen der Gottverlassenheit, des Gotteszweifels und der Klage gegen Gott zu prominenten Orten der Gottessuche werden.[12]

(d) *Gottesfrage als kognitive und emotionale (Beziehungs-)Frage:* All diesen Aspekten wohnt schließlich ein für den Kontext der Mittelschule entscheidendes Moment inne: Der Gott der jüdisch-christlichen Tradition ist kein Gott der Philosophen, sondern ein Gott der emotional-existenziellen Beziehung – zum einzelnen Menschen, aber auch zur Gemeinschaft der Glaubenden –, auf die philosophisch reflektiert werden kann.

1.2. Die Gottesfrage – religionsdidaktische Aspekte

Eine ähnlich lange, vielfältige und intensive Geschichte der Auseinandersetzung mit der Gottesfrage kennt auch die Religionspädagogik. Dabei sind Religionspädagog*innen zunehmend einig darüber, dass die Gottesfrage als Zentrum des christlichen Glaubens auch ein unbedingtes Zentrum religiöser Bildung darstellt.[13] Ein Zeichen dieses Konsenses besteht darin, dass die Gottesfrage/das Mystagogische Lernen in unterschiedlichen Spielarten weithin zum Standardrepertoire von fachspezifischen Lexika sowie Einführungsbüchern zählt und eine Reihe empirischer Studien vorliegen, die Aufschluss über den Gottesglauben, die Gottesvorstellungen sowie die Gottesbedeutung Jugendlicher geben.[14]

....

9   Vgl. Sander, Hans-Joachim, Der öffentliche Gott, 109.
10 Vgl. Tetens, Holm, Müssen Theologen methodische Atheisten sein?, 189-201, v. a. 198; Miggelbrink, Ralf, Gottesdiskurse, 15f.
11 Vgl. Rahner, Johanna, „Hab' ich nur dein Ohr ...", 125f.
12 Vgl. u. a. Steins, Georg (Hg.), Schweigen wäre gotteslästerlich.
13 Vgl. u. a. Reese, Annegret, Das Wachhalten der Gottesfrage, 216.
14 Vgl. Stögbauer, Eva Maria, Die Frage nach Gott und dem Leid, 21f.

Dem Paradigma der transzendentalen Mystagogie verpflichtet,[15] besteht das Global-ziel religiöser Lern- und Bildungsprozesse bzgl. der Gottesfrage nicht (mehr) primär in der Glaubensunterweisung. Im Bewusstsein der Grenzen des Lernorts Schule und der zunehmenden Dispersion des (Gottes-)Glaubens (1.1a) teilen alle religionsdi-daktischen Bemühungen vielmehr die Intention, die Gottesfrage bei Jugendlichen in ihrer Erfahrungs- sowie Reflexionsdimension brennend zu halten bzw. werden zu lassen.[16] Zur Operationalisierung dieses Zieles werden häufig allgemein relevante Aspekte einer Didaktik der Gottesfrage benannt,[17] die analog zu den herausgearbei-teten theologischen Aspekten als *komprimierte religionsdidaktische Reflexion zur Gottesfrage* zusammengefasst werden können:

(a) *Die Gottesfrage von den Adressat*innen aus stellen:* Analog zur zeit-, kontext- und lebensweltsensiblen theologischen Reflexion folgt die Religionsdidaktik ihrer selbst gesetzten normativen Linie der Subjektorientierung und versucht, religiöse Lern- und Bildungsprozesse zur Gottesfrage von den Subjekten aus zu konturieren. Forschungslogisch und religionsdidaktisch ist dabei ein entscheidender (!) Trend da-rin auszumachen, die Gottesfrage bei Jugendlichen im weiten Horizont der Sinnfra-ge zu verstehen und nach Chiffren zu suchen, die Welt- auch als Gotteserfahrungen deutbar werden lassen.[18] Mit dem Fokus auf die Mittelschule lässt sich jedoch fest-halten, dass es kaum Befunde gibt, die schulartspezifisch Erkenntnisse über religiöse Einstellungen, Haltungen und Konzepte der Jugendlichen bieten.[19]

(b) *Das Geheimnis Gottes und die Unverfügbarkeit des Subjekts:* Die theologische Prämisse des göttlichen Geheimnisses (1.1b) wird im religionspädagogischen Kon-text nicht nur adaptiert, sondern sogar erweitert. Im Rahmen religiöser Lern- und Bildungsprozesse (zur Gottesfrage) ist nämlich nicht nur die Unverfügbarkeit Got-tes, sondern auch diejenige des Subjekts normativer Maßstab.[20] Dies hat zur Folge, dass das, was sich in Sachen Gottesfrage ereignet, einer doppelten Unverfügbarkeit unterliegt, die um Gottes und des Menschen willen nicht unterlaufen werden darf. Diese in der Praxis zu einer notwendigen Ungesichertheit führende Erkenntnis findet ihren Widerhall in zahlreichen religionspädagogischen Konzepten, Prinzipien und geflügelten Wendungen. So z. B., wenn im Kontext der Korrelationsdidaktik davon gesprochen wird, dass Korrelationen nicht hergestellt werden können.

(c) *Gotteszweifel und Gottesanklage:* Distanziert hat sich die Religionspädagogik – ebenfalls mit der (Praktischen) Theologie (1.1c) – von einer pseudo(!)-harmoni-schen, kritik- und lebensenthobenen Bearbeitung der Gottesfrage in Form von „Ka-

....

15 Vgl. Schambeck, Mirjam, Mystagogisches Lernen, 401-403.
16 Vgl. Schambeck, Mirjam, „Religion zeigen und Glauben lernen in der Schule?", 65-74.
17 Vgl. zum Folgenden u. a.: Schweitzer, Friedrich, Gott im Religionsunterricht, 255-263; Schambeck, Mirjam, Die Gottesthematik bei Jugendlichen, 65-67.
18 Vgl. Schambeck, Mirjam, Die Sinnfrage; dies., Glück als postmoderne Chiffre.
19 Vgl. Schweitzer, Friedrich/Wissner, Golde/Bohner, Annette u. a., Jugend – Glaube – Religion, 52f.
20 Vgl. u. a. Schambeck, Mirjam, Mystagogisches Lernen, 406.

techismussätzen"[21]. Dies zeigt sich bspw., wenn der Zweifel nicht als Glaubensunsicherheit, sondern als ernster Weg der Glaubens- und Gottessuche verstanden wird.[22] Oder auch dann, wenn das Nichtwissen und die Unfassbarkeit Gottes nicht resignativ umgangen, sondern als Modus religiöser Lern- und Bildungsprozesse kultiviert wird.[23] Gerade weil der christlich-jüdische Gott ein Gott der Beziehung ist, gehört auch das religionsdidaktische Entdecken der Klage als Modus der Gottesbeziehung mit zu diesem Aspekt.[24]

(d) *Die Gottesfrage als kognitive und emotionale (Beziehungs-)Frage:* Noch konkreter als auf dem Feld akademischer Theologie lässt die Interaktion mit Schüler*innen erkennen, dass sich die Gottesfrage nicht in kognitiven Konstruktionen erschöpft, sondern auf das Moment der personalen Beziehung verwiesen ist.[25] Dass dabei gerade die Lern- und ggf. Glaubensgemeinschaft Gott-Schüler*innen-Religionslehrer*innen eine entscheidende Rolle spielt, wird noch näher zu beleuchten sein. (2.2)

1.3. Die Gottesfrage im Klangraum der Mittelschule – strukturelle, schulartspezifische Aspekte

Während bei den ersten beiden Koffern die Schwierigkeit darin bestand festzulegen, welche Aspekte der Gottesfrage eingepackt werden, verhält es sich mit dem letzten Koffer genau umgekehrt: Bei einer religionsdidaktisch motivierten Literaturrecherche zu /Mittel- bzw. Hauptschule/ entsteht eher die Frage, welche Aspekte überhaupt eingepackt werden können, da eine schulartspezifische Religionsdidaktik weitgehend fehlt[26] und nicht wenige religionspädagogische Studien auf eine gymnasiale Adressatenschaft fokussieren. Dies gilt nicht nur für die Erhebung von juvenilen Einstellungen, Haltungen und Konzepten, sondern auch für die methodisch-didaktische Ebene: So ist bspw. der mittlerweile an vielen Exempeln bearbeitete, ertragreiche (!) Zugang zur Gottesfrage über (Profan-)Literatur[27] aufgrund seiner kognitiven und sprachlichen Voraussetzungen vorrangig ein probater Lernweg für Schüler*innen von Berufs- und Realschulen sowie v. a. Gymnasien.

Noch bedenkenswerter als die weitgehende religionsdidaktische Nicht-Beachtung der Mittelschule ist ihre gesellschaftliche und teils auch in Studien greifbare Negativ-Etikettierung: „Mittelschule" erscheint nicht selten als ein Trigger für Bedauern

....

21 Englert, Rudolf, Annäherungen an das Geheimnis, 55.
22 Vgl. Porzelt, Burkard, Lob des Zweifel(n)s?
23 Vgl. Voßhenrich, Tobias, Negative Theologie mit Jugendlichen.
24 Vgl. Heger, Johannes, „Es ist alles hin", 302f.
25 Vgl. Fricke, Michael, Von Gott reden im Religionsunterricht, 11.
26 Als Indikatoren schulformspezifischer Religionsdidaktik können u. a. das Vorhandensein von (a) Forschungsdiskursen, (b) didaktischer Grundlagenliteratur, (c) Schulbüchern und Unterrichtsmaterial und -methoden, (d) definierter Schüler*innen-Klientele gelten. Vgl. Wermke, Michael, Schulformspezifische Religionsdidaktik. Während bei (a), (b) und (d) deutliche Nachholbedarfe zu erkennen sind, finden sich zu (c) qualitativ überzeugende Materialien – bspw. vom Referat Haupt-, Werkreal-, Realschulen des IRP Freiburg oder dem Arbeitsbereich Mittelschule des RPZ Heilsbronn. Dazu: Schweitzer, Friedrich, Religionspädagogik, 232.
27 Vgl. u. a. Langenhorst, Georg/Willebrand, Eva (Hg.), Literatur auf Gottes Spuren, v. a. 33-80.

bzw. eine Chiffre für sozialen Abstieg,[28] was in der bundesweiten Schulentwicklung weitgehend dazu führt, die Mittelschulen in unterschiedlich benannte Gesamt- bzw. Verbundschulkonzepte zu integrieren.[29] So nimmt es nicht wunder, dass dies auch auf die Handelnden in der Praxis durchschlägt: 2015 gaben bspw. 71 % der befragten bayerischen Mittelschullehrer*innen an, dass der Begriff „'Resteschule' ... die Stellung der Mittelschule im System der bayerischen Schularten richtig [bezeichnet]"[30]. Dies verdeutlicht, dass die Erwartungen an den (Religions-)Unterricht im Mindset der Gesellschaft, aber auch der Handelnden nicht hoch angesetzt sind. In der Praxis vermischen sich derartige, unbedingt (!) zu hinterfragende Etikettierungen[31] mit der sinnvollen, bildungspolitisch begründeten Zielsetzung, dass die Haupt- und Mittelschulen weniger auf eine wissenschaftliche Propädeutik als auf eine Berufsorientierung ausgerichtet sind.[32]

Angesichts der zusammengetragenen Aspekte liegt nun zunächst weniger ein funktional gepackter Koffer vor, sondern eher ein schweres Päckchen. Dieses lässt die Frage nach einer Didaktik der Gottesfrage für die Mittelschule nochmals gewichtiger erscheinen und um die Frage erweitern, ob die diffizilen theologischen und religionspädagogischen Aspekte der Gottesfrage (1.1; 1.2) denn überhaupt eine Rolle für den Klangraum der Mittelschule spielen.

2. Ein Roadtrip zur Gottesfrage im Religionsunterricht der Mittelschule

Eine Antwort auf die angeschärfte Frage soll nun nicht deduktiv konstruiert werden. Vielmehr werden im Folgenden ausgehend von drei weiteren, konzentriert beschriebenen critical incidents[33] aus dem Religionsunterricht der eingangs vorgestellten Klasse (2.1) strukturelle Erkenntnisse für eine Didaktik der Gottesfrage in der Mittelschule herausgearbeitet (2.2).

2.1. Momentaufnahmen zur Gottesfrage aus dem Religionsunterricht

Fall II: Im Rahmen der bereits bekannten Unterrichtseinheit *(Fall I)* beschäftigten sich die Mittelschüler*innen wenig später auch mit dem Thema Schwangerschaftsabbruch. Unter der Überschrift „Caros Problem" diente eine Figur aus der bei Schüler*innen beliebten Reality-Seifenoper „Berlin Tag und Nacht" als Fallbeispiel: Weil sie nicht weiß, ob ihr Freund mit ihrer Schwangerschaft einverstanden ist und ob sie

....

28 Vgl. Niemann, Mareke, Der ‚Abstieg' in die Hauptschule; tatsächlich besteht in Deutschland weiterhin eine signifikante Korrelation zwischen dem Besuch von Haupt-/Mittelschulen und Arbeitslosigkeit. Vgl. Leven, Ingo/Quenzel, Gudrun/Hurrelmann, Klaus, Familie, Bildung, Beruf, Zukunft, 65-69.

29 Vgl. Wermke, Michael, Schulpolitische Weichenstellungen.

30 Vgl. Hüfner, Gerhard/Schneider, Wolfgang, Situation und Perspektiven der Mittelschule, 19.

31 Vgl. Lütze, Frank Michael, Religionsunterricht im Hauptschulbildungsgang, 342-344.

32 Vgl. Schröder, Bernd, Religionspädagogik, 539f.

33 Vgl. Knauth, Thorsten, Incident-Analysis, 24f.

sich selbst die Mutterrolle zutraut, erwägt diese, ihr Kind abzutreiben.[34] Die tränenreichen Outtakes der Serie führten schnell zu einer Affizierung der Schüler*innen, die sich nach dem Kennenlernen rechtlicher und biologischer Hintergründe auch mit der kirchlichen bzw. christlich-ethischen Position[35] zum Schwangerschaftsabbruch auseinandersetzten. Auf dieser Grundlage sollten sie Caro beraten und sich damit zugleich zum Schwangerschaftsabbruch positionieren. Bei den kontroversen Gesprächen zeigte sich Maja zunächst ungewöhnlich schweigsam. Dies begründete die sehr aufgeweckte Schülerin auf Nachfrage damit, dass sie „es nicht versteht" und ergänzte die Frage: „Will Gott nicht, dass Caro abtreibt?" Damit transformierte die Schülerin die bislang ethische Diskussion zu einer brennenden Gottesfrage. Um den Unterrichtsfaden nicht zu verlieren und damit das Abhalten einer Probe in der Folgewoche zu sichern, wurde dieser jedoch nicht nachgegangen.

Fall III: In der Kar- und Osterzeit wurde später im Schuljahr das Lehrplanunterkapitel „Das macht Angst – Sterben und Tod" behandelt. Am Ende der Einheit war Norbert Becker vom ambulanten Kinder- und Jugendhospiz Aschaffenburg zu Gast und stellte mit einem Video[36] sich und die Arbeit des Vereins vor. Wie mit der Lehrkraft geplant, sammelte der Theologe nach diesem Input auf Karteikarten Fragen der Schüler*innen ein, die diese in Kleingruppen erarbeitet hatten. Daraus entwickelte sich ein lebhaftes Gespräch, in dem der Lehrer die Frage einbrachte, inwiefern die religiöse Dimension einen inhaltlichen und motivationalen Bestandteil seiner Arbeit darstellte. Als der sympathische Gast, dem die Schüler*innen schnell gewogen waren, vom Glauben als eigener sowie als Ressource für seine Klient*innen sprach, war einigen Schüler*innen ihre Irritation anzusehen. Auf die Rückfrage des Lehrers, warum sie so kritisch wirkten, war vom sonst an Religion eher weniger interessierten Joey zu vernehmen: „Häh, das verstehe ich nicht! Wie kann Gott das wollen, dass ein Kind so leidet und so früh stirbt?" Mehrere Schüler*innen stimmten dieser Frage zu, verstärkten diese mit ihren Kommentaren und so entwickelte sich das Unterrichtsgespräch ungeplant (!) in Richtung einer brennenden Diskussion um die Theodizeefrage. Dabei ging es theologisch gehaltvoll (!) u. a. um die Eigenschaften Gottes, die Freiheit des Menschen und das Wesen des Bösen.

Fall IV: Ein letzter, „negativ-elliptischer" critical incident bezieht sich auf das Lehrplankapitel „Jesus Christus – Anstoß und Herausforderung". Obwohl die dazu unterrichtete Einheit als einzige dezidiert die Gottesfrage im „klassischen Sinn" (v. a. Sohnschaft; Trinität) behandelte, kam es zwar sehr wohl zur kognitiv-kühlen, aber nicht zur existenziell-brennenden Auseinandersetzung mit der Gottesfrage.

....

34   RTL 2, Berlin Tag und Nacht.
35   Diese wurde im Rahmen der Gewissensfreiheit als unbedingter Schutz des Lebens aufgrund der in der Gottesebenbildlichkeit wurzelnden Würde jedes Menschen figuriert.
36   Deutscher Kinderhospizverein e. V., Imagefilm 2015.

2.2. Strukturelle Erkenntnisse und Wegmarken für eine Didaktik der Gottesfrage an Mittelschulen

Auch wenn noch viel und Vieles zu den Fällen ausgeführt werden könnte, genügen die Skizzen, um im Rückgriff auf die gepackten Koffer einige strukturelle Erkenntnisse zu benennen und pointiert als handlungsleitende Wegmarken einer Didaktik der Gottesfrage für Mittelschulen auszubuchstabieren[37]:

(a) *Traue deinen Schüler*innen etwas zu, entdecke ihre Aussagen als theologieproduktive Orte!* Ohne dies im Detail durchzuexerzieren, belegen die Fälle I-III, welche existenziell und theologisch tiefen Gedanken Mittelschüler*innen in Bezug auf die Gottesfrage anstellen (können), wenn ihnen etwas zugetraut wird und sie im Religionsunterricht den Raum erhalten, ihre Gedanken zu artikulieren.[38] Dies verdeutlicht, dass die Leitlinien der Subjektorientierung (1.2a) sowie einer lebens- und kontextorientierten Theologie (1.1a) auch an der Mittelschule nicht zu leeren Chiffren werden dürfen. Wichtig erscheint die Formulierung dieser Wegmarke v. a. deshalb, weil gesellschaftliche Etikettierungen von Mittelschüler*innen und Mittelschule (1.3) eine gegenläufige Dynamik entfachen (können).

(b) *Sei nicht frömmelnd, sondern nimm die Schüler*innen und Gott ernst!* Die Schlichtheit und zugleich Wucht, mit der Gott v. a. angesichts erfahrenen Leids (Fall III) angefragt wird, korrespondiert nicht mit der in Lehrmaterialien für die Mittelschule teils anzutreffenden frommen, gelegentlich affirmativ-frömmelnden (1.1b) Theologie und der mit dieser einhergehenden Sprache. Diese Spannung darf aus einem doppelten Grund nicht zu Ungunsten der Schüler*innen aufgelöst werden. Denn die Subjekte sowie ihre Lebens-, Glaubens- und Gotteszweifel (1.2c), aber auch die Tradition sowie Gott selbst ernst zu nehmen (1.1c), bedeutet auch, nach den dunklen Seiten Gottes zu fragen, ihn anzuklagen, mit ihm zu ringen und dabei die eigene Situation im Spiegel der Tradition zu reflektieren.[39] Und dies nicht in den Worten der Philosoph*innen, sondern in der einfachen Sprache des Lebens.

(c) *Plane deinen (Religions-)Unterricht mit Phasen der Positionierung und schrecke nicht vor eigener Positionierung zurück!* Die Outtakes I-III vereint schließlich ein weiteres, m. E. entscheidendes Moment, das in unterschiedlicher Weise dazu führt, die Gottesfrage bei Schüler*innen brennend werden zu lassen – das Moment der Positionierung. Einmal ist es die Verbundenheit mit der schwangeren Serienfigur Caro bei ihrer Entscheidungsfindung *(Fall II)*, einmal ist es die Neugierde an persönlichen Glaubensaussagen der Lehrkraft *(Fall I)* bzw. eines nahbaren Gastes *(Fall III)*, welche

....

37 Da sich die Schilderungen und Analysen nur auf eine Klasse beziehen, der Autor selbst als Lehrkraft fungierte und keine Videographien erstellt wurden, kann keine Normativität beansprucht werden. Wohl aber können die strukturellen Erkenntnisse – analog zum gedanklichen Vorbild des sokratischen Eides (Hentig, Hartmut von, Die Schule neu denken, 258f.) – als erfahrungs- und theoriegesättigte Optionen gesehen werden.

38 Vgl. Rosenhammer, Claudia, Mit HauptschülerInnen Gott auf der Spur, 358-359.

39 Als eindrucksvolles Beispiel, was dies bedeuten kann, vgl. den Ansatz, Klagepsalmen als Sprachform für Schüler*innen mit Förderbedarf zu nutzen: Strumann, Barbara, Psalmen.

die Gottesfrage aus der abstrakten Ferne in die Nähe der Mittelschüler*innen holt. Dieser Befund ist gerade deswegen relevant, weil Religionslehrer*innen tendenziell davor zurückschrecken, religionsdidaktische Inszenierungen so anzulegen, dass sich die Relevanzfrage stellt, und ihre persönliche Positionierung zurückhalten.[40]

Damit es zu Positionierungen in Sachen Gottesfrage kommen kann, bieten sich auf der planerischen Ebene in der Mittelschule Lernwege an, die nicht substanziell, explizit und abstrakt nach der Existenz oder Allmacht Gottes fragen und damit „metaphysische Schwindelgefühle"[41] erzeugen. Vielmehr sollten auf der inhaltlichen Seite zunächst (!) Fragen im Raum stehen, die verdeutlichen, was es angesichts konkreter Herausforderungen des Lebens existenziell (1.1d; 1.2d) bedeutet, Gott als den jüdisch-christlichen Gott zu denken und zu glauben. Dies lässt sich u. a. durch den Einsatz von Biographien Dritter realisieren. Stärker noch als bei anderen Schularten ist dabei jedoch die Auswahl der Beispiele zu bedenken, damit sich Mittelschüler*innen wirklich mit den Biographien auseinandersetzen wollen.[42] Dies verstärkt den im Kontext des Biographischen Lernens vielerorts formulierten Appell, gerade die kleinen Heiligen und gebrochenen Biographien in den Blick zu nehmen oder sogar die Komfortzone der christlichen „Musterbeispiele" zu verlassen – wie in Caros Fall. *(Fall II)*

Wie wichtig Mittelschüler*innen die Positionierung nahbarer und naher Personen ist, zeigt *Fall III* und besonders die eingangs geschilderte Szene *(Fall I)*, in welcher der Lehrer – vollkommen aus dem Kontext gerissen – nach seinem Glauben (an Gott) gefragt wird. Dies lässt sich als Beleg dafür deuten, dass auf der Grundlage einer guten Beziehung[43] die Positionierung zur Einladung bzw. auch positiven Reibefläche für die eigene Beschäftigung mit der Gottesfrage dienen kann. Pädagogisch ist dieser positionelle Beziehungsaspekt gerade für Mittelschüler*innen essenziell, da ihre familiären Beziehungen häufig nicht intakt sind.[44] Religionsdidaktisch ist er insofern relevant, als er deutlich dem Trend entgegenläuft, sich auf die Beobachtung des Religiösen zurückzuziehen.[45]

(d) *Sei stets wachsam und flexibel!* Auch wenn die bedingenden Hintergründe hier nicht verhandelt werden können, muss es irritieren, dass es einerseits in einer Unterrichtssequenz im Kontext der Gottesfrage *(Fall IV)* nicht zu heißen Momenten ihrer Reflexion gekommen ist, während sie andererseits sprichwörtlich vom Himmel fallen kann. Über den darin durchklingenden, religionsdidaktisch nicht überwindba-

....

40 Vgl. Englert, Rudolf/Hennecke, Elisabeth/Kämmerling, Markus, Innenansichten, u. a. 124; 227-228.
41 Englert, Rudolf, Annäherungen an das Geheimnis, 56.
42 Vgl. Mendl, Hans, Modelle – Vorbilder – Leitfiguren, 34-49.
43 Vgl. analog: Dohr, Maria E., Evaluation, 245; vertiefend: Hattie, John, Lernen sichtbar machen, 141-143; Domsgen, Michael/Lütze, Frank Michael, Schülerperspektiven, 163–178; 187-189; hier v. a. 169-171; Boschki, Reinhold, „Beziehung" als Leitbegriff der Religionspädagogik, 358-362; Lütze, Frank Michael, Religionsunterricht im Hauptschulbildungsgang, 197-199.
44 Vgl. für Förderschulen: Hermann, Inger, Halt's Maul, 13-19; hier v. a. 19.
45 Vgl. Englert, Rudolf, Religion gibt zu denken, 36-50, hier v. a.: 49-50.

ren Aspekt der Unverfügbarkeit Gottes und des Menschen (1.1b; 1.2b) hinaus, lässt dieser Befund eine letzte Wegmarke formulieren: Dass die Gottesfrage als Urgrund allen Glaubens und aller Theologie sowie als Hintergrundrauschen menschlichen Lebens immer und überall brennend werden kann, erfordert von Religionslehrer*innen eine kairologische Wachsamkeit sowie eine unterrichtspraktische Flexibilität. Denn wenn sich die Gottesfrage akut stellt, ist sie per se brennend und muss nicht erst durch aufwändige didaktische Arrangements brennend gemacht werden.

3. Religionspädagogische Desiderate für die Verlängerung des Roadtrips

Am Ende des Roadtrips liegt nun keineswegs eine „fertige" Didaktik der Gottesfrage für Mittelschulen vor und – angesichts der theologischen und religionspädagogischen Koffer (1.1; 1.2), deren Inhalte sich auch für die Mittelschule bewähren konnten, – auch keine (!) radikal unterschiedene Didaktik. Jedoch können die aus teilnehmender Beobachtung gewonnenen und durch das Licht der Theorie erhellten Wegmarken (2.2) Mittelschullehrer*innen als Ausrichtungen dienen. Zugleich sind die zurückliegenden Überlegungen für den Binnenraum der religionspädagogischen scientific community auch als Desiderate für eine Verlängerung des hier unternommenen Roadtrips bzw. ein Appell zum Straßenausbau zu lesen. Deutlich benannt wurden bereits generelle religionspädagogische Leerstellen für den Klangraum Mittelschule (1.3) – v. a. Forschungslücken in Bezug auf den Gottesglauben, die Gotteskonstruktionen sowie die Gottesbedeutungen bei Mittelschüler*innen.

Im direkten Anschluss an das Erarbeitete gälte es nun darüber hinaus u. a., den destillierten Wegmarken mit den Mitteln religionspädagogischer Unterrichtsforschung auch empirisch nachzugehen. Eine theologische Bereicherung könnte es ferner darstellen, die in diesem Band verhandelte Prozesstheologie dem theologischen Koffer (1.1) hinzuzufügen und ihre Implikationen im Hinblick auf die Mittelschule auszuloten. Diese und andere Bemühungen im Hinblick auf die Mittelschule bzw. lernschwache Schüler*innen[46] sind nicht zuletzt deswegen dringlich, weil die Kluft zwischen Bildung und Unbildung sowie damit korrespondierend zwischen arm und reich in Deutschland auseinandergeht – nicht zuletzt durch die Auswirkungen schulartspezifischer Selektion.[47] Dies fordert besonders eine Religions(!)-Didaktik, die den christlich-jüdischen Gott ernst nimmt, der sich ganz entäußert und sich an die Seite der Armen und Schwachen gestellt hat.

Um der damit ausgewiesenen Verantwortung gerecht zu werden, lohnt es m. E., besonders einer Spur nachzugehen, die sich deutlich herauskristallisiert hat: Wenn die

....

46 Eine Verlängerung des Roadtrips wäre auch dann sinnvoll, wenn die Mittelschule/Hauptschule deutschlandweit abgeschafft würde. Die Frage, wie lernschwache Schüler*innen im Religionsunterricht gefördert werden können, verschöbe sich dadurch lediglich.

47 Vgl. Ditton, Hartmut, Mechanismen der Selektion, v. a. 175-177; Maaz, Kai/Baumert, Jürgen/Trautwein, Ulrich, Genese sozialer Ungleichheit, 27-31.

Gottesfrage v. a. durch die Wahrnehmung und Verarbeitung theologisch gehaltvoller Gedanken von Schüler*innen (2.2a), die Flexibilität von Religionslehrer*innen im Unterrichtsprozess (2.2d) sowie die planerische und situative Implementierung positioneller Momente (2.2c) brennend wird, dann muss die Verstetigung dieses Roadtrips auch die Reflexion über die Professionskompetenz von Religionslehrer*innen umfassen. Um angesichts brennender Schüler*innenfragen die Glut der Gottesfrage durch den Schatz der christlichen Glaubenstradition weiter zu entfachen, bedarf es nicht zuletzt einer hohen religionsbezogenen Korrelationskompetenz[48] – sowohl auf der Ebene der Planung als auch der Durchführung religiöser Lern- und Bildungsprozesse. Angesichts einer tendenziell inhaltsarmen universitären Ausbildung von Mittelschullehrer*innen verweist diese Feststellung zum einen auf die bleibende und von der Religionspädagogik im bildungspolitischen Diskurs herauszustellenden Notwendigkeit des Fachwissens. Denn nur, wer auf die Glaubens- und Gotteserfahrungen der Tradition zurückgreifen kann, kann bspw. eine vertiefende Antwort auf die Frage nach Gott und dem Leid geben (Fall III). Zum anderen bedarf es in allen Phasen der Ausbildung von (Mittelschul-)Religionslehrer*innen Räume und Zeiten, in denen im Hinblick auf brennende Schüler*innenfragen auch eine existenzielle Sprachfähigkeit (bzgl. der Gottesfrage) eingeübt wird. Denn nur, wer auf das subjektorientierte Theologisieren vorbereitet ist und selbst eine Position im Hinblick auf die Gottesfrage herausgebildet hat, verfällt nicht in eine Schockstarre, wenn er/sie brennend gefragt wird: „Glauben Sie das alles wirklich … das mit Gott?"

---

48   Vgl. Schambeck, Mirjam, Was Relilehrer/-innen können müssen, 139-143.

Literatur

- Bayerisches Staatsministerium für Unterricht und Kultus (Hg.), Lehrplan für die Mittelschule. Katholische Religionslehre Jgst. 9, in: https://www.isb.bayern.de/download/13355/06lp_kr_9_r.pdf.
- Boschki, Reinhold, „Beziehung" als Leitbegriff der Religionspädagogik. Grundlegung einer dialogisch-kreativen Religionsdidaktik (= Glaubenskommunikation Reihe Zeitzeichen 13), Ostfildern 2003.
- Deutscher Kinderhospizverein e. V., Imagefilm 2015, in: https://www.youtube.com/watch?v=epEUkgaGHWM&app=desktop.
- Ditton, Hartmut, Mechanismen der Selektion und Exklusion im Schulsystem, in: Quenzel, Gudrun/Hurrelmann, Klaus (Hg.), Handbuch Bildungsarmut, Wiesbaden 2019, 157-182.
- Dohr, Maria E., Evaluation des Religionsunterrichts in der Hauptschule, in: CpB 117 (2004) 4, 242-245.
- Domsgen, Michael/Lütze, Frank Michael, Schülerperspektiven zum Religionsunterricht. Eine empirische Untersuchung in Sachsen-Anhalt, Leipzig 2010.
- Ebertz, Michael N., Dispersion und Transformation, in: Pollack, Detlef/Krech, Volkhard/Müller, Olaf u. a. (Hg.), Handbuch Religionssoziologie, Wiesbaden 2018, 411-436.
- Englert, Rudolf, Annäherungen an das Geheimnis. Zur Rede von Gott im Religionsunterricht, in: rhs 38 (1995) 49-58.
- -, Religion gibt zu denken. Eine Religionsdidaktik in 19 Lehrstücken, München 2013.
- -, /Hennecke, Elisabeth/Kämmerling, Markus, Innenansichten des Religionsunterrichts. Fallbeispiele – Analysen – Konsequenzen, München 2014.
- -, Gott denken? Im Religionsunterricht?, in: Pemsel-Maier, Sabine/Schambeck, Mirjam (Hg.), Keine Angst vor Inhalten! Systematisch-theologische Themen religionsdidaktisch erschließen, Freiburg i. Br./Basel/Wien 2015, 93-109.
- Fricke, Michael, Von Gott reden im Religionsunterricht, Göttingen 2007.
- Hattie, John, Lernen sichtbar machen. Überarbeitete deutsche Ausgabe von Visible Learning, Baltmannsweiler 2013.
- Heger, Johannes, „Es ist alles hin … alles hin … didilidi …". Zu Ned Flanders als gelbem Ijob und der Inszenierung der Bibel bei den Simpsons, in: Roth, Ursula/Seip, Jörg (Hg.), Schriftinszenierungen (= Ökumenische Studien zur Predigt 10), München 2016, 291-305.
- Hentig, Hartmut von, Die Schule neu denken. Eine Übung in pädagogischer Vernunft, Weinheim 20126.
- Hermann, Inger, Halt's Maul, jetzt kommt der Segen. Kinder auf der Schattenseite des Lebens fragen nach Gott, Stuttgart 20099.

- Hüfner, Gerhard/Schneider, Wolfgang, Situation und Perspektiven der Mittelschule in Bayern. Eine Befragung unter Lehrerinnen und Lehrern, in: https://www.bllv.de/fileadmin/BLLV/Bilder/Studien/BLLV-Studien/Mittelschulbefragung2014.pdf.
- Knauth, Thorsten, Incident-Analysis – a key category of REDCo-Classroom Analysis. Theoretical background and conceptual remarks, in: Ter Avest, Ina/Jozsa, Dan-Paul/Knauth, Thorsten u. a. (Hg.), Dialogue and Conflict on Religion. Studies of Classroom Interaction in European Countries (= Religious diversity and education in Europe 16), Münster/New York/Berlin u. a. 2009, 17-27.
- Langenhorst, Georg/Willebrand, Eva (Hg.), Literatur auf Gottes Spuren. Religiöses Lernen mit literarischen Texten des 21. Jahrhunderts, Ostfildern 2017.
- Leven, Ingo/Quenzel, Gudrun/Hurrelmann, Klaus, Familie, Bildung, Beruf, Zukunft: Am liebsten alles, in: Deutsche Shell Holding (Hg.), Jugend 2015. Eine pragmatische Generation im Aufbruch (= 17. Shell-Jugendstudie), Bonn 2016, 47-110.
- Lütze, Frank Michael, Religionsunterricht im Hauptschulbildungsgang. Konzeptionelle Grundlagen einer Religionsdidaktik für den Pflichtschulbereich der Sekundarstufe I (= Arbeiten zur praktischen Theologie 47), Leipzig 2011.
- Maaz, Kai/Baumert, Jürgen/Trautwein, Ulrich, Genese sozialer Ungleichheit im institutionellen Kontext der Schule. Wo entsteht und vergrößert sich soziale Ungleichheit?, in: Baumert, Jürgen/Trautwein, Ulrich (Hg.), Bildungsentscheidungen. Zeitschrift für Erziehungswissenschaft, Sonderheft 12 (2009), 11-46.
- Mendl, Hans, Modelle – Vorbilder – Leitfiguren. Lernen an außergewöhnlichen Biografien (= Religionspädagogik innovativ 8), Stuttgart 2015.
- Metz, Johann Baptist, Gotteskrise. Versuch zur ‚geistigen Situation der Zeit‘, in: Metz, Johann Baptist (Hg.), Diagnosen zur Zeit, Düsseldorf 1994, 76-92.
- Niemann, Mareke, Der ‚Abstieg‘ in die Hauptschule, Wiesbaden 2015.
- Nothelle-Wildfeuer, Ursula/Striet, Magnus (Hg.), Einfach nur Jesus? Eine Kritik am „Mission Manifest" (= Katholizismus im Umbruch Band 8), Freiburg i. Br./Basel/Wien 2018.
- Porzelt, Burkard, Lob des Zweifel(n)s? Ein Movens religiösen Lernens im Spiegel aktueller Herausforderungen in: RpB 59/2007, 17-27.
- Rahner, Johanna, „Hab‘ ich nur dein Ohr, find‘ ich schon mein Wort". Gottesrede unter den Bedingungen der späten Moderne, in: Wege zum Menschen 70 (2018) 117-131.
- Rahner, Karl, Grundkurs des Glaubens. Einführung in den Begriff des Christentums, Freiburg i. Br./Basel/Wien 19842.
- Reese, Annegret, Das Wachhalten der Gottesfrage als Kernaufgabe religiöser Bildungsprozesse. Empirische Erkundungen und didaktische Überlegungen zu Gottesfrage und Gottesbildern heute, in: ZPT 61 (2009) 3, 215-226.

- Reis, Oliver, Gott denken. Eine mehrperspektivische Gotteslehre, Berlin/Münster 2012.
- Religionspädagogisches Zentrum Heilsbronn, www.rpz-heilsbronn.de.
- Rosenhammer, Claudia, Mit HauptschülerInnen Gott auf der Spur, in: KatBl 131 (2006) 5, 356-359.
- RTL 2, Berlin Tag und Nacht. Folge 805, in: https://www.rtl2.de/sendung/berlin-tag-und-nacht/folge/folge-805.
- Sander, Hans-Joachim, Der öffentliche Gott – eine prekäre Macht jenseits von Existenz und Sicherheit, in: Englert, Rudolf/Mette, Norbert/u. a. (Hg.), Gott im Religionsunterricht (= JRP 25), Neukirchen-Vluyn 2009, 106-120.
- Schambeck, Mirjam, Die Gottesthematik bei Jugendlichen – unvermittelbar mit der christlichen Gottesrede?, in: Themen im Religionsunterricht. Der Dreieine (2012) 62-67.
- -, Die Sinnfrage als Gewand der Gottesfrage. Eine qualitativ-empirische Untersuchung zur Erforschung der Religiosität Jugendlicher, in: rhs 52 (2009) 362-375.
- -, „Religion zeigen und Glauben lernen in der Schule?". Zu den Chancen und Grenzen eines performativen Religionsunterrichts, in: RpB 58/2007, 61-80.
- -, Was Relilehrer/-innen können müssen. Religionsbezogene Korrelationskompetenz als Profilmerkmal professioneller (Handlungs-)Kompetenz von Religionslehrkräften – eine Konzeptualisierung in den Spuren der COACTIV-Studie, in: Theo-Web 17 (2018), 1, 129-145.
- -, Glück als postmoderne Chiffre christlicher Heilsvorstellungen? Impulse und Grenzen, Glücksvorstellungen von Kindern als soteriologische Konzepte zu lesen, in: Bucher, Anton A./Büttner, Gerhard/Freudenberger-Lötz, Petra u .a. (Hg.), „Gott gehört so ein bisschen zur Familie". Mit Kindern über Glück und Heil nachdenken (= JaBuKi 10), Stuttgart 2011, 105-121.
- -, Mystagogisches Lernen, in: Hilger, Georg/Ziebertz, Hans-Georg/Leimgruber, Stephan (Hg.), Religionsdidaktik. Ein Leitfaden für Studium, Ausbildung und Beruf, München 20106, 400-415.
- Schröder, Bernd, Religionspädagogik, Tübingen 2012.
- Schweitzer, Friedrich, Religionspädagogik, Gütersloh 2006.
- -, Gott im Religionsunterricht. Bestandsaufnahme – neue Herausforderungen – weiterführende Perspektiven zu einer Didaktik der Gottesfrage, in: Englert, Rudolf/Mette, Norbert u. a. (Hg.), Gott im Religionsunterricht (= JRP 25), Neukirchen-Vluyn 2009, 241-263.
- Schweitzer, Friedrich/Wissner, Golde/Bohner, Annette u. a., Jugend – Glaube – Religion. Eine Repräsentativstudie zu Jugendlichen im Religions- und Ethikunterricht (= Glaube – Wertebildung – Interreligiosität 13), Münster/New York 2018.

- Steins, Georg (Hg.), Schweigen wäre gotteslästerlich. Die heilende Kraft der Klage, Würzburg 2000.
- Stögbauer, Eva Maria, Die Frage nach Gott und dem Leid bei Jugendlichen wahrnehmen, Bad Heilbrunn 2010.
- Strumann, Barbara, Psalmen – tiefe Lieder mit schweren Jungs. Religionsunterricht an einer Förderschule mit dem Förderschwerpunkt emotionale und soziale Entwicklung, in: Pemsel-Maier, Sabine/Schambeck, Mirjam (Hg.), Inklusion!? Religionspädagogische Einwürfe, Freiburg i. Br. 2014, 247-261.
- Tetens, Holm, Müssen Theologen methodische Atheisten sein? Überlegungen zu einem vermeintlichen Dilemma, den Wissenschaftsanspruch der Theologie einzulösen, in: Göcke, Benedikt Paul (Hg.), Die Wissenschaftlichkeit der Theologie (= Studien zur systematischen Theologie, Ethik und Philosophie 13,1), Münster 2018, 189-202.
- Voßhenrich, Tobias, Negative Theologie mit Jugendlichen, in: KatBl 138 (2013) 4, 277-283.
- Werbick, Jürgen/Porzelt, Burkard, Gott, in: Wissenschaftlich-Religionspädagogisches Lexikon https://www.bibelwissenschaft.de/stichwort/100063/, 2015.
- Wermke, Michael, Schulformspezifische Religionsdidaktik – eine Bestandsaufnahme, in: Theo-Web 10 (2011), 2, 13-24.
- -, Schulpolitische Weichenstellungen in Deutschland – auf dem Weg zur Verbundschule, in: Schröder, Bernd/Wermke, Michael (Hg.), Religionsdidaktik zwischen Schulformspezifik und Inklusion. Bestandsaufnahmen und Herausforderungen, Leipzig 2013, 253-267.

Alle Internetadressen wurden zuletzt im August 2019 überprüft.

DIE GOTTESFRAGE IN INKLUSIVEN LERNSITUATIONEN

Oliver Reis und Alicia-Marie Speuser

1. „Gottesfrage", „inklusiv" und „Lernsituationen" – eine Vergewisserung der Ausgangslage

Der Lerngegenstand der Gottesfrage klingt geklärt. In Wirklichkeit lässt sich dieser aber zum einen in der Horizontalen in verschiedene Unterfragen aufgliedern: Da ist die Frage nach dem Sein Gottes, nach seiner Beziehung zur Welt, nach der Rechtfertigung Gottes angesichts des Leids, nach dem epistemologischen Status der Gottesrede, nach den Möglichkeiten der Kontaktaufnahme im Gebet und an komplexen materiellen Praktiken. Und jede dieser Fragen bietet zudem einige Möglichkeiten, das Thema überhaupt zu konstituieren. Zum anderen verweisen unterschiedliche Modellierungen in der Vertikalen jeweils auf den mehrperspektivischen wissenschaftlichen Diskurs und auf eine Vielzahl an Schüler*innenvorstellungen. So kann man z. B. Gottes Wirken in der Welt deistisch, narrativ, supranaturalistisch, magisch oder psychologisch denken und dabei jeweils eine Position vertreten, die sich zwar konträr zu den anderen verhält, die aber die anderen als wichtige Diskurspositionen nicht los wird.[1] Schon in diesen doppelten Differenzierungen des Gegenstandes in der Breite der Unterfragen und der Tiefe der Modelle ist die Gottesfrage eine religionspädagogische Grenzerfahrung.

Sind da die *inklusiven Lernsituationen* zumindest eine willkommene Komplexitätsreduktion? Inklusion in pädagogischen Zusammenhängen versucht die Differenzen unter den Menschen hinsichtlich ihrer Lernpotenziale mit den institutionellen Angeboten für das Lernen neu aufeinander abzustimmen.[2] Da Didaktik Lernprozesse in Gruppen denkt, können die Differenzen nicht einfach durch Lernwege der Individuen bearbeitet werden. Vielmehr muss das Angebot aus einer Einheitsperspektive gewonnen werden, so dass Inklusive Didaktik das Differenz-Einheits-Problem neu fasst.[3] Das Komplizierte ist daran, dass Bernhard Grümme zurecht darauf hinweist, dass die Differenzen, als wirkliche Heterogenitäten verstanden, unübersehbar vielfältig sind und es eben keine vorausgehende Ordnung gibt, wie diese Differenzen zueinander stehen.[4] Mit Blick auf die Intersektionalität von Differenzen sorgt jede Perspektive eines Einheitspunktes, von dem ausgehend das Lernen der Gruppe und der Individuen in der Gruppe gedacht wird, immer für eine selektive Perspektive, von der aus bestimmte Differenzen ausgeblendet, fokussiert, oder verstärkt werden. Hier entsteht für die inklusive Religionsdidaktik ein erhebliches normatives Begründungsproblem, das bisher zu wenig

---

1   Reis, Oliver, Gott denken, 97-100.
2   Vgl. Hinz, Andreas, Inklusion, 1-17; Grümme, Bernhard, Religionspädagogische Denkformen, 84.
3   Vgl. Ramseger, Jörg, Das Korallenriff oder: Die Grenzen der Inklusion, 303.
4   Vgl. Grümme, Bernhard, Religionspädagogische Denkformen, 93-95.101.

beachtet wird.[5] Es ist deshalb auch kein Zufall, dass eine konsistente Konzeptionierung einer inklusiven Religionsdidaktik noch aussteht,[6] und dass bei der sich formierenden inklusiven Religionspädagogik der Vielfalt zwischen den normativen Überbausätzen, den handlungsleitenden Unterrichtsmodellierungen und der Unterrichtspraxis reichlich Brüche vorhanden sind.[7] Ob eine Lernsituation inklusiv ist oder nicht, hängt letztlich davon ab, von welchem Einheitspunkt aus welche Differenzen in den Blick kommen. Martin Harant unterscheidet drei solcher Einheitspunkte als Mindsets von Inklusion, die in der gegenwärtigen Debatte gegeneinander gerichtet sind.[8] Der auch in der Religionspädagogik gegenwärtig zu beobachtende Trend eines Inklusionsverständnisses ist, dass im Unterricht auf der sozialen Ebene eine eher ethisch gewollte Vergemeinschaftung gefördert, methodisch handlungs- und produktionsorientierte Formen präferiert und das Lerntempo den langsameren Kindern angepasst wird.[9] Dies entspricht dem Mindset „Inklusion als homogenisierte Wertegemeinschaft", das Unterricht von einer homogenisierenden wertegeleiteten Praxis der Anerkennung von Differenz her denkt. Für diese Anerkennung bisher marginalisierter Schüler*innengruppen fordert dieses Mindset Akzeptanz bisher bevorzugter Gruppen. Das Mindset „Inklusion als integrierende Teilhabe an der leistungsstarken Gesellschaft" betont dagegen unter Inklusion das Recht bisher marginalisierter Gruppen, an den Praktiken der herrschenden Gruppen teilzuhaben. Hier muss sich nicht die Gesellschaft ändern, sondern hier geht es darum, für die Gesellschaft dysfunktionale Exklusionen aufzuheben. Inklusive didaktische Strategien bestehen hier eher darin, dass die bisherige Praxis erhalten bleibt und über Differenzierungen Normabweichungen in Untergruppen segregiert werden. Auch dieser Zugang hat seinen Weg in die Religionsdidaktik gefunden, was Rudolf Englert als Verinselung des Lernens kritisch beobachtet.[10] Das dritte Mindset „Inklusion als permanente Aufdeckung von Exklusionen" verzichtet auf die Behauptung, dass es eine bestimmte inklusive Praxis gibt. Vielmehr betont es die didaktische Daueraufgabe, Anerkennungs- und Zuwendungsentscheidungen zu bestimmten Inhalten und Methoden für bestimmte Schüler*innengruppen zu begründen. Inklusive Lernsituationen zur Gottesfrage kann es dann an sich gar nicht geben, weil jede behauptete inklusive Praxis bestimmte Bedürfnisse und Zugangsvoraussetzungen nicht aufgenommen, bestimmte Aspekte der Gottesfrage den Schüler*innen in Breite und Tiefe nicht thematisiert wurden. Für die Praxiskonkretion in diesem Beitrag orientieren wir uns explizit an letzterem Mindset, so dass erstens

....

5   Vgl. ebd., 93.101; Schweiker, Wolfhard, Prinzip Inklusion, 203.208f; Reis, Oliver, Alles eine Frage des Mindsets?!, 36-38.
6   Vgl. Möller, Rainer/Bücker, Nicola/Pithan, Annabelle, Inklusion und religiöse Bildung, 189-199.
7   Vgl. Peter, Karin, Inklusive Herausforderungen für die Religionspädagogik, 98-101; Schweiker, Wolfhard, Arbeitshilfe Religion inklusiv, 41-44.
8   Vgl. Harant, Martin, Inklusion im Widerstreit, 111-130. Für die religionspädagogische Interpretation der Mindsets vgl. Reis, Oliver, Alles eine Frage des Mindsets?!, 43-46.
9   Möller, Rainer/Bücker, Nicola/Pithan, Annabelle, Inklusion und religiöse Bildung, 189-199.
10   Englert, Rudolf, Wie kann Religionsunterricht heute gut sein?, 91f.

andere im gleichen Mindset die getroffenen Entscheidungen im mehrdimensionalen Feld der Heterogenitäten kritisieren können und zweitens andere in einem anderen Mindset wesentliche Praxismerkmale nicht als inklusiv (an-)erkennen werden.

Die Wahl des Mindsets gibt für die Didaktisierung die Aufgabe vor, dass die Lernsituation zunächst möglichst breit in den möglichen Heterogenitätsdimensionen auf beiden Seiten bleibt und dann die vorgenommenen Auswahlentscheidungen auf beiden Seiten als Relationierung von Sache und Schüler*innen vornimmt. Das geeignete Reflexionsmuster für diese Aufgabe bietet aus unserer Sicht die inklusionspädagogische Didaktik von Georg Feuser, der in der didaktischen Tradition von Wolfgang Klafki unterscheidet zwischen a) den Sachstrukturen der Lerngegenstände, b) den Tätigkeitsstrukturen der Schüler*innen im Umgang mit den Gegenständen sowie c) den Handlungsstrukturen als konkrete Aufgaben, mit denen die Schüler*innen über die Arbeit an den Gegenständen die Zone der nächsten Entwicklung erreichen können.[11] Wichtig ist dabei, dass alle drei Strukturanalysen mit einer mehrperspektivischen Modellierung hinterlegt sind: a) die Modellierung, was der Gegenstand bedeuten kann, b) einer interdisziplinären Modellierung von Entwicklung und c) einer Klasse von Aufgaben im sozialen Feld.

In der Umsetzung der drei Strukturanalysen für eine konsistente Lernsituation orientieren wir uns am Universal Design of Learning (UDL)[12], das inklusive Lernsituation so denkt, dass der Lerngegenstand thematisch in der Breite und der inneren Komplexität mehrfach repräsentiert wird und dass die Aufgaben unterschiedliche Neigungen, Aneignungsformen, Vorwissen aufnehmen können. Wenn die Gottesfrage in inklusiven Lernsettings in diesem Setting bearbeitet werden soll, dann sind diesem Ansatz entsprechend ausdrücklich die Heterogenitätsdimensionen auf Seiten des Gegenstandes in der Sachstrukturanalyse *und* der Tätigkeitsanalyse starkzumachen, um zu differenzierten Handlungsaufgaben zu kommen. Diese Differenzierungen werden nun aber im Sinne des UDL-Prinzips so verteilt, dass nicht eine Vielzahl von Aufgaben unterschiedliche inhaltliche Modelle mit unterschiedlichen Bedürfnislagen kombiniert. Um die oben beschriebenen Differenzierungsfalle zu umgehen, werden wir einen homogenen Lernprozess organisieren, der in den Aufgaben so gefasst ist, dass die eine Lernlandschaft – von Schüler*innen mit unterschiedlichen Bedürfnislagen und auch mit anderen Vorstellungen zu Aspekten der Gottesfrage bearbeitet – unterschiedliche Lernbewegungen auslöst. Da diese Bearbeitungen auf die sachstrukturellen Modelle bezogen sind, wird in der Weiterarbeit an diesen Bearbeitungen immer auch die sachstrukturelle Differenz erhalten. Entscheidend ist nur, dass das dargebotene Material diese Vielzahl an Deutungen zulässt und dazu anregt, die verschiedenen Deutungen sichtbar zu machen, ins Gespräch zu bringen und zur Weiterentwicklung zu stimulieren. Voraussetzung dieser Strategie ist,

....

11   Vgl. Feuser, Georg, Entwicklungslogische Didaktik, 94-96.
12   Vgl. Krause, Katharina/Kuhl, Jan, Was ist guter Fachunterricht?

- dass in der Sachanalyse die zentralen Modelle im Sinne einer MetaStruktur[13], erfasst sind, damit der Rahmen klar ist, der sowohl die Schüler*innenvorstellungen als auch den Gegenstand differenziert erfasst.
- dass in der didaktischen Analyse die Zugangsvoraussetzungen zu zentralen Lernanliegen verdichtet werden, die den Gegenstandmodellen oder einem Bündel von ihnen folgen.
- dass die gewählten Medien als Modelle so zugespitzt werden, dass sie auch kognitive oder emotionale Konflikte und Irritationen auswählen können.

Das inklusive Moment besteht hier darin, dass bezüglich der weltanschaulichen Differenz breit zur Partizipation eingeladen wird, und dass durch die methodische Differenz auch Schüler*innengruppen zu einer Partizipation an komplexen Inhalten angeregt werden, denen diese Ebene sonst verwehrt wird. Klar ist aber auch, dass diese Partizipationseröffnung die Differenzlinie nur verschiebt. Es kann nicht die komplette Gottesfrage in Breite und Tiefe abgebildet werden und sehr starke kognitive Einschränkungen oder bestimmte negative Einstellungen zu einem inhaltlichen Religionsunterricht lassen sich dadurch nicht kompensieren.

2. Ein „inklusives" Unterrichtsprojekt zur Leidfrage in der Grundschule

2.1. Transparenz in den Auswahlentscheidungen

Das im Folgenden dokumentierte Unterrichtsprojekt für die Grundschule basiert auf der Bachelorarbeit von Alicia-Marie Speuser und zeigt für die Frage nach dem Zusammenhang von Gott und Leid eine Konkretisierung der beschriebenen Strategie. Im Hintergrund dieser Entscheidung stehen die folgenden Auswahlentscheidungen:
- Ich habe mich für den Teilaspekt der Gottesfrage „Gott und das Leid" entschieden, da die Unterrichtsreihe kurz vor bzw. ein Teil auch kurz nach den Osterferien durchgeführt wurde und somit mit dem Leiden Jesu, das auch im Projekt behandelt wurde, Bezug zur Lebenswelt der (meisten) Schüler*innen hergestellt wurde.
- Über den Grundkurs Systematische Theologie bin ich mit verschiedenen Modellen der Leidfrage vertraut. Dadurch ist der Gedanke, eine MetaStruktur zu entwerfen, gegenwärtig gewesen. In der Literatur werden erste Ansätze zu einer solchen MetaStruktur vorgestellt.[14] Außerdem hat die Masterarbeit der Kommilitonin Helen Böing schon wesentliche Vorarbeiten für eine wirklich didaktisch gerahmte MetaStruktur geleistet.
- Wie die Masterarbeit von Helen Böing weiter zeigt, ist die Leidfrage schon in

---

13 MetaStrukturen sind mehrperspektivische Verdichtungen der zentralen theologischen wie außertheologischen Modelle zu einem kriteriengeleiteten Diskurs, die die fachlichen Strukturen so aufarbeiten, dass daran anschließend didaktische und diagnostische Entscheidungen getroffen werden können: Vgl. dazu Reis, Oliver/ Schwarzkopf, Theresa, Diagnose im Religionsunterricht, 72-76.

14 Vgl. Englert, Rudolf, Religion gibt zu denken; Reis, Oliver, Gott denken; Stosch, Klaus von, Grundkurs Systematischer Theologie; Böhnke, Michael, Theologische Module.

der Grundschule präsent, aber die Schulmaterialien bearbeiten sie mit zwei Modellen, die entweder unterkomplex (Bonisierung des Leids) oder überkomplex (Kreuzestheologie) sind. Das von den Lehrenden der Systematischen Theologie an der Universität Paderborn präferierte Modell der „free-will-defense" wird dabei außer Acht gelassen.

- Die von der empirischen Religionspädagogik erhobenen Schüler*innen-Typen (Stögbauer), die wie bei Ritter die Leid- und Gottesfrage gar nicht verknüpfen[15], werden in den gängigen Unterrichtsmaterialien nicht gesehen. Ebenso wenig finden die Schüler*innen selbst Beachtung, die sehr differenziert die beiden Fragen in verschiedenen Modellen miteinander verknüpfen.
- Eine katholische Grundschule erklärte sich bereit, den Rahmen für ein solches inklusives Unterrichtsprojekt zu bieten. Die Schüler*innen zeigen eine große weltanschauliche Pluralität, die aber sonst im Unterricht wenig Raum erhält. Wie eine solche Öffnung für weltanschauliche Pluralität in dem Rahmen geschehen kann, soll transparent für die Schule in diesem Projekt erprobt werden.

2.2. Die Instrumente der Strategie

2.2.1. MetaStruktur zur Leidfrage

Bei der Theodizee wird die gegenstandstypische Paradoxie gut im Dilemma von Epikur beschrieben: Unter den beiden Prämissen, dass Gott allmächtig, allgütig und allwissend ist (1) sowie dass in der Welt Leid existiert (2), lässt sich folgern, dass Gott von dem Leid weiß und mächtig ist, es zu beheben, dann aber nicht gütig sein kann (3). Oder Gott würde das Leid in seiner Güte beheben, aber weiß nicht wie, dann wäre er nicht allwissend (4). Oder Gott weiß von dem Leid und will es auch in seiner Güte ändern, kann es aber nicht (5).[16] In dieser Dilemma-Struktur wird deutlich, dass die beiden Prämissen nicht zusammen bestehen können.

Die Paradoxie kann aber bearbeitet werden, was acht theologisch-philosophische Modelle, die mal stärker von Gott die Prämisse des Leids uminterpretieren oder abmildern oder das Eigenschaftenbündel auflösen oder einzelne Attribute uminterpretieren (vgl. Abb. 1), versuchen. Die Modelle von links nach rechts unterscheiden sich auch dadurch, dass die Modelle links die Paradoxie auf Gott hin auflösen, seine Größe, Macht und Autonomie und diesen dann sekundär das menschliche Leid zuordnen, während die Modelle rechts eher vom Menschen aus, seiner Freiheit und Autonomie Gott Möglichkeiten zuordnen. Modelle in der Mitte, wie die Kreuzestheologie, binden Gott und Mensch gleichermaßen an das Leid. Das Modell ganz rechts nimmt außerdem noch den Gedanken auf, dass der in den beiden Prämissen vollzogene Konnex ganz ausbleibt und im Sinne des Deismus oder einer rein säkularen Vorstellung aufgelöst wird, in der das Leid einfach nur zur Welt gehört. Dieses Modell ist didaktisch relevant.

....

15   Vgl. Stögbauer, Eva-Maria, Die Frage nach Gott und dem Leid bei Jugendlichen wahrnehmen; Ritter, Werner H., Verabschieden sich Kinder und Jugendliche von der Theodizee?

16   Vgl. Reis, Oliver, Gott denken, 165-168.

Kriterien / Modelle	Gott als Geheimnis	Leid als Preis der besten aller Welten	Depotenzierung von Leid	Bonisierung von Leid
theoretischer Bezug	Prämisse 1 (Fideismus)	Prämisse 1 (Derterminierter Deismus)	Prämisse 2: (Eschatologie)	Prämisse 2 (Funktionale Theologie)
Ausgangspunkt	Gott ist unbegreiflich	Welt als optimale Schöpfung unter kontingenten Bedingung-en	Leid hat keine große Wirkungsmacht	Hinter jedem Übel versteckt sich etwas Gutes
Gottesbild	Gott ist als Geheimnis des Lebens unbegreiflich	Gott als der Erbauer eines „sich selbst vollziehenden Uhrwerks"	Gott hat in seiner großen Güte und Providentia den Überblick	Gott ist gütig, da er den Menschen das gibt, was sie brauchen oder verdienen
Argumentationsstruktur	Akzeptanz: Leitfrage unlösbar → Grund: Gott ist ein Geheimnis; Transfer der Unbegreiflichkeit Gottes auf Unbegreiflichkeit des Leidens	Gott sorgt für das Optimum an Güte für alle Geschöpfe Leid entsteht in der Verrechnung weltlicher Kontingenz	Kompensation von Leiden durch die Zukunft im Jenseits → kein Leiden im Jenseits (theologische Sicht)	Sichtbarkeit des Guten nur im Angesicht des Bösen möglich Leid als Strafe für die Gerechtigkeit (Pädagogisierung)
Lösung	Theodizee der Rationalität entzogen	Theoretische Theodizee, wenn man akzeptiert, dass Gott das Leid zugunsten der gesamten Schöpfung nicht aufheben kann	Theoretische Theodizee, aber nicht rational vor biblischen Aussagen, wie Gott das Leid wahrnimmt.	Theoretische Theodizee, aber nicht rational vor biblischen Aussagen, die Gott nicht mit schlechten Mitteln handeln lassen.
Stärke/ Schwäche	Starker Gottesbezug, wird aber auch vom Leid entkoppelt.	Das Leid wird rational begreifbar / Distanz Gottes wenig biblisch	Starker Gottesbezug / Verharmlosung des Leides	Starker Gottesbezug, Gott, der handelt / Gottes Eifer für die Leidenden unklar

Abb. 1: MetaStruktur zur Theodizee Gottes angesichts des Leids[17]

....

17 Für die Anfertigung der Matrix wurde Bezug genommen auf: Reis, Oliver, Gott denken, 168-191; Stosch, Klaus von, Einführung in die Systematische Theologie, 99-101. Für die Systematisierung dient die Masterarbeit von Helen Böing als Vorbild.

Mitleiden Gottes	Leid als Heraus-forderung an den Glauben	Leid und Ohn-macht Gottes	Leid als Preis menschlicher Willensfreiheit	Leid ist Teil der Welt
Prämisse 1 (Güte) und Prämisse 2 (Kreuzestheologie)	Prämisse 1, All-macht (biblische Herme-neutik)	Prämisse 1, Allmacht und Prämisse 2 (Natural law de-fense)	Keine Prämisse (free will defense)	Prämisse 2 ohne Prämisse 1 (Freiheitsdeismus)
Gott nimmt am Kreuz Anteil an dem Leiden seiner Geschöpfe	Neuinterpretati-on der Allmacht Gottes:	Aufgeben der Allmacht als Eigen-schaft Gottes	Die Willensfreiheit der Menschen ist die alles bestim-mende Größe	Leid ist Teil der au-tologischen Welt
Gott liebt die Men-schen so sehr, dass er sich der Welt gleich macht	Gott ist der Panto-krator und nicht der omnipotente Gott, ist als Wort mächtiger ist als al-les, was allmächtig aussieht,	Gott setzt in seiner Allmacht die Welt außer sich und be-gleitet sie in Güte	Gott als Schöpfer liebt die Geschöpfe in Freiheit und bindet sich radikal an diese Zusage.	Gott als von der Welt entkoppelter Versteher und Moralwächter Alternative: kein Gotteskonzept vorhanden
Gottes Anteilnah-me am Leiden sei-ner Geschöpfe → Möglichkeit Leiden zu überwinden	Leid kein Bestand-teil der Welt, aber Machterfahrung zur Verführung zum Götzenglau-ben	Erschaffung einer freien Welt durch Gottes Allmacht und Begleitung der Geschöpfe in Liebe	Verantwortung des Leidens tragen Menschen aufgrund ihrer Willensfreiheit	Verantwortung des Leidens durch Menschen Folge von Naturer-eignissen Keine Beteiligung Gottes
Praktische Theo-dizee, wenn man die Entstehung des Leides von Gott entkoppelt.	Keine Theodizee nötig, da Gott nicht Verursacher des Leidens ist	Theoretische Theo-dizee, plausibel un-ter Transformation des Gottesbildes	Theoretische Theodizee, Gott trägt zugleich die Verantwortung für das Leiden in der Welt	Keine Theodizee nötig
Starke Aufwertung des Leidens als Gottes Ort / Gott ist zugleich Verursa-cher?	Gottes Handeln wird hermeneu-tisch / Was heißt dann Gott ist der Schöpfer?	Konsequente Liebe Gottes / Ist das noch der Gott der Bibel?	Konsistent vom Menschen aus ge-dacht / Stimmt die Philosophie auch biblisch?	Keine Probleme / teuer mit dem kaltgestellten Gott erkauft

Alle diese Modelle sind begründbar, aber in ihren Begründungen so voraussetzungsvoll, dass keines den Gegenstand für sich abbilden kann. Die Entscheidung, welche Modelle im Lernprozess in den Vordergrund treten sollen und welche nicht, kann erst getroffen werden, wenn überhaupt das Lernanliegen gebildet werden kann. Dafür ist ein Blick auf zentrale Theorien zu den Zugangsvoraussetzungen der Schüler*innen nötig.

2.2.2. Verknüpfung der Zugangsvoraussetzungen mit den Modellen – Ableiten typenspezifischer Lernanliegen

Um Handlungsaufgaben für bestimmte Typen von Schüler*innen abzuleiten, bilden exemplarisch die folgenden Theorien einen sinnvollen Rahmen: Oser/Gmünder[18], Stögbauer[19], Schweiker[20], Niveaustufenmodell sprachliche Bildung für den Fachunterricht[21] sowie die EKD-Erhebung für die Kirchensozialisation[22].

Oser/ Gmünder	Stögbauer
Stufe 1: Gott kann alles und die Menschen stehen unter seiner Macht	**1. Typ: Gottbekenner** → aufmerksamer & hilfsbereiter Gesprächspartner → Gottesanwesenheit in Notlagen
Stufe 2: Gott ist ein Handelspartner → Gott kann die Menschen belohnen und bestrafen	**2. Typ: Gottessympathisanten** → Fürsorglicher Wächter & dauerhafte Präsenz → Frage nach Gottes Wirksamkeit in der Welt
Stufe 3: Mensch muss selbstverantwortlich mit seinem Handeln umgehen → keine Abhängigkeit zwischen menschlichem Handeln und Gott	**3. Typ: Gottesneutrale** → Allmacht, Unfassbarkeit & Undefinierbarkeit Gottes → kein wirklicher Bezug zwischen Gott & dem Leid
	4. Typ: Gotteszweifler → Diskrepanz zu der eigentlichen Wesens-beschreibung Gottes → Ärgernis: guter Gott tut nichts im Leiden?

Kirchliche Sozialisation	
Hochverbundene	**5. Typ: Gottesrelativerer** → keine Erkennbarkeit Gottes in der Welt → übernatürliches Wesen → menschliche Zuwendung in Krisen → Trostspendung in Leidenssituationen
Kirchenferne, die entweder noch eine Mitgliedschaft haben oder ohne Mitgliedschaft sind	**6. Typ: Gottesverneiner** → Gott Fiktion der Menschen: kognitive Gottesvorstellung → Leid als Beweis für Unexistenz Gottes
Kirchenferne, die entweder noch eine Mitgliedschaft haben oder ohne Mitgliedschaft sind	**7. Typ: Gottespolemiker und Tabubrecher** → Abrechnung mit Gott als reaktionärer Zeitgenosse, sadistischer Hedonist → Erklärung des Leidens durch Bild von Gott als tyrannisches & sadistisches Wesen
Punktuell über Rituale Verbundene	

Abb. 2: Zugangsvoraussetzungen

....

18   Vgl. Garz, Detlef, Sozialpsychologische Entwicklungstheorien, 137ff.
19   Vgl. Stögbauer, Eva Maria, Die Frage nach Gott und dem Leid bei Jugendlichen wahrnehmen, 222-286.
20   Vgl. Schweiker, Wolfhard, Arbeitshilfe Religion inklusiv, 41-44.
21   Vgl. den Rahmenlehrplan Berlin-Brandenburg. Teil B: Fachübergreifende Kompetenzentwicklung. Basiscurriculum Sprachentwicklung.
22   Vgl. EKD-Erhebung: Engagement und Indifferenz Kirchenmitgliedschaft als soziale Praxis.

Schweiker
Basal-perzeptiv: • Grundlage durch fünf Sinne • 6. Sinne: Bewegungssinn • 7. Sinn: Sinn fürs Religiöse • **Lernen durchs Wahrnehmen mit den Sinnen**
Konkret-handelnd: • Lernen mithilfe von aktiven Handlungen • Lernzuwachs durch mehrfache aktive Wiederholung der Handlungen • Beispiel: Rollenspiel
Anschaulich-modellhaft: • Lernen anhand von Modellen oder Vorbildern • Ziel: eigene Sicht auf Gegenstände, Sachverhalte • Erkennen, Wahrnehmen und Akzeptieren von unterschiedlichen Meinungen zentral
Abstrakt-begrifflich: • Lernen ohne bildliche Hilfsmittel • Förderung der inneren Vorstellungskraft • Notieren von eigenen Gedanken • Arbeit mit (biblischen) Texten

Sprachentwicklungstheorien
Texte verstehen und nutzen Die Schülerinnen und Schüler können … **Niveau D** aus Texten gezielt Informationen ermitteln; Informationen verschiedener Texte zu einem Thema vergleichen; die Meinung der Autorin/des Autors zusammenfassend wiedergeben **Niveau G** Informationen aus Texten zweckgerichtet nutzen; Informationen verschiedener Texte zu einem Thema bewerten; Begründungen für Meinungen/ Haltungen / Thesen von Autorinnen / Autoren wiedergeben

Wir öffnen mit diesen exemplarischen Theorien Differenzen, die sich allgemein auf das Lernen (Schweikers Aneignungstypen) oder die sich auf dessen Voraussetzungen (Sprachentwicklung) beziehen. Die Typen Stögbauers sind zentral, weil sie die ganze Bandbreite zeigen, wie sich Schüler*innen mit dem Inhalt und damit mit den Modellen verbinden können. So lassen sich z. B. die Gottesbekenner und auch die Gottesrelativierer auf die Kreuzestheologie beziehen, während die Gotteszweifler, Gottesverneiner und die Gottespolemiker eher das Dilemma von Epikur stark machen werden und eine Theodizee ablehnen. Gerade die Gottesneutralen und die Gotteszweifler machen aber auch darauf aufmerksam, dass der bei den meisten Modellen vorausgesetzte Zusammenhang von Gott und Leidfrage nicht einfach vorausgesetzt werden kann, sondern schon an sich eine Bildungsaufgabe darstellt, wie Gottes Wirken überhaupt zu denken ist. Die Möglichkeiten, sich zu dieser Frage zu verhalten, sind gleichzeitig stark mit Oser/Gmünders Entwicklung der Theismusvorstellung verknüpft, die die implizite Folie der Verbindung von Gott und Leid darstellt. Je früher der Theismus der ersten beiden Stufen als unglaubwürdig abgelehnt wird, umso sinnloser erscheint auch schon in der Grundschule die Verknüpfung von Leid und Gott. Eine wesentliche Voraussetzung des Theismus ist aber auch die Begriffsentwicklung der Gottesrede als relevanter Akteur, deren Entwicklungsstand nicht zuletzt mit der kirchlichen Sozialisation verbunden ist.

Diese inhaltlichen und lernbezogenen Zusammenhänge zeigen, dass die in Grundschullehrwerken getroffene Wahl z. B. für ein bestimmtes Modell wie die Bonisierung oder Kreuzestheologie, das zudem mit einem komplexen sprachlichen Anspruch für kirchlich Verbundene einhergeht und mit abstrakt-begrifflichen Medien- und Aufgabenformen verbunden ist, wenig inklusives Potenzial besitzt. Wenn wir hieran etwas ändern wollen, dann müssen die Impulse also einerseits eine inhaltliche Vielfalt an Positionen aufnehmen können. D. h., dass kein Modell *vermittelt* bzw. *angeeignet* werden kann, sondern dass der Lernprozess eine Aufgabenstrecke vorsehen muss, die vor allem die Herausforderungen organisiert, die unterschiedliche Schüler*innen zu unterschiedlichen Ergebnissen führt. Unterschiedliche Schüler*innen verfolgen je nach Typ in den verschiedenen Theorien unterschiedliche Lernanliegen. Andererseits versuchen wir, die Exklusionen aufseiten der Aneignungsformen durch deren Varianz, aufseiten der sprachlichen Anforderungen durch Erklärungen in der vereinfachten Sprache oder auch der Voraussetzung in kirchlichen Sozialisierungen durch eine offene Adressierung zu vermeiden. Durch die Teilhabe an der gemeinsamen Aufgabe, die eigene Position im Rahmen verschiedener Angebote zu klären, soll der exkludierende Effekt der unterstützenden kompensatorischen Differenzierung vermieden werden.

Wir haben in der stellvertretenden Deutung verschiedene Lernanliegen für unterschiedliche Schüler*innengruppen unterschieden, von denen wir zwei vorstellen wollen: 1. Wir gehen durch den Kontext der katholischen Schule davon aus, dass es Schüler*innen geben wird, die durchaus über Rituale mit der Kirche verbunden sind, die biblische Narrative als Literatur kennen, andere bei der Gottesrede beobachten können, aber selbst eher sprachlich-begrifflich nicht gewohnt sind, eine personalisierte Gottesrede zu führen. Dass sie dies aber nicht als Problem wahrnehmen, weil sie selbst im Sinne der Gottesneutralen von einer autologischen Welt ausgehen, die sie im Sinne der Stufe 3 bei Oser/Gmünder begründen könnten. Das Lernanliegen wäre hier, dass der Lernprozess die Grundfrage nach Gottes Wirksamkeit zumindest so tangiert, dass überhaupt der Zusammenhang von Gott und Leid thematisiert werden kann. Oder andersherum: An der Theodizeefrage wird die Grundfrage bearbeitet. Hier kann es hilfreich sein, modellhaft zu arbeiten, um z. B. Kausalitätsbezüge zwischen Gott und Welt und dem Weltnarrativ zu entfalten und nicht direkt auf die begrifflich-abstrakte Ebene zu gehen.

2. Wir gehen davon aus, dass einzelne Kinder eine intensive persönliche Gottesbeziehung pflegen, die im Sinne von Stufe 2 bei Oser/Gmünder zu einer Krise führt, weil z. B. Gebete nicht erhört werden. Als Gottessympathisanten sind sie gestärkt durch eine regelmäßige religiöse Praxis, aber der magische Glaube wandelt sich zu einem reflexiven, der sprachlich-begrifflich neue Denkanstöße braucht. Die Verbindung von Gott und Welt ist da, aber sie braucht eine Denkform, die das Leid in die Erfahrung des wohlwollenden Begleitetseins einordnen kann, ohne deistisch zu werden. Die abstrakt-begriffliche Ebene lässt sich hier nicht umgehen.

2.2.3. Die Aufgabenstrecke im Lernformat Diskurslernen

Solche unterschiedlichen Lernanliegen brauchen ein Format, das ihnen die Offenheit gibt, nicht ein bestimmtes Modell zu lernen, sondern auf methodisch differenzierte Weise in den eigenen Vorstellungen durch die Präsenz von anderen Vorstellungen herausgefordert zu werden. Als Grundform bietet sich deshalb das „Diskurslernen"[23] an, das in den Phasen Positionierung-Erarbeitung-Diskurssetzung-Personalisierung-Positionierung verläuft. Die Planungsaufgabe besteht darin, zu diesen Phasen Aufgabenmaterial zu entwickeln, das die unterschiedlichen Lernanliegen aufnehmen kann.

....

23   Vgl. Reis, Oliver, „Öffnen kann ja jeder!", 44-55.

Lernetappen	Aufgabenimpulse
Positionierung: Fragen an Gott & Themeneinführung	„An der Tafel siehst du eine Mindmap. Was fällt dir zum Thema *Gott und das Leid* ein? Lass uns gemeinsam unsere Gedanken sammeln." „Stellt bitte nun alle Fragen an Gott, die du gerne beantwortet hättest und schreibe sie auf."
Lebensweltbezug: Gefühl der Traurigkeit	„Wann warst du schon einmal traurig? Was ist passiert und was hat dir geholfen, damit es dir wieder besser ging?"
Erarbeitung des Gegenstandes: Hiobsgeschichte rekonstruieren	„Wir haben jetzt die Hiobsgeschichte kennen gelernt. Du kannst dir jetzt überlegen, wie du die Geschichte wiedergeben möchtest. Du hast mehrere Möglichkeiten, wie z.B. einen Lückentext ausfüllen."
Provokation der Modellbildung: Sinnstiftung des Leides? Modell-konstrukte zum Zusammenhang Hiob und Gott bilden	„Überlege dir nun, wie die Geschichte von Hiob weiter gehen könnte. Du hast wieder mehrere Möglichkeiten, um die Aufgabe zu lösen."
Transfer der Hiobsgeschichte auf die eigene Gottesbeziehung Danke sagen für das Gefühl der Geborgenheit /Offenlassen der Gottesbeziehung / Gotteskritik	Frage Geborgenheitsgefühl keine Pflicht, ich kann mich dazu verhalten „Prüfe, ob du je nach Verstehen der Geschichte, Vertrauen kannst oder nicht oder unter welchen Bedingungen."
Intertextueller Transfer: Gegenstand Ostergeschichte	„Gebe die Ostergeschichte wieder. Du kannst auch hier aussuchen , wie du das machen möchtest."
Provokation der Modellbildung	„Warum musste Jesus leiden? → Warum musste Jesus – der Sohn Gottes – leiden? → Wofür war das Leiden Jesu gut? → Hing das Leiden Jesu mit Gott zusammen?"
Aktualisierender Transfer	„Hier siehst du das Bild „Der Schrei" von Edvard Münch. Bitter überlege dir zu den folgenden Satzanfängen dein eigenes Ende: Gott wäre/ist/ist nicht für mich da, wenn… Es ist nicht wichtig, was dein Nachbar oder deine Nachbarin schreibt. Es gibt dabei auch kein richtig oder falsch."

Abb. 3: Aufgabenstrecke

204

Methodische Differenzierung	
Gestaltung einer Mindmap zum Thema „Gott und das Leid" im Plenum → ständige Erweiterung nach Besprechung der einzelnen Unterthemen SuS können auch nur etwas zum Thema "Leid" sagen	• SuS können unterschiedliche Fragen stellen → Impuls: passend zum Thema, aber bestand keine Pflicht → Antwort gesucht im Plenum auf vorbereitete Fragen → nicht alle SuS mussten sich äußern → unterschiedlicher Schwierigkeitsgrad der Fragen
• Einen Brief oder einen Tagebucheintrag verfassen • Fachliche und methodische Tippkarten	
• Text schreiben • Lückentext ausfüllen (einzufüllende Wörter sind angegeben) • Bild malen • Text hing als Hilfestellung an der Tafel → Wörter aus Lückentext gelb hinterlegt • **Zusatzaufgabe:** Fragen zur Hiobsgeschichte	
• **Gruppenarbeit:** → Standbild von Hiobs Reaktion auf die schlechten Nachrichten darstellen → Rollenspiel zum weiteren Verlauf der Hiobsgeschichte gestalten	• **Einzelarbeit:** → Daumenkino gestalten → Bildergeschichte mit ggf. Sätzen anfertigen → Filmsequenzen aufzeichnen → Text schreiben • Zusatzaufgabe: → Brief aus der Sicht von Hiob schreiben
• **Aus der eigenen Sicht:** → Dankesgebet schreiben → Filmszenen erstellen → Bild malen	• **Aus der Sicht von Hiob:** → Gebet schreiben
• Text-Bild-Zuordnung • Denk- und Sprechblasen ausfüllen	
• **Partnerarbeit:** → Interview schreiben → Dialog verfassen • **Zusatzaufgabe:** → Mögliche Antwortmöglichkeiten eines Priesters suchen	• **Einzelarbeit:** → Bild malen → Text schreiben → Kombination aus Text schreiben und Bild malen → Bildergeschichte mit Untertext → Mindmap gestalten
• Besprechung des Bildes im Plenum: • Erst Beschreibung und Sammlung der Ideen zum Bild durch die Kinder (Gefühle des abgebildeten Menschen) besprochene Themen (Hiob, Jesus und eigene Person) einbeziehen → als Hinweise erwähnt	• Gott wäre/ist/ist nicht für mich da, wenn… → Freie Äußerungen der SuS → können das Gelernte miteinbeziehen, aber keine Pflicht→ Bezug zur Hiobsgeschichte und der Ostergeschichte möglich

In Abb. 3 wird die gesamte Aufgabenstrecke abgebildet, die die Funktion der Phase, die Aufgaben und die Medien beschreibt. Dabei wird einerseits eine hohe methodisch-mediale Differenzierung und andererseits eine klare Homogenität in der Phasierung deutlich. Auf diese Weise entstehen auf der Grundlage unterschiedlicher Tätigkeitsmöglichkeiten individuelle Ketten als Handlungsaufgaben, denen keine feste Sachstruktur zugeordnet wird. Vielmehr entsteht über die Aufgabenstruktur eine feste Auseinandersetzung mit verschiedenen Sachstrukturen, die mal besser und mal schlechter die dominante Zone der Entwicklung herausfordern.[24] Natürlich lassen sich auch Zugangsvoraussetzungen denken, die von solchen sprachlichen, kognitiven oder emotionalen Einschränkungen, fehlender religiöser Sozialisierung ausgehen, dass ein Lernanliegen in dieser Struktur trotz methodisch-medialer Differenzierung nicht mehr denkbar ist.

2.2.4. Kinderperspektiven in der Unterrichtsreihe

An zwei Kindern und ihren Produkten soll das Ineinander von inhaltlicher mehrperspektivischer Arbeit, der Vielfalt der Aneignungsformen und der Differenzierung der Schwierigkeitsgrade hin zu einem relevanten religiösen Lernprozess nachvollziehbar gemacht werden. Zwei Kinder und ihre individuellen Aufgabenlösungen werden im weiteren Verlauf für diese Unterrichtsform exemplarisch vorgestellt. Zum Zeitpunkt der Durchführung des Unterrichtsprojektes ist Tina eine Schülerin der vierten Klasse und Frieda – beides zur Anonymisierung erfundene Namen – einer dritten Klasse. Die abgebildeten Dokumente wurden ebenfalls zur Wahrung der Anonymität der beiden Mädchen digitalisiert.

1. Positionierung zu Beginn der Reihe: Die Unterrichtseinheit beginnt mit einer Standortbestimmung der Schüler*innen. Bei der Sammlung der assoziierten Aspekte zur Themenfrage „Was fällt euch zu ‚Gott und das Leid' ein?" Lasst uns gemeinsam unsere Gedanken sammeln." zeigt sich die ganze Bandbreite der Typen von Stögbauer. Manche Kinder können Gott und Leid nicht verbinden, behandeln die Aspekte getrennt, andere kommen zu verbindenden Aspekten, meistens in abstrakt gottkritischer Absicht wie bei den Typen vier bis sieben. Zu dieser Gruppe gehört auch Tina. Für einzelne Kinder wie Frieda ist die Frage offen und bedrückend. Bei dem anschließenden eigenständigen Fragenstellen zeigten die beiden Mädchen einige Parallelen. Tina und Frieda fokussieren nicht nur den Tod der Menschen als Leiden in der Welt, wie es viele andere Kinder gemacht haben, sondern sie nehmen auch Bezug zu anderen bedrängenden weltlichen Themen. Sie fragen beispielsweise nach Ungerechtigkeiten bei der Versorgung der Menschen oder aber dem ungerechten Verhalten der Menschen untereinander. Während Tina ihre Fragen nicht persönlich an Gott adressiert (Abb. 5), formuliert Frieda Fragen, in denen sie Gott mit „du" anspricht und immer „wir" in den Fragen benutzt (Abb. 4). Das interpre-

---

24 Vgl. Kohlmeyer, Theresa, Dekonstruktion eines Mythos, 59-74.

tieren wir – auch auf dem Hintergrund der intensiven religiösen Sozialisierung – als ein Anzeichen dafür, dass sie Gott grundsätzlich als einen treuen und hilfsbereiten Gesprächspartner ansieht, dem sie alle, auch kritische Fragen stellen kann. Da die Leidfrage aber die Frage nach Gottes Wirksamkeit (Epikur: Macht) stellen lässt, könnte man sie nach Stögbauer dem zweiten Typen „der Gottessympathisantin" zuordnen. Bei Tina bleibt die Gottesbeziehung abstrakter und sie ist in ihren Fragen grundsätzlicher, so dass wir bei ihr Äußerungen nach dem Typ „der Gottesneutralen/ bzw. der -zweiflerin" erkennen.

1. Warum gibt es Menschen die andere ungerecht behandeln und manchmal sogar töten?
2. Wieso gibt es Länder die so arm sind und in denen Krieg hercht?
3. Warum giebt es Leute die denken das sie die besten sind und andere verletzen?
4. Wieso gibt es arme Menchen die auf der Straße leben und kein essen haben?
5. Warum sind viele Leute nicht dankbar wenn sie etwas wunderschönes bekommen?
6. Wieso haben Menchen so viel und sind nicht dankbar und warum haben manche so wenig und danken Gott trotzdem?

Abb. 4: Fragen an Gott von Frieda

1. Warum müssen wir sterben?
2. Warum stehen wir nicht so wie Jesus auf?
3. Wieso können wir nicht ganz normal weiterleben?
4. Warum können wir nicht fliegen und warum entwikeln wir uns nicht weiter?
5. Weshalb sind so viele Jugendliche nicht normal weil sie den Menschen leid antun?
6. Warum sind Handys erfunden wenn es auch Briefe gibt? Weil man ja auf Briefen nicht spielen kann.
7. Warum haben so viele Menschen kein essen und sind obtachlos?
8. Wieso siehst du zu wen am Tag mehr als 10.000 Menschen sterben?

Abb. 5: Fragen an Gott von Tina

2. Modellbearbeitung Ijob: Die Schüler*innen sollen die zuvor vorgelesene Ijob-Geschichte weitererzählen. Dabei wird die vielfältige Arbeitsweise der Schüler*innen sehr gut deutlich. Die meisten Kinder entschieden sich für die Gruppenarbeit, in der sie ein Rollenspiel entwickelten. Dabei fokussierten sie, dass Gott wieder alles zum Guten wendet. Das lässt sie, unter Einbezug der oben dargestellten Matrix, in die ersten vier Modelle von links einordnen, da bei diesen Modellen der Gedanke an Gott als ein sehr starkes gutes Wesen überwiegt und das Leid vorübergehend notwendig war. Die Gruppe von Frieda stellte diese Position dar. Die offene Frage von Frieda wird so gelöst, dass die Gottesfigur in der Krise gestärkt wird. Am Ende stimmen Güte und Macht wieder überein, die Krise selbst rechnet die Gruppe nicht Gott selbst zu (Abb. 7). Die Gruppe von Tina weist dagegen eine kritischere Haltung auf (Abb. 6). Diese Gruppe kündigte zunächst auch die Wendung zum Guten an, aber das Spiel bringt Gott in eine schwache Position, der seine Güte aufgegeben hat und nun ein schlechtes Gewissen plagt. Gott bietet für die erneute Enttäuschung Ijobs eine Entschuldigung an, indem er ihm einen Wunsch gewährt. Die Gruppe lässt das Ende konsequent offen, so dass man nicht weiß, ob Ijob die Entschuldigung annimmt und Gott wirklich die Macht hat, alles zu wenden. Auch wenn die Rechtfertigung offenbleibt, hat diese Gruppe dennoch die Grundstruktur der Geschichte so aufgenommen, dass das Handeln Gottes als Akteur plausibilisiert wird. Die Wahl eines der ersten vier Modelle von links ist der Gruppe verwehrt. Das Angebot der Entschuldigung lässt den Weg in die Kreuzestheologie nicht zu, stattdessen wird an der objektiven Macht Gottes festgehalten, nur die Güte gerät in eine zeitweise Krise.

Erzeler: Als Hiob diese Nachricht erfur muste er anfangen zu weinen.
Hiob: Onein das Unheil ist geschehen m eine Kinder sind gestorben.
Erzeler: Dann kam der Prüfer und sagt
Prüfer: Du hast das verdient du reicher Schnösel.
Hiob: Gott warum hast du das gemacht.
Gott: Hiob ich wollte das doch nicht doch das Unheil hat es gemacht.
Bote: Ich bin der Bote und verkünde dir deine Kinder deine, Hirten, deine Tiere und deine Knechte stehen unter der Birke am Tal des Ungeheuers.
Erzeler: Dan ging Hiob zum Tal des Ungeheuers und wollte seine Kinder mitnem er fand sie nicht
Hiob: Warum hat der Bote mich angelogen.
Gott: Ich werde dir als Entschuldigung einen Wunsch erfüllen
Hiob: Mein größter Wunsch ist das alles so ist wie früher.

Abb. 6: Rollenspiel der Gruppe von Tina

Am Abend weinte Hiob sich in den Schlaf. Als er am Morgen aufwachte und zum Frühstückstich ging sah er seinen Söhnen und seine Töchter. Am Tisch. Er freute sich sehr. Aber er dachte: „Wie ist das möglich.
Dann frühstückten sie. und sie haben alle Tiere mitgebracht. Er freute sich sehr. Über seine Tiere.
Jetzt konnten er mit seinen Töchtern und Söhnen weiterleben.

Abb. 7: Rollenspiel der Gruppe von Frieda

3. Abschluss der Reihe: Die beiden Mädchen lösen die Aufgabe zur Fortsetzung der Satzanfänge *„Gott ist für mich da, wäre für mich da, ist nicht für mich da, wenn/weil ..."* erneut sehr unterschiedlich. Anders als bei den Fragen zu Beginn würde man Tina hier dem ersten Typen, „dem Gottesbekenner", zuordnen können (Abb. 8), da sie hervorhebt, dass Gott in Notlagen für sie da ist. Während sie zu Beginn eher als Gottesneutrale/Gotteszweiflerin agiert, hat sie eine Position übernommen, die Gottes Handeln in der Welt auf Seiten der Schwachen vereindeutigt hat. Ein wichtiger Übergang stellt die Auseinandersetzung mit Jesu Tod dar, die anders als bei Ijob Gott in die mitleidende Position des Vaters bringt. Dieses Akteurbild hat sie nun vor Augen, das ihr hilft, die zu Beginn beantworteten Fragen – die eigentlich an Ijob gestellt werden können – mit Gott-Vater an ihrer Seite anders zu sehen. Die Kreuzestheologie im Übergang hat einen Modellwechsel ausgelöst, der auch die eigene Positionierung anders kontextualisiert hat.

Gott hilft mir:

Wenn: ich in Schwierigkeiten bin hilft mir Gott.

Wenn: ich traurig bin tröstet mich Gott und versucht mir zu helfen.

Gott wäre für mich da:

Wenn: Jemand stirbt.

Wenn: ich Angst habe oder Wenn: Ich hilfe brauche. Wenn: Ich Jemanden brauche mit dem ich Reden kann!

Abb. 8: Vervollständigung der Satzanfänge von Tina

Bei Frieda verläuft die Entwicklung anders. Die Zweifel zu Beginn erfahren trotz der erneuten Aufrichtung der Macht Gottes in der Ijobkrise eine radikale Zuspitzung (Abb. 9). Die drei Aussagen müssen nicht in Kongruenz gelesen werden. Die ersten beiden können so verstanden werden, dass sie im Streit nicht Gott auf ihrer Seite verdient hat – anders Jesus. Dessen Vertrauen in die Anwesenheit seines Vaters, auch wenn er am Kreuz stirbt, hat sie im Übergang fasziniert. Dann aber greift sie auf die Ijob-Sicht zurück und lehnt ausdrücklich die ersten vier Modelle ab, weil angesichts des Todes des Vaters eine allmächtige Gottesfigur implodiert. Aber auch der Gott der Kreuzestheologie ist dann – anders als bei Tina – nicht bei ihr. Auf der einen Seite verschärft sich hier massiv die Gotteskrise des Anfangs, auf der anderen Seite scheint die hier gezeigte explizite Gottesverneinung ein wesentlicher Schritt zu sein, um aus den ersten vier Modellen herauszutreten. Auch wenn die Sätze irritieren, so sind sie doch von einer enormen selbstaufklärerischen und selbstverantwortenden Kraft gegenüber den falschen kosmischen Göttern, die durchaus an das Modell der free-will-defense anspielt.

> Ich glaube das Gott nicht bei mir ist wenn ich mit meinem Bruder streit habe oder mit meinen Eltern. Ich glaube das Gott nicht bei mir sein wird wenn mein Vater stirbt weil ich meinen Vater sehr lieb habe.

Abb. 9: Vervollständigung der Satzanfänge von Frieda

3. Ertrag

Betrachtet man die Schüler*innendokumente, so zeigt sich deutlich, wie vielfältig das zur Verfügung gestellte Lernangebot von den Kindern genutzt wurde. Anhand von Tinas und Friedas Ausarbeitungen lässt sich nachzeichnen, wie sehr die Modell- und die Typzuordnung in dem mehrperspektivischen Setting wechselt und es so zu relevanten Lernprozessen kommt. Zieht man an dieser Stelle die vorher aufgeführten Typverdichtungen mit den daraus resultierten Lernanliegen hinzu, kann man Tina eher dem ersten Lernanliegen zuordnen. Sie wird zunächst als Gottesneutrale eingeordnet, die die Gottesfrage kaltstellt. Durch die Unterrichtseinheit ist sie am Ende dennoch in der Lage, das Leiden mit Gott in Verbindung zu bringen, indem sie Gott als den Retter in Notlagen ansieht und somit den Gottesbekennern entspricht. Bei Frieda zeigt sich zunächst, dass sie mit Gott sympathisiert. Die Verbindung zwischen Gott und dem Leiden ist bei ihr vorhanden, aber das Leid stellt eine offene Wunde in ihrer Gottesbeziehung dar. Diese Wunde wird in der starken homogenisierenden Ijob-Erfahrung zunächst scheinbar abgemildert, bricht dann über die Passion Jesu wieder voll auf. Der Unterricht ermöglicht ihr, Distanz zu einer objektivistischen Gottesrede zu gewinnen und damit die Freiheit zu gewinnen, das Leiden zunächst einmal als das zu sehen, was es ist. Eine glättende Theologisierung bleibt aus. Beide Schülerinnen können so in der Reihe ihren äußerst unterschiedlichen und doch zum Lernformat des Diskurslernens passenden Weg gehen.

Das Unterrichtsprojekt zu Gott im Angesicht des Leids ist hinsichtlich des ersten Abschnitts ein Wagnis. Zu offensichtlich sind die Exklusionen, z. B. angesichts der sprachlichen und kognitiven Fähigkeiten, die die Aufgabenstruktur vollzieht. Andererseits findet Religionsunterricht statt, der offen ist und individuelle Lernmöglichkeiten eröffnet, ohne den Klassenlernprozess in den gemeinsamen Phasen aufzuheben. Das Unterrichtsprojekt macht transparent, dass es ein bestimmtes Mindset von Inklusion bedient und deshalb bestimmte Differenzen aufnehmen kann. Wenn Lehrende in ihren Klassen andere Schwerpunkte setzen müssen, dann würde das Beispiel nicht widersprechen. Es zeigt den Versuch einer für diese Klasse rationalen Didaktisierung – im Wissen, dass diese Aufgabe für andere Klassen anders gelöst werden müsste. Die Herausforderung der Inklusion macht so normative religionsdidaktische Überlegungen noch verletzlicher.

Literatur

- Böhnke, Michael/Neuhaus, Gerd/Schambeck, Mirjam u. a., Leid erfahren – Sinn suchen: Das Problem der Theodizee, Freiburg i. Br./Basel/Wien 2007.
- EKD-Erhebung: Engagement und Indifferenz Kirchenmitgliedschaft als soziale Praxis, in: https://archiv.ekd.de/download/ekd_v_kmu2014.pdf.
- Englert, Rudolf, Religion gibt zu denken. Eine Religionsdidaktik in 19 Lehrstücken, Stuttgart 2013.
- -, Wie kann Religionsunterricht heute gut sein?, in: KatBl 144 (2019) 89-96.
- Feuser, Georg, Entwicklungslogische Didaktik, in: Kaiser, Astrid u. a. (Hg.), Didaktik und Unterricht, Stuttgart 2011, 86-100.
- Garz, Detlef, Sozialpsychologische Entwicklungstheorien, Wiesbaden 2006³.
- Grümme, Bernhard, Religionspädagogische Denkformen. Eine kritische Revision im Kontext von Heterogenität, Freiburg i.Br./Basel/Wien 2019.
- Harant, Martin, Inklusion im Widerstreit. Eine kritische Analyse des Inklusionsbegriffs im Kontext antagonistischer erziehungsphilosophischer Mindsets, in: Miethe, Ingrid/Tervooren, Anja/Ricken, Norbert (Hg.), Bildung und Teilhabe. Zwischen Inklusionsforderung und Exklusionsdrohung, Wiesbaden 2017, 111-130.
- Hinz, Andreas, Inklusion – von der Unkenntnis zur Unkenntlichkeit!? – Kritische Anmerkungen zu einem Jahrzehnt Diskurs über schulische Inklusion in Deutschland, in: Zeitschrift für Inklusion (2013) H. 1, 1-17.
- Kohlmeyer, Theresa, Dekonstruktion eines Mythos. Vygotskijs Zone der nächsten Entwicklung und Feusers kindzentrierte basale Pädagogik, in: Büttner, Gerhard/Mendl, Hans/Reis, Oliver u. a. (Hg.), Heterogenität im Klassenzimmer, Babenhausen 2018, 59-74.

- Krause, Katharina/Kuhl, Jan, Was ist guter inklusiver Fachunterricht? Qualitätsverständnis, Prinzipien und Rahmenkonzeption, in: Eßer, Susanne/Roters, Bianca/Gerlach, David (Hg.), Inklusiver Englischunterricht. Impulse zur Unterrichtsentwicklung aus fachdidaktischer und sonderpädagogischer Perspektive, Münster 2018, 175-196.
- Möller, Rainer/Bücker, Nicola/Pithan, Annabelle, Inklusion und religiöse Bildung – Deutungsmuster von Lehrkräften. Zwischenergebnisse aus dem Projekt „Religion in inklusiven Schulen"(RiS), in: Schreiner, Martin/Schweitzer, Friedrich (Hg.), Religiöse Bildung erforschen. Empirische Befunde und Perspektiven, Münster/New York 2014, 189-199.
- Peter, Karin, Inklusive Herausforderungen für die Religionspädagogik, in: Büttner, Gerhard/Mendl, Hans/Ders. u. a. (Hg.), Heterogenität im Klassenzimmer, Babenhausen 2018, 87-102.
- Rahmenlehrplan Berlin-Brandenburg: Teil B Fachübergreifende Kompetenzentwicklung. Basiscurriculum Sprachentwicklung, in: https://bildungsserver. berlin-brandenburg.de/fileadmin/bbb/unterricht/rahmenlehrplaene/Rahmenlehrplanprojekt/amtliche_Fassung/Teil_B_2015_11_10_WEB.pdf.
- Ramseger, Jörg, Das Korallenriff oder: Die Grenzen der Inklusion, in: Peters, Susanne/Widmer-Rockstroh, Ulla (Hg.), Gemeinsam unterwegs zur inklusiven Schule, Frankfurt a. M. 2014, 298-305.
- Reis, Oliver, Alles eine Frage des Mindsets?! Eine Ordnung des Inklusionsdiskurses und die Folgen für die Inklusive Didaktik, in: Büttner, Gerhard/Mendl, Hans/ Ders. u. a. (Hg.), Heterogenität im Klassenzimmer, Babenhausen 2018, 9-46.
- -, „Öffnen kann ja jeder!" – von der hohen Kunst des Schließens beim Theologisieren mit Kindern, in: Roose, Hanna/Schwarz, Elisabeth E. (Hg.), „Da muss ich dann auch alles machen, was er sagt". Kindertheologie und Unterricht (= Jahrbuch für Kindertheologie 15), Stuttgart 2016, 44-55.
- -, Gott denken. Eine mehrperspektivische Gotteslehre, Münster 2012.
- Ritter, Werner H., Verabschieden sich Kinder und Jugendliche von der Theodizee? Eine Problemanzeige, in: MThZ 59 (2008), 231-238.
- -,/Schwarzkopf, Theresa, Diagnose im Religionsunterricht. Konzeptionelle Grundlagen und Praxiserprobungen, Münster 2015.
- Schweiker, Wolfhard, Prinzip Inklusion. Grundlagen einer interdisziplinären Metatheorie in religionspädagogischer Perspektive, Göttingen 2017.
- -, Arbeitshilfe Religion inklusiv. Basisband, Stuttgart 2012.
- Stögbauer, Eva Maria, Die Frage nach Gott und dem Leid bei Jugendlichen wahrnehmen. Eine qualitativ-empirische Spurensuche, Bad Heilbrunn 2011.
- Stosch, Klaus von, Einführung in die Systematische Theologie, Paderborn 2014[3].

Alle Internetseiten wurden zuletzt im August 2019 überprüft.

Kapitel 4

Roadtrips zur Gottesfrage: Erweiterte Horizonte

Annette M. Boeckler
Ringen mit Gott – Anregungen und Anfragen aus jüdischer Perspektive

Ahmad Milad Karimi
Reise zu Gott – Grundlinien der Gottesfrage aus islamischer Perspektive

Wolfgang Weirer
Gott ist nicht im Singular zu denken – Wachsende religiöse Fundamentalisierungen und wie sie die Gottrede im Religionsunterricht herausfordern

RINGEN MIT GOTT – ANREGUNGEN UND ANFRAGEN AUS JÜDISCHER PERSPEKTIVE

Annette M. Boeckler

1. Gott im Judentum

1.1. Religionspädagogisches Material

„Ein Mensch zog einmal von Dorf zu Dorf und stellte immer wieder dieselbe Frage: ‚Wo finde ich Gott?‘ Er reiste von Rabbiner zu Rabbiner. Aber nie war er mit den Antworten, die er erhielt, zufrieden. Und so brach er jedes Mal schnell wieder auf und eilte zum nächsten Dorf. Einige der Rabbiner hatten ihm geantwortet: ‚Bete! Dann wirst du Gott finden.‘ Der Mensch hatte dann versucht zu beten, aber er merkte, er konnte es nicht. Einige hatten geantwortet: ‚Lerne. Dann wirst du Gott finden.‘ Aber je mehr er las, um so verwirrter wurde er, und um so größer erschien ihm der Abstand zwischen sich selbst und Gott. Und einige hatten geantwortet: ‚Lass deine Suche. Gott ist in dir.‘ Und der Mensch versuchte, Gott in sich selbst zu finden, aber er fand Gott nicht.

Eines Tages kam dieser Mensch müde zu einem sehr kleinen Dorf, das mitten in einem Wald lag. Er ging auf eine Frau zu, die sich gerade um einige Hühner kümmerte. Sie fragte ihn: ‚Wen suchst du in solch einem kleinen Dorf?‘ Sie schien nicht überrascht, als er ihr sagte, er suche Gott. Sie zeigte ihm das Haus des Rabbiners.

Als er eintrat, studierte der Rabbiner gerade. Der Mensch wartete einen Augenblick, aber er war so ungeduldig, dass er vielleicht wieder zum nächsten Dorf reisen müsse, falls die Antwort ihn nicht zufrieden stellte, dass er den Rabbiner unterbrach: ‚Rabbi – wo finde ich Gott?‘ Der Rabbiner hielt inne, und der Mensch war gespannt, welche der vielen Antworten, die er bereits erhalten hatte, er wohl diesmal zu hören bekam. Doch der Rabbiner sagte nur: ‚Du bist zum richtigen Ort gekommen, mein Kind. Gott ist hier, in diesem Dorf. Warum bleibst du nicht für ein paar Tage hier? Dann wirst du ihm begegnen.‘

Der Mensch war verblüfft. Er verstand nicht, was der Rabbiner sagte. Aber die Antwort war ungewöhnlich. Deshalb blieb er. An den folgenden zwei, drei Tagen ging er hierhin und dorthin und fragte die Dorfbewohner, wo Gott an diesem Morgen sei. Und sie lächelten ihm jedes Mal freundlich zu und luden ihn zum Essen ein. Mit der Zeit lernte er sie kennen, und half manchmal sogar bei den Arbeiten, die im Dorf anfielen. Ab und zu traf er zufällig den Rabbiner, und dieser fragte ihn dann: ‚Bist du Gott begegnet?‘ Und der Mensch nickte ihm dann freundlich zu, manchmal verstand er diese Frage und manchmal nicht. Etliche Monate verbrachte er in diesem Dorf. Und dann wurden es Jahre. Er wurde ein Teil des Dorfes und teilte sein Leben.

Freitags ging er mit den Menschen zur Synagoge und betete mit ihnen; manchmal wusste er, warum er betete und manchmal nicht. Manchmal sagte er wirklich Gebete und manchmal nur Worte. Und gewöhnlich ging er anschließend mit einem der Menschen zurück, um die Schabbatmahlzeit mit ihm zu essen. Und wenn sie über Gott sprachen, dann war er sich immer sicher, dass Gott in diesem Dorf war, obwohl er sich nicht sicher war, wo und wann Gott zu finden war. Allmählich glaubte er, dass Gott in diesem Dorf war, obwohl er sich nicht sicher war, wo. Er wusste jedoch, dass er Gott einige Male begegnet war.

Eines Tages besuchte ihn der Rabbiner und er sagte zu ihm: ‚Du bist Gott nun begegnet, nicht wahr?‘ Und der Mensch antwortete: ‚Ich danke Ihnen, Herr Rabbiner. Ich glaube, ja. Aber ich bin mir nicht sicher, warum ich Gott begegnet bin, oder wie es geschehen ist oder wann. Und warum ist Gott nur in diesem Dorf?‘

Daraufhin antwortete der Rabbiner: ‚Gott ist kein Mensch, mein Kind, und keine Sache. Du kannst Gott nicht auf diese Art begegnen. Als du in unser Dorf kamst, da hat dich deine Frage so beschäftigt, dass du keine Antwort verstanden hättest. Und du konntest Gott nicht erkennen, wenn du ihm begegnet bist, weil du ihn nicht wirklich gesucht hast. Nun, da du aufgehört hast, Gott zu verfolgen, da hast du Gott gefunden. Nun könntest du zurückkehren in deine eigene Stadt – wenn du das willst.‘

Da ging der Mensch zurück in seine Stadt und Gott ging mit ihm. Und der Mensch hatte Freude daran zu studieren und zu beten, und er wusste, dass Gott in ihm war und in anderen Menschen. Und die anderen Menschen wussten das auch. Und wenn jemand ihn manchmal fragte: ‚Wo finde ich Gott?‘, dann pflegte dieser Mensch zu antworten: ‚Du bist am richtigen Ort. Gott ist hier.‘“[1]

1.2. Gott suchen in jüdischer Weise

Über „Gott" aus jüdischer Sicht zu schreiben, ist beides, ein typisches und ein höchst ungewöhnliches Thema. Denn einerseits spielt Theologie – also die „Lehre von Gott" – in der jüdischen Tradition keine zentrale Rolle und doch würde anderseits das Judentum ohne den Begriff „Gott" sein Wesen verlieren. Die religiöse Selbstbezeichnung eines Juden ist „Israel": „Du hast gerungen *(sarita)* mit Gott und mit Menschen und bist ihnen beigekommen" (1 Mose 38,29). Die abgebildete Skulptur zeigt Israel/Jakob, während er mit dem undefinierbaren Wesen ringt. Das Kunstwerk steht in einem Gelände in einer gedanklichen Linie zwischen einem Mahnmal zur Erinnerung an die Schoah und der Skulptur eines Pflanzenkeims, Symbol für neues Leben. In der Mitte zwischen Gedenken und neu aufkeimendem Leben ringt Israel mit etwas Nicht-Greifbarem und obsiegt verwundet, wie die Tora erzählt.

....
1   Newman, Jeffrey, glory, 16-18. Übersetzt von A. M. Böckler.

Abb. 1: „Jacob and the Angel", Skulptur zu 1 Mose 32 von Fred Kormis, London. Photo: Steve Miller, 2019.

Im Judentum gibt es vor allem zwei Begriffe für die Beziehung der Menschen zu Gott: Mitzwa (Gebot) und Emuna (Treue). Mitzwa ist eine Tat, die eine Beziehung gebietet. Wer zum Beispiel jemanden liebt, dem ist es geboten, die Liebe gelegentlich durch Zeichen, Taten und Worte zu bekunden. In den Mitzwot geht es um die Beziehungen zu anderen Menschen, zu Gott, zur jüdischen Gemeinschaft und zu sich selbst. Die Tora enthält – so sagt man – 613 Mitzwot (vgl. Talmud: Makkot 23b), und das Judentum basiert auf ihren Interpretationen und Aktualisierungen. Der andere Begriff, der die Beziehung zu Gott beschreibt, ist Emuna, „Treue". Im Hebräischen gibt es keinen Begriff für „glauben", denn die jüdische Gottesbeziehung wird nicht bestimmt durch philosophische Meinungen (griechisch: „Dogmata"), sondern durch das Treu-Bleiben zu Traditionen von Familie und Volk. Sinn der Mitzwot ist es, in jüdischer Weise die Treue zu Gott durch Taten zum Ausdruck zu bringen.

Doch kann man Gott noch treu bleiben angesichts dessen, was Menschen in dieser Welt einander antun, trotz der Schoah? Kann man Gott treu bleiben, trotz der Erkenntnisse der modernen Wissenschaften, die uns erklären, wie die Welt entstanden ist, wie Menschen aus neurowissenschaftlicher Sicht Entscheidungen treffen und Gefühle haben? Kann man Gott treu bleiben angesichts des modernen Wunsches nach Freiheit und Selbstbestimmung? Würde etwas fehlen, wenn Gott fehlen würde?

In jeder Generation muss jeder Jude und jede Jüdin die ererbte Tradition neu annehmen und neu definieren, welche Formen die „Treue" zu Gott für ihn selbst annehmen kann. So entwickelt sich die Halacha – die Interpretationen und Definitionen der Mitzwot – in jeder Generation als ein nie endender „Weg" jüdischen Lebens. Und so entwickelt jede Generation ihre Vorstellungen über den Ursprung dieses Lebenswegs: Gott.

„Rabbi Levi sagte: Gott – Gottes Heiligkeit sei gepriesen! – erscheint für Israel wie ein Bild, auf dem viele Gesichter zu sehen sind. Tausende von Menschen betrachten es, und es sieht jeden von ihnen an".
(Midrasch: Pesikta de Raw Kahana 12,25)

Um die Vielfalt der Sichtweisen über Gott im Judentum anschaulich zu machen, werden im Folgenden einige Stimmen der jüdischen Tradition als Diskussionsbeiträge vorgestellt. Es sind Stimmen, die sich aufgrund ihrer Anschaulichkeit und Typischheit gut als Materialien für den Religionsunterricht eignen. Jede dieser Sichtweisen lädt ein zu Widerspruch und Weiterdenken und zum Entdecken der je eigenen Gottesbilder.

2. Gottes Einheit

2.1. Religionspädagogisches Material

Höre
Israel
der Ewige
Gott-für-uns
der Ewige:
1!
(Tora: 5 Mose 6,4)

2.2. Einzig, allein, einer, eins, und erster

Sechs Worte, nicht eindeutig übersetzbar, wurden seit dem 1. Jh. vor der Zeitrechnung zum Tenor des Judentums. *Schma Israel Haschem Elohejnu Haschem echad.* Es sind oft die ersten Wörter, die ein jüdisches Kind zu lesen und beten lernt. Es sind oft die letzten Worte eines Sterbenden. Religiöse Jüdinnen und Juden rezitieren sie zweimal täglich, abends und morgens und manche auch vor dem Schlafengehen. In Festtags- und Schabbatgottesdiensten werden sie mit der Torarolle im Arm majestätisch vorgetragen. Kids schmettern sie mit fetzigen Melodien auf ihren Jugend-Camps, mit oder ohne Gitarren. In traditionellen Gottesdiensten erklingen sie kaum hörbar geflüstert, in sich gekehrt, die Handfläche vor den Augen, ganz darauf konzentriert. Die Vortragsweisen sind so schillernd wie die Bedeutung der Wörter: Ist es ein langer Satz, der besagt, dass Gott einer ist? Das Wort für „einer" (echad) ist im Hebräischen vieldeutig, es kann „eins", „einer", „Einheit", „einzig" oder „allein" bedeuten. Oder hat der Satz zwei Aussagen, dass Gott 1. *unser* Gott oder Gott für uns ist und 2. dass er *einer* ist? Oder machen diese sechs Wörter gar drei Aussagen? Sollte man dem Aufruf zum „Hören" eine eigene Bedeutung beimessen? Ist es ein „Hinhören", ein „Aufmerken", ein „Lauschen" oder ein „Gehorchen"? Gott ist dann jemand, den man nur im Hören erfahren kann, unsichtbar, unantastbar.

Drei dieser sechs Wörter sind Gottesnamen. Das Tetragramm – der Gottesname aus vier Konsonanten – als „Haschem" ausgesprochen oder im Gottesdienst als „Adonaj" – steht im Judentum für Gott als Barmherzigkeit. Der Name Elohim, „Gott", bedeutet „stark/mächtig" und bezeichnet Gott als Gerechtigkeit. Vielleicht meint das Schma also: Höre Jude, höre Jüdin, Barmherzigkeit und Gerechtigkeit sind für uns eine Einheit? Im Laufe der Geschichte konnte das Schma von Juden, die in christlichen Ländern lebten, als Gegenentwurf zum Christentum verstanden werden, in dem Sinne: Höre Israel, unser Gott ist eine Einheit, keine Dreiheit. In muslimischen Ländern teilte man das Bemühen der islamischen Philosophie („Kalam"), Gottes Einzigkeit und Einheit philosophisch zu erklären, also auch unser Gott ist Einer. Oder wendet sich das Schma gegen polytheistische Gedanken und unterstreicht das erste Gebot: Du sollst keine Götter, keine Hoffnungs- und Lebensquellen, haben neben dem einen Gott?

Der jüdischen Tradition zufolge hat das Judentum – konkret Abraham – den Monotheismus, d. h. die Verehrung nur einer einzigen Gottheit, eingeführt.[2]

Ein Midrasch erzählt: Abrams Vater hatte ein Geschäft in der Stadt Ur Chasdim, in dem er Götzenbilder verkaufte. Einmal ging der Vater auf Geschäftsreise und der kleine Abram hütete den Laden seines Vaters. Eine Kundin kam und brachte einen Korb mit Mehl für die Götter. Nachdem sie gegangen war, nahm der Teenager Abram einen Stock, zerschlug die Statuen in tausend Stücke, stellte den Korb mit dem Mehl vor die größte Statue und den Stock daneben. Als sein Vater am Abend nach Hause kam und den Laden in Trümmern vorfand, fragte er entsetzt, was hier geschehen sei. Abram antwortete: „Nun, jemand wollte ihnen zu essen geben. Da gerieten sie in Streit und der Größte hat all die Kleinen zerschlagen." Sein Vater geriet jetzt erst recht in Zorn: „Du weist ganz genau, dass Götzen sich nicht bewegen können. Es sind nur Statuen". Darauf Abram: „Wenn diese sich nicht selbst helfen können, dann sind wir ihnen doch überlegen – weshalb also sollten wir Menschen uns vor ihnen niederwerfen?" (vgl. Midrasch: Bereschit Rabba 38:13)

Abram verließ seine Heimatstadt und seine Familie und deren Götzendienst und wagte einen neuen Weg. Monotheismus bedeutet: Wenn das Leben aller von derselben Quelle stammt, dann haben auch alle die gleiche Würde. Wenn es nur eine Quelle von allem gibt, dann muss der Mensch sowohl Gutes als auch Böses mit dieser einen Quelle des Lebens in Beziehung bringen. Das Böse muss man sich dann eingebunden im Guten vorstellen, und dies eröffnet Hoffnung. Wenn es keine verschiedenen göttlichen Zuständigkeiten gibt – Wettergötter, Liebesgöttinnen, Kriegsgötter, Fruchtbarkeitsgöttinnen, Schicksalsgötter etc. –, dann verschmelzen

....

2   Es gab monotheistische Tendenzen zeitweilig auch in Babylon (Nabonid), Ägypten (Echnaton) und Persien. Das Judentum ist jedoch diejenige Religion, die den Monotheismus weiterentwickelte. Christentum und Islam haben dies übernommen und in ihren je eigenen Weisen ausgeprägt. Historisch jedoch war der Monotheismus eine längere, religionsgeschichtliche Entwicklung, die im Norden Israels vermutlich im 8. Jh. vor der Zeitrechnung begann und im babylonischen Exil (5. Jh. v. d. Z.) theologische Gestalt annahm.

Natur und Ethik zu einer Einheit. Der Glaube Israels lehrt: Natürliche Kräfte und Phänomene sollen nicht göttlich verehrt, sondern dankbar genutzt und beherrscht werden. Das, was hingegen göttlich verehrt wird, darf nicht fixiert oder definiert werden, sondern ist stets etwas Unsichtbares und Ungreifbares im Gegenüber zur Welt. Gott ist daher immer die neue, ganz andere, überraschende Möglichkeit, so dass wir nichts für festgefahren halten können, auch wenn es für uns so scheinen mag. Gott ist immer anders, „heilig".

3. Gottes Heiligkeit

3.1. Religionspädagogisches Material

„Es ist einer der bestimmenden Gedanken der Religion Israels, daß Gott heilig ist, und heilig sein bedeutet in dem Gehalte, den dieser Begriff in seiner Entwicklung hier gewonnen hat: unterschieden sein, anders sein. So haben die Lehrer des Talmud auch dieses Wort aufgefaßt. Gott ist heilig, das will sagen, daß Gott über alles erhaben ist, daß er anders ist, anders als alles Natürliche und Irdische, anders als alles Menschliche und Profane. Er ist anders, und darum ist er der Einzige, kein Mythisches, kein Bild, keine Gestalt kann ihn bestimmen; nichts gleicht ihm. ‚Wem wollt ihr mich vergleichen, daß ich ihm ähnlich sei!' Gott ist der ‚Heilige Israels'."
(Rabbiner Dr. Leo Baeck, 1924)[3]

3.2. Heilig, heilig, heilig und sein Name ist heilig

Gottes Heiligkeit ist neben seiner Einheit der zweite zentrale Aspekt der jüdischen Gotteslehre. Um Gottes Namen zu umschreiben, benutzt die rabbinische Literatur oft die Bezeichnung Hakkadosch baruch hu, „der Heilige, gepriesen sei Er!".
Im Morgengebet teilt die Gemeinde für einen Moment Gottes Heiligkeit. Doch um Gottes Heiligkeit zu proklamieren, braucht es traditionell notwendig eine Gemeinde.[4] Denn das überraschend Andere der Heiligkeit Gottes kann für Menschen auch gefährlich sein (vgl. z. B. 3 Mose 10,1-2). Die kann bei einem einzelnen Individuum Fanatismus auslösen, Übereifer, oder den Verlust der irdischen Realität. In Gemeinschaft jedoch korrigieren sich die verschiedenen Gottesbilder und nur innerhalb dieser Vielfalt der Menschen soll man Gottes Heiligkeit ausrufen. In der jüdischen Liturgie werden dazu drei Bibelverse zitiert:
„Heilig, heilig, heilig ist der Schöpfer aller Kreatur. Die ganze Welt ist mit Gottes Gegenwart erfüllt." (Jes 6,3)
„Gepriesen sei die Gegenwart Gottes an jedem Ort." (Ez 3,12)
„Gott herrscht allezeit, dein Gott, Zion, regiert bis in Ewigkeit. Halleluja!" (Ps 146,10)

....

3   Baeck, Leo, Heiligkeit, 7-8, 7.
4   Vgl. zum Folgenden: Boeckler, Annette, Gottesdienst, 40-41.

Die ersten beiden Verse beschreiben die Reaktionen der Propheten Jesaja und Ezechiel auf Begegnungen mit Gott. Jesaja sah Gottes Gegenwart im Tempelkult. Diesen Propheten verbindet man im Judentum vor allem mit Trost, die sieben Prophetenlesungen des Trostes vor Rosch Haschana (Neujahr) stammen sämtlich aus dem Buch Jesaja. Ezechiel hingegen sah Gottes Gegenwart in einem nach Babylon fahrenden Wagen. Er bemerkte, dass Gottes Gegenwart an jedem Ort sein kann, nicht nur im Tempel in Jerusalem. Der dritte Vers aus Psalm 146 beschreibt, wie Gottes Heiligkeit konkret erlebt wird. Es ist der Abschluss der Beschreibungen von Gott als demjenigen, „der Recht schafft den Unterdrückten, der den Hungrigen Brot gibt. Der Ewige befreit die Gefangenen. Der Ewige macht Blinde sehend. Der Ewige richtet Gebeugte auf. Der Ewige liebt die Gerechten. Der Ewige behütet die Fremdlinge. Waisen und Witwen hilft er auf. Doch krümmt er den Weg der Bösen" (Ps 146,7-9). Heiligkeit ist im Judentum keine mystische Kategorie, sondern bezeichnet ein besonderes, anderes Handeln, anders als das Handeln, das gemeinhin üblich und möglich ist.

3.3. Gott oder G"tt?

Nicht nur Gott selbst ist heilig, sondern auch sein Name. Denn ein Name gilt als ein Ausdruck des Wesens. Und so bedeutet das hebräische Wort für „Name" in gleicher Weise auch „Ruf", „Reputation".

> „Du sollst den Namen des Ewigen, deines Gottes, nicht zu Unnützem hochhalten. Denn der Ewige wird demjenigen nicht vergeben, welcher seinen Namen missbraucht."
> (Tora: 2 Mose 20,7; nach der Übersetzung von Moses Mendelssohn)[5]

Dies ist eine eindringliche Warnung vor religiösem Machtmissbrauch. Um zu verhindern, dass der göttliche Name Menschen dienstbar gemacht wird und z. B. zu magischen Zwecken missbraucht wird, und um zu verhindern, dass man ihn versehentlich „unnütz" nennt, wurde die Aussprache des göttlichen Namens auf ein einziges Mal im Jahr und auf einen einzigen Ort limitiert: der Hohe Priester benutzte ihn am Versöhnungstag im Allerheiligen des Tempels, um die rituelle Reinigung des Heiligtums, der Priesterschaft und des Volkes zu bewirken. Außerhalb dieses Ortes wird der Name nicht ausgesprochen und heute weiß man sogar gar nicht mehr, wie er eigentlich ausgesprochen werden müsste. Die vier Buchstaben des Namens klingen nur wie ein Hauch. Manche deuten dies darauf hin, dass Gott der Lebensatem von allem ist, was lebt. Wenn man die vier hebräischen Buchstaben des Gottesnamens in einem Text liest, liest man bereits seit der Antike Ersatzwörter. Man sagt „Haschem", „der Name". Wenn man einen Text in einem gottesdienstlichen Zusammenhang liest, sagt man „Adonaj", „Mein Herr". Diese Ersatzlesung ist sehr

....

5   Boeckler, Annette, Mendelssohn

alt. Schon die griechische Übersetzung der jüdischen Bibel im 3. Jh. vor der Zeitrechnung, die Septuaginta, übersetzte den Namen mit „Kyrios", „Herr". Hebräische Texte, die den ausgeschriebenen Namen Gottes enthalten – d. h. das Tetragramm oder die Gottesbezeichnung Elohim „Gott" – dürfen nicht vernichtet werden, denn man darf Gottes Namen nicht vernichten. Dies symbolisiert Respekt, es symbolisiert, dass wir Menschen nicht Gottes Ruf vernichten und Gottes Namen in Vergessenheit bringen sollen. Heilige Texte werden daher in einer „Genisa" („Versteck") gelagert und später auf einem jüdischen Friedhof beerdigt. Um diesen Aufwand zu verhindern, kann man jedoch die Gottesnamen auch so schreiben, dass man nicht den eigentlichen Namen schreibt, z. B. anstelle der vier Buchstaben Jod He Waw He schreibt man nur zwei Jod יי. Und anstelle des Gottesnamens Elohim schreibt man anstelle des He ein Kof, denn der Buchstabe Kof ק ist dem Buchstaben He ה ähnlich, man schreibt also: Elokim.

Man sieht heutzutage manchmal jüdische Texte, die anstelle des Wortes „Gott" nur die Konsonanten G"tt schreiben. Dies ist ein recht junger Brauch, der in der zweiten Hälfte des 19. Jh. in einer chassidisch-mystischen Strömung in den USA aufkam. Der Lubawitscher Rebbe Menachem M. Schneerson begann nicht nur seine Briefe mit ב"ה B"H (Baruch Haschem, „Gepriesen sei Gott" oder Besrat HaSchem, „Mit Gottes Hilfe"), sondern führte auch im Englischen ein Ersatzwort für Gott sein. Anstelle des englischen Wortes „God" schrieb er „G'd". Er machte damit in der englischen Sprache die Tradition des Hebräischen nach (vgl. Abschnitt 3.2). Sinn der Aktion war ursprünglich das Bestreben, Gott beständig in Erinnerung zu haben (vgl. Ps 16,8). G"tt ist also ursprünglich keine plötzliche Scheu vor dem englischen Wort „God", das ja gar nicht der hebräische Gottesname selbst ist. Sondern es war eine schöne Gelegenheit, sich Gottes Gegenwart immer wieder ins Bewusstsein zu rufen. Da sich die Chabad-Lubawitsch–Bewegung mit missionarischem Eifer in vielen Ländern ausgebreitet hatte, wurde diese Umschreibung des Gottesnamens innerhalb kurzer Zeit auch in vielen anderen Sprachen üblich: G"tt im Deutschen, D.ieu im Französischen, Di-s im Spanischen, Sign-re oder D-o im Italienischen, D'us im Portugiesischen, Б-г im Russischen. Im Laufe kurzer Zeit – wir reden hier über eine Entwicklung von ca. 20 Jahren – weckte das seltsam geschriebene G"tt solche Ehrfurcht, dass heutzutage manchmal sogar Nichtjüdinnen und -juden meinen, sie müssten, wenn sie mit Jüdinnen und Juden schriftlich kommunizieren, G"tt schreiben. Selbst in Reformgemeinden, die sonst eine sehr andere Ideologie haben als der Chabad-Chassidismus, findet man zuweilen unbekümmert die chassidische Tradition G'd oder G"tt. Es besteht die Gefahr, dass hier ein ursprünglich mystisches Symbol plötzlich zur Sache selbst wird. Man sollte in religiösen Fragen jedoch darauf achten, Dinge nicht zu übertreiben. G"tt in Texten der Chabad-Lubawitsch–Bewegung ist die typische Tradition dieser Gruppe. Ob man es außerhalb von ihr auch einführen sollte, wäre eine spannende Diskussion.

4. Gottes Barmherzigkeit

4.1. Religionspädagogisches Material

„Der Ewige einst, der Ewige jetzt, Gott, barmherzig und gnädig, nachsichtig, von unendlicher Liebe und Treu; bewahrt Gnade bis in die tausendste Generation, vergibt Fehler, Rebellion und Verfehlung und befreit."
(Tora: 2 Mose 34,5-7)

4.2. Dreizehn Eigenschaften

Die zitierten Verse bestehen im Hebräischen aus dreizehn Wörtern. Sie wurden in der jüdischen Tradition bekannt als die sogenannten dreizehn Eigenschaften (Middot) Gottes. Da im Hebräischen Buchstaben auch als Zahlen benutzt werden, ergibt die Summe der Buchstaben des hebräischen Wortes für „eins" – alef (=1), chet (= 8) und dalet (=4) die Summe 13. Gottes dreizehn Eigenschaften der Barmherzigkeit sind also mystisch gesehen zugleich auch das Wesen seiner Einheit. Die dreizehn Eigenschaften werden an jedem jüdischen Fest vor der Lesung der Tora rezitiert, sie spielen eine zentrale Rolle während des Monats Elul in den Vergebungsbitten zur Vorbereitung auf Jom Kippur und schließlich am Jom Kippur, dem Versöhnungstag, selbst, wo sie den Tag wie ein immer wiederkehrendes Ostinato prägen. Sie sind die Grundlage des jüdischen Gottesverständnisses: Gott steht für Vergebung und Barmherzigkeit. Gott ist die Basis dafür, dass die Korrektur von Verhalten und Sichtweisen stets möglich und Neuanfänge damit stets vollziehbar sind. Dies führt zum einen dazu, dass wir uns selbst mit unseren Unvollkommenheiten und Fehlern annehmen können, zum anderen auch dazu, dass wir den Fehlern anderer mit Barmherzigkeit begegnen. Es ermöglicht uns, Verantwortung für unsere Fehler übernehmen zu können auf der Basis, dass wir – nun reifer und weiser geworden – neu anfangen können und eine zweite Chance haben.

5. Schöpfung: Gott als Quelle des Lebens

5.1. Religionspädagogisches Material

„Gepriesen seist du, Ewiger, unser Gott; du regierst die Welt. Du lässt das Licht scheinen, aber schaffst auch die Finsternis, du bringst Frieden, du schaffst alles. Alles lobt dich und alles preist dich, alles sagt: Nichts ist heilig wie der lebendige Gott! Du gibst der ganzen Welt und all ihren Bewohnern Licht, und durch deine Güte erneuerst du deine Schöpfung Tag für Tag ... Gepriesen seist du, Ewiger. Du schaffst das Licht."
(Aus dem täglichen jüdischen Morgengebet)

5.2. Dankbarkeit versus Naturwissenschaft

In einer Veranstaltung zur Förderung des inner-jüdischen Dialogs vor ein paar Jahren wurden wir gebeten, kleine Gruppen zu bilden und uns drüber auszutauschen: Was schätze ich an meiner eigenen Richtung? Was stört mich? In meiner Kleingruppe saß neben einer orthodoxen jüdischen Frau ein atheistischer jüdischer Mann. Der Mann sagte, er schätze natürlich sehr, dass er sich an nichts halten müsse. Und was störte ihn? Er sagte: „Ich habe ein so gutes Leben. Ich habe alles, was ich brauche. Ich lebe in einem schönen Land, in dem Friede herrscht. Ich habe Familie und Freunde. Mir geht es so gut ... es gibt manchmal Momente, da würde ich mich gern dafür bedanken. Aber ich weiß nicht, wo."

Die Selbstbezeichnung von Jüdinnen und Juden ist nicht nur „Israel" (der mit Gott und Menschen ringt)[6], sondern auch „Jude" (Jehudi). Dies kommt von dem hebräischen Wort „danken" (vgl. 1 Mose 29,35). Alles, was einen umgibt und widerfährt, als etwas Geschenktes annehmen, ist der Grundgedanke des religiösen Judentums. Das jüdische Gebetbuch ist zum größten Teil eine Anthologie von Danksagungen. Nach dem Aufwachen am Morgen: „Ich danke Dir, lebendiger und ewiger König, dass Du mir meine Seele liebevoll wieder zurückgibst. Deine Treue ist groß", und vor dem Einschlafen in der Nacht: „Gepriesen seist du, Ewiger unser Gott, König der Welt, der Schlaf auf meine Augen legt und Schlummer auf meine Wimpern", gibt es hunderte von Möglichkeiten, Gott zu danken: für das Licht des Tages, Speisen und Getränke, Gerüche, Geräusche und Gesichtetes. Wenn Jüdinnen und Juden sagen, dass Gott die Welt erschuf, meinen sie, dass Gott seine Welt Tag für Tag erneuert, dass das Leben ein wertvolles Geschenk ist, das es um jeden Preis zu erhalten gilt. Jede wissenschaftliche neue Entdeckung bereichert unser Wissen und unser Staunen oder weckt neue Fragen. Die wissenschaftliche Sicht auf die Welt ist Teil unserer Aufgabe, die Welt zu erforschen und für sie zu sorgen. Die religiöse Sicht auf die Welt ist die Achtsamkeit auf unsere eigene Einstellung zu dem, was uns umgibt.

6. Erlösung: Gott als Freiheit zur Verantwortung

6.1. Religionspädagogisches Material

„Sklaven waren wir einst dem Pharao in Ägypten. Da führte uns der Ewige, unser Gott, von dort heraus – mit starker Hand und ausgestrecktem Arm. Und hätte der Heilige, gepriesen sei Er, unsere Vorfahren nicht aus Ägypten geführt, wären wir und unsere Kinder und unsere Kindeskinder Sklaven dem Pharao in Ägypten geblieben. Und wären wir auch alle Weise, mit Einsicht begabt, erfahren und Kenner der Tora, es bliebe dennoch unsere Pflicht, vom Auszug aus Ägypten zu erzählen ...

....

6   Vgl. Abschnitt 1.2.

In jeder Generation soll der Mensch sich betrachten, als sei er selbst aus Ägypten ausgezogen ...

Darum sind wir verpflichtet zu danken, zu preisen, zu rühmen, zu verherrlichen, zu erheben, zu ehren, zu loben, zu erhöhen und zu besingen den, der unsern Vorfahren und uns allen diese Wunder getan hat. Er hat uns herausgeführt aus Knechtschaft in die Freiheit, aus Kummer zur Freude, aus Trauer zum Festtag, aus Dunkelheit in großes Licht, aus Sklaverei in die Erlösung – lasst uns vor Ihm einen neuen Gesang vortragen, Halleluja (Preiset Gott!)."
(Aus der Pessach-Haggada)

6.2. Gott, der Erlöser

Gott wird im Judentum nicht nur als Schöpferkraft, sondern auch als freimachende Kraft erfahren. Verdichtet wird diese Erfahrung in der Erzählung vom Auszug aus Ägypten. Wie ein Vater, der Rechtsvertreter der Familie im alten Orient, kaufte Gott seinen erstgeborenen Sohn Israel aus der Schuldknechtschaft des Pharao los. Der Freikauf hatte einen Zweck: den Sohn frei zu machen für die Beziehung zum Vater. Außerhalb des Bildes gesprochen: Es wurde uns nicht nur vom Schöpfer das Leben geschenkt, sondern wir wurden auch zu einem Volk gemacht mit gegenseitigen Verantwortlichkeiten und Verpflichtungen. Pessach – das Fest der Befreiung aus Ägypten – und Schawuot – das Fest der Gabe der Tora – gehören untrennbar zusammen, was durch das Zählen der 50 Tage („Omerzeit") zwischen den beiden Festen deutlich symbolisiert wird. Die Freiheit mündet in der freien Entscheidung für die Annahme der Tora. Gott ist daher im Judentum nicht nur die Quelle des Lebens, sondern auch der Ursprung menschlicher Verpflichtungen.

7. Gott als Dialogpartner

7.1. Religionspädagogisches Material

„Der Ewige hatte aber zu Awram gesprochen: ‚Zieh hinweg (lech lecha) aus deinem Land, von deinem Geburtsort und von deines Vaters Hause in das Land, das ich dir zeigen werde. Ich will dich zu einer großen Nation machen, will dich segnen und deinen Namen groß werden lassen. Du selbst sollst ein Segen sein. Ich will nämlich segnen, die dich segnen; wer dir flucht, den will ich verfluchen, und mit dir werden sich alle Geschlechter des Erdreichs segnen.' Awram reiste, wie der Ewige ihm gesagt hatte. Mit ihm reiste Lot."
(Tora: 1 Mose 12,1-4; nach der Übersetzung von Moses Mendelssohn)[7]

....

7   Boeckler, Annette, Mendelssohn.

7.2. Gott im Dialog

Zwei Menschen auf einer Reise: Abram – später Abraham genannt – und sein Neffe Lot. Beide gehen den gleichen Weg, beide sehen und erleben das Gleiche, doch der eine geht seinen Weg im Dialog mit Gott, der andere zieht bloß mit. Mit der Quelle des Lebens im Dialog stehen, setzt Energien frei, wie Mut zu anderem Handeln, Hoffnung und andere Perspektiven. Gottes Heiligkeit – sein Anderssein – lässt auch uns Dinge anders sehen, lässt auch uns zuweilen andere Wege gehen. Der Dialog mit dem Leben kann die Form von Klagen haben. Abraham klagt vor Gott, dass er keine Kinder hat (vgl. 1 Mose 15,2-3). Der Dialog mit dem Leben kann die Form eines Ringens oder Rechtsstreits sein. Abraham ringt mit Gott, er könne doch die Gerechten mit den Ungerechten nicht vernichten (vgl. 1 Mose 18,23-32). Der Dialog mit Gott führt zu schweren Prüfungen der Persönlichkeit (vgl. 1 Mose 22). Abrahams Enkel Jakob wird durch sein Ringen mit dem göttlichen Wesen schließlich zu Israel. Gott ist im Judentum nichts Statisch-Abstraktes. Das Göttliche ist ein nicht-greifbarer, nicht-vorstellbarer, stets anderer, immer neuer Dialogpartner auf unserem Weg durch das Leben.

8. Gott als Lebenskraft

8.1. Religionspädagogisches Material

Kraft, Kraft
Send auf den Gang mir die Flamme,
Dass sie mir leuchtend den Weg weis'
Und ich nicht fehle den Pfad
durch dich zu dir!

Kraft, Kraft
Hilf mir im Gewirre der Stimmen,
Dass ich nicht, irrend im Lärm,
Nicht mehr fände das Wort
durch dich für dich!

Kraft, Kraft
Lasse in Atem und Herzschlag
Mich von dem Rhythmus erfüllt sein
Der Recht und Wahrheit trägt
aus dir zu dir!

(Bertha Pappenheim, 22./23.Januar 1928)[8]

....
8   Pappenheim, Bertha, Gebete, 32.

8.2. Inklusive Gottesvorstellungen

Seit den 1990er Jahren sind alle nicht-orthodoxen jüdischen Gebetbücher bestrebt, die religiöse Sprache inklusiv zu gestalten. Dies bezog sich zunächst auf Frauen und weibliche Gottesbilder, heutzutage bezieht es sich auf die gesamte Vielfalt sexueller Identitäten. Der zitierte Text von Bertha Pappenheim ist das früheste Beispiel für einen Versuch einer Frau, Gott neutral zu bezeichnen: „Kraft". Als eine der Bedeutungsnuancen des Wortes „El", traditionell oft mit „Gott" übersetzt, folgt Bertha Pappenheim hier also durchaus der jüdischen Tradition und setzt doch gleichzeitig auch einen neuen Akzent. In heutigen nicht-orthodoxen jüdischen Gemeinden wird die traditionelle Vielfalt von Gottesanreden wieder entdeckt – in einigen Gemeinden nur in den Übersetzungen, in anderen auch in den hebräischen Texten selbst. Man redet von Gott als Vater und Mutter, Freund oder Freundin, als Adler, Fels, Schutzschild, *Hamakom* („der Ort"), *Mekor Chajjim* („Quelle des Lebens"), Regent über Raum und Zeit, Schöpfer, König, *Schechina* („Gegenwart"), der Ewige. Alle unsere Wörter sind letztlich sowieso nur Bilder für etwas, das nicht greifbar und fixierbar ist. Alle unsere Bilder versuchen, Erfahrungen zu umschreiben, um unsere Quelle der Kraft, Hoffnung und Verantwortung kommunizierbar zu machen, stets offen für die ganz anderen Erfahrungen und die differente Bildsprache der anderen.

9. Gott ist eine Frau und sie wird älter

9.1. Religionspädagogisches Material

„Wer oder was ist Gott? Wo sollen wir Gottes Gegenwart suchen? Unsere Weisen und Philosophen sind keineswegs einig in ihren Aussagen. Aber darin stimmen sie überein: Wer oder was Gott wirklich ist, ist letztlich nicht zu ergründen. Gott ist der Verborgene *(el mistater)*, der Sein Antlitz verhüllt *(hester panim)*, oder der Unendliche, Unmessbare *(en sof)* – unerkennbar, unergründbar, unbeschreibbar. Und doch wagen eben diese Weisen den Versuch, die Gotteserfahrung unseres Volkes in Bilder zu fassen, die wir kennen und verstehen können ...

Heute Abend lade ich Sie ein, sich Gott gemeinsam mit mir vorzustellen. Heute Abend lade ich Sie ein, sich Gott als Frau vorzustellen, als Frau, die im Begriff ist, älter zu werden. Gott ist eine Frau, und sie wird älter. Sie bewegt sich jetzt langsam. Sie kann nicht aufrecht stehen. Ihr Haar ist schütter. Ihr Gesicht von Falten durchzogen. Ihr Lächeln nicht länger unschuldig. Ihre Stimme ist rau. Ihre Augen ermüden. Das Hören strengt sie oft an. Gott ist eine Frau, und sie wird älter. Und doch – sie erinnert sich an alles.

An Rosch Haschana (dem Neujahrsfest), der Gedenkfeier des Tages, an dem sie uns geboren hat, setzt sich Gott an ihren Küchentisch, öffnet das Buch der Erinnerungen und beginnt, die Seiten zu wenden. Und Gott erinnert sich.

226

‚Da ist die Welt, als sie neu war, meine Kinder, als sie jung waren ...!' ... Dann gibt es Seiten, die sie gerne überschlagen würde. Dinge, die sie zu vergessen wünscht. Aber sie starren ihr ins Gesicht und zwingen sie, sich zu erinnern: ihre Kinder, die das Heim zerstören, das sie ihnen geschaffen hat, Brüder, die einander in Ketten legen. Sie sieht uns gefährliche Straßen hinunter rasen, selbst unfähig, uns aufzuhalten. Sie gedenkt der Träume, die sie für uns hatte, Träume, die wir nie erfüllten. Und sie gedenkt der Namen, so vieler Namen, eingeschrieben in das Buch, Namen all der Kinder, die sie verloren hat: durch Krieg und Hunger, Erdbeben und Unfall, Krankheit und Selbstmord ... Und Gott denkt daran, wie oft sie am Rand eines Bettes saß und weinte, weil sie die Entwicklung nicht aufhalten konnte, die sie selber in Gang gesetzt hatte ...

Gott ist zu Hause heute Abend und blättert in den Seiten ihres Buches. ‚Kommt heim', möchte sie uns sagen, ‚kommt heim.' Aber sie ruft nicht, denn sie hat Angst, dass wir nein sagen könnten. Sie kann unser Gerede erahnen: ‚Wir sind so beschäftigt', würden wir uns entschuldigen. ‚Wir möchten dich gerne besuchen, aber heute Abend können wir einfach nicht. Zuviel zu tun. Zuviel Verantwortung.' ...

Sie versteht, dass es schwer für uns ist, einer Gottheit zu begegnen, die die Erwartungen unserer Kindheit enttäuscht hat; sie hat uns nicht alles gegeben, was wir wollten: sie hat uns nicht siegreich im Kampf gemacht, erfolgreich im Geschäft und unverwundbar gegen Schmerz. Wir vermeiden es, heim zu gehen, um uns selbst vor unserer Enttäuschung zu schützen und um sie zu schützen. Wir möchten nicht, dass sie die Enttäuschung in unseren Augen sieht. Aber Gott weiß, dass sie da ist, und möchte trotzdem, dass wir nach Hause kommen.

Und was wäre, wenn wir es täten? Was wäre, wenn wir wirklich nach Hause gingen und Gott an diesem Jom Kippur besuchten? Wie würde es sein?

Gott würde uns in ihre Küche führen, uns an ihrem Tisch einen Platz anbieten und Tee einschenken ...

Dann schiebt sie ihren Stuhl zurück und sagt: ‚Lass dich anschauen.' Und sie schaut ... Nachdem sie uns lange genug angesehen hat, könnte Gott sagen: ‚Und nun erzähl mir, wie geht es dir?'

Jetzt haben wir Angst, unseren Mund aufzumachen und ihr all das zu sagen, was sie ja schon weiß: wen wir lieben, wo wir verletzt sind, was wir zerbrochen oder verloren haben, was wir einmal gerne geworden wären. So sagen wir lieber nichts, um nicht in Tränen auszubrechen. Also wechseln wir das Thema: ‚Weißt du noch, als ...', beginnen wir. ‚Ja, ich erinnere mich', sagt sie. Auf einmal reden wir beide zugleich, ohne einen Satz zu beenden ... ‚Es tut mir leid, dass ich ...' ‚Schon gut, ich verzeihe dir.' ‚Ich wollte nicht ...'

‚Das weiß ich, ich weiß.' ‚Ich war so wütend, dass du mich geschlagen hast.'
‚Es tut mir leid, dass ich dir weh tat. Aber du wolltest nicht auf mich hören.'
‚Du hast recht, ich wollte nicht hören. Ich hätte es sollen. Jetzt weiß ich es,
aber damals musste ich es auf meine Weise tun.' ‚Ich weiß', nickt sie, ‚ich
weiß.'

‚Wie, steht's mit deiner Zukunft?' fragt sie uns. Wir stottern irgendeine Antwort, weil wir unserer Zukunft nicht ins Gesicht sehen wollen. Gott spürt
unser Zögern und versteht.

Nachdem wir nun schon mehrere Stunden sitzen und Tee trinken und es endlich nichts mehr zu sagen oder zu hören gibt, beginnt Gott zu summen. Das
versetzt uns zurück in eine Zeit, als unser Fieber nicht sinken wollte und wir
nicht einschlafen konnten, erschöpft vom Weinen, aber unfähig aufzuhören.
Sie hob uns auf, hielt uns an ihre Brust gedrückt, bettete unseren Kopf in
ihre Handfläche und ging mit uns auf und ab. Wir konnten ihr Herz schlagen hören und das Summen aus ihrem Hals: O ja, da war's, wo wir lernten,
Tränen abzuwischen. Von ihr lernten wir, ein weinendes Kind zu trösten und
jemanden im Schmerz zu halten.

Dann berührt Gott unsern Arm und bringt uns aus der Nostalgie längst ver-
gangener Zeiten zurück in die Gegenwart und Zukunft. ‚Du wirst immer
mein Kind bleiben', sagt sie, ‚aber du bist kein Kind mehr. Werde älter, zusammen mit mir.' ...

Nun verstehen wir, warum wir geschaffen wurden, älter zu werden: jeder
hinzugefügte Tag unseres Lebens, jedes neue Jahr, läßt uns Gott ähnlicher
werden, ihr, die ewig älter wird ... Diese betagte Frau erscheint uns nun wie
... wie ... eine Königin: ihr Küchenstuhl ein Thron, ihr Hauskleid ein Herme-
lin und ihr dünnes Haar leuchtend wie Juwelen auf einer Krone ...

Gott würde es vorziehen, wenn wir nach Hause kämen. Sie sitzt und wartet
auf uns wie an jedem Jom Kippur, geduldig wartend, bis wir bereit sind. In
der Nacht von Kol Nidre wird Gott nicht schlafen. Sie läßt die Tür offen,
die Kerzen brennen, und wartet geduldig auf unsere Heimkehr. Vielleicht
können wir an diesem Jom Kippur in Gottes alterndes Gesicht schauen und
sagen: ‚Unsere Mutter, unsere Königin, wir sind nach Hause gekommen.'"
(Rabbinerin Margret Moers-Wenig, aus einer Predigt am Vorabend von Jom
Kippur 1990)[9]

....

9   Ausschnitte einer Predigt von Rabbinerin Margret Moers-Wenig am Vorabend von Jom Kippur 1990 in der
     New Yorker Synagoge „Beth Am". Die vollständige Predigt „God is a woman and she is growing older" fin-
     det sich in: Cox, James W., Best Sermons 5. Deutsche Übersetzung: Moers-Wenig, Margret, Gott, 382-388.

9.2. Zeitgenössische Gottesvorstellungen

Diese Jom Kippur Predigt, aus der diese Ausschnitte stammen, zirkulierten bereits in den 90er Jahren sowohl in jüdischen Gemeinden als auch an Universitäten, feministischen Gruppen und interreligiösen Gesprächskreisen in verschiedenen Ländern. Deutschland gehörte zu den ersten Ländern, in denen sie ausserhalb der USA bekannt wurde. Inzwischen wurde sie wiederholt in Synagogen als Predigt vorgelesen. Der Erfolg dieser Predigt ist die gelungene Beschreibung der Gefühle von Jom Kippur kombiniert mit der in den 90er Jahren überraschenden Sichtweise von Gott als Frau. Das Älterwerden kannte man bereits aus existieren populären Gottesvorstellungen, bisher aber hatte man sich Gott – oft unbewusst – als älteren Mann vorgestellt. Das Judentum wiederholt in Texten und Predigten immer wieder, man solle sich kein Bild von Gott machen. Die Anschaulichkeit und Bildhaftigkeit dieser Predigt machte plötzlich überraschend klar, dass viele sich eben doch ein festes Bild von Gott gemacht hatten, eines, dass mit dem Bild dieser Predigt nicht übereinstimmte. Seit den 90er Jahren sind die Bilder, die man von Gott benutzt, nun sehr viel vielfältiger und es ist wieder viel bewusster, dass Gott wie Mann und wie eine Frau ist, wie ein Adler und wie ein Fels, wie ein leiser sanfter Wind und wie ein lauter Sturm.

10. Zusammenfassung

Gott ist im Judentum etwas Nicht-Greifbares, Nicht-Vorstellbares, Nicht-Fixierbares, dessen Wesen nur als Begegnung mit Menschen erfasst werden kann. Deshalb gibt es keine fixierten Gottesbilder, sondern die jüdische Tradition kennt eine große Vielfalt von Vergleichen, mit denen Gottes Handeln beschrieben werden kann: als Adler, der seine Jungen trägt; als Fels in der Brandung; oder als Vater oder Mutter. Die jüdische Tradition lehrt, dass trotz vieler menschlicher Sichtweisen über das Göttliche und trotz der widersprüchlichen Erfahrungen des Lebens, Gott dennoch immer eine Einheit ist. Das Wesen dieser Einheit gründet sich in dreizehn Weisen der Barmherzigkeit. Dieser eine Gott wird als die Quelle allen Lebens verstanden, der dadurch allem Lebendigen die gleiche und besondere Würde des göttlichen Geschaffenseins verleiht. Der eine Gott wird in gleicher Weise als der Weg zur Freiheit in die Eigenverantwortung verstanden. Das Leben versteht sich damit in gleicher Weise als ein Geschenk und als etwas, für das man Verantwortung trägt. Das Lernen über Gott führt letztlich im Judentum immer zum Lernen über uns selbst, denn „wie Gott ‚barmherzig und gnädig' genannt wird, so sei auch du barmherzig und gnädig ... Wie Gott – Gottes Heiligkeit sei gepriesen – ‚gerecht' genannt wird, ... so sei auch du gerecht. Wie Gott – Gottes Heiligkeit sei gepriesen – ‚treu' genannt wird ... so sei auch du treu." (Midrasch: Sifre Dtn, Ekew 13).

Literatur

- Baeck, Leo, Inbegriff von Sittlichkeit, Liebe, Gerechtigkeit und Heiligkeit, in: Bernfeld, Simon, Die Lehre von Gott (= Verband der deutschen Juden, Die Lehren des Judentums nach den Quellen Vierter Teil), Berlin 1924.
- Boeckler, Annette, Jüdischer Gottesdienst. Wesen und Struktur, Berlin 2002.
- -, Die Tora nach der Übersetzung von Moses Mendelssohn: mit den Prophetenlesungen, London 2015.
- Cox, James W., Best Sermons 5, San Francisco 1992.
- Moers-Wenig, Margret, Gott ist eine Frau – und sie wird älter, übers. von Evi Krobath, in: EvTh 52/5 (1992) 382–388.
- Newman, Jeffrey, His glory fills the universe, in: Assembly of Rabbis (Ed.), Forms of Prayer for Jewish Worship III. Prayers for the High Holydays, London 1985, 16-18.
- Pappenheim, Bertha, Gebete, mit einem Nachw. von Susman, Margarete; hg. von Klapheck, Elisa und Dämmig, Lara, Berlin 2003.

REISE ZU GOTT – GRUNDLINIEN DER GOTTESFRAGE AUS ISLAMISCHER PERSPEKTIVE

Ahmad Milad Karimi

„Und folgt dem Schönen!"[1]
(Koran 39,55)

Zu den zentralen Einsichten der Religion des Islams gehört der Gedanke, dass der Mensch ein Reisender ist. Wohin aber führt die Reise des Lebens? Worin mündet das Meer der Seele? Der muslimische Dichterphilosoph Muhammad Iqbal (1877 – 1938) schreibt: „Der Weg ist klar: wohl' mich im Wandern stärken! Das, was ich sage, stammt aus anderen Welten, und dieses Buch aus einem anderen Himmel. Ich bin ein Meer: Nicht-Brausen wär' mir Sünde. Wo ist der Mensch, der taucht in meine Gründe? An meinem Ufer ruhte eine Welt: Du siehst von ferne nur der Welten Flut!"[2] Das menschliche Leben im Motiv des Reisens aufzufassen, bedeutet zunächst, dass das menschliche Selbst nicht als ein starrer Zustand begriffen wird, sondern als lebendige Dynamik, als Prozess, eben als „Erhebung zum Absoluten"[3], um eine berühmte Wendung von Hegel zu bemühen. Die „Erhebung zum Absoluten" beschreibt Ṣadrā ad-Dīn Šīrāzī[4] (1572 – 1641) als eine ontologische Verfasstheit allen Seins, indem er von einer „substantiellen Bewegtheit" (ḥaraka ǧawharīya) aus-geht,[5] die allen Seienden innewohnt. Alles ist Ṣadrā ad-Dīn Šīrāzī zufolge auf dem Weg zur Vollkommenheit, auf der Reise zu Gott, die er als vier Reisen beschreibt, vom Ursprung (mabda') zum Seinsgrund (maʿād).[6] Es ist die Sehnsucht nach Gott, die den Menschen auf Reisen führt, die keiner anderen Reise gleicht. Diese Reise ist von existentieller, spiritueller Bedeutung. Denn die Reise findet nicht außerhalb der Menschen statt, sondern sie geschieht am Menschen; indem er existiert, reist er. Das spirituelle Moment dieser Reise besteht darin, dass sie als eine innere Reise begriffen und vollzogen wird. Der Weg nach innen ist der Weg ins Herz hinein, weil das Herz das Haus Gottes, die wahre Kaaba darstellt, wie es einst der Prophet Muhammad an-deutete.[7] Erst aus der Berührung mit dem Herzen, entfacht sich die Hingabe (islām).[8]

---

1 Die Übersetzungen aus dem Koran stammen im Folgenden vom Verfasser aus: Der Koran, vollst. u. neu übers. von Karimi, Ahmad Milad. Mit einer Einf. hg. von Uhde, Bernhard, Freiburg i. Br./Basel/Wien 20142.
2 Iqbal, Muhammad, Ewigkeit, 204.
3 Vgl. Hegel, Georg Wilhelm Friedrich, Erhebung, § 50.
4 Vgl. zum Folgenden: Nasr, Seyyed Hossein, Sadr al-Din Shirazi and his Transcendent Theosophy, Background, Life and Works; Rizvi, Sajjad, Mullā Ṣadrā Shirazi, His Life, Works and Sources for Safavid Philosophy.
5 Vgl. aš-Šīrāzī, Bewegtheit, 173.
6 Vgl. Rahman, Fazlur, The Philosophy of Mullā Ṣadrā.
7 Vgl. Schimmel, Annemarie, Weisheit, 64.
8 Der Prophet Muhammad überliefert das außerkoranische Wort Gottes: „Gott sprach: Himmel und Erde umschließen Mich nicht, aber das Herz Meines gläubigen Dieners umschließt Mich." Al-ʿAǧlūnī, Ismaʿil ibn Muhammad, Ḥadīṯ-Nr.: 2256, 229.

Die Rede vom Herzen kann auf den ersten Blick deshalb ungeeignet wirken, weil es ein diffus anmutender Begriff zu sein scheint. Doch die islamische Geistestradition kennt ein eigenes Genre der Erforschung der Herzenserkenntnis.[9] Entscheidendes ist bei Al-Ġazālī in seiner Schrift *Die Alchemie der Glückseligkeit* zu lesen: „Und dein wahres Wesen ist das Innere. Und alles andere ist ein Teil von ihm, alles andere sein Gefolge, seine Heere und seine Diener. Und wir wollen es [dieses Innere] Herz[10] nennen. Und wenn wir von dem Herzen sprechen, so wisse, dass wir damit jenes Wesen benennen, das man manchmal als Geist bezeichnet und manchmal als das Selbst. Jedoch wollen wir damit nicht das Stück Fleisch bezeichnen, das in der linken Seite deiner Brust liegt. Dies hat nämlich keinen Wert, denn auch die Tiere und die Toten besitzen es, und man kann es mit dem äußeren Auge sehen. Das, was man mit diesem Auge sehen kann, gehört zu dieser Welt, der Welt des Anscheins. Das wahre Wesen des Herzens aber ist nicht von dieser Welt."[11] Von welcher Welt ist hier die Rede? Ist der Mensch ein Wesen zweier Welten? Das Selbst des Menschen wird in der islamischen Geistestradition als ufer- und rastlos gedeutet: „Des Menschen Geist wird diese Welt erobern. Und seine Liebe jene Welt erobern! Er weiß den Weg, geht führerlos nicht fehl, Sein Aug' ist wacher noch als Gabriel; Aus Staub ist er, im Flug doch Engeln gleich; ein Rasthaus nur scheint ihm dies Himmelreich. Er dringt in des Himmels Körper ein, Wie Nadeln spitz die Seide zart durchdringen,"[12] schreibt Iqbal. Die Darstellung der Hingabe des Menschen zu Gott in Form einer geistigen Reise ist in der mystischen Tradition des Islams vielfach vertreten worden. Von Suhrawardī, Ibn ʿArabī und ʿAṭṭār bis hin zu Rūmī, Ḥāfiẓ oder Iqbal wird der Weg des menschlichen Lebens als eine Suche, eine Reise zu Gott beschrieben.

In der US-amerikanischen Serie *Preacher*, die eine Adaption der Comicreihe von Garth Ennis und Steve Dillon darstellt, ist der Hauptprotagonist Jesse Custer (Dominic Cooper) über mehrere Staffeln auf der Suche nach Gott, die ihn zu einem Roadtrip bewegt. Der Prediger Jesse Custer wird dabei von einer Frage getragen: Wie suchen wir nach Gott? Die Protagonisten suchen ihn überall, nichts ist klein und unbedeutend genug, um nicht ein Versteck Gottes zu sein. Aber warum ist Gott überhaupt versteckt und verborgen? In der ersten Staffel wird Gott im Himmel vermutet. Wie nun Gott erreichen? Eine Himmelsreise? Bemerkenswert ist es, dass in der islamischen Geistestradition das menschliche Leben als eine Reise zu Gott vor allem im Motiv der Himmelsreise (miʿrādsch bzw. al-isrāʾ) des Propheten Muhammad erblickt wird, der alle Seinssphären überschritt, das Sichtbare und Unsichtbare, um die Gegenwart Gottes zu erringen.[13] Im Koran heißt es: „Preis Ihm, der in der

---

9 Vgl. hierzu exemplarisch: Al-Daghistani, Raid, Epistemologie des Herzens.
10 Vgl. zum Begriff Herz bei Al-Ġazālī: Jabre, Farīd, Essai sur le Lexique de Ghazali, 233f.
11 Al-Ġazālī, Abū Ḥāmid, Kīmīyā-i saʿādat, 15 (eigene Übersetzung aus dem Persischen).
12 Iqbal, Muhammad, Ewigkeit, 206.
13 Vgl. zur Himmelsreise des Propheten Muhammad: Ess, Josef van, Le miʿrāğ et la vision de Dieu dans les premières spéculations théologiques en Islam.

Nacht reiste mit Seinem Diener von der Niederwerfungsstätte, der reinen, zur Niederwerfungsstätte, der fernsten, die Wir ringsum gesegnet, um ihm zu zeigen einige
von Unseren Zeichen." (Koran 17,1) „Aufrecht stand er am Horizont, einem hohen.
Dann näherte er sich, kam herunter bis auf zwei Bogenlängen oder näher. Da offenbarte er Seinem Diener, was er offenbarte ... Nicht wich der Blick ab und nicht ging
er weit. Gesehen hat er die Zeichen von seinem Herrn, die größten."(Koran 53,1-
18) Der Prophet als *exemplum* im Leben der Muslime ist zunächst ein Reisender
zu Gott. Insofern gilt das Motiv der Reise des Propheten nicht nur als ein Aufstieg
zum Einen, sondern auch als eine Suche nach Gott, der als Ursprung und als letzte
Heimkehr betrachtet wird.[14] Der Prediger hingegen verzichtet auf die Himmelsreise,
weil er eine Möglichkeit sieht, mit dem Herrn von der Erde aus zu kommunizieren.
In der letzten Folge der ersten Staffel (Call and Response) sehen wir, wie Gott auf
der Leinwand des Beamers erscheint. Der alte, bärtige Mann, der von sich behauptet,
er sei das Alpha und das Omega und der leuchtende Stern, entpuppt sich als falscher
Gott, als einer, der Gott spielt. Doch wo ist Gott? „Er wird vermisst. Niemand weiß,
wo Gott steckt", sagt der falsche Gott und fügt hinzu: „Vielleicht ist er hier unten."
Je mehr sich der Prediger auf der Suche nach Gott verstrickt, umso mehr erfahren
wir von ihm. Sein Roadtrip, indem er von Ort zu Ort Gott sucht, zeigt sich als eine
Suche nach sich selbst. Die Reise zu Gott ist daher im Islam keine Reise von Ort zu
Ort; sie ist vielmehr die Reise des Herzens. Wer sich Gott öffnet, rückt in die eigene
Mitte. Wer sich auf den Weg Gottes begibt, kommt mit sich selbst in Berührung. In
diesem Sinne ist die Reise zugleich eine Reise zu sich selbst. So sagte der Prophet
Muhammad, dass die Gotteserkenntnis darin bestehe, sich selbst zu erkennen.[15] Von
welchem Gott ist aber im Islam die Rede? Und wie lässt sich dieser Gott fassen,
vorstellen und denken? Und wie lässt sich ausschließen, dass wir nicht im Falschen
suchen, den Falschen finden?

1. Offenbarung als Anfang der Reise

Der Islam erscheint seit Anbeginn seiner Genese im 7. Jahrhundert auf der arabi-
schen Halbinsel als eine Religion, welche grundsätzlich auf einem doppelten Boden
beruht. Die Doppelbödigkeit[16] des Islam besteht darin, dass er einerseits die über-
lieferte abrahamitische Tradition anerkennt und reformuliert und andererseits einen
genuin eigenen, selbstständigen theologischen Standpunkt vertritt als eine Religion
mit einem universellen Anspruch. Als Offenbarungsreligion ist der Islam mit dem
Judentum und Christentum wesentlich in der Einsicht verwandt, dass der Mensch im
Anspruch einer göttlichen Wirklichkeit steht, worüber er selbst aber nicht verfügt. In

....

14   Koran 2,156: „Wir sind Gottes und zu Ihm kehren wir zurück."
15   Vgl. Al-Ghasâli, Muhammad, Glückseligkeit, 35.
16   Vgl. zum Begriff der „Doppelbödigkeit": Theunissen, Michael, Sein und Schein, 205.

diesem Zusammenhang tritt die Wirklichkeit Gottes im Islam als Koran auf. Diese Wirklichkeit Gottes wird aber nicht als Konkurrenz zur jüdischen und christlichen Gottesvorstellung begriffen. Vielmehr erkennt der Prophet Muhammad Gott als den Gott, der sich zuvor Abraham, Ismael, Isaak, Noah, Jakob, Josef, David und Salomon offenbart hat, ohne dabei unter ihnen zu unterscheiden[17], sich aber auch durch die Tora (vgl. Koran 5,44) und durch das Evangelium (vgl. Koran 5,46) mitgeteilt hat. Daher sagte der Prophet Muhammad programmatisch: „Die Wege zu Gott sind so zahlreich wie die Atemzüge der Menschen."[18] Insofern glauben die Muslime an einen *gemeinsamen* Gott, der sich in unterschiedlichen geschichtlichen Zusammenhängen in je anderer Weise den Menschen offenbart hat. Nicht unwichtig zu erwähnen, dass die Bezeichnung Allāh keinen eigentümlichen Gott der Muslime meint, sondern das Wort heißt schlicht: *der* Gott, der *eine* Gott. Sowohl Juden als auch Christen, die sich auf Arabisch artikulieren, sprechen Gott als Allāh an.

Den Anfang der Reise zu Gott macht Gott selbst. Es ist der Ewige, der sich den Menschen mitteilt. Daher versteht sich der Prophet Muhammad als ein Mensch, der aus der Mitte der Menschen in den Anspruch Gottes gerät (vgl. Koran 6,130). Wie Ibn Isḥāq als der erste Biograph des Propheten berichtet, so wird der Prophet Muhammad mit der Wirklichkeit Gottes unerwartet und unverfügbar konfrontiert, indem ihm der Engel Gabriel erscheint.[19] Der Prophet ist überwältigt von dieser tiefgreifenden Erfahrung,[20] die ihn existentiell betrifft, spirituell erfüllt und verwandelt. Die Mitteilung der göttlichen Wirklichkeit, die als Willensäußerung Gottes Muhammad zum Propheten erklärt, geschieht aber nicht als eine äußerliche Belehrung. Vielmehr bezeugt der Prophet: „Es war mir, als wären mir die Worte Gottes ins Herz geschrieben."[21] Diese Öffnung für Gott stellt den wesentlichen Kern der koranischen Offenbarung dar. Im Koran heißt es, dass dem Propheten Muhammad die Brust für die Wirklichkeit Gottes eröffnet wurde (vgl. Koran 94,1). Mit der Offenbarung des Koran kommt Gott nicht in die Welt – als Schrift. Der Koran erhebt nicht den Anspruch, die Inlibration Gottes zu sein.[22] Vielmehr wird mit dem Koran die Gegenwart Gottes dem Menschen gewahr. Deshalb ist der Koran nicht bloß eine Schrift, sondern das lebendige gesprochene Wort, die Rezitation. Allein in seinem sprachlichen Klang, in

....

17 Koran 2,136: „Sagt: ‚Wir glauben an Gott und an das, was uns wurde herabgesandt, und was Abraham wurde herabgesandt, Ismael, Isaak, Jakob und den Stämmen, und was empfingen Mose und Jesus, und was empfingen die Propheten von ihrem Herrn. Nicht unterscheiden wir unter ihnen und Ihm wir sind ergeben.'"

18 Zitiert nach: Ibn Taimīya, Ahmad, Maǧmuʻ al-fatāwā li-šaiḫ al-islām Ibn Taimīya, 454.

19 Ibn Isḥāq, Muhammad, Leben, 46.

20 „Da presste er [der Engel Gabriel] das Tuch auf mich, so dass ich dachte, es wäre mein Tod. Dann ließ er mich los und sagte wieder: ‚Trag vor!' ‚Ich kann nicht vortragen', antwortete ich. Und wieder würgte er mich mit dem Tuch, dass ich dachte, ich müsste sterben. Und als er mich freigab, befahl er erneut: ‚Trag vor!' Und zum dritten Mal antwortete ich: ‚Ich kann nicht vortragen.' Als er mich dann noch einmal fast zu Tode würgte und mir wieder vorzutragen befahl, fragte ich aus Angst, er könne es noch einmal tun: ‚Was soll ich vortragen?'" Eigene Übersetzung in Anlehnung an: Ibn Isḥāq, Muhammad, Leben, 46.

21 Ebd.

22 Daher ist der Einsicht Annemarie Schimmels zu widersprechen, die von der Inlibration gesprochen hat. Vgl. Schimmel, Annemarie, Einführung, 66.

seiner rhythmischen Musikalität, in der Weise, wie der Koran artikuliert ist, als ein ästhetisches Erleben, liegt sein Offenbarungscharakter. Dabei geht es selbstverständlich um den Inhalt, der aber nicht ohne die Form gegeben und verstehbar ist.[23] Der Koran lässt sich als Gottespoesie bestimmen, eine Poesie, die der Prophet Muhammad internalisiert und entäußert, so dass der Koran Gottespoesie und Menschenwort zugleich ist, ist er doch in arabischer Sprache artikuliert (vgl. Koran 12,2). Demnach ist der Koran als Offenbarung Gottes keine Begebenheit, sondern Ereignis. In der Serie Preacher ist dieser Standpunkt der Offenbarung als Anfang der Reise des Menschen äußerst intelligent aufgenommen. Der Prediger wird von einer übernatürlichen Wirklichkeit heimgesucht: Genesis, eine Mischung aus Himmel und Hölle. Die Genesis ist unerwartet in ihm, sie wirkt in ihm, weil sie eine Macht ist. Und der Prediger begreift sich als auserwählt. Diese Macht, über die er nicht verfügt, ist eine Offenbarung, mit der er bewirken kann, wozu er sonst nicht im Stande ist. Vor allem entsteht bei ihm eine tiefe Sehnsucht, zu erfahren, warum gerade er auserwählt sei, d. h., worin seine Bestimmung, seine Berufung liege. Deshalb will er die Genesis auch nicht zurückgeben,[24] sondern Gott suchen. Die Suche nach Gott hat hier eine verkehrte Bedeutung, weil es hier nicht um Gott, sondern um den Prediger geht. Gott ist nur ein Moment seiner Wirklichkeit.

Hingegen ereignet sich mit der koranischen Offenbarung die Gegenwart Gottes. Doch damit wird Gott nicht weltlich oder fixierbar. Insofern ist es nicht Gott, der zum Koran wird, sondern der Koran ist seine Gegenwart. Daraus lässt sich der Koran nicht nur als Er-eignis, sondern im gleichen Atemzug auch als Ent-eignis auffassen; denn, indem sich mit dem Koran Gottes Gegenwart ereignet, nimmt er sich auch zurück. Was sich mit dem Koran er-eignet, ist zugleich eine Ent-eignung, so dass inmitten beider die Reise zu Gott ihren Anfang nimmt. ʿAṭṭār schreibt: „Gebt eure Seele auf, betretet diesen Pfad und tanzend legt das Haupt an dieser Pforte hin!"[25] Denn die Reise zu Gott ist eine Reise der Hingabe. Diese Hingabe als Ausdruck des Islam bezeichnet keinen blinden Gehorsam, keine unreflektierte Nachahmung; vielmehr ist die Hingabe selbst ein Ereignis. Was sich mit der Hingabe ereignet, lässt sich nicht außerhalb des Menschen verorten. Der Islam geschieht am und im Menschen.[26] Im Koran ist die Liebeserklärung Gottes an die Menschen und vice versa artikuliert, wenn es dort heißt: „Er liebt (sie) und die Ihn lieben" (Koran 5,54). Insofern geht es im Islam um eine menschliche Hingabe, d. h. vor allem eine zweifelnde, hadernde Hingabe; eine Hingabe, die nicht erblindet, Stillstand bewirkt, sondern sehend macht für das, wozu der Mensch als Mensch seine Bestimmung findet.

....

23   Der Prophet Muhammad bringt die Einzigartigkeit des Korans mit den berühmten Worten zum Ausdruck: „Es gibt keinen Propheten, dem nicht Zeichen gegeben waren, damit die Menschen an ihn glauben. Was mir gegeben wurde, sind nichts als die Worte, die mir Gott offenbart hat." Al-Buḫārī, Muhammad, Kitāb al-ǧāmiʿ aṣ-ṣaḥīḥ. Ḥadīṯ-Nr. 7274.

24   Obgleich die Genesis eigentlich in eine Kaffeedose gehört.

25   ʿAṭṭār, Farīd ad-Dīn, Vogelgespräche, 160.

26   Deshalb identifiziert sich der Ewige im Koran als „Gott der Menschen". Vgl. u. a. Koran 114.

Indessen erzeugt die Hingabe eine Unruhe im Menschen, eine Unruhe für Gott. Bei Iqbal heißt es: „Unruhvolles Leben ist besser als ew'ge Rast ... Was ist ew'ges Leben, sprich? Immer ungestillter Brand!"[27] Mit dem Islam erwacht die Unruhe. Erneut sei an Iqbal erinnert, der in *Geheimnisse des Selbst* schreibt: „Der Wunsch ist für das Selbst ein ew'ger Aufruhr, rastlose Woge auf dem Meer des Selbst."[28] Insofern erhält die Reise zu Gott mit dem Koran erst ihren vollen Sinngehalt. Denn zum einen geht es um eine unendliche Reise in den Koran hinein, in die Mysterien der Worte Gottes, weshalb auch die erste Sure des Koran als Eröffnung *(al-fātiḥa)* bezeichnet wird. Die Reise ist deshalb endlos, weil die Worte Gottes nicht enden, Worte über Worte und immerfort. Im Koran heißt es eindrücklich: „Sag: ‚Wäre das Meer die Tinte für die Worte meines Herrn, ja, das Meer würde sein Ende finden, ehe die Worte meines Herrn zu Ende gingen, auch wenn wir noch einmal so viel hinzubrächten'"(Koran 18,109). Zum anderen lässt sich aus der inneren Verfasstheit der koranischen Offenbarung entnehmen, dass es hier um eine Reise geht, auf der sich der Mensch immer schon befindet, weil Menschsein im Grunde bedeutet, auf der Suche nach Gott zu sein. Was heißt aber Gottsucher*in zu sein? Es heißt vor allem, dass sich der Mensch allein im Angesicht Gottes als Mensch bewährt. Rūmī hebt exakt diesen Gedanken hervor in seinem *Dīwān*, indem er schreibt: „Als ich erkannt habe: Dein Leben, es ist das Leben selbst, habe ich von meinem Selbst mich als Fremder abgekehrt", denn „erst als ich Dich schaute, war ich als Mensch bewährt".[29] Unstillbar auf der Suche Gottes zu sein, bedeutet, dass der Mensch nicht und niemals mit sich selbst zu Ende kommt. Die vollkommene Hingabe des Menschen, die der Islam fordert, darf keineswegs mit Versklavung oder militärischer Unterwerfung verwechselt werden. Denn allein die Hingabe zu Gott befreit Menschen für ihn selbst und für die Welt. Diener*in Gottes *('abd-Allāh)* zu sein, wird deshalb als die höchste Bestimmung des Menschen erachtet, weil gerade Gott die Freiheit des Menschen als konstitutives Moment der menschlichen Natur würdigt,[30] wenn der Ewige die menschliche Natur (präexistent) mit der Frage konfrontiert: „Bin Ich nicht euer Herr?" (Koran 7,172) Und welche Antwort ist auf diese Frage zu erwarten? Ist Gott überhaupt eine Frage? Die koranische Offenbarung ist kein Sammelsurium der endgültigen Antworten und Dogmen, die memoriert werden sollten. Vielmehr ist der Koran als eine Quelle zu betrachten, die die Frage nach Gott wachhalten will. Wenn sich die Frage nach Gott in der menschlichen Seele regt, so lebt der Mensch in und aus dieser Frage heraus; denn Gott bleibt eine Frage, aber nicht irgendeine Frage, sondern *die* Frage des Menschen. Allein wie soll nach Gott gefragt, gesucht werden? Auf welchen Weg soll sich

....

27 Iqbal, Muhammad, Botschaft, 147.
28 Iqbal, Muhammad, Geheimnisse, 84.
29 Rūmī, Ğalāl Muhammad, Kullīyāt-i Šams-i Tabrīz, Gedicht: 63.
30 Im Koran heißt es programmatisch: „Und wahrlich, geehrt haben Wir die Kinder Adams und sie getragen auf dem Festland und auf dem Meer, und sie beschert mit guten Dingen und sie ausgezeichnet vor den vielen, die Wir erschaffen, ausgezeichnete." (Koran 17,70)

14. Arbeitsforum für Religionspädagogik

der Mensch begeben, wenn er entschlossen ist, sich auf den Weg Gottes zu machen? ʿAṭṭār fasst die Aporie dieser Reise konzise zusammen, indem er schreibt: „Kein Weg zu Ihm, und doch leiden wir stets voller Sehnen nach Ihm".[31] Woher entstammt aber die Sehnsucht nach Gott?

2. Sehnsucht als die Ursache der Reise

Mit der Sehnsucht gewinnt der Mensch seine wahre Haltung, die darin besteht, auszuhalten, dass der Mensch Gott nicht habhaft wird. Daher glaubt Odin Quincannon (Jackie Earle Haley) aus der Serie *Preacher* allein an einen Gott des Fleisches. Damit ist ein postmoderner Atheismus angezeigt, weil hier nicht die Existenz Gottes überhaupt geleugnet wird, sondern anstelle Gottes ein Gott angenommen, der eben nichts als Fleisch ist, d. h. zwar habhaft, vielleicht sogar essbar, aber vergänglich ist. Diese Sehnsucht ist eindeutig stillbar.

Die Sehnsucht aus dem islamischen Standpunkt heraus nimmt eine andere Perspektive ein, indem es bei der Sehnsucht nicht um *haben*, sondern um *sein* geht. Sehnsucht *haben* wir nicht, Sehnsucht *sind* wir. Sehnsucht zu sein, bedeutet, dass der Mensch sein Herz derart an Gott gebunden hat, indem er aus der Einsicht lebt, dass nicht er Gott in der Hand hat, sondern er sich in seiner ewigen Hand geborgen weiß. Insofern ist es ersichtlich, warum der Glaube im Islam eine Herzensangelegenheit darstellt. Der Glaube wird indes als ein Akt aufgefasst, der affirmativ auf die Offenbarung des Koran reagiert.[32] Damit stellt der Glaube *(at-taṣdīq)* ein Für-wahr-halten der durch den Propheten Muhammad vermittelten Mitteilung Gottes dar,[33] welches explizit mit dem Herzen *(bi-l-qalb)* vollzogen wird und in der Bindung *(ʿaqīda)* mit Gott evoziert.[34] Daher schreibt ʿAṭṭār: „Nur Name hat die Welt von Dir, kein Zeichen; nicht kann Dich schauender Verstand erreichen"[35]. Der Glaube wurzelt nämlich in der Sehnsucht, denn: „Die reine Seele kann Ihn niemals, nie beschreiben, noch kann der Intellekt Sein Wesen je erreichen. Ja, Seele und Verstand, sie sind ganz verwirrt, und beider Augen sind auf diesem Weg blind".[36] Hier wird nicht gegen die Rationalität überhaupt argumentiert,[37] der Verstand gar abgelehnt; vielmehr geht es hier um die Einsicht, dass sich die Erkenntnis Gottes einer rationalen Annäherung entzieht, weil Gott eine existentielle Frage darstellt, die uns – mit den Worten von Paul Tillich – unbedingt angeht.

....

31 ʿAṭṭār, Farīd ad-Dīn, Vogelgespräche, 160.
32 Vgl. Al-Māturīdī, Abu Mansur, Kitāb at-tauḥīd, 373-379.
33 Vgl. Abū Ḥanīfa, al-Nuʿmān, Risāla ilā ʿUṯmān al-Battī I, 35.
34 Vgl. Al-Bazdawī, Abu al-Yusr Muhammad, Kitāb uṣūl ad-dīn,145,
35 ʿAṭṭār, Farīd ad-Dīn, Gottesbuch, 64.
36 ʿAṭṭār, Farīd ad-Dīn, Vogelgespräche, 160.
37 „Es ist doch nicht unmöglich, dass es hinter der Sphäre der Vernunft noch eine andere Sphäre gibt, in der sich das offenbart, was nicht in der Sphäre der Vernunft erscheint." Al-Ġazālī, Abu-Hamid Muhammad, Erretter, 54.

Sich Gott zu verschreiben, ist eine Sehnsuchtstat. „So gedenkt Meiner, auf dass Ich euer gedenke" (Koran 2,152), heißt es im Koran. Doch Sehnsucht setzt die Abwesenheit des Geliebten voraus, aber was „überhaupt nicht wahrgenommen wird, danach sehnt man sich nicht"[38], konstatiert Al-Ġazālī. Obgleich Gott mit dem Koran seine Gegenwart offenbart, so ist damit seine Gegenwart in der Wirklichkeit des Menschen angezeigt, dass er dem Menschen näher ist als seine eigene Halsschlagader und nicht umgekehrt (vgl. Koran 50,16). ʿAṭṭār schreibt in diesem Zusammenhang über Gott: „Er ist uns nah, ganz nah; wir sind Ihm fern, so fern."[39] Ist überhaupt die Sehnsucht denkbar,[40] wenn dabei die Liebe fehlt, wenn Gott nicht das Antlitz des Menschen angenommen, nicht Mensch unter Menschen geworden ist? Die islamische Antwort ist hierbei eindeutig. Die Sehnsucht nach Gott ist insofern überhaupt möglich, als Gott die Sehnsucht nach sich selbst in den Menschen eingeschrieben hat. Der arabische Terminus, der dieses Phänomen im Koran hervorhebt, ist *fiṭra* (vgl. Koran 30,30).[41] Hierbei geht es um eine im Menschen natürlich verankerte Sehnsucht nach Gott. In seiner Erschaffung ist dem Menschen eine innere Transzendenzbezogenheit angelegt.[42] Diese *fiṭra* ist die eigentliche Ursache und die Trägerin der menschlichen Reise zu Gott, so dass die Offenbarung des Koran keine von außen herangetragene Lehre Gottes enthält, sondern im Grunde die bereits potentiell vorhandene Sehnsucht des Menschen erwecken lässt. In Anspielung auf die platonische Anamnesis-Lehre[43] schreibt Al-Ġazālī zur Aneignung Gottes gemäß *fiṭra*: „Das Lernen bringt dem Menschen nichts Neues von außen her, sondern es enthüllt lediglich das, was den Seelen der Menschen von Natur aus *(fiṭra)* innewohnt, wie im Fall desjenigen, der das Wasser aus der Erde hervorholt, und desjenigen, der die Bilder im Spiegel durch Polieren klar macht."[44] Diese inhärente Sehnsucht nach Gott bezeichnet den Naturzustand des Menschen, genauer die ursprüngliche menschliche Natur, deren Bezug aber der Mensch verloren hat. Ibn Ṭufail (1106-1185) widmet diesem Gedanken einen philosophischen Roman mit dem Titel *Ḥayy ibn Yaqẓān (Der Lebende, Sohn des Wachenden)*, in dem er zeigt, wie ein Mensch auf einer einsamen Insel von Geburt an allein aufwächst, umgeben von Natur und Tieren, und durch sich selbst zur Erkenntnis der Existenz Gottes gelangt.[45] Insofern versteht

....

38 Ġazālī, M., Gottesliebe, 682.
39 ʿAttar, Farīd ad-Dīn, Vogelgespräche, 160.
40 Al-Ġazālī schreibt: „Wer die wirkliche Liebe zu Gott leugnet, muß notwendig auch die wirkliche Sehnsucht nach Gott leugnen, da nur nach einem Geliebten Sehnsucht denkbar ist." Ġazzālī, Muhammad, Gottesliebe, 682.
41 Vgl. zum Folgenden: Gobillot, Geneviève, La fiṭra. La conception originelle, ses interprétations et fonctions chez les penseurs musulmans, Kairo 2000.
42 Vgl. Platon, Phaidon 75e.
43 Vgl. u. a. Platon, Menon 82a-86b.
44 Al-Ġazālī, Abu-Hamid Muhammad, Kriterium, 188.
45 Vgl. Ibn Ṭufail, Abū Bakr, Autodidakt.

sich der Islam als Erweckung des Menschen für seine natürliche Beschaffenheit.[46] Daher soll auch der Islam aus der Perspektive des Koran keinen Beitrag zu einer neuen Spaltung der abrahamitischen Tradition leisten, sondern Juden und Christen mit sich versöhnen: „Und sie sagen: ‚Seid ihr Juden oder Christen, dann werdet ihr rechtgeleitet.‘ ‚Sag: Nein! Zum Glauben Abrahams! Der war reinen Glaubens und nicht einer, der neben Gott Anderes stellte‘“ (Koran 2,135). Der Suchende auf dem Weg Gottes sucht Mitsuchende, aber schließt keine Gemeinschaft, niemanden und nichts aus. Daher heißt es im Koran: „Und Gottes ist der Osten und der Westen. Wo ihr euch hinwendet, ist das Antlitz Gottes“ (Koran 2,115). Vor diesem Hintergrund erzählt ʿAṭṭār von dem berühmten Liebenden Madschnun[47], der hier den liebenden Suchenden versinnbildlicht: „Ein Mann sah Madschnun sehr betrübt, wie er auf dem Weg den Wegstaub siebte. Er fragte: ‚Was suchst Du denn da, Madschnun?‘ Der sagte: ‚Ach ich suche immer Leila!‘ Er sprach: ‚Du findest Leila nicht im Staube – liegt wohl im Staube eine reine Perle?‘ Madschnun sagte: ‚Ach, ich such‘ sie überall – vielleicht, vielleicht find‘ ich sie doch einmal.‘“[48] Die Suche nach Gott schwächt aber nicht ab mit der Einsicht in die *fiṭra*, sondern im Gegenteil: die Suche schlägt gänzlich in unstillbare Sehnsucht um. Deshalb kann ʿAṭṭār von der *fiṭra* als Licht im Inneren des Suchenden sagen: „Wird dieses Licht dann klar in deinem Herzen // wächst jedes Suchen tausendfach im Herzen“.[49] Wer diesen Weg wagt, bleibt ein Suchender. Daher versteht sich der Islam nicht als das Ende, sondern als der Anfang und die Erfüllung dieser Reise, die im Kern Erkenntnis bedeutet.

3. Der Atheismus als die erste Station der Reise

In *Botschaft des Ostens* schreibt Iqbal: „Ich fragte einen Greis, einsichtig: ‚Was ist Leben?‘ Er sprach: ‚Je bitterer, je besser dieser Wein!‘ ... Ich sprach ... ‚Die Sehnsucht nach dem Weg führt nie zu einem Rastort!‘ Er sprach: ‚Den Rastort schließt schon diese Sehnsucht ein!‘ Ich sprach: ‚Er ist aus Staub – dem Staub wird man ihn geben!‘ Er sprach: ‚Der Same dringt durch Staub, wird Rose rein!‘“[50] Die Erkenntnis Gottes beginnt im Islam mit den Worten: „Es gibt keinen Gott“. Die Worte wollen aber nicht bloß Worte sein. *Es gibt keinen Gott* macht mit dem Glauben Ernst, der sich an Gott binden will. Daher bezeugen Muslime entschieden, dass

....

46   So ist vom Propheten Muhammad der Gedanke überliefert: „Jedes Kind wird in seiner natürlichen Beschaffenheit geboren. Es sind seine Eltern, die ihn zum Juden, zum Christen oder zum Magier machen“. Zitiert nach Al-Ġazālī, der von diesem Gedanken tief bewegt wurde, sodass er in seiner Biographie konstatiert, dass er von diesem Gedanken in seinem Inneren gedrängt wurde, „die Wahrheit dieser ursprünglichen Natur und die der zufällige Glaubensgrundsätze, die durch die Nachahmung von Eltern und Lehrern entstanden sind, zu erfahren und zwischen diesen blinden Nachahmungen zu unterscheiden.“ Al-Ghazālī, Abu-Hamid Muhammad, Erretter, 5.

47   Vgl. zur mystischen Bedeutung der Madschnun-Erzählung: Karimi, Ahmad Milad, Madschnun, 69–82.

48   ʿAṭṭār, Farīd ad-Dīn, Vogelgespräche, 208f.

49   Ebd.

50   Iqbal, Muhammad, Botschaft, 168.

es keinen Gott gibt. Auf den ersten Blick mag dies eigentümlich erscheinen, oder die Leugnung der Existenz Gottes als eine Art methodischer Atheismus verstanden werden, aber es hat einen tiefen und inhaltlichen Grund. Iqbal schreibt konsequent: „Bis man nicht das Mysterium des *Es gibt keinen Gott* errungen hat, wird man das Tor des *außer dem einen Gott* nicht öffnen können."[51] Wer glaubt, der muss sich in die maximale Entfernung von Gott begeben, die Leugnung der Existenz Gottes durchlaufen, das „Es gibt keinen Gott" internalisieren, ans Herz binden. In Bezug auf Gott bleibt der Mensch leer. Diese Leere ermöglicht erst den Glauben, der aber zunächst nichts als Armut bedeutet. Im Verhältnis zu Gott wird der Gläubige in Armut zurückgelassen. Die Gottesbedürftigkeit des Menschen wird indes nicht schrittweise gefüllt, sondern gerade die Bedürftigkeit ins Unendliche gesteigert. Der Glaube scheint somit bezogen auf Gott, einen anderen Weg zu gehen als der gewöhnliche Habitus, additiv sich Inhalte anzueignen. Gott ist kein Inhalt neben anderen Dingen. Aḥmad al-Ġazzālī (gest. 1126) widmet diesem Gedanken eine ganze Schrift mit der Frage, warum es für den Islam konstitutiv ist, bei dem Gedanken „Es gibt keinen Gott" Halt zu machen. Er schreibt: *„Es gibt keinen Gott* ist Gift, *außer Gott* ist ein Gegengift. Wie einer, der das Gift pur trinkt, ohne ein Gegengift dazu zu trinken, umkommt, so kommt um, wer das Gift *Es gibt keinen Gott* trinkt, ohne das Gegengift *außer Gott* zu trinken."[52] Daher ist der Islam nicht isoliert auf den Gedanken zurückzuführen, dass es den einen Gott gibt; vielmehr gehört zur Wirklichkeit dieser Einsicht unabdingbar, dass es keinen Gott gibt.[53] Für den Gläubigen, der in der Sehnsucht Gottes brennt,[54] ist die Abwesenheit Gottes der höchste Ausdruck der Hölle. In diesem Sinn wird auch die Hölle jenseits der Sprachbilder, Anagogien und Analogien in der Sure 3,77 als ein Zustand beschrieben, in dem Gott Menschen nicht anblickt. Rūmī beschreibt deshalb das Leben des Menschen in Sehnsucht nach Gott mit diesem drastischen Motiv: „Das Ergebnis des Ganzen sind allein drei Worte: ich verbrannte, ich verbrannte, ich verbrannte".[55] Diese Gottesferne ist aber im Glauben diesseitig transformiert und verinnerlicht; sie ist der erste Standpunkt des Islams. Insofern ist es bedeutsam, die Frage zu stellen, die in der Serie *Preacher* gestellt wird: „Woher weiß ich, dass es Gott ist, von dem ich geleitet werde, und nicht ich diese Stimme in meinem Kopf bin, der ohnehin das sagt, was ich gerne hören will?" Der *spekulative Atheismus* gehört deshalb zum Glauben, weil er zunächst jede Stimme leugnet, die Göttlichkeit in Anspruch nimmt, so dass

....

51 Iqbal, Muhammad, Pas čī bāyad kard ay aqwām-e šarq, 19.
52 Al-Ġazzālī, Ahmad I. M., Gottesglaube, 18.
53 Dekonstruktiv spricht bekanntlich Jean-Luc Nancy vom „Atheistisch-Werdens des Christentums", indem die Menschwerdung Gottes zugleich seine Vergöttlichung hinwegnimmt. „Gott löscht sich in ihm aus: Er ist die Auslöschung." Nancy, Jean-Luc, Dekonstruktion, 49.
54 Iqbal schreibt über den Propheten Muhammad: „Er brannte Ahnen-Unterschiede nieder, Sein Feuer ließ all diesen Schmutz verschwinden. Wir: einer Rose gleich mit hundert Blättern. Doch einem Duft – und er ist unsere Seele." Iqbal, Muhammad, Geheimnisse, 85.
55 Rūmī, Ǧalāl Muhammad, Kullīyāt-i Šams-i Tabrīz, Gedicht: 1768.

„Es gibt keinen Gott" zur *Idee* Gottes gehört. Erst die unbedingte Armut öffnet den Menschen für die Wirklichkeit Gottes. Dieser Gott lässt sich nicht verdinglichen, er ist kein Gegenstand, kein funktionaler Gott. In dieser Armut zeigt sich ein Grundzug der Religion des Islam: Armut weitet den Geist und sie verwurzelt den Menschen in Gott. Der muslimische Mystiker Ibn al-Ǧalā (gest. 918) schreibt über die Armut: „Sie besteht darin, daß du nicht hast, so daß du, wenn du hast, nicht hast, und insofern du nicht hast, nicht hast."[56] Allein ein entbundenes Herz pulsiert für Gott, für einen Gott, den es nicht gibt. Dieses Nicht-Geben Gottes zu erdulden stellt dabei den eigentlichen Kern des Glaubens dar.

4. Die Einheit Gottes als die zweite Station der Reise

Gott lässt sich nicht verdinglichen, objektivieren. *Es gibt keinen Gott* ist aber nicht das letzte Wort des Islam. Das Glaubenszeugnis der Muslime fügt dem *Es gibt keinen Gott* hinzu: *außer dem einen Gott.* Dieser Umschlag aus der absoluten Leere in die absolute Fülle macht aber nicht Gott verfügbar. Gott bleibt Verweigerung; eine Verweigerung, sich über Gott zu erheben. Insofern ist jede Handlung, die im Namen Gottes geschieht, dann religiös legitim, wenn sie in Wahrheit in Verantwortung vor Gott geschieht, d. h. mit der Demut verbunden ist, dass es nicht der Wille Gottes ist, der wie Blut in meinen Adern fließt, sondern mein Verständnis vom Willen Gottes, der trotz aller Weisheit prinzipiell falsch sein kann. Vom Gegenteil dieser Einsicht ist nämlich der Prediger in der Serie *Preacher* überzeugt, denn seine Erwählung als Mann Gottes ist mit einer Selbstsakralisierung verbunden, die zugleich die Entsakralisierung Gottes nach sich zieht – im Namen Gottes *nota bene.*

Dagegen kommt der Gläubige im Islam selbst mit der Einsicht, dass es den einen Gott gibt, in eine neue Armut *(faqr)* hinein. Gott bricht in die Wirklichkeit des Menschen ein. Dieser Einbruch lässt erkennen, so der Standpunkt der koranischen Offenbarung, dass es keinen Gott gibt, weil Gott die Gabe selbst ist. Der Koran repräsentiert diesen Einbruch Gottes in die Wirklichkeit des Menschen, wodurch der Mensch erkennt, dass der Ewige niemals abwesend war. Hervorgehoben wird dabei die absolute Einheit Gottes *(tauḥīd):* „Sag: Er ist Gott, der Eine. Gott, der Vollkommene. Nicht hat Er gezeugt und nicht ist Er gezeugt. Und nicht gleich ist Ihm einer!" (Koran 112) Die Einheit Gottes unterscheidet sich von Einheit im Gewöhnlichen dadurch, dass seine Einheit zum einen nicht nummerisch aufgefasst wird, so dass er der Zahl nach eins wäre, und zum anderen bezeichnet seine Einheit seine Einzigkeit, dass er keinen Partner oder Teilhaber hat, nicht in Personen unterteilt, übergeschlechtlich und immanent relationslos ist: „Gäbe es in beiden [sc. in den Himmeln und auf Erden] Götter außer Gott, dann wären sie beide verfallen dem Unheil" (Koran 21,22), heißt es im Koran. Gottes Einheit lässt sich demnach auch als seine vollkommene Reinheit

....
56 Zitiert nach As-Sarrāǧ: Gramlich, Richard, Mystik, 55.

bestimmen. Er ist rein von jeglicher Verhältnisbestimmung und Vergleichsmöglichkeit. Er ist nicht nur jenseits der Zweiheit, sondern auch der inneren Vielheit. Indessen lässt diese absolute Einheit Gottes keine Vorstellung von Gott zu.[57]

5. Die Attribuierung Gottes als die Erfüllung der Reise

Die Unvorstellbarkeit und Unverfügbarkeit Gottes stehen aber in einer inneren Spannung zu den Attributen Gottes. Im Koran gibt es eine Vielzahl an Namen und Eigenschaften Gottes, die auch in anthropomorpher[58] Hinsicht die Wirkweise Gottes in der Welt beschreiben. Allen voran wird Gott als Erschaffer aller Dinge und als Richter am Tage des Gerichts eingeführt, der Barmherzigkeit[59] und Gerechtigkeit walten lässt,[60] ist er doch als der ewig Lebendige[61] und einzig Beständige,[62] der Herr über Leben und Tod, der die Menschen trägt, tröstet und vollendet. In der islamischen Theologie werden die im Koran erwähnten Eigenschaften Gottes differenziert betrachtet. Die einzelnen theologischen Denkschulen sind sich in der Einschätzung und Bewertung der Eigenschaften Gottes uneinig. Diese Uneinigkeit hat aber eine eigene Diskurstradition hervorgebracht, bei der es um die genaue Bestimmung der Attribuierung Gottes geht. Prinzipiell aber wird zwischen den Wesenseigenschaften (ṣifāt aḏ-ḏāt) und Tateigenschaften (ṣifāt al-fiʿl) Gottes unterschieden.[63] Dabei sind die Wesenseigenschaften (attributa absoluta) jene Eigenschaften, die Gott als Gott unabdingbar zukommen, d. h. die Göttlichkeit Gottes bestimmen (z. B. wissend, mächtig, lebendig und wollend), so dass Gott nicht aufhört, diese Eigenschaften zu sein, und sie deshalb auch keinen Gegensatz haben können; hingegen werden die Tateigenschaften (attributa operativa) als jene Eigenschaften Gottes bestimmt, die erst mit der Erschaffung der Welt sinnfällig an Realität gewinnen und demnach auch Gegensätze haben können (z. B. belohnend und bestrafend). Die Frage ist, ob für uns die Göttlichkeit Gottes erkennbar ist, wenn uns beispielsweise Gott in einem Hundekostüm auf einem Sofa sitzt, still und leise atmend, wie dies in der Serie *Preacher* gezeigt wird? Weshalb kann dies kein Gott sein? Etwa deshalb, weil er ein Hundekostüm trägt?

....

57 Vgl. Plotin, Enneade V, 3, 13, 1-5.
58 Obgleich im Koran von der Hand oder Angesicht Gottes die Rede ist, so hat sich in der islamischen Theologie die Auslegung durchgesetzt, dass wir zwar von der Hand oder vom Angesicht Gottes sprechen können, aber ohne sagen zu können, wie es ist; bzw. sind die anthropomorphen Aussagen nur Sprachbilder für die Menschen. Vgl. zum Folgenden: Karimi, Ahmad Milad, Hingabe, 163; El Omari, Dina, Anthropomorphismus, 21–46; Gharaibeh, Mohammad, Anthropomorphe Wendungen, 99-122.
59 Koran 6,54: „Euer Herr hat Sich selbst Barmherzigkeit vorgeschrieben".
60 Koran 1,2-4: „Das Lob Gott, dem Herrn der Welten, dem Barmherzigen und dem Erbarmer, dem Herrscher am Tage des Gerichts."
61 Koran 2,255: „Gott, kein Gott außer Ihm, dem Lebendigen, dem Beständigen!"
62 Koran 28,88: „Alles ist untergehend: Nicht Sein Antlitz."
63 Vgl. Al-Ašʿarī, Abū l-Ḥasan ʿAlī ibn Ismāʿīl, Maqālāt al-islāmīyīn wa-ḫtilāf al-muṣalīn, 508, 11f.; aš-Šahrastānī, Abū al-Fatḥ, Kitāb al-Milal wa-n-niḥal, 45; Al-Ǧīlānī, ʿAbdalqādir, Sirr al-asrār, 47f. Daiber, Hans, System, 214.

Die Klassifizierung der Eigenschaften ist bei den jeweiligen theologischen Denkschulen different.[64] Die theologisch reizvolle Frage dabei ist, wie man überhaupt einem Gott, dessen Einheit als vollkommen rein aufgefasst wird, Attribute zusprechen kann, ohne dabei seine Einheit zu verletzen? Während der Neuplatoniker Plotin das Eine als vollkommen transzendent und mithin als unsagbar und absolut einheitlich auffasst,[65] womit er der islamischen Geistestradition sehr nahe steht, so fordert die koranische Offenbarung eine theologische Synthese dieser Einheit mit den Eigenschaften Gottes. Auch zu dieser Frage sind mehrdeutige und vielfältige Positionen zu verzeichnen. Während die theologische Denkschule der Muʿtazila letztlich überhaupt jede wesentliche Attribuierung Gottes ablehnt, weil Gott nicht z. B. durch das Wissen wissend sei, sondern durch sich selbst, so vertritt die theologische Denkschule der Ašʿarīya die These, dass allein die Wesensattribute zwar Gott inhärent sind, so dass man sagen könne, Gott sei z. B. wesentlich wissend, aber die Wesenseigenschaften seien weder Gott noch etwas anderes als Gott.[66] Dieselbe paradoxale Bestimmung vertritt auch die theologische Denkschule der Māturīdīya, aber mit dem Unterschied, dass in dieser Schule auch die Erschaffung der Welt als eine Wesenseigenschaft gilt, so dass hier sowohl die Wesens- als auch die Tatattribute Gott gleichermaßen in Ewigkeit inhärieren. Der Weg der Einheit Gottes führt also zu seinen Attributen, genauer: zur Erkenntnis der Attribute Gottes *(maʿrifatu-ṣifāti-l-llāh)*. Im Koran heißt es: „Sag: ‚Ruft Gott an oder ruft den Barmherzigen an, wie ihr Ihn anruft, Sein sind die Namen, die schönsten.'" (Koran 18,11) Die Namen Gottes sind die schönsten, weil Gott schön ist, bezeugt der Prophet Muhammad und fügt hinzu: „Und Er liebt die Schönheit."[67] Doch auch dieser Weg muss sich der Attribute entledigen, denn Gott ist weder ein Name noch eine Eigenschaft. Was bleibt, ist nicht ein Rückschritt in die eigenschaftslose Einheit Gottes, sondern eine mit den Attributen einhergehende ge- und erfüllte Einheit. ʿAṭṭār schreibt in diesem Zusammenhang: „Wird nun dein Herz von Attributen rein, beginnt für dich des Gottes-Wesens Schein."[68] Für den Glaubensvollzug sind die Eigenschaften Gottes keineswegs abstrakt; vielmehr sollen sie ins eigene Leben aufgenommen werden.[69] Erst die Aneignung der Eigenschaften Gottes ermöglicht – vor allem der mystischen Tradition des Islam zufolge – einen ersten[70] Geschmack *(ḏauq)* von Gott.[71] Wer in seiner Ta-

....

64 Obgleich Leben, Wissen, Macht und Wille bei allen Denkschulen als Wesenseigenschaften angenommen werden, so kommt bei der theologischen Denkschule der Ašʿarīya auch Hören, Sehen und Sprechen als Wesenseigenschaften Gottes hinzu, sowie bei der Denkschule der Māturīdīya neben den erwähnten sieben Eigenschaften auch die Erschaffung der Welt (takwīn). Vgl. zum Folgenden: Karimi, Ahmad Milad, Hingabe, 141–154.

65 Vgl. Plotin, Enneade V 3,13,1f.

66 Vgl. Al-Ašʿarī, Abū l-Ḥasan ʿAlī ibn Ismāʿīl, Maqālāt al-islāmīyīn wa-ḫtilāf al-muṣalīn, 169.

67 Nawawī, Yaḥyā ibn Šaraf, Ḥadīt-Nr.: 617, 194.

68 ʿAṭṭār, Farīd ad-Dīn, Vogelgespräche, 208.

69 Vgl. Sulamī, ʿAbd ar-Raḥmān, Ḥaqāʾiq at-tafsīr; zitiert nach: Gramlich, Richard, Alte Vorbilder, 289.

70 Für Al-Anṣārī gilt die Erkenntnis der Eigenschaften Gottes als die erste Stufe des geistigen Weges: Al-Anṣārī, ʿAbdallāh, Wayfarers, 219.

71 Vgl. zum Folgenden: Ibn ʿArabī, Muḥyī d-Dīn, al-Futūḥāt al-makkīya, 267.

ten Spur geht, der verliert sich, um sich in Gott wiederzufinden.[72] Denn durch die Annahme der Eigenschaften Gottes enthüllt sich Gottes Wirklichkeit im Menschen. „Wir werden sie sehen lassen Unsere Zeichen an den Horizonten und an ihnen selbst, damit ihnen klar werde, dass es die Wahrheit" ist (Koran 41,53), heißt es im Koran.

6. Gott als Mitreisender

Gottes Wirklichkeit erleben Muslime nicht gegenständlich, sondern – um es mit einem treffenden Wort Schellings zu sagen – „urständlich".[73] Obgleich die Transzendenz und die absolute Einheit Gottes im Islam besonders hervorgehoben werden, kennt Gott keine Distanz zu Menschen, und mit der Herabsendung des Koran rückt die Transzendenz in eine unfassbare Nähe. Daher legt der Ewige dem Propheten Muhammad ans Herz: „Und wenn dich Meine Diener befragen über Mich: Nah bin Ich! Ich höre den Ruf des Rufenden, wenn er Mich anruft." (Koran 2,186) Es ist nicht die unendliche Ferne, die das Verhältnis des Menschen zu Gott bestimmt, sondern die unendliche Nähe, ja eine Übernähe. Im Koran ist diese Übernähe klar benannt, indem es heißt: „Und Wir sind ihm näher als die Halsschlagader." (Koran 50,16) Im Unterschied zum Judentum, wo allen voran der Gedanke vermittelt wird, dass *Gott über uns* ist, im Unterschied zum Christentum, wo zentral der Gedanke vermittelt ist, dass *Gott unter uns* ist, und im Unterschied zum Hinduismus, wo *Gott in uns* ist, ist der Gedanke im Islam von zentraler Bedeutung, dass *Gott mit uns* ist: „Er ist mit euch, wo immer ihr seid." (Koran 57,4) Der *mit*hafte Charakter der Seinsweise Gottes mit seiner Schöpfung zeugt von einem außerordentlichen Verhältnis, was im Grunde ein Unverhältnis ist. Gott ist dem Menschen nicht nahe oder fern, sondern er ist derart mit dem Menschen anwesend, dass er dabei jede Distanz überschreitet. Diese Übernähe kann man als eine „immanente Transzendenz" oder als Gegenwart bezeichnen, weil sie als das in der Zeit, was nicht vergeht, aber sich alles Vergehen an ihr ereignet, keine Kategorie der Zeit, sondern eine Kategorie der Ewigkeit darstellt. Teilhabe an dieser Gegenwart verändert die Reise des Menschen zu Gott grundlegend. Nichts kann diese Reise des Menschen besser einfangen als das Gebet, das den Menschen zum Äußersten erhebt. Iqbal schreibt: „Die Wahrheit ist, daß alles Streben nach Erkenntnis seinem Wesen nach eine Form des Gebets ist."[74] Im Gebet vollzieht der Mensch eine Reise, die weltlich nicht erfassbar ist, aber in der Welt die Schranken der Welt aufhebt – in der Gegenwart Gottes. Hier ist der rezitative Charakter des Gebets, dass wir immer wieder und immer erneut die Reise angehen, zu betonen, so dass wir immer am Anfang der Reise stehen. In *Buch der Ewigkeit* heißt es bei Iqbal: „Das Leben ist nicht ew'ge Wiederholung; Sein Quell liegt im

---

72 Vgl. ebd., 231.
73 Vgl. zum Folgenden: Gabriel, Markus, Der Mensch im Mythos, 121.
74 Iqbal, Muhammad, Wiederbelebung,118.

Beständigen, Lebend'gen. Dem nah zu sein, der sprach: ‚Ich bin dir näher!' Heißt: Anteil haben an dem ew'gen Leben. Das Wort ‚Kein Gott als Er' hebt die Person ins Göttliche".[75] Dass in der Serie *Preacher* im Hundekostüm nicht Gott, sondern der alte, bärtige Mann, der falsche Gott steckt, kann als indirekte Bestätigung dieser These erachtet werden.

Literatur

Primärquellen

- Der Koran, vollst. u. neu übers. von Karimi, Ahmad Milad. Mit einer Einf. hg. von Uhde, Bernhard, Freiburg i. Br./Basel/Wien 20142.

Weitere Literatur

- Abū Ḥanīfa, al-Nuʿmān, „Risāla ilā ʿUṯmān al-Battī I", in: al-Kauṯarī, Muhammad Zāhid (Hg.), ʿĀlim wamuta ʿallim, Kairo 1949.
- Al-ʿAǧlūnī, Ismaʿil ibn Muhammad, Kašf al-ḫāfāʾ wa muzīl al-ilbās, Bd. 2, o. O. u. J.
- Al-Anṣārī, ‚Abdallāh, Manāzil as-sāʾirīn. Stations of the Wayfarers, übers. von Albouraq, Dar, Paris 2011.
- Al-Ašʿarī, Abū l-Ḥasan ʿAlī ibn Ismāʿil, Maqālāt al-islāmīyīn wa-ḫtilāf al-muṣalīn, hg. von Ritter, Hellmut, Wiesbaden 19632.
- ʿAṭṭār, Farīd ad-Dīn, Das Gottesbuch, in: Schimmel, Annemarie (Hg.), Vogelgespräche und andere klassische Texte, München 1999, 61-140.
- -, Vogelgespräche, in: Schimmel, Annemarie (Hg.), Vogelgespräche und andere klassische Texte, München 1999, 145-232.
- Al-Bazdawī, Abu al-Yusr Muhammad, Kitāb uṣūl ad-dīn, in: Linss, Hans-Peter (Hg.), Probleme der islamischen Dogmatik, Kairo 1963.
- Al-Buḫārī, Muhammad, Kitāb al-ǧamiʿ aṣ-ṣaḥīḥ, hg. von al-Nawāwī, Ḥ., Kairo 1378/1958.
- Conrad, Lawrence (Hg.), The World of Ibn Ṭufayl. Interdisciplinary Perspectives of Ḥayy ibn Yaqẓān, Leiden 1996.
- Al-Daghistani, Raid, Epistemologie des Herzens: Erkenntnisaspekte der islamischen Mystik, Köln 2017.
- Daiber, Hans, Das theologisch-philosophische System des Muʿammar ibn ʿAbbād as-Sulamī, Beirut 1975.

---

75   Iqbal, Muhammad, Ewigkeit, 324f.

- El Omari, Dina, „Anthropomorphismus und Abstraktion in der muslimischen Koranexegese", in: Dziri, Amir (Hg.), Gottesvorstellungen im Islam. Zur Dialektik von Transzendenz und Immanenz, Freiburg i. Br. 2013, 21-46.
- Ess, Josef van, Le mi'rāǧ et la vision de Dieu dans les premières spéculations théologiques en Islam, in: Amir-Moezzi, Mohammad Ali (Hg.), Le voyage initiatique en terre d'Islam, Paris 1996, 27-56.
- Gabriel, Markus, Der Mensch im Mythos. Untersuchungen über Ontotheologie, Anthropologie und Selbstbewußtseinsgeschichte in Schellings Philosophie der Mythologie, Berlin/New York 2006.
- Gharaibeh, Mohammad, „'Die Herzen der Diener zwischen zwei Fingern des Allerbarmers?' Zum Umgang mit anthropomorphen Wendungen im Qur'ān und der Sunna im Kontext islamischer, deutschsprachiger Theologie", in: Karimi, Ahmad Milad/ Khorchide, Mouhanad, Jahrbuch für islamische Theologie und Religionspädagogik, Bd. 1, Freiburg i. Br. 2012, 99-122.
- Al-Ghasâli, Muhammad, Das Elixier der Glückseligkeit, übers. von Ritter, Hellmut; mit einem Vorw. von Schimmel, Annemarie, München 1998.
- Al-Ghazālī, Abu-Ḥamid Muhammad, Das Kriterium des Handelns, übers., mit einer Einl., mit Anm. u. Indices hg. von Elschazlī, 'Abd-Elṣamad, Darmstadt 2006.
- -, Der Erretter aus dem Irrtum, übers., mit einer Einl., mit Anm. u. Indices hg. von Elschazlī, 'Abd-Elṣamad, Hamburg 1988.
- -, Kīmīyā-i sa'ādat, hg. von Ḥadivjam, Ḥ., Teheran 1380 (H.š.).
- -, Lehre von den Stufen zur Gottesliebe. Die Bücher 31–36 seines Hauptwerkes. Eingeleitet, übers. und kommentiert v. Gramlich, Richard, Wiesbaden 1984.
- Al-Ǧīlānī, 'Abd al-Qādir, Sirr al-asrār, Damaskus 1994.
- Gobillot, Geneviève, La fiṭra. La conception originelle, ses interprétations et fonctions chez les penseurs musulmans, Kairo 2000.
- Gramlich, Richard, Alte Vorbilder des Sufismus: Scheiche des Westens, Bd. 1., Wiesbaden 1995.
- -, Der reine Gottesglaube: Das Wort des Einheitsbekenntnisses. Ahmad Al-Ġazzālis Schrift At-Taǧrid fī kalimat at-tawḥīd, Wiesbaden 1983.
- Hegel, Georg Wilhelm Friedrich, Werke, 20 Bde. (Auf der Grundlage der Werke von 1832–1845), Frankfurt a.M. 1969-1971.
- Ibn 'Arabī, Muhyī d-Dīn, al-Futūḥāt al-makkīya. Bd. 2, Kairo 1911.
- Iqbal, Muhammad, Botschaft des Ostens, in: Schimmel, Annemarie (Hg.), Botschaft des Ostens. Ausgewählte Werke, Tübingen/Basel 1977.
- -, Buch der Ewigkeit, in: Schimmel, Annemarie (Hg.), Botschaft des Ostens. Ausgewählte Werke, Tübingen/Basel 1977.
- -, Die Wiederbelebung des religiösen Denkens im Islam, übers. aus dem Englischen und hg. von Monte, Axel u. Stemmer, Thomas, Stuttgart 2003.

- -, Geheimnisse des Selbst, in: Schimmel, Annemarie (Hg.), Botschaft des Ostens. Ausgewählte Werke, Tübingen/Basel 1977.
- -, Pas čī bāyad kard ay aqwām-e šarq, Lahore 1936.
- Ibn Isḥāq, Muhammad, Das Leben des Propheten, übers. u. bearb. von Rotter, Gernot, Kandern 1999.
- Ibn Taimīya, Ahmad, Maǧmuʿ al-fatāwa li-šaiḫ al-islām Ibn Taimīya, Bd. 10, gesammelt und eingeordnet von Muḥammad, ʿA. R. b, Medina 1424/2004.
- Ibn Ṭufail, Abū Bakr, Der Philosoph als Autodidakt. Ein philosophischer Inselroman (übers. u. hg. von Patric O. Schaerer), Hamburg 2004.
- Jabre, Farīd, Essai sur le Lexique de Ghazali, Beyrouth 1970.
- Karimi, Ahmad Milad, Der Rausch vom ersten Wein – Zur Liebe und Trunkenheit in Neẓāmīs Epos, Leila und Madschnun, in: Uhde, Bernhard (Hg.), Wein und Zeit. Festschrift zu Ehren des 60. Geburtstages von Fritz Waßmer, Freiburg i. Br. 2013, 69-82.
- -, Hingabe. Grundfragen der systematisch-islamischen Theologie, Freiburg i. Br. 2015.
- Al-Māturīdī, Abu Mansur, Kitāb at-tauḥīd, hg. von Ḫulaif, Fathallah, Beirut 1970.
- Nancy, Jean-Luc, Anbetung. Dekonstruktion des Christentums, übers. von Ester von der Osten, Zürich 2012.
- Nasr, Seyyed Hossein, Sadr al-Din Shirazi and his Transcendent Theosophy, Background, Life and Works, Teheran 1997.
- Nawawī, Yaḥyā ibn Šaraf, Riyāḍ aṣ-ṣāliḥīn, bāb tahrīm al-kibr wa al-iʿǧāb, Kairo 1424/2004
- Platonis Opera, hg. von Burnet, Joannes, 5 Bde, Oxford 1979-1982.
- Plotini Opera, hg. von Henry, Paul u. Schwyzer, Hans-Rudolf, 3 Bde, Paris/Brüssel 1951-1973.
- Rahman, Fazlur, The Philosophy of Mullā Ṣadrā, Albany 1975.
- Rizvi, Sajjad, Mullā Ṣadrā Shirazi: His Life, Works and Sources for Safavid Philosophy, Oxford 2007.
- Rūmī, Ǧalāl Muhammad, Kullīyāt-i Šams-i Tabrīz, hg. von Furūzānfar, Badiʿ-al-Zamān, Teheran 1987.
- As-Sarrāǧ, in: Gramlich, Richard, Islamische Mystik. Sufische Texte aus zehn Jahrhunderten, Stuttgart/Berlin/Köln 1992.
- As-Šahrastānī, Abū al-Fath, Kitāb al-Milal wa-n-nihal, hg. von Cureton, William, Leipzig 1923.
- Aš-Šīrāzī, Ṣadrā ad-Dīn, Šarḥ al-uṣūl al-kāfī, hg. von Ostadi, R., Bd. 3., Teheran 2007.
- Schimmel, Annemarie, Der Islam. Eine Einführung, Stuttgart 1990.

- -, Weisheit des Islams, Stuttgart 2003.
- Theunissen, Michael, Sein und Schein. Die kritische Funktion der Hegelschen Logik, Frankfurt a.M. 1980.

Zum Weiterlesen

- Amir-Moezzi, Mohammad Ali (Hg.), Le voyage initiatique en terre d'Islam, Paris 1996.
- Dziri, Amir (Hg.), Gottesvorstellungen im Islam. Zur Dialektik von Transzendenz und Immanenz, Freiburg i. Br. 2013.
- Karimi, Ahmad Milad/Khorchide, Mouhanad (Hg.), Jahrbuch für islamische Theologie und Religionspädagogik, Bd. 1, Freiburg i. Br. 2012.
- -, Warum es Gott nicht gibt und Er doch ist, Freiburg i. Br/Basel/Wien 2018.
- Uhde, Bernhard (Hg.), Wein und Zeit. Festschrift zu Ehren des 60. Geburtstages von Fritz Waßmer, Freiburg i. Br. 2013.

GOTT IST NICHT IM SINGULAR ZU DENKEN – WACHSENDE RELIGIÖSE FUNDAMENTALISIERUNGEN UND WIE SIE DIE GOTTREDE IM RELIGIONSUNTERRICHT HERAUSFORDERN

Wolfgang Weirer

„Am 7. Jänner 2015 verübten zwei Islamisten einen Anschlag auf die Redaktion der Satirezeitschrift *Charlie Hebdo* in Paris. Elf Menschen wurden dabei getötet. Weltweit gingen Menschen auf die Straße und bekundeten ihre Solidarität mit den Opfern mit dem Spruch ‚Je suis Charlie'. Politiker aus aller Welt verurteilten den Anschlag. Nicht so meine Schüler. Viele meiner Schüler feierten die Attentäter wie Helden. Die Opfer spielten für sie keine Rolle. An diesem Tag wurde mir bewusst, wie stark der konservative bis fundamentalistische Islam unsere Schüler beeinflusst, wie sehr Religion die Gedanken der Kinder beherrscht. Ich erkannte, wie weit die Mehrheit in der Schule von den Werten, die wir Lehrer ihnen zu vermitteln versuchten, entfernt war."[1]

Die Wiener Lehrerin Susanne Wiesinger schildert in dieser Passage ihre Motivation, im Spätsommer 2018 ein Buch mit dem Titel „Kulturkampf im Klassenzimmer"[2] zu veröffentlichen. Dieses Buch sorgte in den darauffolgenden Wochen für Furore, erhielt maximale mediale Aufmerksamkeit und führte zu einer durch die Politik zusätzlich befeuerten Diskussion rund um radikalisierte Ausprägungen von Religion im Allgemeinen und um den Islamismus („politischer Islam") im Besonderen. Das Thema „Religion in der Schule" wurde über Monate hinweg mit besonderer Aufmerksamkeit auf fundamentalistische Ausprägungen und Radikalisierungstendenzen hin diskutiert.

Trotz polarisierender Zuspitzungen[3] im Buch „Kulturkampf im Klassenzimmer" sind die darin enthaltenen Hinweise ernst zu nehmen: In manchen Brennpunktschulen sind zunehmend fundamentalistische Formen von Religion wahrnehmbar. Wiesingers Buch nimmt zwar vor allem auf den Islam Bezug, andere Religionen sind davon aber nicht ausgeschlossen. Beratungsstellen signalisieren, dass die Anfragen zum Thema „Fundamentalismus" im Steigen begriffen sind.[4] Diese betreffen vorran-

---

1   Wiesinger, Susanne/Thies, Jan, Kulturkampf im Klassenzimmer, 14.
2   Ebd.
3   Vgl. dazu auch die fundierte und sachorientierte Auseinandersetzung mit dem Buch von Susanne Wiesinger aus islamisch-religionspädagogischer Perspektive bei Yağdı, Şenol, Kulturkampf vs. Bildungskampf in der Migrationsgesellschaft?
4   Vgl. Karcher, Florian, Jugendkultur, Religion und Fundamentalismus.

gig islamistischen Fundamentalismus, v. a. salafistische Strömungen. In Bezug auf die Verbreitung fundamentalistischer Weltsichten bei Jugendlichen in christlichen Milieus gibt es gegenwärtig noch keine eindeutigen empirischen Studien.[5] Meine eigene Erfahrung aus einer Reihe von Fortbildungsveranstaltungen mit Religionslehrer*innen ist es aber, dass zunehmend die Unsicherheit geäußert wird, wie mit Wortmeldungen von Schüler*innen umgegangen werden soll, die ganz offensichtlich aus fundamentalistisch geprägten Kreisen kommen. Diese vertreten in Bezug auf die Bibel mit voller Überzeugung ein wörtliches Verständnis biblischer Texte und fordern auch von Lehrer*innen eine klare und eindeutige Positionierung in dieser Hinsicht ein. Lehrpersonen fühlen sich mit der Bearbeitung derartiger Phänomene in der Regel überfordert.

Im vorliegenden Beitrag soll zunächst der schillernde und vielfältig eingesetzte Begriff „Fundamentalismus" konturiert und somit bearbeitbar gemacht werden. In weiterer Folge wird die Bedeutung des Themas „religiöse Fundamentalismen" für Kinder und Jugendliche in den Blick genommen. Spezifische Herausforderungen, die sich aus diesen Wahrnehmungen für die Religionsdidaktik ergeben, stellen den zweiten Teil des Beitrags dar. Dafür werden vorläufige Antwortversuche aus dem Bereich der Extremismusbekämpfung und -prophylaxe religionspädagogischen Überlegungen gegenübergestellt. Gegenwärtig entwickeln die unterschiedlichen Disziplinen weitgehend unabhängig voneinander jeweils eigene Lösungsstrategien. Hypothese dieses Beitrags ist es, dass durch den Austausch unterschiedlicher Wahrnehmungen und Lösungsansätze im interdisziplinären Gespräch effektivere Strategien und Konzepte in Bezug auf die Fundamentalismusprophylaxe und auf didaktische Reaktionen auf fundamentalistische Strömungen entwickelt werden können. Diesbezüglich sollen erste Überlegungen angestellt werden.

1. (Religiöser) Fundamentalismus – Aspekte eines schillernden Begriffs

Die Beobachtungen und Schlussfolgerungen Susanne Wiesingers beziehen sich fast ausschließlich auf spezifische, durchaus als radikalisiert zu bezeichnende Ausprägungen islamischer Denk- und Lebensweisen. Um die Phänomene einordnen zu können und operationalisierbar zu machen, lohnt sich ein Blick darauf, was generell unter (religiösem) Fundamentalismus zu verstehen ist – sowohl im islamischen als auch im christlichen Kontext –, welche Erklärungsmodelle es für seine Entstehung gibt und was fundamentalistische Ausprägungen von Religion gerade für Jugendliche attraktiv zu machen scheint.

Der Begriff „Fundamentalismus" hat in den letzten Jahren eine erstaunliche Geschichte und Wandlung erlebt und wird gegenwärtig oft mit „Terror" und „Gewalt"

----

5 Vgl. ebd., 163.

konnotiert.[6] Ursprünglich trat der Begriff als Selbstbezeichnung einer Allianz orthodoxer protestantischer Gruppen in den USA im frühen 20. Jahrhundert in Erscheinung, die sich als „fundamentalists" gegenüber den „modernists" abgrenzten. Sie stützten sich dabei auf die von ihnen gegründete Schriftenreihe „The Fundamentals", die von 1909 – 1915 erschien.[7] „Diese Bewegung bekämpfte zunächst modernistische Phänomene innerhalb ihrer Kirchen, wie etwa die Bibelkritik oder sozialreformerische Deutungen des Christentums. Darüber hinaus wandte sie sich gegen den allgemeinen ‚Sittenverfall', den sie nicht nur in Phänomenen wie Alkoholkonsum, Wettspiel oder Prostitution sahen, sondern auch generell in der säkularen Kultur moderner Großstädte."[8] Zentrale Kennzeichen des Fundamentalismus in allen monotheistischen Religionen sind daher seit seinen Ursprüngen zum einen das Bestehen „auf einer direkten, wörtlichen und unveränderten Geltung der Urschrift bzw. einer Urordnung"[9] und damit einhergehend „das Bemühen, an der eigenen Glaubenstradition und den eigenen Glaubensüberzeugungen möglichst unverändert festzuhalten, ungeachtet der Infragestellung vor allem durch die moderne Wissenschaft, sei es in Gestalt der Evolutionstheorie oder der historisch-kritischen Methode"[10]. Zum anderen sind fundamentalistische Strömungen geprägt durch einen „gesetzesethischen Rigorismus"[11], der sich in der Regel jeder (Selbst-)Reflexion entzieht und geschichtlichen Kontextualisierungen durch ein ahistorisches Selbstverständnis entgegensteht. „Fundamentalisten deuten die Welt von einem bestimmten, unverrückbaren Standpunkt aus und beschäftigen sich deswegen auffallend häufig mit der Frage, wie der Mensch zu leben hat, was er tun darf und was er unterlassen muss."[12] Religiöser Fundamentalismus lässt sich somit – auch heute noch – als kulturelle und spirituelle Abwehrreaktion auf Phänomene der Moderne verstehen. Er stellt einen Antwortversuch auf die befürchtete Bedrohung von Identität durch den Säkularismus, der religiöse Wahrheitsansprüche zu unterminieren und religiöse Kultur zu zerstören scheint[13], oder durch andere Weltdeutungs- und Sinngebungskonzepte dar. In der Abwehr wahrgenommener Marginalisierungen von Religion tritt Fundamentalismus einerseits als religiös-soziale Bewegung in Erscheinung. Andererseits führt die Reaktion auf den sozialen Wandel und auf Krisenerfahrungen in der Moderne zu einer Politisierung von Religion.[14]

....

6   Zur Begriffsgeschichte seit den Ursprüngen im amerikanischen Kontext vgl. die sehr instruktive Einführung bei: Goertz, Stephan/Hein, Rudolf B./Klöcker, Katharina, Zur Genealogie und Kritik des katholischen Fundamentalismus. Vgl. auch Kienzler, Klaus, Der religiöse Fundamentalismus, 29-34.

7   Vgl. Schwöbel, Christoph, Vertauschte Fundamente, 11. In dieser Schriftenreihe wurden u. a. fünf unaufgebbare „Fundamentalprinzipien" des Christentums definiert, die es gegen liberale Strömungen zu verteidigen galt: Irrtumslosigkeit der Schrift; Jungfrauengeburt; stellvertretender Sühnetod Christi; leibliche Auferstehung Christi; Authentizität der von Jesus vollbrachten Wunder.

8   Riesebrodt, Martin, Was ist „religiöser Fundamentalismus"?, 16.

9   Scheilke, Christoph Th., Religiöser Fundamentalismus, 9.

10 Schweitzer, Friedrich, Fundamental, nicht fundamentalistisch, 17.

11 Scheilke, Christoph Th., Religiöser Fundamentalismus, 9.

12 Edler, Kurt/Schnack, Jochen, Umgang mit Fundamentalismus und Intoleranz, 7.

13 Vgl. Scheilke, Christoph Th., Religiöser Fundamentalismus, 6.

14 Vgl. Könemann, Judith, Lernen gegen die Angst, 405f.

1.1. Spezifika des islamischen Fundamentalismus

„Radikaler Islam hat im Detail viele Spielarten, strukturell (nicht inhaltlich) ver-gleichbar fundamentalistischen Strömungen des Christentums."[15] Dennoch lassen sich einige Merkmale benennen, die auf fundamentalistische Ausprägungen des Islam hinweisen: Ein Kennzeichen ist es, dass das Denken islamischer Fundamentalisten keine Vielfalt von Glaubensstilen und von religiösen Überzeugungen zulässt. „Die Welt" wird zum Gegenüber der eigenen Überzeugung und zum „Tummelplatz des Bösen und der Versuchung. Andere Religionen und andere Weltanschauungen sind die natürlichen Feinde der einen Wahrheit."[16] Das führt in weiterer Folge dazu, dass Angehörige fundamentalistischer Strömungen ihre Identität fast ausschließlich über Religion definieren: Menschen werden auf ihr Muslim*in-Sein reduziert.[17] Muslimi-sche Schüler*innen können in einem derartigen Kontext Zwiespälte, die sich etwa aus Konflikten zwischen der Glaubenspraxis und dem Wunsch nach Erfolg in der Schule ergeben können (z. B. die Frage nach dem Fasten in der Prüfungszeit) nicht durch Kompromisse oder durch Interessensabwägungen lösen. „Maßgeblich ist al-lein das Verständnis als Muslim, an dem sich alles Handeln zu messen habe. Statt ‚Muslim' *und* ‚Schüler' ist hier allein das Verständnis als ‚Muslim' entscheidend."[18] Gerade unter den Bedingungen einer Minderheit, die sich als „Gegenüber" zu einer Mehrheitsgesellschaft erlebt oder versteht, wird dann „Muslim-Sein" mit „Fremd-Sein" gleichgesetzt, das somit zu einem Identitätsmerkmal wird. „Die Muslime iden-tifizieren sich damit, die Mehrheitsgesellschaft grenzt sich damit von den Muslimen ab: ‚Wir und Ihr, die Muslime'."[19] Das Bekenntnis zum Islam ermöglicht in dieser Situation ein Gefühl der Zugehörigkeit zu einer Gemeinschaft unter „Geschwistern, die mit starken emotionalen Bindungen und dem Gefühl von Zugehörigkeit und An-erkennung sowie verbindlichen Werten und Normen verbunden ist"[20].

Eine spezifische „Spielart" des islamistischen Fundamentalismus ist der *Salafismus*. Mit diesem – ebenso äußerst vielfältig verwendeten – Begriff ist eine sektiererische und negative Konnotation verbunden. Er taucht oft im Zusammenhang mit Terro-rismus, Extremismus und Radikalisierung auf.[21] Aslan und Akkılıç definieren Sa-lafismus als „neoorthodoxe Strömung des islamischen Reformismus mit Ursprung im späten 19. Jahrhundert. Sie verfolgt das Ziel, den Islam durch eine Rückkehr zur Tradition der ‚frommen Vorfahren' *(as-salaf aṣ-ṣālih),* welche als vorbildhaft für muslimische Gläubige gilt, in Reinform zu verwirklichen."[22] Besonders in neosala-

....

15 Jung, Karsten, Islamismus als religionspädagogische Herausforderung, 126.
16 Spaeth, Frieder, Fundamentalismus als Herausforderung, 5.
17 Vgl. Scheilke, Christoph Th., Religiöser Fundamentalismus, 7.
18 Nordbruch, Götz, Identität, Gemeinschaft und Protest, 167.
19 Khorchide, Mouhanad, Islamischer Fundamentalismus, 93.
20 Nordbruch, Götz, Identität, Gemeinschaft und Protest, 167.
21 Aslan, Ednan/Akkılıç, Evrim Erşan, Islamistische Radikalisierung, 50; vgl. auch Toprak, Ahmet/Weitzel, Gerrit, Warum Salafismus den jugendkulturellen Aspekt erfüllt.
22 Aslan, Ednan/Akkılıç, Evrim Erşan, Islamistische Radikalisierung, 300.

fistischen Strömungen ist ein spezifisches Pathos strikter Einwertigkeit zu konstatieren. Charakteristisch ist ein „bipolares Denken, das menschliches Handeln zwanghaft in einem Halal-Haram-Diskurs als erlaubt oder unerlaubt verortet"[23]. Es gehört zum Selbstverständnis von Salafist*innen, sich als Außenseiter zu verstehen[24] und sich ausdrücklich von der nichtmuslimischen Umwelt abzugrenzen.[25] Die salafistische Ideologie stellt ein Deutungs-, Identitäts- und Gemeinschaftsangebot v. a. in biographischen Krisen und Phasen der Sinnsuche und Orientierungslosigkeit dar.[26]

1.2. Spezifika des christlichen Fundamentalismus

Wenn religiöser Fundamentalismus einleitend als Abwehrreaktion auf die Moderne beschrieben wurde, so trifft das auch auf christliche Fundamentalismen, insbesondere auf solche in der katholischen Kirche, zu. „Die als Identitätsbedrohung erfahrene Modernisierung wird beantwortet durch eine radikale Neuorientierung an dem, was als die Fundamente der Religion gesehen wird."[27] Seit etwa 30 Jahren gibt es eigene Forschungsarbeiten zu dieser Thematik.[28] Christliche Fundamentalismen in katholischer Ausprägung zeigen inhaltlich durchaus ähnliche Phänomene wie der islamische Fundamentalismus, allerdings mit anderen Schwerpunkten. Auch hier kommt es zu einer grundlegend dualistischen Weltsicht.[29] Vor allem drei Begriffe sind geeignet, christlichen Fundamentalismus zu beschreiben: fundamentalistisches Schriftverständnis, Traditionismus und Moralismus.[30] Im Zentrum steht ein wörtliches Verständnis der biblischen Schriften, aus dem sich der Bezug auf die Tradition und einlinig ableitbare Regeln für die Lebensgestaltung speisen. „'Ich glaube an die Irrtumslosigkeit der Bibel' wird somit zum Fundamentalbekenntnis des christlichen Fundamentalismus."[31] Gegen die historisch-kritische Erforschung der Bibel herrscht – wie es Kienzler bezeichnet – eine ausgeprägte „Allergie der Fundamentalisten"[32]. „Ohne Zweifel befürchten sie, daß durch ihre Anwendung das Wort Gottes oder die Glaubenswahrheit der Bibel relativiert, d. h. aufgeweicht oder herabgesetzt oder ganz unterdrückt wird."[33] Zugleich ist eine evolutionär-materialistische Weltanschauung bis heute prägend für den christlichen Fundamentalismus, wie es etwa die Debatte um den sogenannten Kreationismus zeigt:[34] Christoph Schwöbel weist da-

....

23 Kiefer, Michael, Neosalafismus und Prävention, 2.
24 Vgl. Edler, Kurt/Schnack, Jochen, Umgang mit Fundamentalismus und Intoleranz, 6.
25 Vgl. Nordbruch, Götz, Identität, Gemeinschaft und Protest, 167.
26 Vgl. ebd., 165f.
27 Schwöbel, Christoph, Vertauschte Fundamente, 11.
28 Eine instruktive Übersicht dazu findet sich bei Becker, Patrick, Jenseits von Fundamentalismus und Beliebigkeit, 163-173.
29 Vgl. Schwöbel, Christoph, Vertauschte Fundamente, 11.
30 Vgl. Kienzler, Klaus, Der religiöse Fundamentalismus, 49-71.
31 Schwöbel, Christoph, Vertauschte Fundamente, 12.
32 Kienzler, Klaus, Der religiöse Fundamentalismus, 43.
33 Ebd.
34 Vgl. Schwöbel, Christoph, Vertauschte Fundamente, 11; Kienzler, Klaus, Der religiöse Fundamentalismus, 44-48.

rauf hin, dass fundamentalistische christliche Strömungen dadurch gekennzeichnet sind, dass sie sich zwar auf Fundamente des Glaubens beziehen, allerdings nicht auf die wirklich zentralen: „Wird die Jungfrauengeburt zum Fundament des Glaubens an Jesus, wird das Zeichen der Christuswirklichkeit mit dieser selbst verwechselt – vertauschte Fundamente. An dem Phänomen der vertauschten Fundamente wird deutlich, dass der religiöse Fundamentalismus eine reale Bedrohung der Religion von innen darstellt."[35] An die Stelle des Gottesglaubens tritt der Glaube an die „absolut geltende Wahrheit menschlicher Worte"[36], insofern wird Religion durch den Fundamentalismus verändert und pervertiert.[37]

Bei der Durchsicht aktueller Literatur zum Thema „Fundamentalismus" fällt auf, dass neue religiöse Bewegungen, die charismatische Bewegung, das Neokatechumenat, die Lorettobewegung u. a. m. dabei bislang noch keine Rolle spielen, obwohl gerade in Bezug auf einige Spielarten dieser Bewegungen ähnliche Beobachtungen anzustellen sind, wie sie auf „klassische" christliche Fundamentalismen zutreffen. Bereits 1988 (!) wurde in einer Ausgabe von „Bibel und Kirche" festgestellt, dass sich ein fundamentalistischer Umgang mit der Heiligen Schrift zunehmend breit mache. Immer mehr Christ*innen, die bibelinteressiert sind, greifen demnach zu „einfachen" Auslegungen, ohne zu merken, welche Ideologie hinter einer solchen Reduktion christlichen Glaubens steckt. Die Bibel wird als Rezeptbuch zeitloser Antworten auf viele verschiedene Fragen verstanden, einzelne Sätze werden vielfach aus dem Zusammenhang gerissen und zur Rechtfertigung des eigenen Standpunktes vereinnahmt.[38] Eine fundierte Auseinandersetzung mit diesen Phänomenen aus religionspädagogischer Perspektive scheint trotz der Tatsache, dass diese Problemanzeige mehr als 30 Jahre her ist, auszustehen.

2. (Religiöse) Fundamentalismen für Kinder und Jugendliche?

Inwiefern sind Schüler*innen von fundamentalistischen Tendenzen innerhalb der Religion betroffen? Welche Faktoren spielen bei der (religiösen) Radikalisierung von Jugendlichen eine Rolle? Und: Gibt es aussagekräftige und valide Prädiktoren, die eine „Vorhersage" über eine bevorstehende religiöse Radikalisierung von Jugendlichen erlauben? Mit diesen Fragen – so der Tenor einschlägiger Untersuchungen – begibt man sich auf dünnes Eis. Zu heterogen sind die Ausprägungen religiöser Fundamentalismen quer durch verschiedene Religionen, zu unterschiedlich auch innerhalb des Islam oder des Christentums. „Die Motivationen dahingehend, sich zu radikalisieren, sind ebenso individuell ausgeprägt wie die dem gegenüber korres-

---

35 Schwöbel, Christoph, Vertauschte Fundamente, 12.
36 Scheilke, Christoph Th., Religiöser Fundamentalismus, 7.
37 Vgl. ebd.
38 Vgl. Bauer, Dieter, Die fundamentalistische Versuchung; Kremer, Jakob, Wortgetreu – nicht buchstäblich. Den Hinweis verdanke ich Kienzler, Klaus, Der religiöse Fundamentalismus, 59.

pondierenden Ansprachen, denen sich junge Menschen ausgesetzt sehen. Signifikant ist hierbei, dass der Prozess der Radikalisierung vielfach unbemerkt verläuft, was bedeutet, dass sich die betroffenen Jugendlichen nicht dessen bewusst sind, dass sie auf dem Weg sind sich zu radikalisieren."[39] Angesichts dieser vielschichtigen Ausgangslage lassen sich nur einige holzschnittartige Beobachtungen und Vermutungen benennen, die sich primär auf islamistische Fundamentalisierungen beziehen.

Bereits in Bezug auf die Ausbreitung von religiösen Fundamentalismen liegen höchst unterschiedliche Einschätzungen vor. So titelt „Die Zeit" 2016 in Referenz auf die aktuelle Sinusstudie, dass „Deutsche Jugendliche ... Mainstream"[40] sein wollen, und meint damit, dass islamistische Fundamentalisierungen zwar vorkommen, allerdings ein Randphänomen darstellen. Demgegenüber stellt beinahe zeitgleich Ruud Koopmans in einer Auswertung verschiedener Studien und auf der Grundlage eigener empirischer Daten (mit Bezug auf Erwachsene) fest, dass Fundamentalismus unter Muslim*innen im Westen durchaus ein – auch quantitativ – relevantes Phänomen darstelle.[41] „Mehrheiten von bis zu drei Vierteln der muslimischen Befragten bekräftigten, dass Muslime zu den Wurzeln ihrer religiösen Überzeugung zurückkehren sollten, dass es nur eine Interpretation des Koran, die für alle Gläubigen bindend ist, gibt, und, dass für sie religiöse Regeln wichtiger seien, als weltliche Gesetze."[42] In Bezug auf den christlichen Fundamentalismus liegen noch weniger valide Daten vor, insofern können die folgenden Beobachtungen höchstens im Analogieschluss in manchen Situationen auch auf christliche Schüler*innen bezogen werden. Zu erwarten ist allerdings, dass sich durch den Zuzug orientalischer Christ*innen im Kontext von Migrationsbewegungen mittelfristig auch ähnliche Veränderungen hin zu orthodoxeren Glaubenspraktiken einstellen werden.[43]

2.1. Orientierung in einer komplexen Welt

Gerade in einer unübersichtlich gewordenen Welt sind Jugendliche besonders ansprechbar für Sinngebungssysteme, die klare Antworten und Identitätsangebote versprechen. Insofern ist Islamismus tendenziell attraktiv für Jugendliche, die nach Orientierung suchen. Wider allen Zuschreibungen geht einer Radikalisierung nur selten ein „Bruch im Leben" voraus. Im Gegenteil: Jugendliche, die für islamistischen Fundamentalismus ansprechbar sind, kommen oft aus einem sehr beschützten Elternhaus, ihnen werden in der Familie in der Regel wenige bis keine Grenzen gesetzt.[44] Dieser Befund wird zugleich relativiert durch die Beobachtung, dass feh-

---

39   Kulaçatan, Meltem, Islamistische Radikalisierung Jugendlicher, 38f.
40   „Die Zeit" vom 26.4.2016, Deutsche Jugendliche wollen Mainstream sein.
41   Vgl. Koopmans, Ruud, Religiöser Fundamentalismus und Fremdenfeindlichkeit, 482.
42   Ebd., 482f.
43   Vgl. Kulaçatan, Meltem, Islamistische Radikalisierung Jugendlicher, 42.
44   Vgl. Baumgartner, Fabian, „Radikalisierte wachsen häufig von den Eltern sehr beschützt auf".

lende Perspektiven, die Zugehörigkeit zu einer sozial schwächeren Schicht[45] und die Entfremdung zur Mehrheitsgesellschaft dazu führen können, dass gerade Jugendliche zugänglich für neue sinnstiftende Inhalte werden und daher für derartige Orientierungsangebote offen sind.[46] Die eigene Religiosität wird dann oft – im Gegensatz zu einer westlichen Ausprägung von Religion, in der Gott nicht mehr so ganz ernst genommen wird – als „moralische Überlegenheit und Stärke"[47] empfunden. Eine wesentliche Rolle bei der Suche nach Orientierung spielen (erwachsene) Bezugspersonen, die als „Mentoren"[48] auftreten, sowie die Peergroup, die Identität und Sicherheit gibt. In spezifisch geprägten Subkulturen, die sich gegen das Establishment stellen, entwickelt sich eine eigene „spirituelle Dynamik"[49].

2.2. Alltagssorgen und Diskriminierungserfahrungen als Anker

Kontaktgespräche zwischen den Bezugspersonen und den Jugendlichen kreisen vielfach um den Alltag der Jugendlichen. „Es geht um ihre Sorgen in der Schule, in ihrem Elternhaus oder um Konflikte mit Freundinnen und Freunden. Vor allem aber um die Zukunfts- und Verlustangst, vom eigenen Glück und Anteil an der Zukunft und von der Anerkennung durch die Gesellschaft schon jetzt abgeschnitten zu sein."[50] Ein wesentlicher Grund dafür, dass sich Jugendliche von der Gedankenwelt fundamentalistischer Ausprägungen von Religion angezogen fühlen, scheint mit Mehrfachdiskriminierungen zu tun zu haben, die sowohl strukturell als auch im persönlichen Kontakt erlebt werden. „Wenn etwa muslimische Schülerinnen im Ramadan fasten möchten oder sich nicht dem gemischtgeschlechtlichen Sport- bzw. Schwimmunterricht anschließen, oder wenn das Gebet gesucht wird und kultur- und religionssensible Pädagoginnen und Pädagogen einfach fehlen, dann können reale Mechanismen des Ausschlusses und der Stigmatisierung entstehen."[51] An diesen Verletzungserfahrungen setzen Mentor*innen aus fundamentalistischen Netzwerken an, indem sie solche Erfahrungen im Sinne einer sich selbst erfüllenden Vorhersage verstärken: „Weil Du Muslimin bist, wirst Du diskriminiert. Weil Du fastest und an Gott glaubst, wirst Du diskriminiert. Weil Du Muslimin oder Muslim bist, bekommst Du keinen Arbeitsplatz. Zuschreibungen in dieser Art und die damit einhergehenden Markierungen ließen sich in endlosen Varianten fortsetzen – mit und ohne Bezug zum Islam übrigens."[52]

....

45 Vgl. Aslan, Ednan/Akkılıç, Evrim Erşan, Islamistische Radikalisierung, 271.
46 Vgl. ebd.
47 Aslan, Ednan, „Islam, bitte aufgeklärt!"
48 Baumgartner, Fabian, „Radikalisierte wachsen häufig von den Eltern sehr beschützt auf".
49 Kulaçatan, Meltem, Islamistische Radikalisierung Jugendlicher, 40.
50 Ebd.
51 Ebd., 41.
52 Ebd.

3. Erkenntnisse aus Präventionsarbeit und Deradikalisierungsprojekten

Sehr knapp soll im Folgenden der Erkenntnisstand bezüglich Fundamentalismusprävention und Deradikalisierung dargestellt werden, wobei auch diesbezüglich festzuhalten ist, dass die Radikalisierungsprävention eine sehr junge Disziplin ist und sich daher noch weit mehr Fragen stellen, als Antworten möglich sind; überzeugende Lösungskonzepte fehlen bislang.[53]

Die deutsche „Bundeszentrale für politische Bildung" hat 2018 „20 Thesen zu guter Praxis in der Extremismusprävention und in der Programmgestaltung"[54] vorgelegt und dafür auch breite Zustimmung aus Fachkreisen erhalten.[55] Die erste These macht deutlich, dass ein wertschätzender und respektvoller Umgang mit betroffenen Personen die Grundvoraussetzung dafür darstellt, dass präventive Maßnahmen überhaupt akzeptiert werden können. „Vertrauensbildung, Respekt, Verbindlichkeit, Glaubwürdigkeit und Authentizität sind das non plus ultra in der Präventionsarbeit für zivilgesellschaftliche und behördliche Akteure ..."[56] Es ist notwendig, zu Tage tretende Phänomene zunächst einmal zu verstehen, diese nicht vorschnell zu bewerten und den Betroffenen ein offenes Ohr bzw. ein offenes Herz zu widmen.[57] „Sind sie tatsächlich Ausweis einer islamistischen Gesinnung, die womöglich sogar gewaltbereit ist? Sind sie Folge der Unwissenheit über die eigene Religion? Oder fallen sie in die Spalte pubertären Grenzen-Austestens?"[58] Präventionsarbeit darf nicht selbst polarisieren und stigmatisieren[59], sondern muss dualistischem Denken gezielt entgegensteuern und wird den Blick somit zunächst nicht auf Defizite von Kindern und Jugendlichen, sondern auf deren Ressourcen lenken.[60]

Der Schwerpunkt der Bildungsangebote ist auf emotionales und soziales, weniger auf kognitives Lernen zu setzen.[61] Narrativen Ansätzen ist als Ausdruck persönlich erlebter Erfahrung der Vorzug gegenüber argumentativen Ansätzen zu geben.[62]

Ein wesentlicher Hinweis – gerade in Bezug auf das Thema dieses Beitrages – betrifft die Tatsache, dass viele radikalisierende Phänomene zu schnell ausschließlich dem Bereich der Religion zugeschrieben werden. So kommt es gegebenenfalls dazu, dass „Theologen ins Feld" geschickt werden, „die mit religiösen Botschaften Fehlentwicklungen korrigieren sollen, die vielleicht gar nicht durch Religion verursacht

....

53 Vgl. Ceylan, Rauf/Kiefer, Michael, Salafismus, 99; Kulaçatan, Meltem, Islamistische Radikalisierung Jugendlicher, 38.
54 Weilnböck, Harald/Uhlmann, Milena, Thesen zu guter Praxis in der Extremismusprävention.
55 Vgl. Kiefer, Michael, Gute Praxis in der Extremismusprävention; Edler, Kurt, Kommentar; Reicher, Verena/Fabris, Fabian, Kommentar der österreichischen Beratungsstelle Extremismus.
56 Weilnböck, Harald/Uhlmann, Milena, Thesen zu guter Praxis in der Extremismusprävention.
57 Vgl. Edler, Kurt/Schnack, Jochen, Umgang mit Fundamentalismus und Intoleranz, 7; Kulaçatan, Meltem, Islamistische Radikalisierung Jugendlicher, 47.
58 Jung, Karsten, Umgang mit islamistischen Schülerinnen und Schülern, 16.
59 Vgl. Weilnböck, Harald/Uhlmann, Milena, Thesen zu guter Praxis in der Extremismusprävention.
60 Vgl. ebd.
61 Vgl. ebd.
62 Vgl. ebd.

wurden"[63]. Eine Botschaft aus den 20 Thesen ist es, dass Fundamentalismusprophylaxe nicht ausschließlich auf religiöse Aspekte fokussiert sein darf: „Gute Politik- und Programmgestaltung wird sich nicht in erster Linie auf die religiösen bzw. ideologisch-weltanschaulichen Gesichtspunkte beziehen, sondern vielmehr die sozialen, biographischen und psychoaffektiven Charakteristika von gefährdeten oder radikalisierten jungen Menschen in den Vordergrund heben. Praxisforschung hat vielfach unterstrichen, dass ideologische oder religiöse Aspekte zwar durchaus Belang haben, aber in ihrer Wirkung bei Radikalisierung und guter Präventionsarbeit überschätzt werden."[64]

4. Gott ist nicht im Singular zu denken – Antwortversuche aus der Perspektive christlicher Religionsdidaktik

Religiöse Radikalisierungen und fundamentalistische Kommunikationsmuster stellen bedeutsame Herausforderungen für die Religionspädagogik dar[65] – so viel dürfte aus den bisherigen Überlegungen deutlich geworden sein. Eine am heutigen Stand befindliche pluralitätsfähige Religionspädagogik setzt unhinterfragt auch auf der Ebene der Schüler*innen eine Situation des Pluralismus voraus und ist ob dieser Prämisse wenig darauf vorbereitet, auf dezidiert nicht-plural ausgerichtete Kommunikationsmuster adäquat zu reagieren. Im letzten Teil dieses Beitrages werden die oben zusammengefassten Einsichten aus der Radikalisierungsprävention aufgegriffen und religionsdidaktisch weitergedacht im Blick auf die einleitend dargestellte Fragestellung: Wie kann in religiösen Bildungsprozessen angesichts potenziellen fundamentalistischen Missbrauchs der Religion von Gott geredet werden?

4.1. Wertschätzung und Respekt

Bei aller Nachvollziehbarkeit von Abwehrhaltungen gegenüber uns fremd erscheinenden Kommunikationsmustern, die Fundamentalist*innen – welchen Zuschnitts auch immer – zu eigen sind: „Fundamentalismus erwächst aus ernsthaften und dringenden Anliegen. Das muss ernst genommen werden. Notwendig ist [daher] eine Gesprächssituation, in der Vertrauen herrscht ..."[66] Das, was uns in der Schule an fundamentalistischen Kommunikationsmustern, Argumenten und Haltungen entgegenkommt, ist aus der Sicht der Schüler*innen oft die „Verteidigung ihrer Identität ... Diese Identität beruht in der Regel auf deutlichen Exklusionsregeln, d. h., dass den Nichtmitgliedern der eigenen Gruppe ‚das Heil' in jeglicher Form abgesprochen und verweigert wird.

63 Kiefer, Michael, Gute Praxis in der Extremismusprävention.
64 Weilnböck, Harald/Uhlmann, Milena, Thesen zu guter Praxis in der Extremismusprävention; vgl. auch Preuschaft, Menno/Klingbiel, Toni Uwe, Islamismus, Salafismus, Dschihadismus?
65 Vgl. Eilert, Jürgen, Fundamentalistische Kommunikation, 197-207.
66 Spaeth, Frieder, Fundamentalismus als Herausforderung, 5.

Jeder argumentative Zugriff verstärkt in aller Regel die Verteidigungshaltung, – psychologisch gesprochen – den Widerstand. Eine Haltung der *Anerkennung* bedeutet freilich keineswegs *Zustimmung*. Es bedeutet auch das Recht, *Übergriffen* zu wehren, die aus Verteidigungs- oder Missionierungsgründen durchaus vorkommen können."[67] Unter dieser Prämisse ist der oben referierten These, dass eine wertschätzende und respektvolle Haltung gegenüber *allen* Schüler*innen die unabdingbare Grundlage in der Begegnung mit fundamentalistischen Haltungen darstellt, auch für den Religionsunterricht zuzustimmen.

4.2. Verweigerung von Anerkennung durchbrechen

Mit der wertschätzenden und respektvollen Haltung ist eine weitere Positionierung verbunden: Gerade, wenn für Schüler*innen das Gefühl der Identitätsbedrohung mit Anerkennungsverweigerung verbunden ist, also der Missachtung oder Zurücksetzung der eigenen Person, ist der Boden für Fundamentalisierung und Radikalisierung bereitet.[68] Aslan, Kolb und Yildiz postulieren in Bezug auf den Islam: „Statt den Islam pauschal als ‚Problemreligion' wahrzunehmen, eine ‚islamische Differenz' zur Gesellschaft zu konstruieren und muslimische Religiosität zu marginalisieren, wäre es vor diesem Hintergrund vielmehr geboten, einen gemeinsamen Dialog über die strukturelle Ordnung der Religionen aufzunehmen."[69] Aufgabe religiöser Bildung ist es daher auf der einen Seite, die Verweigerung von Anerkennung mit gezielten Maßnahmen zu durchbrechen, und auf der anderen Seite, einen Beitrag dafür zu leisten, dass betroffene Schüler*innen gegebenenfalls aus ihrer Selbstviktimisierung und Opferhaltung herausfinden.

4.3. Wahrheitsansprüche und Toleranz[70]

Die Begegnung mit fundamentalistischen Haltungen führt in religiösen Bildungsprozessen zur Konfrontation der Frage nach dem Umgang mit Wahrheitsansprüchen, mit gesellschaftlichen Widersprüchen und letztlich zur Frage: „Was ist in pluralistischen Gesellschaften wahre und was ist falsche Toleranz?"[71] Bernd Irlenborn wies erst unlängst darauf hin, dass relativistische Positionen nicht geeignet seien, um dem Fundamentalismus zu begegnen.[72] Um mit fundamentalistischen Positionen ins Gespräch zu kommen, ist aber auch eine „Fundamentalopposition" nicht hilfreich: „Kritisierbar und korrigierbar erscheint der religiöse Fundamentalismus nur ‚von innen'; auf der Basis der religiösen Tradition und nicht in Widerspruch zu ihr."[73] Die

....

67 Büttner, Gerhard, Verständigungen über das Heilige, 15.
68 Vgl. Scheilke, Christoph Th., Religiöser Fundamentalismus, 8.
69 Aslan, Ednan/Kolb, Jonas/Yildiz, Erol, Muslimische Diversität, 455.
70 Vgl. Weirer, Wolfgang, Religiöse Wahrheiten?
71 Spaeth, Frieder, Fundamentalismus als Herausforderung, 5.
72 Vgl. Irlenborn, Bernd, Zwischen Fundamentalismus und Relativismus, 94.
73 Schwöbel, Christoph, Vertauschte Fundamente, 12.

Kritik von Fundamentalismen stellt eine Aufgabe – bekenntnisorientiert geprägter – religiöser Bildungsprozesse dar: „Die Kritik des christlichen Fundamentalismus ist insofern eine Aufgabe der christlichen Theologie und des christlichen Religionsunterrichts, ebenso wie die Kritik des jüdischen Fundamentalismus auf dem Boden der jüdischen Selbstauslegung der jüdischen Tradition und des islamischen Fundamentalismus im Horizont der islamischen Koranwissenschaft vollzogen werden muss.“[74] Konzepte „neutraler“ religiöser Bildung eignen sich daher nicht für die konstruktive Bearbeitung fundamentalistischer Positionen und Haltungen. Schüler*innen sind bei der Entwicklung von Ambiguitätstoleranz und beim Nachdenken darüber, warum „einfache Wahrheiten“ für alle verführerisch sind, inwiefern aber kritisch-differenziertes Denken befreiend wirken kann, zu begleiten.[75]

4.4. Interreligiöse Bildung

Gegenseitige Wertschätzung von Schüler*innen verschiedener Religionen und Religiositätsstile – auch von Schüler*innen mit fundamentalistischen Positionen – entsteht nicht von selbst und nicht ohne personale Begegnung. Positive Kontakte reduzieren gegenseitige Vorurteile und Abwertungen.[76] Ein offener und konstruktiver Umgang mit religiöser Vielfalt lässt sich im ausschließlich konfessionell konzipierten und ausgerichteten Religionsunterricht nur begrenzt entwickeln. Insofern ist es eine Aufgabe von Religionsdidaktik als Reaktion auf fundamentalistische Tendenzen in der Schule, die bereits vorhandenen Konzepte interreligiöser Bildung, die bislang vorrangig aus der Perspektive *einer* Religion entwickelt wurden, weiterzudenken. Modelle, die die wertschätzende und offene interreligiöse Begegnung im Religionsunterricht ermöglichen, sind in Ergänzung zu konfessionellen Lernsettings in gemeinsamer Verantwortung der Religionen[77] zu etablieren. Religionslehrer*innen haben in solchen interreligiösen Lehr-/Lernsettings die Funktion von „role models“, an denen exemplarisch gelingende wertschätzende und zugleich kritisch-konstruktive Kommunikation über Gemeinsamkeiten und Unterschiede in Bezug auf Religion erfahrbar wird.[78] Um interreligiöse Bildung in interreligiösen Lehr-/Lernsettings im schulischen Kontext voranzutreiben und dafür didaktische Konzepte zu entwickeln, sind ein wechselseitiges Lernen von islamischen und christlichen Religionsdidaktiken auf Augenhöhe und ein gemeinsames Entwickeln eines Verständnisses von (inter-)religiöser Bildung notwendig. Dabei wird es auch entscheidend darum gehen, in einem offenen kritisch-konstruktiven Gespräch die jeweils eigenen und anderen Traditionen zu hinterfragen.

....

74 Ebd.
75 Vgl. Roose, Hanna, Wer kommt (nicht) ins Paradies?, 25.
76 Vgl. Scheitz, Irina/Schnell, Philipp/Nik Nags, Caroline u. a., Jugendliche in der offenen Jugendarbeit, 47f.
77 Vgl. Mette, Norbert, Das Bildungspotential der Religionen für die SchülerInnen erschließen.
78 Vgl. dazu auch das Projekt an der Universität Graz mit dem Titel „Integration durch interreligiöse Bildung“: https://interreligioese-bildung.uni-graz.at/.

4.5. Pluralitätskompetenz – Lernen in und an Vielfalt

Angesichts des Befundes strikten dichotomen Denkens und Handelns als Leitsymptom des Fundamentalismus ist zunächst die Akzentuierung von Vielfalt und Heterogenität als Lerninhalt und als anzustrebende *Pluralitätskompetenz* ins Spiel zu bringen. „Die explizite Betonung innerislamischer und gesellschaftlicher Vielfalt und die Bindung der Unterrichtsinhalte an die Lebenswirklichkeiten der Schüler ... bieten die Chance, Jugendliche für religiöse und gesellschaftliche Unterschiede zu sensibilisieren und die Akzeptanz entsprechender Unterschiede zu fördern."[79] Ähnliches gilt natürlich auch für christliche Schüler*innen (und solche anderer Religionen bzw. ohne religiöses Bekenntnis). Ziel muss es sein, das Empowerment von Jugendlichen im Umgang mit kulturellen und religiösen Unterschieden offensiv und ohne Abwertung ihrer bisherigen Überzeugungen zu betreiben.[80] Strikte Einwertigkeit stellt einen Nährboden für fundamentalistische Strömungen dar.

Vielfalt ist auch in Bezug auf die Gott-Rede im Religionsunterricht angesagt. Wir haben Gott nicht in der Hand. Gott kann nicht für politische oder religiöse Zwecke instrumentalisiert werden, weder in christlichen noch in islamischen Kontexten. Insofern stellt die Auseinandersetzung mit den 99 Namen Allahs[81] oder mit der Vielfalt der biblischen Gottesbilder[82] einen Ansatz dar, im Religionsunterricht von vornherein deutlich zu machen, dass Gott sich nicht einlinig instrumentalisieren lässt und in seinem/ihrem Namen keine „eindeutigen" ethischen Handlungsanweisungen zu postulieren sind.

4.6. Gott-Rede und biblische Tradition: Kontextuell und historisch gebunden

Der Glaube an Gott und die Rede von Gott bewähren sich in der Geschichte, indem sie ständigen Veränderungsprozessen ausgesetzt sind, sie sind zeit- und kontextbedingt und müssen ständig neu erfasst werden. Diese Tatsache „... ist vielleicht für Jugendliche (wie für viele Erwachsene) schwer verständlich. [Sie] ... ist aber die eigentliche Antwort auf den Fundamentalismus."[83]

Eine spezifische Aufgabe christlicher Religionsdidaktik in Bezug auf Fundamentalismusprophylaxe und die Befähigung zur Pluralitätsfähigkeit ist die Vermittlung eines adäquaten und reflektierten Zugangs zur Bibel, und zwar sowohl in Bezug auf das „Gesamtwerk" der Bibel als auch zu einzelnen biblischen Texten. Es geht darum, „... sich auf die grundlegenden Einsichten der Hermeneutik zu besinnen, die zu einem reflektierten Verhältnis zur Bibel gehören."[84] Aufgabe von Hermeneutik ist

....

79 Nordbruch, Götz, Identität, Gemeinschaft und Protest, 171.

80 Vgl. ebd., 175.

81 Vgl. z. B. das österreichische Schulbuch für den Islamischen Religionsunterricht: Geçgel, Hacer/El-Halawany, Jonas/Kowanda-Yassin, Ursula Fatima u. a., Islamstunde 5. In Freundschaft leben, 16-19.

82 Vgl. Weirer, Wolfgang/Prettenthaler, Monika/Brunnthaler, Christian u. a., Religion Belebt, 59-69.

83 Spaeth, Frieder, Fundamentalismus als Herausforderung, 5.

84 Eppler, Wilhelm, „Sollte es mit dem Christentum einmal dahin kommen, daß es aufhörte, liebenswürdig zu sein ...", 43.

es, den Brückenschlag zwischen der Bibel einerseits als historisch und kontextuell gebundener Sammlung von Texten und dem Wort Gottes andererseits herzustellen. „Die Bibel ernst zu nehmen heißt auch, die Diversität ihrer Texte und Inhalte wahrzunehmen und nicht harmonisierend wegzubügeln."[85] Die christliche Überlieferung hat der Versuchung widerstanden, eine „Evangelienharmonie" statt der vier kanonischen Evangelien in Kraft zu setzen. Insofern ist es notwendig, offensichtliche Spannungen in der biblischen Überlieferung nicht zu leugnen, sondern die „Pluralität der Lesarten stark zu machen"[86]. Ein Beitrag bezüglich der apostrophierten Pluralitätskompetenz wäre es, zu einer religiös-theologischen Frage mehrere Bibeltexte „ins Rennen zu schicken", die voneinander unterscheidbare Antwortrichtungen anbieten. „So kann deutlich werden, dass einem die Bibel das Nachdenken über die ‚großen Fragen' nicht abnimmt."[87]

4.7. Religion ist nicht gleich religiöser Fundamentalismus

Bernd Irlenborn macht auf ein Denkmuster aufmerksam, das gegenwärtig auch im medialen Diskurs und in vielen Debatten rund um die Zukunft religiöser Bildung in der Schule ins Treffen kommt: „Phänomene der fundamentalistischen Radikalisierung" bewirken „leicht ein generalisiertes Misstrauen in der säkularen Gesellschaft gegenüber religiösen Überzeugungen und deren unbedingte und exklusiv auftretende Wahrheitsansprüche."[88] Auch mit dem Buch von Susanne Wiesinger wird dieser gesamtgesellschaftliche Trend verstärkt, Religion insgesamt in die Nähe von religiösen Fundamentalismen zu rücken. Aufgabe religiöser Bildung angesichts der Zunahme fundamentalistischer Kommunikationsmuster und Haltungen muss es sein, diesen Tendenzen etwas entgegenzusetzen und deutlich zu machen, welche Formen von Religion lebens- und demokratieförderlich sind, und dass religiöse Fundamentalismen dem eigentlichen Anliegen von Religion entgegenstehen.

....

85 Ebd., 43f.
86 Büttner, Gerhard, Verständigungen über das Heilige, 14.
87 Roose, Hanna, Wer kommt (nicht) ins Paradies?, 25.
88 Irlenborn, Bernd, Zwischen Fundamentalismus und Relativismus, 82.

Literatur

- Aslan, Ednan, „Islam, bitte aufgeklärt!", in: Die Zeit (15.10.2015); https://www.zeit.de/2015/40/islam-fundamentalisten-religion.
- -/Akkıllıç, Evrim Erşan, Islamistische Radikalisierung. Biografische Verläufe im Kontext der religiösen Sozialisation und des radikalen Milieus, Wien 2017.
- Aslan, Ednan/Kolb, Jonas/Yildiz, Erol, Muslimische Diversität. Ein Kompass zur religiösen Alltagspraxis in Österreich, Wiesbaden 2017.
- Bauer, Dieter, Die fundamentalistische Versuchung, in: Bibel und Kirche 43 (1988) 90.
- Baumgartner, Fabian, „Radikalisierte wachsen häufig von den Eltern sehr beschützt auf. Ihnen werden wenige bis keine Grenzen gesetzt". Interview mit den Jugendanwältinnen Alexandra Ott Müller und Carola Schill Merkli, in: Neue Zürcher Zeitung vom 07.03.2019.
- Becker, Patrick, Jenseits von Fundamentalismus und Beliebigkeit. Zu einem christlichen Wahrheitsverständnis in der (post-)modernen Gesellschaft, Freiburg i. Br./Basel/Wien 2017.
- Büttner, Gerhard, Verständigungen über das Heilige. Wie sollen Schule und Religionsunterricht mit „fundamentalistischen" Phänomenen umgehen?, in: entwurf 41 (2010) H. 1, 13-15.
- Ceylan, Rauf/Kiefer, Michael, Salafismus. Fundamentalistische Strömungen und Radikalisierungsprävention, Wiesbaden 2013.
- Deutsche Jugendliche wollen Mainstream sein, in: Die Zeit (26.04.2016); https://www.zeit.de/gesellschaft/zeitgeschehen/2016-04/jugend-rebellion-anpassung-sinus-studie-deutschland.
- Edler, Kurt, Kommentar von Kur Edler zu „20 Thesen zu guter Praxis in der Extremismusprävention und in der Programmgestaltung", in: https://www.bpb.de/politik/extremismus/radikalisierungspraevention/268584/kommentar-von-kurt-edler.
- -/Schnack, Jochen, Umgang mit Fundamentalismus und Intoleranz, in: Pädagogik 69 (2017) H. 10, 6-8.
- Eilert, Jürgen, Fundamentalistische Kommunikation als religionspädagogische Herausforderung – Fundamentalisten sind nicht immer „die Anderen", in: Eppler, Wilhelm (Hg.), Fundamentalismus als religionspädagogische Herausforderung, Göttingen 2015, 197-208.
- Eppler, Wilhelm, „Sollte es mit dem Christentum einmal dahin kommen, daß es aufhörte, liebenswürdig zu sein …". Hermeneutische Anmerkungen zur gegenwärtigen Fundamentalismusdiskussion, in: Ders. (Hg.), Fundamentalismus als religionspädagogische Herausforderung, Göttingen 2015, 31-46.
- Geçgel, Hacer/El-Halawany, Jonas/Kowanda-Yassin u. a., Islamstunde 5. In Freundschaft leben. Religionsbuch für die Sekundarstufe I, Wien/Linz 2016.

- Goertz, Stephan/Hein, Rudolf B./Klöcker, Katharina, Zur Genealogie und Kritik des katholischen Fundamentalismus: Eine Einführung, in: Dies. (Hg.), Fluchtpunkt Fundamentalismus? Gegenwartsdiagnosen katholischer Moral, Freiburg i. Br./Basel/Wien 2013, 11-76.
- Irlenborn, Bernd, Zwischen Fundamentalismus und Relativismus, in: Ceylan, Rauf/Uslucan, Haci-Halil (Hg.), Transformation religiöser Symbole und religiöser Kommunikation in der Diaspora, Wiesbaden 2018, 81-98.
- Jung, Karsten, Islamismus als religionspädagogische Herausforderung, in: Bruckermann, Jan-Friedrich/Ders. (Hg.), Islamismus in der Schule. Handlungsoptionen für Pädagoginnen und Pädagogen, Göttingen 2017, 126-137.
- -, Umgang mit islamistischen Schülerinnen und Schülern. Pädagogische Möglichkeiten und Grenzen der Pädagogik, in: Pädagogik 69 (2017) H. 10, 16-18.
- Karcher, Florian, Jugendkultur, Religion und Fundamentalismus. Religiosität Jugendlicher heute und ihre Anfälligkeit für Fundamentalismus, in: Eppler, Wilhelm (Hg.), Fundamentalismus als religionspädagogische Herausforderung, Göttingen 2015, 163-178.
- Khorchide, Mouhanad, Islamischer Fundamentalismus in Deutschland: Ein soziales Phänomen? Verunsicherte Identitäten und die Suche nach Anerkennung, in: Eppler, Wilhelm (Hg.), Fundamentalismus als religionspädagogische Herausforderung, Göttingen 2015, 85-104.
- Kiefer, Michael, Neosalafismus und Prävention, in: jugendsozialarbeit aktuell 129/2014, 1-4.
- -, Kommentar von Michael Kiefer zu „20 Thesen zu guter Praxis in der Extremismusprävention und in der Programmgestaltung" in: https://www.bpb.de/politik/extremismus/radikalisierungspraevention/271898/kommentar-von-michael-kiefer.
- Kienzler, Klaus, Der religiöse Fundamentalismus. Christentum, Judentum, Islam, München 2007.
- Könemann, Judith, Lernen gegen die Angst – oder: den Fundamentalismus an der Wurzel packen, in: Goertz, Stephan/Hein, Rudolf B./Klöcker, Katharina (Hg.), Fluchtpunkt Fundamentalismus? Gegenwartsdiagnosen katholischer Moral, Freiburg i. Br./Basel/Wien 2013, 402-419.
- Koopmans, Ruud, Religiöser Fundamentalismus und Fremdenfeindlichkeit, in: Rössel, Jörg/Roose, Jochen (Hg.), Empirische Kultursoziologie, Wiesbaden 2015, 455-490.
- Kremer, Jakob, Wortgetreu – nicht buchstäblich. Grenzen und Möglichkeiten einfachen Bibellesens, in: Bibel und Kirche 43 (1988) 103-108.
- Kulaçatan, Meltem, Islamistische Radikalisierung Jugendlicher in der postmigrantischen Gesellschaft – Ursachen und religionspädagogische Präventionsansätze, in: Zeitschrift für Pädagogik und Theologie 69 (2017) H.1, 37-47.

- Mette, Norbert, Das Bildungspotential der Religionen für die SchülerInnen erschließen. Plädoyer für einen von Religionen gemeinsam verantworteten Religionsunterricht, in: Österreichisches Religionspädagogisches Forum 26 (2018) H. 2, 9-30.
- Nordbruch, Götz, Identität, Gemeinschaft und Protest – religiöse Zugänge in der Prävention von salafistischen Orientierungen in Unterricht und Schule, in: Bruckermann, Jan-Friedrich/Jung, Karsten (Hg.), Islamismus in der Schule. Handlungsoptionen für Pädagoginnen und Pädagogen, Göttingen 2017, 165-175.
- Preuschaft, Menno/Klingbiel, Toni Uwe, Islamismus, Salafismus, Dschihadismus – alles das Gleiche, oder doch nicht? Zur (De-)Zentralität des Faktors „Religion" in der Radikalisierung und der Prävention, in: Hillebrandt, Ingrid (Hg.), Extrem … Radikal … Orientierungslos!? Religiöse und politische Radikalisierung Jugendlicher, Berlin 2017, 39-52.
- Reicher, Verena Fabris, Fabian, Kommentar der österreichischen Beratungsstelle Extremismus (bOJA), in: https://www.bpb.de/politik/extremismus/radikalisierungspraevention/268590/kommentar-der-oesterreichischen-beratungsstelle-extremismus-boja.
- Riesebrodt, Martin, Was ist „religiöser Fundamentalismus"?, in: Six, Clemens/ Riesebrodt, Martin/Haas, Siegfried (Hg.), Religiöser Fundamentalismus. Vom Kolonialismus zur Globalisierung, Innsbruck 2005, 13-32.
- Roose, Hanna, Wer kommt (nicht) ins Paradies? Anregungen zur Einübung eines nicht-fundamentalistischen Umgangs mit biblischen Texten, in: entwurf 41 (2010) H. 1, 24-25.
- Scheilke, Christoph Th., Religiöser Fundamentalismus. Ausgrenzung – Anerkennung, in: entwurf 41 (2010) H. 1, 6-9.
- Scheitz, Irina/Schnell, Philipp/Nik Nags, Caroline u. a., Jugendliche in der offenen Jugendarbeit. Identitäten, Lebenslagen & abwertende Einstellungen, Wien 2016, in: https://www.wien.gv.at/freizeit/bildungjugend/pdf/studie-1.pdf.
- Schweitzer, Friedrich, Fundamental, nicht fundamentalistisch. Wege einer religiösen Erziehung jenseits von Relativismus und Fundamentalismus, in: Eppler, Wilhelm (Hg.), Fundamentalismus als religionspädagogische Herausforderung, Göttingen 2015, 13-25.
- Schwöbel, Christoph, Vertauschte Fundamente. Die Bedrohung der Religion durch den Fundamentalismus und die Aufgabe einer religiösen Therapie des Fundamentalismus, in: entwurf 41 (2010) H. 1, 10-12.
- Spaeth, Frieder, Fundamentalismus als Herausforderung. Basiswissen zum Thema, in: entwurf 41 (2010) H. 1, 4-5.
- Toprak, Ahmet/Weitzel, Gerrit, Warum Salafismus den jugendkulturellen Aspekt erfüllt, in: Dies. (Hg.), Salafismus in Deutschland. Jugendkulturelle Aspekte, pädagogische Perspektiven, Wiesbaden 2017, 47-59.

- Weilnböck, Harald/Uhlmann, Milena, Thesen zu guter Praxis in der Extremismusprävention und in der Programmgestaltung, in: http://www.bpb.de/politik/extremismus/radikalisierungspraevention/264235/20-thesen-zu-guter-praeventionspraxis.
- Weirer, Wolfgang, Religiöse Wahrheiten – für wen und wozu? Aspekte einer Fachdidaktik interreligiöser Lehr-Lernprozesse, in: Sejdini, Zekirija/Kraml, Martina (Hg.), Interreligiöse Bildung zwischen Kontingenzbewusstsein und Wahrheitsansprüchen, Stuttgart 2019, i. E.
- -/Prettenthaler, Monika/Brunnthaler, Christian u. a., Religion Belebt. Religion AHS 6, St. Pölten 2009.
- Wiesinger, Susanne/Thies, Jan, Kulturkampf im Klassenzimmer. Wie der Islam die Schulen verändert. Bericht einer Lehrerin, Wien 2018.
- Yağdı, Şenol, Kulturkampf vs. Bildungskampf in der Migrationsgesellschaft? Das neue Gesicht der Bildungsbenachteiligung: Wie die Arbeitertochter vom Land zum Migrantensohn geworden ist, in: Österreichisches Religionspädagogisches Forum 27 (2019) H.1, 261-281.

Die Internetadressen wurden zuletzt im August 2019 überprüft.

AUSBLICK: BEUNRUHIGTE GOTTREDE

Mirjam Schambeck

Die Befunde mögen überraschen: 2010 konstatierte die Shell-Jugendstudie, dass der Gottesglaube für Jugendliche nach wie vor eine wichtige bzw. sogar sehr wichtige Lebensorientierung darstellt.[1] Dies gilt auch noch eine Dekade später: In der Studie von Friedrich Schweitzer, Reinhold Boschki, Matthias Gronover und deren Teams geben 52 % der befragten Jugendlichen an, an Gott zu glauben, 11 % sind unentschieden, 37 % antworten klar mit Nein.[2] Galten die Trends bisher ungebrochen, dass Jugendliche Gott eher als Abstraktum, als höhere, aber a-personale Macht konnotieren, ließ letztere Studie gerade hier aufhorchen: Dort, wo das Gebet ins Spiel kommt, wird Gott von fast der Hälfte der befragten Jugendlichen nämlich als „jemand" verstanden, mit dem man sprechen kann und der Sicherheit vermittelt.[3]

So sehr die empirischen Befunde nochmals zu differenzieren und genauer auf ihre religionspädagogischen Konsequenzen auszuloten sind, so zeigen allein diese beiden Ergebnisse, dass die Gottesfrage im Leben Jugendlicher nach wie vor nicht erledigt ist. Sie ist zumindest eine Frage, die mehr oder weniger umtreibt, ja beunruhigt. Religiöse Themen interessieren – nach wie vor – und damit stellt sich auch vonseiten der Lernenden die religionspädagogische Aufgabe, die Gottesfrage in ihrem Glutkern zu erschließen und Möglichkeiten zu eröffnen, sich mit ihr auseinanderzusetzen. Dies gewinnt zudem eine erhöhte Dringlichkeit, als sich das Gottdenken in den letzten 100 Jahren enormen Umwälzungen zu stellen hatte, die sich durch die naturwissenschaftlichen Erkenntnisse, die postmodernen Transformationen des Religiösen, aber auch des Subjekts und seiner Verstehensweisen ergeben haben. Die religionspädagogische Arbeit an der Gottesfrage kann davon nicht unbehelligt bleiben. Im folgenden Beitrag sollen thesenartig zumindest einige der sich daraus ergebenden Aufgaben markiert werden.

1. Prozesstheologische Anfragen und theistische Weiterentwicklungen der Gottesfrage aufgreifen

Auch wenn die prozesstheologischen Ansätze und die theistischen Weiterentwicklungen in der systematischen Theologie gerade erst an Fahrt aufnehmen, sind diese grundlegenden Veränderungen des Gottdenkens weder in der wissenschaftlichen Religionspädagogik, geschweige denn in den Lehrmaterialien angekommen. Insofern steht es dringend an, die prozesstheologischen Kritiken an der herkömmlichen

---

1   Gensicke, Thomas, Wertorientierungen, Befinden und Problembewältigung, 204f.
2   Vgl. Schweitzer, Friedrich/Wissner, Golde/Bohner, Annette u. a., Jugend – Glaube – Religion, 257-274.
3   Ebd., 21.

Gottrede und die theistischen Neuansätze auch religionspädagogisch zu heben. Damit könnten mehrere, bisher unüberwindbare Hindernisse bei der Bearbeitung der Gottesfrage zumindest angegangen werden. Drei davon sollen hier herausgegriffen werden:

1. Die Gottesfrage muss sich in einem naturwissenschaftlich geprägten Welt- und Selbstverständnis plausibilisieren, sich also vernünftig denken lassen. Die szientistische Weltsicht gilt nicht nur als gesellschaftliche Maxime, sondern wird auch von Jugendlichen als Gültigkeitskriterium schlechthin – ob bewusst oder unbewusst – angelegt. Aktuelle astrophysikalische Erkenntnisse beispielsweise von der Unendlichkeit des Universums, seiner Ausdehnung und Schrumpfung oder die sog. Urknall-Hypothese ließen sich aber mit dem herkömmlichen Theismus kaum zusammendenken. Wie sollte ein souveräner Schöpfer, der alles lenkt und bewegt, kompatibel sein mit einem Universum, das selbst unendlich ist? Wie sind naturwissenschaftliche Gesetzmäßigkeiten vereinbar mit einem Theismus, der Gott wie ein Einzelwesen – ewig zwar und allmächtig – denkt, das aufgrund seiner Aseität eingreifen kann, wie und wo es will? So sehr man sich bislang in Auswege zu retten versuchte, die Gottesperspektive und die naturwissenschaftliche Verständnisweise als zwei unterschiedliche Weltzugänge mit je eigener Dignität zu verstehen, so blieb dennoch die Frage unbeantwortet, ob das alles sei bzw. ob die Erkenntnisse aus beiden Zugängen auch einander befruchten können.

   Die prozesstheologischen Anfragen und die theistischen Weiterentwicklungen der Gottrede konnten hier Entscheidendes aufzeigen. Angefangen von panentheistischen Varianten, die die Gott-Welt-Bezogenheit noch radikaler denken als der bisherige Theismus, über den neo-klassischen und offenen Theismus bis zum Entwurf von Saskia Wendel wurden in der systematischen Theologie Vorschläge gemacht, die die Ursprünglichkeit und Unbedingtheit Gottes auszusagen vermögen, und zwar jenseits der bisherigen anthropozentrischen und geozentrischen Verkürzungen der Gottrede. Hier ist ein weites Feld religionspädagogischer Arbeit markiert, das zukünftig für die Auseinandersetzung mit der Gottesfrage anzugehen ist.

2. Die wenigen Striche, die eingangs in Bezug auf die Gottesfrage bei Jugendlichen gezeichnet wurden, ließen sowohl erkennen, dass der Gottesglaube für Jugendliche eine Rolle spielt, als auch, dass es wichtig ist, Gott als höhere Macht im Sinne eines abstrakten Ultimaten sowie eines personalen Du zu verstehen. Die herkömmliche christliche Gottrede, die sich darauf konzentrierte, Gott als Du vorzustellen, konnte Jugendliche damit höchstens „halb" interessieren. Auch hier könnten die prozesstheologischen und neuen theistischen Varianten Einiges zu denken geben. Gerade der Ansatz von Saskia Wendel, der Gott einerseits als Prinzip und damit als Grund von allem zu erkennen gibt und an-

dererseits als Person ansichtig macht, für die man leben und zu der man beten kann, kann hier weiterhelfen.[4] Ultimatum und Gott als Person müssten dann keine ausschließenden Alternativen mehr sein, sondern könnten als je unterschiedliche Zugänge verstanden werden, für die auch der christliche Gottglaube bedenkenswerte Deutungen anbietet.

3. So sehr die Subjektorientierung in der Religionspädagogik eine fundamentale Rolle spielt, so blieb in Lernprozessen trotzdem irgendwie unentschieden, was dies genau heißt: Ist die Subjektorientierung geboten, weil (religiöses) Lernen nur dort funktioniert, wo es bei den Subjekten, ihrem Vorwissen, ihren Konzepten ansetzt? Bleiben die religiösen Deutungen der Lernenden damit aber doch nur so etwas wie Aufhänger, Anfangspunkte, die man im weiteren Verlauf des Lernprozesses hinter sich lassen kann? Wie werden die Zugänge der Subjekte zur Gottesfrage mit denen des christlichen Glaubens in einen Dialog gebracht? Werden letztlich doch zwei Perspektiven, die nichts miteinander zu tun zu haben scheinen, nebeneinandergestellt und bleiben dann auch so unvermittelt side by side stehen? Und wenn, ist es dann nicht der christliche Glaube, der entscheidet, was gilt – zumindest offiziell, auch wenn sich die Lernenden dann vermutlich schon längst in die innere Emigration verabschiedet haben? Mit den aktuellen Weiterentwicklungen der Gottrede können diese Anfragen bearbeitet und die Dignität der Lebenswelt und der theologischen Deutungen der Lernenden noch besser eingeholt werden. Weil Gott jetzt viel deutlicher als ein werdender Gott gezeigt werden kann, der sich von der Geschichte des Menschen betreffen, ja angehen lässt, ist es unhintergehbar wichtig, was den Menschen widerfährt, was sie denken und was sie ausmacht. Auch hier gibt es religionspädagogisch noch viel einzuholen.

2. Die intellektuellen Herausforderungen der Gottesfrage markieren

Eine der markantesten Anfragen an den Religionsunterricht ist, ob er zu wenig zu lernen gebe.[5] Dies ist nicht einfach als feuilletonistische Verzeichnung oder religionskritische Berichterstattung abzutun, sondern deckt sich mit Einsichten, die wir aus den wenigen Unterrichtsforschungsstudien zum Religionsunterricht haben.[6] Das kognitive Niveau im Religionsunterricht ist ausbaufähig, so könnte man pointiert zusammenfassen. Dieses Plädoyer wiegt umso schwerer, als angesichts der zunehmenden säkularen Rahmung unserer Gesellschaft, der wachsenden Zahl von Konfessionslosen und auch konfessionslosen Schüler*innen im Religionsunterricht die

....

4   Vgl. Wendel, Saskia, Gott – Prinzip und Person zugleich, 94-109; dies., Theismus nach Kopernikus, 17-46; Vortrag auf dem 15. Arbeitsforum am 04.04.2019.
5   Vgl. Kaube, Jürgen, Religionsunterricht – zwischen Biographiebegleitung und Glückskeks-Wahrheiten.
6   Vgl. Englert, Rudolf/Hennecke, Elisabeth/Kämmerling, Markus, Innenansichten des Religionsunterrichts, 117-131.

Notwendigkeit zunimmt, die Gottesperspektive angesichts von Vernunftgründen zu plausibilisieren. Dies redet nicht einer Reduktion der Gottesrede auf die kognitiven Gehalte das Wort, sondern will vielmehr darauf aufmerksam machen, dass sich die Gottrede auch angesichts der sonstigen Muster erweisen muss, mit denen postmoderne Menschen ihre (Lebens-)Fragen bearbeiten.

Religionspädagogisch heißt dies mindestens ein Dreifaches: Religionslehrkräfte müssen noch besser darauf vorbereitet werden, theologisches Forschungswissen nicht nur zu kennen, sondern es auch im Unterricht situationsbezogen – den Schüler*innen, den Lernsituationen und den didaktischen Inszenierungen sowie der theologischen Komplexität entsprechend – darzustellen und erklären zu können. Wir haben noch immer ein entscheidendes Problem bei der Umsetzung von Wissen in Können und stehen erst am Anfang, diese Lücke bei der Professionalisierung von Religionslehrkräften zu bearbeiten.[7] Außerdem muss deutlich bleiben, dass kompetenzorientiertes Lehren und Lernen nicht an Inhalten vorbei erfolgt. Vielleicht ist die konstatierte Marginalisierung theologischer Auseinandersetzung im Religionsunterricht einer falsch verstandenen Kompetenz- und Schüler*innenorientierung geschuldet. Gerade das in empirischen Studien eruierte Interesse Jugendlicher an der Gottesfrage und an Religion insgesamt ist aber spätestens ein Ausweis dafür, den Religionsunterricht intellektuell, und d. h. eben theologisch-intellektuell, zu stärken. Drittens schließlich und als Konsequenz daraus heißt dies für die Thematisierung der Gottesfrage, deren philosophische und theologische Implikationen aufzudecken, mit allen Mitteln, die denkerisch zur Verfügung stehen, Begründungen theologischer Ansätze nachzuvollziehen, sie auf ihre Stärken und Schwächen auszuloten, um so das Deutespektrum für die eigenen Lebensfragen zu weiten und fähig zu werden, es auch auf die eigenen Lebenspraxen hin zu befragen.

3. Die existentielle Bedeutsamkeit der Gottesfrage aufzeigen

Damit liegt ein nächstes Plädoyer für die Bearbeitung der Gottesfrage im Religionsunterricht auf der Hand. In der Pilotierung eines Unterrichtsforschungsprojekts wurden Schüler*innen nach zwei Treatments gefragt, was für sie besonders ertragreich war. Während das eine Lernarrangement das Unterrichtsthema v. a. sachkundlich erschloss, bot das andere im Unterschied dazu Möglichkeiten, die theologischen Gehalte auch auf sich selbst zu beziehen, und zwar nicht nur kognitiv, sondern existentiell. Eine Schülerin (7. Jahrgangsstufe) antwortete: „Ich mag diese (erfahrungsbezogenen) Stunden, weil sie persönlicher sind, und wir konnten über unser eigenes Leben nachdenken."[8] Das war nicht die einzige Stimme und auch nicht die markanteste, aber sie kann – trotz aller Vorläufigkeit des empirischen Settings –

7   Vgl. Schambeck, Mirjam, Was Relilehrer/-innen können müssen, 129-145.
8   Schambeck, Mirjam, „I like these lessons", 222; dies., Hilfe! Muss ich dauernd von Gott reden?, 34-36.

als Indiz dafür gelesen werden, dass Religionsunterricht insgesamt und damit auch die Thematisierung der Gottesfrage im Religionsunterricht ihre Lebensrelevanz erweisen müssen. Die theologische Erschließung der Gottesfrage muss zumindest die Möglichkeit auftun, das Gelernte auch auf die eigene Lebenswelt hin zu ergründen. Dass dies nicht leicht ist, höchstes Geschick und menschliches Taktgefühl erfordert, kommt noch hinzu. Die Gottesfrage im Religionsunterricht allerdings zu bearbeiten, ohne deren existentielle Bedeutsamkeit zumindest aufzuzeigen, wäre zu wenig.

4. Die kulturellen und medialen Verarbeitungen der Gottesfrage ernst nehmen

Viele Beiträge in diesem Band und auch andernorts konzentrieren sich darauf, die kulturellen und medialen Be- und Verarbeitungen der Gottesfrage zu ergründen. Neben Arbeiten, die auf die Erschließung religionshaltiger Momente, Motive und Codes abheben, kommen immer mehr Forschungen hinzu, die virtuellen Welten, deren Mit- oder auch Gegeneinander zur physischen Wirklichkeit zu ergründen. Für die religionspädagogische Arbeit an der Gottesfrage tut sich hier ein weites Feld an Chancen und Herausforderungen auf. Um die Lebenswelten heutiger Menschen besser verstehen und die Anknüpfungsmöglichkeiten für die Gottesfrage passungsfähiger aufzeigen zu können, ist es nach wie vor wichtig, (pop)-kulturelle Verarbeitungen von Religion und spezifisch von Gotteskonzepten aufzuspüren. Dann wird eine Fernsehserie nicht einfach zum Unterhaltungsevent, sondern auch zur bildsamen Geschichte, die auf ihre Art und Weise die Frage nach dem Woher und Wohin, dem Wozu und Wofür anstößt und das Ausgreifen auf etwas oder sogar jemanden, der größer ist als ich, ins Spiel bringt.

Zugleich boomt zurzeit wohl kein Bereich so stark wie derjenige, der mit den Begriffen der Virtualität und Digitalisierung umrissen ist. Schneller und unwiderruflicher als irgendwo sonst werden unsere Alltagsabläufe hier verändert. Das fordert auch die Theologie und die religionspädagogische Arbeit mit ihr heraus. Was bedeutet es, dass sich Wirklichkeit auch im virtuellen Raum abspielt? Sind die Erlebnisse und Erfahrungen, die im virtuellen Raum gemacht werden, weniger relevant als die körperlich/leiblich erfahrenen, genauso oder sogar noch intensiver? Wie ist der performative turn, der auch als turn zur Körperlichkeit konnotiert ist, mit dem Anwachsen des virtuellen Raums zu vereinbaren? Was bedeutet dies für (religiöse) Lernprozesse? Wie können Menschen angesichts der Verschiedenheit der Welten befähigt werden zu entscheiden, was Fiktion oder auch Illusion ist, was Wirklichkeit ist – ob virtuelle oder physische Wirklichkeit – und was nicht und v. a. wie Menschen leben wollen? Das sind nur einige wenige Fragen in einem weithin noch offenen, aber höchst dringlichem Feld, das auch die Gottrede verändert.

5. Die Gottesfrage angesichts von Säkularität und Religionspluralität thematisieren

Auch wenn die Säkularisierungsthese in der Form nicht mehr haltbar ist, dass der Fortschritt in der Moderne *notwendigerweise* mit dem Verschwinden von Religion einhergehe, so zeigt sich doch unmissverständlich, dass Säkularität die Rahmung unserer Gesellschaft schlechthin ausmacht. Damit ist im Anschluss an Charles Taylor gemeint, dass sich moderne Gesellschaften in private und öffentliche Räume ausdifferenzieren und in unterschiedliche Tätigkeitsbereiche mit jeweils eigenen Logiken. Ihnen allen ist gemeinsam, dass sie in der Regel „keinen Gott mehr und keinen Hinweis auf letzte Realitätsgründe"[9] kennen. Weltdeutungen, die einen Transzendenzbezug ausweisen, sind so gesehen fraglich geworden und müssen ihre Überzeugungskraft erst erweisen. Genau hier muss die Thematisierung der Gottesfrage ansetzen. Säkularität bedeutet nämlich nicht sofort, dass jeder Transzendenzbezug obsolet geworden wäre. Seine Selbstverständlichkeit und ungeprüfte Gültigkeit sind es vielmehr, die so nicht mehr der Fall sind. Die Gottesfrage als Glutkern des christlichen Glaubens könnte hier so etwas wie eine Vermittlungsfunktion übernehmen: In einem von ökonomischen und szientistischen Logiken geprägten Weltverstehen könnte die Gottesfrage zum Ausweis werden für das, was allen Religionen gemeinsam ist: nämlich der Ausgriff auf Transzendenz, die Offenheit für den oder das, das über das Vorfindliche hinausgeht und – und an dieser Stelle gehen theologische über philosophische Deutungen hinaus – die Annahme, dass dieses bzw. dieser Transzendente auch existiert. Mit anderen Worten könnte diese Besonderheit des religiösen Weltzugangs, den alle Religionen je auf ihre Weise konkretisieren, gerade in einer säkular gerahmten Welt etwas einbringen, das so nicht zur Verfügung steht. Dann müsste diese Besonderheit – so die Forderung von Jürgen Habermas[10] – aber auch in einer Weise gesagt werden, die in einer nicht-religiösen Gesellschaft verstanden wird. Die Vernunft- und Sinnpotenziale in den Religionen zu heben und die damit geforderte Übersetzungsleistung zu erbringen, wäre allerdings nicht nur Aufgabe der Religiösen, sondern auch der Säkularen, und zwar um in postsäkularen Gesellschaften einen bestimmten „Sinn für Humanität"[11] zu bewahren.

Schließlich – und dies ist eine weitere Herausforderung für die Thematisierung der Gottesfrage – kann angesichts der auch alltäglich erfahrbaren Religionspluralität die Gottesfrage nicht mehr anders als im Konzert der vielen Religionen zur Sprache kommen. Das ist einfach gesagt und mutet inzwischen wie eine Binsenweisheit an. Die dafür erforderlichen religionswissenschaftlichen Kenntnisse, die hermeneutischen Grundlagen und v. a. emotional-persönlichen Notwendigkeiten für einen

---

9   Taylor, Charles, Säkulares Zeitalter, 13.
10 Vgl. Habermas, Jürgen, Glauben und Wissen, 22; ders., Zwischen Naturalismus und Religion, 137; ders., Nachmetaphysisches Denken, 23.
11 Habermas, Jürgen, Nachmetaphysisches Denken, 23.

solchen Austausch fehlen aber trotzdem noch weithin. Damit kommt eine weitere Herausforderung in den Blick, der sich die Arbeit an der Gottesfrage stellen muss.

6. Die Gottesfrage vor Fundamentalisierungen schützen

Es ist noch immer nicht ausgemacht, welches Ursachenbündel dazu führte, Nationalismen, Antijudaismen, Rassismen und politische wie religiöse Fundamentalisierungen in einem solchen Maß erstarken zu lassen, dass inzwischen selbst so sicher geglaubte Errungenschaften wie „Demokratie", „Freiheit des Lebensstils", „sicheres, gewaltfreies Leben" auch in Deutschland zu gefährdeten Gütern geworden sind. Der Missbrauch von Religion für Machtinteressen bestimmter Gruppierungen, die Ingebrauchnahme von Religion als „code", um sich von der Mehrheitsgesellschaft abzugrenzen, sind Phänomene, denen sich die Thematisierung der Gottesfrage nicht entziehen kann.[12] Festzuhalten ist dabei, dass die religiösen Fundamentalisierungstendenzen nicht nur auf eine Religion zutreffen, sondern sich quer durch den Islam genauso wie durch das Juden- und Christentum ziehen. Die Auseinandersetzung mit den sog. „identitären Bewegungen", die insbesondere das Christentum für ihre menschenverachtenden Zwecke vereinnahmen, gehört wohl zu den drängendsten Aufgaben in diesem Bereich. Insofern steht es unumgänglich an, dieses Thema religionspädagogisch weiter zu bearbeiten und gute Strategien zu finden, gegen die Vereindeutigungen und Uniformierungsversuche fundamentalistischer Strömungen anzugehen.[13]

Das führt zu einem Thema, das alle aufgezeigten Desiderate quasi wie ein tonus rectus in der Musik durchzieht: die Frage nach der Sprache, in der heute von Gott glaubwürdig geredet werden kann.

7. Mit Gott ägyptisch lernen (Wilhelm Bruners) – eine lebenssatte Gottsprache finden

Wilhelm Bruners wählt in einer seiner jüngsten Publikationen eine interessante Perspektive auf die Problematik, wie heute angemessen von Gott geredet werden kann. Anders als sonst wird nicht danach gefragt, wie der Mensch „in seiner Gebrochenheit ... eine irgendwie als göttlich ausgewiesene Sprache lernen"[14] muss. Bruners fragt vielmehr, wie es Gott macht, um den Menschen zu erreichen, und leitet daraus ein theologisches Konzept der Gottrede ab. Er rekurriert dabei auf eine im Judentum beheimatete Legende und fasst sie folgendermaßen zusammen: „Israel, schon 400 Jahre im ägyptischen Exil, schreit und stöhnt zu Gott und bittet ihn um Befreiung. Und Gott hört ihr Schreien und will sich seinem Volk verständlich machen. Aber es gibt ein Problem.

---

12 Vgl. Ruhstorfer, Karlheinz, Befreiung des Katholischen, 104-109 u. a.
13 Vgl. Weirer, Wolfgang, Kulturkampf im Klassenzimmer?
14 Bruners, Wilhelm, Gottes hauchdünnes Schweigen, 46.

Denn nach so langer Zeit hat das Volk die göttliche Sprache, das Hebräisch, verlernt und versteht Gott nicht mehr. Was ist zu tun? Israel als Ganzes in einen Hebräisch-Kurs schicken ...? Ein recht aufwendiges (!) Unternehmen, vor allem im Exil, wenn die Siegermacht eine Eigen-Sprache der Besiegten unterdrücken will oder gar verbietet ... Aber Gott hat in dieser Legende eine bessere Idee: Er lernt Ägyptisch."[15] Was Wilhelm Bruners hier eingängig auf den Punkt bringt, ist eine der schwierigsten Aufgaben heutiger Theologie und religionspädagogisch verantworteter Gottrede. Es kann in der Theologie nicht darum gehen, eine Eigenwelt mit einer eigenen Sprache zu etablieren; eine Eigenwelt jenseits der Menschen und ihrer Fragen. Theologie muss vielmehr lebenssatt sein, strotzend vom Leben der Menschen und bezogen auf sie, und das umso mehr, als selbst Gott die Mühe nicht scheute, Ägyptisch zu lernen. Er zumindest setzte alles daran, die Lebensradien der Menschen zu ergründen, um die Seinen zu erreichen. Die Aufgabe, eine lebenssatte Theologie und eine lebenssatte Gottsprache zu finden, ist auch deshalb so herausfordernd, weil sie nie zu Ende kommt. Sie ist abhängig von den Kontexten, in denen sie gesprochen wird, von den Menschen, deren Erfahrungen und Geschichten, was für sie wichtig ist und was nicht, und damit unendlich ausdifferenzierbar. Während die einen bei diesem Inkulturations-Geschäft die Sorge umtreibt, Gott dabei zu verlieren und sich einem „Zeitgeist zu ergeben", leiden viele andere unter der Ghettoisierung der Theologie und ihrer Sprache, in die man sich gar nicht mehr einhausen will, sosehr sie auch als Sprache des „heiligen Restes" gepriesen wird. Deshalb soll anstelle eines diskursiven Schlusses ein Musikstück in die Mitte gestellt werden, das besser als meine Worte ausdrückt, was eine lebenssatte Gottrede meint.

8. Anstelle eines Schlusses: Morten Lauridsen: O magnum mysterium

Der amerikanische Komponist Morten Lauridsen zeichnet sich in seinen Kompositionen durch eine Prägnanz und Dichte, ein Gleichgewicht von Ausatmen und Einatmen, von tiefster Meditation und gänzlicher Offenheit aus, die ihn in aller Welt bekannt gemacht hat. 1994 veröffentlicht, gehört das Werk „O magnum mysterium" inzwischen zu den weltweit am öftesten aufgeführten Chorwerken. Es ist ein nur zweizeiliger Text, der dieses fast zehnminütige Chorwerk trägt:

„O magnum mysterium,
et admirabile sacramentum, ut animalia viderent Dominum natum,
jacentem in praesepio!
Beata Virgo,
cujus viscera meruerunt,
portare Dominum Christum.
O magnum mysterium,
(Alleluia, Alleluia, Alleluia)"

---

15 Ebd., 45.

Die Menschwerdung Gottes als tiefste Aussage, die das Christentum über Gott machen kann, hat hier einen Ausdruck gefunden, der nicht nur Christ*innen angeht, sondern den Menschen schlechthin anspricht. Lauridsen beschreibt in einem Film über ihn,[16] dass es die adäquate Reaktion war, als sein Stück als Dauerschleife unmittelbar nach den Ereignissen von 09/11 von einem Sender in Los Angeles gespielt wurde. Er erzählt weiter, dass eine Studentin aus der Chor-Masterklasse in Maine wenig später nach New York reiste, um an diesem Ort des Schreckens und der menschenverachtenden Verwüstung das „Magnum mysterium" zu singen: Das Gute und das Schöne sollte in eine Welt gesetzt werden, die eine so andere Sprache sprach.

Vielleicht geht es bei der Gottrede um nicht mehr und nicht weniger: das Gute und Schöne, das Wahre und Lebendigmachende aufzeigen trotz allem und es praktisch werden lassen, konkret, wahrnehmbar, wirksam für alle. Dass dies größer ist als wir selbst, dass dies über uns hinausreicht und auch von woanders her kommt, mag zumindest Anstoß sein, weiter zu fragen, ob da noch mehr ist, Anderes, Besseres, Lebendigeres für alle, und die Hoffnung zu wagen, dass da Einer ist, und dass dieser Eine das ganz Gute ist, auf das wir unterwegs sind. Eine solche Gottrede darf nicht beruhigt werden und sie lässt sich auch nicht beruhigen.

Literatur

- Bruners, Wilhelm, Gottes hauchdünnes Schweigen. Auf seine Stimme hören, Würzburg 2019.
- Englert, Rudolf/Hennecke, Elisabeth/Kämmerling, Markus, Innenansichten des Religionsunterrichts. Fallbeispiele – Analysen – Konsequenzen, München 2014.
- Gensicke, Thomas, Wertorientierungen, Befinden und Problembewältigung, in: Shell Deutschland Holding (Hg.), Jugend 2010. Eine pragmatische Generation behauptet sich (= 16. Shell-Jugendstudie), Frankfurt a. M. 2010, 187-242.
- Habermas, Jürgen, Glauben und Wissen. Friedenspreis des Deutschen Buchhandels, Frankfurt a. M. 2001.
- -, Nachmetaphysisches Denken. Philosophische Aufsätze, Frankfurt a. M. 1988.
- -, Zwischen Naturalismus und Religion. Philosophische Aufsätze, Frankfurt a. M. 2005.
- Kaube, Jürgen, Religionsunterricht – zwischen Biographiebegleitung und Glückskeks-Wahrheiten, in: FAZ vom 08. Januar 2019.
- Lauridsen, Morten, O magnum mysterium für Doppelchor, 1995 by Southern Music Publishing.

---

16   Shining Night.

- Ruhstorfer, Karlheinz, Befreiung des Katholischen. An der Schwelle zu globaler Identität, Freiburg i. Br./Basel/Wien 2019.
- Schambeck, Mirjam, „I Like These Lessons Because They Are More Personal". Mystagogical learning – An Approach to Open Religious Education for (Religious) Experiences, in: Riegel, Ulrich/Leven, Eva-Maria/Fleming, Daniel (Eds.), Religious Experience and Experiencing Religion in Religious Education, Münster/New York 2018, 209-223.
- -, Hilfe! Muss ich dauernd von Gott reden? Warum es lohnt, Positionalität im Religionsunterricht weiter zu fassen. Auch ein Beitrag zur Debatte um den bekenntnisorientierten und religionskundlichen Religionsunterricht, in: Verburg, Winfried (Hg.), Welche Positionierung braucht religiöse Bildung?, München 2017, 26-45.
- -, Was Relilehrer/-innen können müssen: Religionsbezogene Korrelationskompetenz als Profilmerkmal professioneller (Handlungs-)Kompetenz von Religionslehrkräften – eine Konzeptualisierung in den Spuren der COACTIV-Studie, in: Theo-Web. Zeitschrift für Religionspädagogik 17 (2018) H. 1, 129-145.
- Schweitzer, Friedrich/Wissner, Golde/Bohner, Annette u. a., Jugend – Glaube – Religion. Eine Repräsentativstudie zu Jugendlichen im Religions- und Ethikunterricht, Münster/New York 2018.
- Stillwater, Michael, Shining Night. A Portrait of Composer Morten Lauridsen. A man, an island, and music that moves the world, o. O. 2012.
- Taylor, Charles, Ein säkulares Zeitalter, Frankfurt a. M. 2009.
- Weirer, Wolfgang, Kulturkampf im Klassenzimmer? (Religiöse) Fundamentalismen als Herausforderungen für eine ökumenische Religionsdidaktik, in: Schambeck, Mirjam/Simojoki, Henrik/Stogiannidis, Athanasios (Hg.), Auf dem Weg zu einer ökumenischen Religionsdidaktik. Grundlegungen im europäischen Kontext, Freiburg i. Br./Basel/Wien 2019 i. E.
- Wendel, Saskia, Gott – Prinzip und Person zugleich. Eine prozesstheologisch inspirierte Verteidigung des Theismus, in: Ruhstorfer, Karheinz (Hg.), Das Ewige im Fluss der Zeit. Der Gott, den wir brauchen (= QD 280), Freiburg i. Br./Basel/Wien 2016, 94-109
- -, Theismus nach Kopernikus. Über die Frage, wie Gott in seiner Einmaligkeit zugleich Prinzip des Alls sein kann, in: Knop, Julia/Lerch, Magnus/Claret, Bernd J. (Hg.), Die Wahrheit ist Person. Brennpunkte einer christologisch gewendeten Dogmatik, Regensburg 2015, 17-46.
- -, Vortrag auf dem 15. Arbeitsforum am 04.04.2019: Gott oder göttlicher Grund? Kritik personaler Gottesbilder als Herausforderung für den RU.
- -, Shining Night. A portrait of Composer Morten Lauridsen, Regisseure: Michael Stillwater, Doris Laesser Stillwater, hänssler classic 2014.

VERZEICHNIS DER HERAUSGEBER*INNEN UND AUTOR*INNEN

Herausgeber*innen

Mirjam Schambeck sf, geb. 1966, Dr. theol. habil., Professorin für Religionspädagogik und Didaktik des Religionsunterrichts an der Katholisch-Theologischen Fakultät der Albert-Ludwigs-Universität Freiburg i. Br. Forschungsschwerpunkte: Interreligiöses Lernen, die Gottesfrage in der Postmoderne kommunizieren, Biblisches Lernen, das Verhältnis von Religion und Bildung, Zukunftsfragen des Religionsunterrichts.

Winfried Verburg, geb.1958, Dr. theol., Leiter der Abteilung Schule & Hochschule im Bischöflichen Generalvikariat des Bistums Osnabrück und Vorstand der Schulstiftung im Bistum Osnabrück. Arbeitsschwerpunkte: Weiterentwicklung des konfessionell-kooperativen Religionsunterrichts, Schulpastoral angesichts weltanschaulicher Pluralität in Schulen, interreligiöses Lernen an katholischen Schulen.

Autor*innen

Annette M. Boeckler, geb. 1966, Dr. theol., Rabbinerin i.A., Fachleiterin Judentum am Zürcher Institut für interreligiösen Dialog. Dozentin an der Universität Fribourg/CH Lehrauftrag „Rabbinisches Judentum", Forschungsschwerpunkte: Jüdische Liturgie, Deutsch-liberales Judentum, jüdische Bibelauslegung.

Matthias Gronover, geb. 1973, PD Dr. theol. habil. ist Studiendirektor und leitet stellvertretend das Katholische Institut für berufsorientierte Religionspädagogik in Tübingen. Er forscht zum Religionsunterricht an berufsbildenden Schulen (Konfessionalität, religiöse Heterogenität, religionsdidaktische Praxis) und zu Grundsatzfragen religiöser Bildung.

Johannes Heger, geb. 1983, Dr. theol., Wissenschaftlicher Assistent am Lehrstuhl für Religionspädagogik an der Theologischen Fakultät der Albert-Ludwigs-Universität Freiburg i. Br. Forschungsschwerpunkte: Wissenschaftstheorie der Religionspädagogik, Eschatologiedidaktik, Kulturhermeneutische Erkundungen in religionsdidaktischer Absicht.

Ahmad Milad Karimi, geb. 1979, Prof. Dr., Professor für Kalām, Islamische Philosophie und Mystik und Stellvertretender Leiter des Zentrums für Islamische Theologie an der Westfälischen Wilhelms-Universität, Münster. U. a. Herausgeber des falsafa. Jahrbuch für islamische Religionsphilosophie. 2015 erhielt er für sein Werk Hingabe den Rumi-Preis für Islamische Studien. 2019 erhielt er den Voltaire-Preis für „Toleranz, Völkerverständigung und Respekt vor Differenz" der Universität Potsdam.

Ulrich Kropač, geb. 1960, Dr. theol. habil., Professor für Didaktik der Religionslehre, für Katechetik und Religionspädagogik an der Theologischen Fakultät der Katholischen Universität Eichstätt-Ingolstadt. Forschungsschwerpunkte: Bibeldidaktik am Lernort Schule, religiöse Bildung in der staatlichen Schule postmoderner Gesellschaften, Naturwissenschaft und Theologie: wissenschaftstheoretische und religionspädagogische Perspektiven, religiöse Bildung im Zeichen wachsender Konfessionslosigkeit.

Jutta Nowak, geb. 1960, Dr. theol., Professorin für Religionspädagogik an der Katholischen Hochschule Freiburg i. Br. Forschungsschwerpunkte: Grundfragen des Religionsunterrichts, Interkulturelles und interreligiöses Lernen.

Viera Pirker, geb. 1977, Dr. theol., Universitätsassistentin (post-doc) an der Katholisch-Theologischen Fakultät, Institut für Praktische Theologie, Fachbereich Religionspädagogik und Katechetik der Universität Wien. Forschungs- und Arbeitsschwerpunkte: Religiöses Lernen in mediatisierter Lebenswelt, Religiositätskonstruktionen auf Instagram, Migration und Religion, Didaktik der Passion, ästhetisches Lernen, Leistungsbeurteilung, Identitätsbegleitung und Subjektorientierung in Religionspädagogik und Pastoral.

Paul Platzbecker, geb. 1966, Dr. theol. habil., Privatdozent für Katholische Religionspädagogik an der Ruhr-Universität Bochum. Leiter des Instituts für Lehrerfortbildung in Essen-Werden. Arbeitsschwerpunkte: Zukunftsfähige Religionspädagogik in der Pluralität, interkonfessionelles und interreligiöses Lernen, Konzeption und Implementation des konfessionell-kooperativen Religionsunterrichts, kritischer Dialog zwischen systematischer und praktischer Theologie, Bildungstheoretische Grundsatzfragen, Curriculare Eigenprägung an Katholischen Schulen.

Oliver Reis, geb. 1971, Dr. theol., Professor für Katholische Religionspädagogik/ Schwerpunkt Inklusion an der Universität Paderborn. Forschungsschwerpunkte: Inklusive Didaktik, religiöse Sprachentwicklung, Profilierung Katholischer Schulen.

Karlheinz Ruhstorfer, geb. 1963, Dr. theol. habil., Professor für Dogmatik an der Katholisch-Theologischen Fakultät der Universität Freiburg. Forschungsschwerpunkte: Theologische Prinzipienlehre, Theologie der Geschichte, Religion und Kultur, religiöse Gegenwartsfragen.

Thomas Schärtl, geb. 1969, Dr. theol. habil., Professor für Philosophische Grundfragen der Theologie an der Universität Regensburg. Forschungsschwerpunkte: Philosophische Theologie, Religionsphilosophie, Gottesfrage, Metaphysik, Erkenntnistheorie.

Alicia-Marie Speuser, geb. 1997, Master of Education für das Lehramt Grundschule.

Margit Wasmaier-Sailer, geb. 1975, Dr. phil., theol. habil., Privatdozentin an der Katholisch-Theologischen Fakultät der Westfälischen Wilhelms-Universität Münster. Forschungsschwerpunkte: Theorien religiöser Erfahrung, Wandel von Gottesbildern, Verhältnis von Moral und Religion, Begründung der Menschenrechte.

Wolfgang Weirer, geb. 1963, Dr. theol. habil., Außerordentlicher Professor für Religionspädagogik und Fachdidaktik Religion an der Katholisch-Theologischen Fakultät der Universität Graz. Forschungsschwerpunkte: Begründungsfragen des konfessionellen Religionsunterrichts, Bibeldidaktik, interreligiöse Bildung.

Knut Wenzel, geb. 1962, Dr. theol., Professor für Dogmatik/Fundamentaltheologie am Fachbereich Katholische Theologie der Goethe Universität Frankfurt. Forschungsschwerpunkte: Theologische Ästhetik, Theologische Anthropologie, Theologische Hermeneutik, Religion und Popkultur.

Matthias Werner, geb. 1988, Akademischer Rat a. Z. am Lehrstuhl für Didaktik des katholischen Religionsunterrichtes und Religionspädagogik der Katholisch-Theologischen Fakultät der Universität Augsburg.